周憲文編

臺灣文獻叢刊序跋彙錄

中華書局印行

序

十四年頭，匆匆過去。

十四年來，臺灣銀行經濟研究室共計印行臺灣文獻叢刊二九三種五六五冊，凡八〇、〇〇〇餘面，四、八一〇萬字。這一叢刊，眞正是我「一手造成」，備極艱辛。現在，我瞬將退休，同人決定拿這十四年來我們所寫的弁言及後記集印，定名爲「臺灣文獻叢刊序（指弁言）跋（指後記）彙錄」，藉留紀念，囑置一言；雅意拳拳，旣感且愧！

首先，我得說明兩點。

第一：我不想在此向人訴苦。因在這一動亂的時代，這一叢刊居然能够出版，且能延續到今天而接近完成的階段，則任何困難，都已有代價；我祇有感佩各方的支持與寬容，絕對不應再歎苦經。

第二：我不想在此自我表揚。因爲一切功績（假使是有功績的話），都應歸諸臺灣銀行當局以及可以管到這一工作的有關人士；如果他們堅持不可，我有何力使它出版。至於本叢刊在中國文化史上、特別是在臺灣文化史上的價值如何？這當留待社會人士的公斷。如其果爲「浪費公帑」（這是本叢刊經常所受的責難），則我個人應負完全責任，絕不推諉。不過，有一點不妨指明：像本叢刊這樣以一省區爲範圍的出版物（本叢刊原嚴格以臺灣爲範圍，後來因爲臺灣的歷史與南明不可分割，所以逐漸擴及南明史料），而且繼續出版至如此之久，如此之多，這不論在中國、在世界(更毋論在臺灣)，都是很難得的。

歷史的研究，是件極難的工作。沒有史料，固然無從下手；沒有正確的史觀（正確的觀點與方法），則史料愈富，謊言愈多，有不如無。要是外人或後人以爲我們出版這一叢刊，原有什麼週詳的計劃，凡有正確史觀的人，都會了解這是不符事實的。本叢刊出版的最初動機，祇因曹永和先生在拙著「清代臺灣經濟史」上引自舊籍的文字恐有錯誤，替我做了一番「復按」的工作，因而使我想起這些舊籍不無重刊的必要；如此而已。因此，我們原是「出一本算一本」；假使事前知道要出至三百餘種，說實在的，那就一本都無法出版。因我絕不敢想像這樣的計劃，而這樣的計劃也絕不會得到通過。

說到本叢刊的弁言，我們有一原則，即凡原書已有序文者，非有必要，不再寫作。同時，弁言（或後記）的寫作者，也不就是原書的整理者。

因爲本叢刊的出版，原無週詳的計劃，故其缺點是不少的。至於標點之不無錯誤、印刷之不如人意（參看臺灣研究叢刊第九十六種「二十年來之臺灣銀行經濟研究室出版物」，其中還有吳幅員先生對本叢刊的詳細報導），猶其餘事。

凡是我們能够收集的臺灣文獻，可說大體都已整理出版，今後我們所能收集的，可能不會太多。但是，不說大陸與海外，即在臺灣，據我所知，其實還有不少資料；例如某機構，就有大批明清檔案，我們曾經多次接洽，初則以尚未開箱，繼則以恐怕散失，未允抄錄；這不是我們所能收集的。還有更奇特（其實很平常）的作風；我們知道某機關持有這些資料，商請抄錄，被以『我們就要出版』婉拒；但是，多少年來，未見印行。總而言之，「私字當頭」。但我希望公開資料的風氣及早形成，這與學術進步的前途大有關係。

本叢刊『屢瀕於危』，要是沒有楊亮功先生的一再大力挽回，『起死回生』，何來今日？爲公爲私，我都得在此深致謝忱。

周憲文於惜餘書室。

臺灣文獻叢刊序跋彙錄

目錄

臺灣割據志卷頭語

周憲文

這本川口長孺著「臺灣割據志」，是「臺灣文獻叢刊」的第一種。

現在，似有兩個問題需要交代。(一)為什麼出「臺灣文獻叢刊」？(二)為什麼以「臺灣割據志」為第一種？

先答第一問題。我在拙著「清代臺灣經濟史」的自序裏已經說過：研究歷史，一要有史料，二要有史觀；前者賴有公開資料的風氣，後者得憑個人獨特的修養。我們十多年來的工作方針，嚴格說來，就在儘量發掘並提供有關臺灣經濟的研究資料。因為有了充份的史料，社會上自然會有高明之士，運用其正確的史觀，深入研究，有所造就。我們願意為多數的學人服務，而絕不關心到小我（私人或機關）的成績。說明白些，我們固亦從事個別的研究，但願與大家在同樣的資料基礎上進行。我們堅信，個人的能力畢竟有限，資料的公開是學術進步的前提條件。由於這一信念，所以我們決定於原有的「臺灣特產叢刊」與「臺灣研究叢刊」以外，印行「臺灣文獻叢刊」，拿清代有關臺灣的私人著述（特別是未經印行的抄本）彙編問世。這一工作，對於臺灣研究者，毫無疑義，有其必要。

再答第二問題。自然，這既非由於本書是日本學人的漢文著作，也非由於這本著作有何特殊價値。這完全是偶然的。我們計劃中最先排印的，原是夏琳的「海紀輯要」；書存某研究機關。由於該機關主持人雖許抄錄，不准翻印；要印，就得用該機關的名義；這在我們的職責上，實在難以辦到；所以臨時將這「臺灣割據志」改排（已在「臺灣銀行季刊」第九卷第一期文獻欄刊出）先出。「海紀輯要」，早已抄好；出版問題，尙在洽商。我們希望能有圓滿的結果，因爲古書原無版權（版權的作用，據我的了解，也在獎勵出版，不在阻礙出版），而我們的出書，更是百分之百的服務性質（補記：於此，足見我們文化界，是有如何蠻橫自私的作風）。

接着，對於這本「臺灣割據志」的內容，應該有點介紹。本書不分卷，先述臺灣的風土及先住民的習俗，次述明季漳、泉人之通販於臺灣；再次，自明熹宗天啓元年辛酉（一六二一），迄淸世宗雍正元年癸卯（一七二三），有關臺灣之事，靡不編年記載。故本書雖稱「臺灣割據志」，實爲鄭氏三世之詳紀。書中所用資料，皆經註明出處。資料之彼此不同者，並作考異式之自註附於正文之下。按本書原係日本秘閣所藏抄本，書首有「秘閣圖書之章」及「日本政府圖書」印各一，書末又有「內閣文庫」印並朱文「文政壬午」四字。查日本文政壬午，當淸道光二年（一八二二），則是書之入藏，距今已百有三十餘年。茲據再抄本謄錄，爲之標點分段，然後付印。惟再抄本錯誤殊多，凡校正四百餘字；間有知其譌舛而未能校正者，附問號以存疑。

其次，談談翻印這類舊書的方式問題。有人主張：用照相影印，既省費，又省時，而且可以全無錯誤。但我不是這樣想法。我想，除了書畫之類供人欣賞的作品以外，凡是給人研究、參考或閱讀的書籍，應以「便利」爲第一條件。而此所謂「便利」，又當是客觀的。例如：像吾輩五十以上的人，看舊文字，也許用不到新式標點的幫助（可能也有反認新式標點爲累贅的），但是這種主觀的認識，不能否認新式標點的「便利作用」。我們出書，要以年輕的一代爲標準——現在的年輕人以及未來的年輕人。我們要爲他們着想，並爲他們謀便利。我們應該爲他們的便利而放棄自已的便利。這因現在的五十以上的人是有限的，未來的年輕人是無窮的。由於這一理由，我們寧願標點排印。

再次，還有一點可以一提。有人主張：「這類書，印刷當圖講究，印數務須減少；每種限印三百部，已經足够」。不論印刷與內容，都得以「世界水準」爲努力的目標，這是不錯的。但在現狀之下，能够「世界水準」的著作，實在很少。我以爲當前的急務，與其多花錢僅求印刷趕上「世界水準」，不如節省一點費用多印幾本比較有用的書。所以本叢刊的用紙，祇在「宜於保存」的立場，改用道林紙（過去的出版物都用白報紙）而已。

至於印數，暫定千冊；理由仍爲我們的出版物是「給一般人研究、參考或閱讀用的」，並非供少數藏書家賞玩的，所以我們不想以少印居奇。

我們讀歐洲經濟史，知道中世基爾特（guild）的形成及其影響。中國的手工業具有深長的歷史，故以手工業爲基礎的基爾特精神，亦曾深入每一角落，而且歷久不衰。但是，近世的產業革命，在歐洲已將基爾特澈底摧毀。至在中國，則因機械工業尚未成型，以致基爾特的餘音嫋嫋，原不足奇。但這是「落後」，這是「障礙」。如何實踐先哲遺言「迎頭趕上」、「天下爲公」，現代知識份子的責任，似乎尤爲重大。

周憲文於臺北惜餘書室。

臺灣鄭氏紀事後記

周憲文

對於古書的重刊，多年以來，有一流行的風氣，就是歡喜做考據式的長序。這一風氣，本來不壞；但如附會時尚，勉強成篇，那實大可不必。我們印行「文獻叢刊」的方針，凡原書已有序文者，在原則上，不擬多所贅述。這本「臺灣鄭氏紀事」，本來已有林衡的序文，現在還要再寫「後記」的原因，則因「臺灣鄭氏紀事」與「臺灣割據志」都是川口長孺的著作，兩者的異同及其關係如何，林序未嘗提及，故有「加以一言」的必要。

按本書所述，起自日本慶長十七年壬子（一六一二年、明萬曆四〇年）鄭芝龍初謁日本幕府，迄於元祿十三年庚辰（一七〇〇年、清康熙三九年）清帝詔令鄭成功父子歸葬南安；凡記八十九年間鄭氏四世之事。原書未載刊刻歲月，但從序跋之俱作於日本文政戊子（一八二八年、清道光八年），可知此書之殺青付梓當在一二〇餘年前。至於本書與「臺灣割據志」的異同：同者兩書皆用編年體，皆註明資料之出處，又皆附以考異式之自註；異者則「割據志」以我國紀元爲主、下附日本紀元，「鄭氏紀事」改以日本紀元爲主、下附我國紀元。此外，如「割據志」述及臺灣風土與先住民習俗，又述及康熙末年朱一貴之亂；而本書皆未見。再，「割據志」敍事蕪雜之處，本書亦多去繁就簡。至若朱之瑜（舜水）事蹟，「割據志」未詳載而本書則增益之。因此，我們推測：「割據志」當爲「鄭氏紀事」之底稿，亦卽「鄭氏紀事」乃就「割據志」加以增損而成者也。

再則，原書錯字、脫字頗多，均經對照「割據志」詳爲校正添補，未及一一註明；間有未能校正添補者，則附「?」或「□」以存疑。

周憲文於臺北惜餘書室。

閩海紀要弁言

周憲文

這本「閩海紀要」是根據連雅堂氏的「臺灣詩薈」本標點排印的。在臺灣文化三百年紀念會出版的「臺灣史料集成」裏，載有「臺南連雅堂氏藏」之「海紀輯要」的「寫眞」。但是，一經比照，這一「寫眞」的「海紀輯要」，與中央研究院歷史語言研究所的「海紀輯要」抄本大有出入，而與「臺灣詩薈」本的「閩海紀要」卻全相同。因此，很可懷疑，本書原名「海紀輯要」，「閩海紀要」四字係由連氏改題的。至於兩書內容之所以不同，或許一爲初稿、一爲改正稿；這有待於專家的考證了。茲錄「臺灣詩薈」本的連氏原序於下，以供參考；但其中並無「改題」之言。

『余居承天，延平郡王之東都也。緬懷忠義，冀鼓英風；憑弔山河，慨然隕淚。洎長讀書，旁及志乘，而記載延平，辭多誣衊，余甚恨之。弱冠以來，發誓述作，遂成「臺灣通史」三十六卷；尊延平於本紀，稱曰「建國」。所以存正朔於滄溟、振天聲於大漢也。筆削之間，搜求故籍，其載延平者，則有黃宗羲氏之「賜姓始末」、鄭亦鄒氏之「鄭成功傳」、江日昇氏之「臺灣外記」、鷺門夢菴氏之「海上見聞錄」，皆實錄也。今乃復得「閩海紀要」，讀之狂喜；以爲漢族不湮，此書其必顯矣。書爲泉南夏元斌先生撰，而陳鐵香太史所藏者。起隆武元年，訖永曆三十七年；凡鄭氏三世之事，編年繫月，巨細靡遺；而尊崇延平，義如綱目，是正史也；且足補吾通史之缺。因繕副本，付之梓人。而延平之精忠大義、東都之締造經營、謀臣猛將耆舊名流之功勳文采，炳炳琅琅，並傳天壤，豈非一大快事哉？東寧滅後二百四十有二年歲次甲子冬至日，臺南連橫序於大遯山房』。

因爲本書原由連氏「傳繕印行」，所以錯字、脫字特多。茲經吳幅員兄參考「海紀輯要」及其他有關著作，悉心校勘。凡屬舛誤之處，則逕予改正；凡涉疑義之處，或於改正之後再用（）註明原文，或於原文之下用〔〕註明疑是或疑漏之文，亦有附？號以存疑者；其有衍文而予刪去者，亦經註明。如此，總計凡九十餘處之多，非易事也。

周憲文於臺北惜餘書室。

東征集後記

周憲文

這祇能說是由於興趣的關係，對於「文獻叢刊」的每一本書，至少我都通讀過三遍以上；有時，甚而至於整日伏案校對。在我前此所校讀過的「文獻叢刊」中間，這本藍鼎元著的「東征集」可說是我最爲欣賞的。因此，不惜「畫蛇添足」來寫這篇「後記」。

按「東征集」一書，是淸康熙六十年臺灣朱一貴事變時藍鼎元從統帥藍廷珍運籌帷幄時所著；書中的言論見解，與其說是藍廷珍的，毋寧視爲藍鼎元的。因此，我的「後記」，有些地方，亦卽視藍鼎元作藍廷珍。

我欣賞「東征集」並非因爲這本書在「文獻」上有何特殊價值，這是歷史或考據方面的事情。我是佩服二百三十餘年前著者識見的遠大，使二百三十餘年後的讀者看來，猶有親切之感。至其文字的曉暢明達，絕無斗方名士舞文弄墨的積習，猶其餘事。王者輔謂：『古人原未嘗有意爲文，說理談事如家常告語，其胸中有惻隱羞惡，眞性情流露行墨間，則爲至文。今人雕肝琢腎，句造字鍾，有藻繪而無義理，有浮華而無神氣……』；藍著則『詞不尙浮夸，而論切乎人情物理』。乃屬至論。

以下試按原書次序，就其內容擇要一言我的「讀後感」。

(一)朱一貴事變一經發生，著者聞變上書滿制府，主張『當即命將出師，星夜進討』，毋俟『奏報請旨』；同時又請制府『疾驅南下，駐劄廈門』，督師籌餉。且謂『棨戟一臨』，『羣疑自息』；『願執事假某水陸萬軍、舳艫三四百艘，請乘長風破千里浪，爲執事一鼓平之』。成竹在胸，氣象萬千；『七日平臺』，豈偶然哉！制府原令『統兵向南路打狗港攻入臺灣』，他則『以爲宜聚兵中路，直攻鹿耳門』；又他一到臺灣，未得施提軍之許可，即已『大書文告』，『止殲巨魁數人，餘反側皆令自新，勿有所問』。凡此，在軍事行動上，其人如無相當的見識與擔當，都是不易做到的。

(二)一言其料事的正確。其「檄外委守備陳章撫擒逸賊」謂：陳福壽、劉國基、薛菊等『大抵在九姜、阿猴林左右，不然則在大崑麓以下，極遠不過郎嬌』；『遣諜踪跡，無不得者』。『果在郎嬌招撫劉國基、薛菊，又在觀音山招撫陳福壽，不出兩月，先後俱到』。其「檄南路營進兵阿猴林」謂：『接訪事差弁密報，阿猴林有賊數百人，在彼豎旗作孽，係僞國公江國論爲首』；但他認爲『安所得數百人而附之』？『當日發兵勦捕，果無見賊，止是繫旗林木中，而江國論……遁回北路，亦即就撫』。諸如此類，隨處可見，未遑枚舉。最可稱道的，是「料三林逸賊逃歸內地請移廣省擒捕」一事。蓋有『內山餘孽，從三林港焚汛奪舟，逸入於海』；『經遣水師弁兵飛駕哨船分南北二洋追捕，杳無踪跡。茲聞其逃入內地，在青水溝刼坐商船，至銅山洋面又奪坐小漁舟，舍商船去』。他乃斷定『銅洋換舟，賊不在遠；其歸宿必於潮界，大抵於樟林、東隴、鴻溝、澄海之間棄舟登岸，決然而無疑者』。故『請移檄廣東督撫會潮州鎮道府縣密行各鄉社查緝』；而果『於各家臥榻內逐一繫來』，計『獲劉國華、邱阿路等五十七人』。『此等心思，豈人所及。古稱料敵如神，不是過也』。

(三) 一言其處事的精細。其「檄下加冬李守戎」文，謂『閱諸羅令申文』，『據鄉保長廖督等稟稱：賊廬五間，內積米糧百餘石，……傳令焚燒』；進而追問：『所稱賊廬五間，是否新造？抑係久居於此？每廬深廣幾丈尺？能容人衆幾何？鍋竈幾何？碗箸食飲之具可供幾人？廬中糧食實在屯積多少？是粟是米？果否一盡焚燒？抑或兵丁鄉壯尚有取攜而去？……』乃着『逐一開明備細，據實報知』。蓋欲『因此以卜賊人多寡出沒之數』，非於部屬有所苛求也。再如「檄淡水謝守戎」文，囑該弁羅致『能通番語』之大雞籠社夥長許畧等四人，『待以優禮，資其行李餱糧之具，俾往山後探探，有無匪類屯藏巖阿，窮極幽遐，周遊遍歷』；『更選能繪畫者與之偕行，凡所經歷山川疆境』，一一爲之圖誌。『自淡水出門，十里至某處，二十里至某處，水陸程途，詳紀圖上，至蛤仔難接卑南覓而止。百里、千里，無得間斷，某處、某社、某山、某番，平原曠野，山窩窟穴，悉皆寫其情狀，註其名色。使臺灣後山千里幅員，一齊收入畫圖中，披覽之下，瞭如身歷』。『重賞酬勳』，『無所吝焉』。由上二事，足見其他。

（四）一言其負責與敢言。其「復制軍論築城書」，制軍命令築城『但住官兵，不用議及民居』，他則復稱：『設兵原以衛民，……似未可但護兵丁，而置其餘於度外』；『雖不能多及民居，亦當合文武衙署、倉庫、監房包裹在內，乃可戰可守，可以言城』。他「與制軍再論築城書」，說得更加透澈：『夫設兵本以衛民，兵在城內，民在城外，彼蚩蚩者不知居重馭輕之意，謂出力築城衞兵，而置室家婦子於外，以當蹂躪，……論理宜包羅民居爲是』。『憲諭以挖濠之土，不灰不磚，而成五尺厚、二丈高之牆』；他則認爲如此『萬萬不能牢固』。又憲諭『內外兩重植立，以沙土實其中，復用厚板蓋頂；他則認爲：如此『所需之木，何啻山積，雖暫時亦堪守禦，而歷久終歸朽蠹』，惟有『沙灰土三合築牆之寨，此則可行』。他說『不爲則已，爲則必要於固』，『不可苟且塗飾』。又說：『權宜而用土木，偸安止在目前，勞民傷財，不能經久』。他像這樣頂撞制軍的話，每每有之；尤可注意的，是「復制軍遷民劃界書」。『憲檄臺鳳諸三縣山中居民，盡行驅逐，房屋盡行拆毀，各山口俱用巨木塞斷，不許一人出入。山外以十里爲界，凡附山十里內民家，俱令遷移他處；田地俱置荒蕪。自北路起、至南路止，築土牆高五、六尺，深挖濠塹，永爲定界。越界者以盜賊論。如此則奸民無竄頓之處，而野番不能出爲害矣』。此一「憲諭」，眞是『食肉者流』想入非非的『天方夜譚』；他乃『層層剝入，步步逼緊，直令一辭莫措』，洵非易事。如果換一『但知奉命惟謹、不惜從中漁利』之人，執行起來，遺害之深，豈堪設想。其「論舊兵停餉撤回內地書」，憲檄以舊兵『二千餘名，糜餉不貲，且昔日在臺，……不能効死，靦爲賊民，宜一切革去名糧，逐回內地。見今冬餉，卽爲停止』。他竟『封還憲檄』，並請『再爲熟思』。其「論征臺壯丁停餉歸農書」，亦『淋漓暢快，足令當局者通身汗下』。其「請班師書」，居然敢請制軍『將前後密差在臺探訪弁員，悉爲撤回；一切地方事宜，惟臺道府縣是問』。他說：『彼職司民社，擔負在肩，治亂安危，事關切己，未必皆視隔膜，不如差弁之盡心。且平日讀書明理，閱歷世務，未必俱皆暗昧，不如差弁之聰明。……竊謂鷹犬止可以獵狐兎，不宜他有所用。勿論此輩把持不定，利欲薰心，所言未必皆實；卽使矢念不欺，難保其不爲人欺』。眞是慨乎言之。

總而言之，著者的見解是「高人一等」的。如時方盛議『劃界避番』，他則主張『以殺止殺，以番和番；征之使畏，撫之使順』。卽其紀遊諸篇，亦有經濟存乎其間，絕非一般消閒之作。

周憲文於惜餘書室。

靖海紀事後記

夏德儀

「靖海紀事」二卷，爲淸康熙間施琅征臺灣之奏疏。先後刋本，頃俱不可得，惟臺灣大學圖書館藏抄本一帙，前有長方朱印一，文曰「故伊能嘉矩氏蒐集」。玆卽據之謄錄，並校其譌誤（間有無法校正之處，則附？號以存疑），加以標點，列爲「臺灣文獻叢刋」之一，重印行世，以供研究臺灣史者之參考。

抄本首列富鴻基、李光地、林麟焻、曾炳、程甲化、陳遷鶴及施琅之姪施葆修序文凡七篇。次爲鄭開極所撰「平南行」、周澎所撰「平南賦」及陳遷鶴所撰之「贊」各一篇。末有蔡致遠、施世綸（琅之次子）及施奕學（琅之曾孫）所作三跋。

林序云：『客歲（康熙二十三年）册封旋里，莆先生暨士民以「平南紀詠」問序於麟焻，既序而刻之；今年春（康熙二十四年），合閩之諸先生都人士復以「平南實績」命麟焻序之』。是閩中搢紳先於康熙二十三年刋「平南紀詠」，鄭撰「平南行」、周撰「平南賦」卽爲其中之文字；更於次年刻「平南奏疏」，而富、李、林、曾、程五氏皆爲之序，蔡致遠爲之跋。又凡奏疏之後，每篇皆附八閩紳士公刋原評，惟康熙二十四年三月十三日所上「海疆底定疏」及「收用人材疏」未附公評，是二十四年刻本尚未列入此二疏也。

陳遷鶴序謂：『平園先生（琅之五子世騋）裒輯其尊人靖海將軍侯襄壯公家傳及經略海島之奏議始末，而皇上之所以寵賚元勳哀榮兼備者，編爲二卷』。施世綸跋又謂：『謹恭輯御製詩章、褒賜祭葬各鴻文及叔祖孝廉聞于公所撰傳、吾閩賢士大夫所評述前後奏疏文告並頌揚詩賦合爲「靖海紀」』。序、跋雖皆未紀年月，然從「御勑宸章及平海奏疏總錄小引」之末有「康熙四十八年己丑（一七〇九）仲夏吉旦五男世騋謹書」之文推之，知「靖海紀」二卷之裒輯刋刻蓋在是時矣。

抄本所錄施奕學跋，缺字甚多。如云：『□□□院輯「靖海紀」一編梓行於世』，不知此所謂某某院輯而梓行之「靖海紀」，是否卽上文施氏弟兄所輯所刻之二卷，抑亦後來另輯另刻之別本？又云：『□君覲□□□江右、滇南、西蜀，攜其板之任，摹印者□□剝蝕不完』，不知此所謂某君所攜之板而到處爲人摹印以致剝蝕不完者，又係何時何處所鐫之板？然奕學正病舊板之漫漶不全，遂於其「出守郢郡」時，更「取舊編校而刻之」。並「於原序原跋各酌存其二，以御製「八旗通志」所載名臣傳易族祖聞于公所撰家傳，而舊編所載鄉先生評論以及頌揚詩賦悉從删焉」。惜跋文未載年月，又不知此本刻於何時。幸抄本附錄嘉慶二年丁巳（一七九七）「重鐫靖海紀目次」一份，目中果去家傳而代以欽定名臣列傳。是施奕學所編刻者殆卽嘉慶丁巳重鐫本歟？

施葆修作「重刊靖海紀事序」謂：『歲甲戌（同治十三年、一八七四），日本駕樓船到臺灣，聲言尋生番宿怨，實欲窺伺臺地』。又謂：『是歲余在都，蒙總理各國事務衙門諸公延問臺灣情形並及先侯事蹟，余以「靖海紀事」對，始歸而謀重鐫，公諸同好』。此序作於光緒元年乙亥（一七八五），則重刊「靖海紀事」蓋成於是年也。

綜上所述，此書至少似有五種刊本：

一、爲康熙二十三年閩紳所刋之「平南紀詠」；

二、爲康熙二十四年閩紳公刋之「平南奏議」；

三、爲康熙四十八年施世綸、世驃兄弟裒輯刋刻之「靖海紀」；

四、爲嘉慶二年施奕學重編重刋之「靖海紀」；

五、爲光緒元年施葆修重刋之「靖海紀事」。

而伊能氏蒐集之抄本，殆集諸本之全，以其中既存原序、原跋，又有後來之序跋；既列家傳，又附錄「八旗通志」之名臣列傳，而御勑宸章、閩紳原評及頌揚詩賦之類亦皆有之。惟施葆修序謂陳惕園先生文集中有「受降辯誣」一則，並以付之手民；而抄本中無此文，不知何故？姑識於此，以待查考。

校閱既畢，書此後記。

治臺必告錄弁言

周憲文

這本近四十萬言的丁日健「治臺必告錄」，原書現藏臺灣大學圖書館，係淸同治丁卯(六年、卽一八六七年)鐫梓。全書分爲八卷，前五卷（一～五）是著者編輯別人的文字，後三卷(六～八)才是著者自己的言論。因此，前一部分必然會與別的「文獻叢刊」形成重複（例如卷一「鹿洲文集」三十二篇與卷二「東溟文集」十二篇及「東槎紀略」三篇，與「文獻叢刊」第一二種的藍鼎元「東征集」及第七種的姚瑩「東槎紀略」，顯多雷同）。對於這一問題，我們經過愼重的考慮，仍予全部刊出。理由是丁日健的「治臺必告錄」爲一重要文獻，自成體系，我們不宜任意割裂；而且重複部分，也有互相參照的價値。此外，還有一點，也得交代。卽標點分段，見仁見智；同一文字，各人的看法不同，標點分段亦自不同。我們爲了尊重各人的看法，不作硬性的統一。

原書的目錄，本來是每卷獨立的。我們分裝四冊，乃於每冊的卷首列一目錄；同時，又在第一冊的卷首加一總目，以利檢索。

這本列爲「文獻叢刊」第一七種的「治臺必告錄」，它的出版反在同叢刊第五四種「臺灣教育碑記」之後，時間顯有延擱。這原因，並不全在本書的篇幅較多（在已出版的「文獻叢刊」中，以本書的篇幅爲最多），而在原書有少數字被蟲咬了，經我們就南港中央研究院歷史語言研究所的藏書校補的，所以頗費時間。但是，也有好處。本書卷八最後兩文，卽「修造臺澎提學道署初記」及「修造臺澎提學道署再記」，是由歷史語言研究所的藏書錄刋的（查兩書都是同治丁卯春鐫、知足知止園藏梓，但「史語所」藏本多出上述兩文）。

臺灣志略弁言

夏德儀

「臺灣志略」二卷，淸李元春著。元春字時齋，陝西朝邑人。

卷一首述地志，凡臺灣之建置沿革、方位分野、山川道里、島嶼港灣與夫風信潮流、晴雨燠寒，莫不逐條論列，詳述靡遺。次風俗，所記至簡。又次物產，則分穀貨蔬果、藥石竹木、花草禽獸、魚介昆蟲諸端。又次勝蹟，則載赤嵌樓、赤嵌城、荷蘭井、五妃墓、天后宮以及其他園亭、別館、廟宇、樸林之類。末原事，雜記林道乾、顏思齊、紅毛番暨鄭氏先後據臺之事。此卷一之內容也。

卷二首述軍政，凡鎮標、水師、城守諸營之編制，弁兵、馬匹、戰船、礮臺之確數，以及衙署之所在、汛塘之分佈、船政之變更、番屯之設置，皆有扼要之記載。次兵燹，列舉康熙三十五年吳球之亂、六十年朱一貴之亂、乾隆三十五年黃教之亂、五十一年林爽文之亂及嘉慶十年至十一年海上蔡牽兩次之侵臺。又次戎略，凡記姚啓聖、施琅、吳英、朱天貴、覺羅滿保、施世驃、藍廷珍及福康安等人先後對臺用兵之事蹟。末叢談，掇拾遺聞逸事十餘則。此卷二之內容也。

本書大都取材於郡縣舊志及前人著作。其引用書名之見於正文或註字中者，除舊志外，有「海東札記」、「島上附傳」、「赤嵌筆談」、「稗海紀游」、「僞鄭逸事」及「臺海使槎錄」等書。

本書收入朝邑劉振清（字金亭）彙梓之「青照堂叢書」。茲卽據此叢書本迻寫標點，並校其譌誤而重刋之，列爲「臺灣文獻叢刋」之一。點校旣畢，爰略述其梗概，弁於卷首。

臺陽筆記後記

夏德儀

「臺陽筆記」，不分卷，翟灝撰。灝字笠山，山東淄川人。從其文中所記歲月，知其於清乾隆辛丑（四十六年）三月筮仕閩南，癸丑（五十八年）春奉檄調臺，嘉慶乙丑（十年）解組歸里，在臺凡十三年。「臺陽筆記」卽撰於此時期中。

全書僅有短文十四篇及五言絕句八首，外附「閩海聞見錄」十四則；而序、跋、題詞幾及正文三分之二。序跋之撰寫，最遲者在嘉慶癸酉（十八年）；是本書之刋刻不得早於是年也。

臺灣省立臺北圖書館藏「臺陽筆記」抄本一册，係日本大正十五年（民國十五年）依原刋本謄寫。首頁書名之右上有「蒲笠山人著」五字，左下有「停雲館藏板」五字，未載刋刻年月。茲卽據館藏抄本謄錄，加以標點，校正譌誤，然後付印。

巡臺退思錄弁言

夏德儀

「巡臺退思錄」是劉璈分巡臺灣時各項公牘的彙錄，共計一百十四篇（每篇依次編號，凡一百十四號；以下引用原文，只記號數，不錄篇名）。其中只有「開山撫番條陳」作於同治十三年秋；因爲年代較早，所以列爲全書的第一篇；其實不是他巡臺任內的文字。除此以外，其餘一百十三篇，都是他做臺灣道臺任內的文稿。這些文件所載的年月，始於光緒七年九月，迄於光諸十年八月，計共三年。據連雅堂「臺灣通史」劉璈傳，璈爲劉銘傳所劾，奉旨革職、查辦、定罪，係在光緒十一年夏間。然則自光緒十年秋到次年夏，還有半年多的案卷沒有編入「退思錄」。

這部「退思錄」都是原始的文件，其在史料上的價值自然不是任何轉手的敍述所可比擬的。就這些資料的內容來說，有關於「開山撫番」的，有關於「匪亂械鬬」的，有關於「稅釐煤務」的，有關於「軍事海防」的，還有關於文教和外交的。爲時雖只三年，然而我們從這些資料上却可以窺見臺灣在建省之前的一切情況。

現在且把從這部書裏看到的若干事實和若干意見，擇要加以敍述，藉供讀者的參考。

先說「開山撫番」之事。臺灣自康熙二十二年（一六八三）收入清代版圖，到光緒七年（一八八一）劉璈蒞臺，已有二百年之久了。墾撫事宜，如果認眞經營，而且辦理得法，何至山後尚爲棄地？何至仍視「生番」爲化外之民，非中國政教所能及？過去所以全無實效可言，劉璈說得很清楚。他說：

『前之侈談開、撫者，耗費何止百萬？亦因漫無章法，徒事敷衍，卒至有名無實，利少害多，可爲殷鑒』（八〇）！

『甲戌瑯璚之役，倭人藉名征番，意在侵地。經沈文肅恪遵朝命，創「開山撫番」之舉，爲抽薪止沸之謀；弭患已萌，具有深意。適以繼起無人，辦理又不得法。名曰「開山」，不過鳥道一線，防不勝防，且有旋開旋塞者。至今地多曠土，兵民無所憑依。名曰「撫番」，不過招番領賞。濫賞何益？且有旋賞旋叛者。至今殺人如故，番民格格不入。以致「開撫」踵事虛糜，有名無實』（三三）。

劉璈不僅洞燭以往的錯誤，還有極正確的「開山撫番」理論。他說：

『欲墾番地，必先開路；欲開路必先撫番，此一定之步驟。斷未有不先撫番而能開路、墾地，使番民日久相安。亦未有徒恃兵勇、民勇強紮番地，刑驅勢迫，而可撫番者。非番不受撫，而撫之不得其人則甚難；誠得其人、得其法，該番未有不受其撫者。番既受撫，斯路可得開、地可得墾，民與番皆得有利無害矣。然所謂受撫者，非徒如濫使通事混招各社番衆，突來領取紅藍布疋、酒食而去，遂謂之已撫也』（八〇）。

他又不僅有理論，而且有具體的辦法。我們一讀他在同治十三年秋所作的「開山撫番條陳」，便知他對臺灣的墾撫事宜早就成竹在胸。只可惜當時沒有照他的辦法施行，以致迄無實效。他在分巡臺灣任內，當然注意此事。他對屬員們的指示，都非常高明。他說：

『內山地方，鴻濛初闢，在山番衆，猶有結繩之風。敎之者第一先通語言，次則日用淺近文字。然語言不通，文字亦無用處。向來敎之者不從實事着想，聚深山之野人，與之講道論德。在官方謂化民成俗，在番不過如誦佛氏伽那，有何益處？無怪番社頭人視學童就學爲苦境。應將各舊學一概裁改，以順番情』（八二）。

他主張『另選精通工藝之人，敎以工作暨淺近語言文字』。至於工藝的傳習，他說得更具體。他說：

『今敎番童，祇有雇匠敎工。……卽伐木、解板等事，若無敎習專其事，通事、社丁未必視爲正事。……惟就學話番童，每日學話一句之後，儘其閒空，敎以手藝，免至飽食暖衣，養成遊惰。拜跪虛文，番社無用，卽令學作解板、編籐、耕種等等粗工，有何不可』（七九）？

他乾脆的以對番童講論道德爲無益，而令其先學土話與官話，次及日用淺近文字；又以跪拜虛文爲無用，不如教以手藝，使具謀生的技能，這是何等切實的見解！

劉璈雖以「開山撫番」爲治臺第一要着，同時他對此事也很用心思，擬有具體的方案。然在當時那種因循沓洩的風氣之下，地方當局渾無遠謀，竟將「開撫」之事奏請停辦了。在劉璈看來，這是十分可惜的。他說：

『議者以臺灣自辦「開山撫番」，十餘年來，傷人逾萬，糜餉數百萬，迄無成效，以致奏請停辦，意在節流。乃不推究於辦理非人，又非其法。徒謂「開撫」無益有害，遂竟上停辦之議，亦未免因噎廢食，未知臺事底細耳』。

『抑知事在人爲，如果得人，不特山前已開地方可望整理；卽山後山中似闢非闢、未闢各區，墾務、礦務、材木、水利等項皆利源所賴。開辦得法，則農工番漁皆足寓兵，亦皆可籌餉。始費雖鉅，不十年間定可次第收回。其十年外之利賴，正自無窮，所謂始事難者終必易也』（一〇五）。

「開山撫番」之事，過去經營既鮮實效，於是影響到臺灣的治安。所以自康熙二十二年平臺以後的二百年間，臺灣所發生的大小亂事，幾乎不勝枚舉。致亂之由，固然很多；而「開撫」工作之因循無成，也是一大原因。劉璈說：

『匪之得以漏網稽誅者，無非恃內山番社為淵藪。聚則為賊，散則為民。迭次擾害閭閻，類皆猝然麕至，莫從抵禦。比營縣聞報往捕，兵少則明目張膽，逞兇抗拒；兵多則竄伏山巖，不知所之』（三八）。

從他的這一段敍述，便可證明「開撫」和「匪亂」的關係之大了。

次說臺北的煤務。自同治三年（一八六四）太平天國滅亡到光緒二十年（一八九四）中日甲午戰爭發生，這三十年間，我們通常稱之為自強運動的時代。自強運動也叫做洋務運動。所謂洋務，就是模仿西法，尤其着重於鎗礮輪船的製造。煤是推動機器的原動力，所以用新式方法來開採煤礦也屬於洋務的範圍，臺灣官營的煤礦就是在這洋務運動的潮流裏舉辦的事業之一。

臺北煤局是光緒元年奏請開設的，但在劉璈就任臺灣道之前，却已弄得賠累不堪而亟待整頓了。劉璈於光緒八年二月着手整頓。「退思錄」中所收關於整頓煤務的公牘和議論，計有二十三件之多。從這些文件裏，我們可以看出其時臺北煤務的情況之壞，真是達於極點。

劉璈查核煤局上年十二月分的報冊，發現該局「隨處虛耗，任意報銷」。在他呈報查核結果的文件中舉出左列許多確鑿的事實：

『官炭化總、總炭化粉，此情理中事也（按當時煤炭出井，大塊的占十分之四，稱官炭；中塊的占十分之三，稱總炭；細碎的亦占十分之三，稱粉炭）。今冊內官炭既耗，總炭不加；總炭既耗，粉炭不加；而粉炭且轉有失耗。究不知耗歸何處？八斗（地名）以總炭一萬九千八百五十餘石起解，基隆祇收一萬六千五百五十餘石。十餘里間，少去三千三百餘石，已屬不解。而八斗以粉炭九千零一十石起解，基隆僅收粉炭三千四百三十石。竟少去五千五百八十石！基隆收發之時又各有失耗，大較又去一成之譜。既減成色，復失斤重，一轉移間，一月之內，耗至八千餘石之多。揆之於理，殊欠圓通。又工匠人等，聽燒官煤月至數千百石；洋人三名，月燒官煤九千斤；路旁三燈，月燒官煤四萬斤。其間不應濫支之處，不可勝數。此煤斤濫耗之情形也』。

『至其銀錢數目，挖煤工價，浮於所收之煤至三千四百餘石。車運之價，亦難實按。既有雜作之工，而雜作仍開報銷；既有包估之工，而匠工仍開月餉。掛名冒號，重臺疊閣，不可勝數。如傳話家人，每日工價洋一元，小建二十九日開支至三十二元。……通事之外，更有通事；醫生之外，復設醫生。……勇走信，又給脚錢；馬數匹，夫至十一名。此外無有名色可安之人，又復不少。種種糜費，悉難枚舉』（九）。

像這樣的濫耗煤斤和浮支銀錢，實在駭人聽聞。管理方面既如此腐敗，臺北煤務焉得不「有絀無盈」，而成「臺灣一漏卮」呢？雖經劉璈擬訂條規，認眞查核，甚至屢次懲辦舞弊人員，終究是積重難返，似乎很少進步。到光緒九年四月，便打算換人去接辦礦務，此後也就不見有關煤務的文件了。

辦理不得其人，以致濫耗浮支，固然是造成臺北煤務敗壞的原因；而銷路之不暢，更爲臺北煤務的致命傷。關於臺煤因銷路不暢而致囤積折耗的情形，劉璈有一篇「國折論」（二三）說得很詳細。臺煤何以滯銷呢？他在「籌銷論」（二四）中說出「地與商」的兩大原因。同時他還在這篇文章裏主張用「包商」制度來作爲唯一的籌銷方法。其實他所指出的兩個滯銷原因並不是眞正的原因，他所主張的籌銷方法也不是徹底的方法。

按同、光時期所辦的洋務，在上海有江南製造局，在福建有馬江船政局，在天津有機器製造局。這都是中國海防的初步建設。煤礦之開採也是應海防之需要而必辦的事業。當光緒七年開平礦務局成立的時候，李鴻章就曾說道：『從此中國兵商輪船及機器各局用煤，不致遠購於外洋。一旦有事，庶不致爲外人所把握，亦可免利源外洩。富強之基，此爲嚆矢』。劉璈也曾追述臺灣開採煤礦的緣故。他說：

『夫臺北開煤，以中國海隅舊無大礦，駛船造器，動向外洋購煤，外人屯貨居奇，獨持利柄；且又覬覦基隆之煤，欲以中國所產還取中國之利。……故議以爲中國之煤，中國自行開採，供中國輪船之用』（二二）。

從李、劉二人的說法，可見煤礦與海防的關係之切。開平礦務局的設立，目的在於供應北洋方面的用煤。南洋方面的用煤，自然有賴於臺灣的供應了。若以年產百數十萬石的臺煤來供應江南、馬江二局以及兵商輪船之用，決不會供過於求。可是事實上臺煤『除船政局搭銷少許，各輪船銷亦無多』（二〇）。又據劉璈的調查，日本、英、美各國的煤銷於上海、香港各口的凡數十倍於臺煤。單以上海一口而言，光緒七年就銷英煤一萬八千噸、日煤四萬八千噸，臺煤却只銷了八千噸。那麼當初倡議開採臺煤，既然在於供給中國駛船造器之用，免得動向外人購煤，何以在開辦之初，不作通盤籌劃，規定各洋務單位之間的聯繫呢？假如臺北煤礦自始就和江南、馬江二局以及其他如招商局之類的機構取得聯繫，則根本不致發生所謂「地與商」的滯銷原因，更不會囤積折耗而陷於絕境了。足見無計劃的經營是臺北煤務失敗的主因。

再次說到海防。中國在鴉片戰爭和英法聯軍之役相繼失敗之後，漸漸知道海防的重要。同治十三年（一八七四）日軍侵犯臺灣，清廷一面令船政大臣沈葆楨督師入臺，一面由總理衙門和日本交涉，形勢十分緊張。事情了結之後，中國鑒於日本野心的可怕，不但加緊籌辦海防，同時還重視臺灣的防務。

經過七、八年的經營，臺灣的防務究竟是怎樣的情形呢？茲就「退思錄」中看到的事項作一概括的敍述。

(一)格林礮隊：這個礮隊，係因臺灣籌辦海防，買了格林克鹿卜（亦作格林克虜）洋礮二十四尊和里明東後膛洋鎗一百二十九桿，挑選一百六十餘名勇丁操練，所以稱做「格林礮隊」。礮隊雖已操練有年，但在劉璈到任後加以檢閱，却發現『該隊兵勇係由各營湊合成隊，革補、差操，事權不一』（四四）。而『賭博、洋煙，視無忌憚。教習徒自裝礮，令人開放，度數的要，秘不示人。兵勇習成疲玩，出入自由』（四六）。於是他在光緒七年十月請將礮隊撤散，仍歸原營，並將各礮分配，責令傳習。『庶前此所費巨款，不致概付流水』（四四）。那知過了一年半，再據劉璈考核這些礮兵歸營以後的情形，仍然是腐敗不堪。他說：

『察其煙癖，則十有八九，試以礮藝，能開放者尚無一二。而詰其開放度數，則仍屬茫然，餘並不能開放。是名為久練，實同虛糜』（四六）！可是光緒九年，因越南多事，閩督何璟奉到密諭籌防，遂又飭令臺灣鎮、道復設格林礮隊。

（二）海口礮臺：計有安平、旗後、滬尾、基隆、澎湖五處。安平三鯤身海口於同治十三年奏建洋式礮臺，配置十八噸安蒙士唐洋礮五尊，四十磅、二十磅小礮各四尊，里明東後膛洋鎗一百餘桿。原選輪船礮勇一百四十四名充當頭目、礮手，並募洋教習教練操演。光緒六年六月，洋教習病故，便以礮術精熟的頭目充當教習。光緒八年九月，劉璈加以整頓，計有管帶、幫帶、教習、頭目、礮手共九十八員名，月支銀八百七十九兩二錢。旗後口南北兩岸分築礮臺各一座，購置安蒙士唐六噸半大礮四尊、四噸半大礮二尊。原有官兵一百二十七名，光緒八年九月，經劉璈重加釐定，計有管帶、哨弁、頭目、礮手共一百零九員名，月支銀六百八十兩。至於滬尾、基隆和澎湖三處海口設防的實況，「退思錄」中雖未敍述，但其規模決不大於安平、旗後。因為安平、旗後兩口密邇臺灣府城，而道府餉庫與軍裝、子藥、支應等局皆在城內，實為全臺根本，所以這兩口的防務在當時是認為比較重要的。

臺、澎五口雖已設置礮臺，但在光緒九年因法、越構兵而諭令南北洋加強防務的時候，却仍感到臺灣海防的困難。因爲『臺灣孤懸海外，四傍無依。西並澎湖，周圍約三千餘里，無險可扼，隨處皆可登岸。設有外侮，斷非專設礮臺於安平、旗後、滬尾、基隆、澎湖數海口所能扼守』（四七）。

(三)彈藥：臺灣的軍隊，既有一部分使用新式武器，則鎗礮彈藥的補充自然是值得研究的問題。光緒九年十月，劉璈曾向閩省督、撫建議設立「子藥局」，他的理由是：

『郡城軍裝局所存鎗礮藥彈，爲數本屬不少；乃一經點查，如後膛鎗子，則年久變壞者有之，不合膛不能移用者有之。初買之時，配子有限，用之易盡。如愛惜其子，不發操演，或所發太少，軍營操之不熟，雖有利器，置於無用。廣發勤操，子藥立盡，有鎗無子，與無鎗同。至後膛大礮，子藥尤貴，品類各殊，配購極爲不易。海上無事，猶可取資外洋；防務稍緊，勢必遠莫能濟』（五二）。

當時閩浙總督也認爲他的提議『極爲有見，但恐購辦置造須時，倉卒有事，不能應手。然猶七年之病，求三年之艾，終屬有益』。但終究因爲舉辦無人，費用太大，不得已而思其次，在這年年底改議先設「火藥廠」以供前膛鎗礮之用。他說：

『遇有戰爭，卽後膛鎗礮子藥偶缺，猶有前膛者勉可相助。雖非甚利，終勝白戰』（五三）。

至於火藥廠究竟辦了沒有，「退思錄」中却再未說起。

(四)水雷：劉璈認爲除礮臺之外，『海口防具，以水雷爲要需』，而『臺灣軍裝局向無存儲』。因此，他在光緒九年十一月詳請閩督咨商兩廣總督及南北洋大臣分別撥給各式水雷若干件以資應用。結果兩江總督的回文說：『江蘇所存水雷無多，礙難照撥』；兩廣總督的回文說：『魚雷以德國所製之燐銅雷爲最，非中國所能製造，粵省無從代製，請赴德國訂購』（九四）。等到出使德國大臣將水雷的售價和訂購辦法查明函覆，已經是光緒十年二月了。卽使電購，也要幾個月後才能運到。後來究竟買了沒有，未見下文。

(五)輪船：臺灣原已奉派輪船四隻。北路「琛航」、「永保」兩船經常爲船局運煤兼供差遣，南路「萬年清」亦改差輪，僅「伏波」仍係兵船。劉璈認爲臺灣防務，非藉得力輪船、戰艦，緩急難恃。所以在光緒十年正月迫切的向閩省督、撫及南北洋大臣分別請求將「萬年清」輪船與派在浙江寧波的「超武」兵船對換。又請調派原在兩江的「開濟」快船移駐澎湖。又請酌撥「蚊子船」（亦稱「水礮臺」）數隻分防臺、澎。這年三月間先後奉到閩督及南北洋大臣的批示。閩督何璟批道：

『該道請將「萬年清」與「超武」對換一節，浙省勢不能允，應作罷議。「

開濟」一船，早經函商左侯相，移駐澎湖；答以奏留江防，未便更易。省防僅「揚武」兵輪一號、蚊船二號，前厦門請撥蚊船，尚無以應。該道請撥水礮臺一節，姑候咨商南洋大臣』。南洋大臣左宗棠批道：

『臺防緊要，所需兵輪佈置，係屬實情。「開濟」快船，已派駐紮江陰，聽候長江提督李軍門操練調遣，照護白茆沙、崇明、寶山一帶，以重江海之防，卽不佞誓決死戰之處，何能調撥臺、澎？另請調蚊子船一節，江南僅有該船數隻，何能撥赴臺防？且閩省海防本由督、撫分內主辦之事，該道何能越界仰求江南代爲借籌？殊非情理，斷難准行』！

北洋大臣李鴻章批道：

『蚊子礮船本屬守口利器，惟北洋僅購數隻；現飭巡防各要口，不敷分布，無可移撥』（一〇一）。

結果劉璈不僅碰了左侯相的釘子，所有要求還是一無着落。從這個實例看來，我們知道當時所辦的海防並沒有通盤的籌劃。

(六)營務：這裏只說臺灣營務的積弊。臺營之弊，莫過於洋煙與虛冒兩端。關於洋煙，劉璈說：

『臺灣營務之壞，以洋煙爲最。兵勇最忌疲弱，煙癖實爲疲弱之尤。故整頓營規，必自除洋煙始。欲除兵勇之洋煙，又必自該管之營哨官始。倘營哨官先有煙癖，何能約束兵勇？官弁兵勇習成疲弱，何論精壯？更何論營規』（四六）？劉璈到任後接管的道標各營，『老弱洋煙越居其半，雖屢飭從新汰補，而有恃無恐之游勇所在皆是，仍不免此革彼招，積重難返，法無可施』（四七）。因此，他主張到內地去招募楚勇，以補各營已汰老弱洋煙的缺額。

關於虛冒，劉璈認爲欲杜弊端，必先頒定各營領餉冊式：

『今查臺防各營冊報，第有花名，並無籍貫、年貌、家屬、保人、箕斗及餉項起止月日；遇有出入事故，無憑稽考。亟應按照楚軍章程，刊定名餉冊式，頒發各營。卽令各營官按照冊式，將所部現存弁勇籍貫、父母、兄弟、妻子、保人姓名、年貌、箕斗及入伍日期、存餉數目截至本年（光緒七年）十月止，按名塡註。限文到十日內備造兩分，一分存營，一分具送全臺支應局存案，作爲底冊。以後遇有逃亡汰補，應卽隨時報由局員照底冊分別塡註核銷。其底冊卽令各營按年淸造一次，以歸簡明；並按名刊發淸餉票一紙，由各營官分給各該勇丁收執，限離營日繳銷，以杜冒頂尅扣等弊』（六四）。

他又擬定各營弁勇應存月餉章程，規定各營弁兵每月酌留餉銀數目，遇有假汰弁勇，送郡點驗，於配船內渡登岸時按名發給存餉（六五）。他堅持「存餉點驗」辦法的理由是：

『向來臺營不講營規，各勇一得現銀，俱以嫖、賭、洋煙爲事，任意花銷，莫能禁止；其弊一。當勇數年，一經假革出營，即成空手，無資回籍，因而流落，爲乞、爲匪，無所不至；其弊二。各營月領全餉，不全給勇，營官私挪虧空，一經撤營，勇餉不能淸給，動輒鼓譟；其弊三。營官領得現款，販賣洋煙百貨，押勒銷售，盤剝勇丁，尅扣殆盡；其弊四。虛冒勇缺，無從稽查，餉是勇非，有名無實；其弊五。勇無存餉，無所顧戀，任意爲非，甘犯紀律，設應懲辦，即便潛逃；其弊六。各勇能積現銀寄家者，百無一二；若有餘積，非勾引爲奸，即被竊借騙，終歸烏有；其弊七。當勇濫花濫借，積欠無還，終以一逃了之，甘當游勇；或隨別營，私開賭場、煙館；或此逃彼招，冒名應點，無害不有；其弊八。有此八弊，無論何人，無從整頓，惟有存餉驗給一道，尙能挽救前弊，十除七八』（六七）。

他的辦法本是楚軍舊章，行之多年而皆有利無害的。但此法『止便於公，不便於私；止利於謹守營規之官弁勇丁，斷不利於貪墨疲玩之統領營哨。在謹守者求之不得，而貪墨者忌妬必深。妬則讒，讒則變亂阻撓，無所不至』（六六）。以致連何制府都起了「法立弊生」的懷疑。所以這個「存餉點驗」的辦法，只在道統各營辦理，未能施行於全臺。

最後說到外交。在劉璈巡臺任內，除法軍侵犯臺灣之外，只有兩件略關外交的事情：一件是鵝鑾鼻建築燈樓，一件是旗後港開濬港口。築燈樓、開港口都和通商行船有關，所以多由海關主辦；而中國海關總稅務司及各口稅務司皆用洋人，所以成為「洋案」；既為「洋案」，故須報請督、撫咨商總署，當作外交事項辦理。

因為鵝鑾鼻左右俱係「生番」地帶，所以初議建築燈樓，劉璈的前任張道臺就認為『鵝鑾鼻難於建樓，正恐看守人等不時蹈險，以釀人命』。劉璈到任後，建築燈樓已成定案，只好本着總稅務司說『此舉有人命攸關，宜十分鄭重，清其源於先』的話來劃清彼此的責任。他說：

『……要皆扼於地險，番彪不能必保其竟無人命；如果看守人等確遵禁約，不出遊、不登山打雀、不深入番社，亦何致有平空釀命之事？萬一命出意外，原與通商無干，亦應由地方官按照中國律從嚴懲辦，彼此均不得另有違言』（三二）。

雖然這樣聲明了，還不放心，他又提出進一步「清其源」的道理：

『欲淸其源，端在用人之妥與見事之明。臺灣地險人雜，動輒逞兇滋事；肇釁甚微，賈禍最大。全賴當事者守約鎭靜，庶可銷患未萌。此中關鍵，非特總稅司遠寓京師，無能討探；卽駐臺之領事、稅司、敎堂，亦皆莫知底蘊。蓋因中外異趣，情實鮮通。領事、稅司之所親近相輔翼者，大都皆中國習賈之流。敎堂所交者，又多詭異之輩。若輩惟利是圖，鮮顧大局。欲求其見得思義、居寵思危者，百無二三。倘竟假以事權，不加深察，則彼將枝節妄生，百般蠱惑，當事者又始終深信不疑，受其愚而不悟。迨至激成事端，中外騷然，則彼猶不自省疚，強詞奪理，反與地方官民爲難。在中朝柔遠爲懷，原無不可以寬大處之；抑知朝恩愈寬，民憤愈積，積久愈烈，理有固然；津、皖、蜀、閩等案可爲前鑒』（三二）。

這一段理論是以那些如天津敎案之類的事實作背景的。他把總稅司、稅司、領事和傳敎士一例看待，證明他對近代外交的觀念模糊不清，然而這却代表當時一般人對於洋人的看法。不僅如此，他更覺得建造燈樓一案，「論其事則爲善舉，迹其心則懷叵測」。於是他又上了一個密稟，陳述他的意見。他說：

『臺地物產饒沃，久爲彼族垂涎。今彼族建樓於臺之極南，左顧山後，右盼山前，前後交通，出沒自便。總稅司謂僱民勇設汛防，皆不若用番。亦知番本嗜利，即欲以利籠絡者，無求不應。生番應，則山後盡應；山後盡應，則山前必危。彼素所垂涎者，不幾在掌握中也？彼族慊人之慨，不惜重貲建樓於此，遽議用番，又明知人命攸關，先以清源之議餂我；知其意不僅爲燈樓，無非藉防樓爲名，希圖防由彼設、番歸彼用，彼可爲所欲爲。否則，將來亦可藉命要挾』（三三）。

劉璈把建築燈樓一事竟看得這樣的嚴重。後來總署復函說：『總稅司係中國所設洋官，此次派員前往建造燈樓，係爲保護中外船隻起見，似尙別無他意』（三五）。這纔勉強解釋了劉璈的懷疑。

開濬旗後港口，早有建議，因爲總督何璟不贊成，所以延宕下來。光緒九年八月又有洋人請求開濬，並由臺南領事及旗後稅務司先後與劉璈接洽。劉璈認爲開港是有利無害的事，所以他主張由地方官廳自動開濬。他說：

『開口之利，利在無事時之商船與防海之自己兵船皆可停泊。若有戰事，敵人之兵到處皆可上岸，又不在入口不入口。……此口一開，全臺南、中各路貨物流通，內山材木可以運出。……此口開成，將來基隆港之逐漸淤淺、滬尾口之業已淤淺，均可移器前往次第開深。而後山花蓮港、成廣澳、卑南三處，能各開一口，停泊一二船，全臺之中血脈流通，軍務、吏治皆有大益。較之困守死地，首尾不相接、前後不相聯，相去奚止天淵』（七六）。可是總督何璟堅執成見，他說：『旗後港口之不可開，無非欲保天險；雖洋船出入口岸本多，然多一口究不若少一口也。況現值籌防吃緊，更應暫從緩議』（七六）。於是旗後開港之事又作罷論。

除上述二事之外，法軍侵犯臺灣倒是眞正的外交事件。先是，光緒十年三月八日有法國「樓打」兵輪駛進基隆港口，故意挑釁；幸經地方文武官員曲爲調理，未生事端。劉璈當卽報請閩省督、撫及南北洋大臣咨請總署照會法國外部及駐京公使轉飭遊弋兵艦：

> 『經過通商各口，無法商貿易者，無故可勿進口停泊。如有採辦物件必須進口，務先報由領事照會地方官，派人妥爲照料。該兵船主尤須約束兵丁、水手，不許上岸浪遊生事。至礮臺營壘，係操防重地，不在游歷之列，尤不得違禁擅入，庶幾商民安堵，中外無猜。倘彼不先照會，任意闖入生事，是彼自行無禮，則釁由彼開，我當照萬國公法，會商各國理論，以顧通商大局』（一〇六）。

法國兵輪無故進口尋端挑釁，劉璈主張向法國交涉，實爲正當辦法。可是北洋大臣李鴻章的批示却認爲『所擬呈請總理衙門登答各節，此係口角細故，不值深辯也』。這種含糊了事的態度必然引起嚴重的後果。

果然，六月十四日，法船五隻又到基隆開釁。十五日，基隆礮臺猝被轟毀。十六日，法兵四百餘人登岸，直犯二重橋營壘，經駐軍抵抗，法兵敗退(一一一)。其時中、法尚未正式宣戰，而法兵却已先犯基隆！是年七月，中國對法宣戰。八月中旬，法艦再犯基隆，基隆終於失守（一一四）。「退思錄」中所收的文件止於此時，以後的情形就不見於本書了。

以上所述，係自光緒七年九月到十年八月三年間關於臺灣開撫、煤務、海防和外交四方面的概況。因爲這些事項較爲重要，所以酌引原文，作一簡要的敍述，俾讀者先得到一個概念。餘如文教、稅釐、「匪亂」諸端，讓讀者自閱書中所收有關的資料，這裏不再瑣瑣敍述了。

連雅堂「臺灣通史」謂『璈宦臺時，著「巡臺退思」錄三卷，銘傳奏毀其版』。今國立臺灣大學及省立臺北圖書館皆有鈔本，內容完全相同。鈔本分成四冊，玆卽據鈔本膽錄，加以標點，改分三冊，藉符連氏所稱「三卷」之意。鈔本錯字很多，凡是看出來的都已校正了。鈔本篇目的排列，先以事爲類，再以年月爲序；但也有錯亂之處。現在略加移動，使其更合乎上述的原則。

海紀輯要弁言

周憲文

「海紀輯要」的原抄本，現存中央研究院歷史語言研究所。去年，我們傳抄一冊，準備作爲「臺灣文獻叢刊」第一種排印；後來，爲了取得該所的同意，所以延擱下來。去年十二月，該所來函同意，我們才開始標點、發排。其間，臺南市文獻委員會已經傳抄排印出版（見「臺南文化」第五卷第四期）。本書的校對，因原抄本不在手頭，即以「傳抄本」與「臺南本」參考爲之。姑舉兩例。（一）篇名，傳抄本僅作「海紀輯要」，「臺南本」則有「卷之一、卷二、卷三」字樣，我們改作「卷一、卷二、卷三」。（二）作者，傳抄本或作「泉南夏琳元斌甫纂」（卷一），或作「泉南夏琳元斌纂」（卷二、卷三）；「臺南本」則僅「卷一」有「泉南夏琳元斌甫撰」字樣；我們三卷統改爲「泉南夏琳元斌纂」。這樣處理，如由校勘學的眼光看來，是不甚妥當的；但是，我們現在祇能這樣做；我們但求「實質的意義」沒有錯誤。我們引爲惶惑的，是由同一抄本傳抄的兩本抄本，何以竟有如上所述的距離？這是一可注意的問題。

周憲文於臺北惜餘書室。

閩海紀略弁言

周憲文

這本「閩海紀略」的情形，與前刊「海紀輯要」（「臺灣文獻叢刊」第二二種）完全相同。它的原抄本也存在中央研究院歷史語言研究所，我們也經該所的同意以後，根據傳抄本，參考臺南市文獻委員會的傳抄排印本（簡稱「臺南本」），見「臺南文化」第五卷第四期）標點、校刊的。因此，有些話，在「海紀輯要」的弁言上已經講過的，毋庸重述。現在要說的，祇有一點；即本書原抄本並無著者姓名，「臺南本」由它的體裁與內容，書明也是泉南夏琳的著作，我們則仍照原抄本，不列著者姓名。這因我們編印「臺灣文獻叢刊」的主要目的，是在文獻的提供；我們不想做考據的工作。至少，做這工作，是另一件事。

周憲文於臺北惜餘書室。

海上見聞錄弁言

夏德儀

「海上見聞錄」二卷，舊題「鷺島道人夢菴輯」。朱希祖先生在其所作「延平王戶官楊英從征實錄序」中，謂此書爲阮旻錫撰。按「廈門志」有阮文錫傳，謂其「母沒，躬負土石與父合葬鷺門」；又謂其「師事曾櫻，傳性理學，旁及道藏、釋典、諸子百家之書，後乃逃於釋氏。可知「鷺島道人」實爲阮氏之別號。志又載阮氏著作目錄，中有「聞見錄」一書，卽此「海上見聞錄」；又有「夢庵長短句」，可證「夢庵」亦爲阮氏之別號。因此本書逕題阮旻錫撰。又按本書中凡兩見阮旻錫之名，「廈門志」作阮文錫，實爲一名之異寫，自應以「見聞錄」爲準也。

阮氏爲鄭成功之故吏，「其作史頗多直筆」，如成功殺其族兄鄭聯事，「見聞錄」直書之而不諱，以視楊英「從征實錄」之「諱而不言」、「巧而傷直」者不同。阮氏又爲峽江曾櫻之門人，故於清順治八年（明永曆五年）正月曾公之殉節並其身後之事，記述至詳，足補「明史」本傳之略也。

本書雖撰於清初，然稱成功曰「賜姓」，稱其子經曰「世藩」，稱南明諸王及臺灣鄭氏曰「海上」，稱鄭氏抗清之師曰「海兵」，絕不用「僞」、「逆」諸字樣；宜此書之在清代，終無刋本以行世也。迨民國之初，上海商務印書館始假錄金山錢氏所藏抄本，付之印刷，列爲「痛史」第十四種。茲卽據民國二年十二月再版之「痛史本」加以標點、分行，並略校其譌誤，重印以爲「臺灣文獻叢刋」之一。惟順治九年（永曆六年）十二月以後，又列五月、九月、十月之事，與全書體例不合；以無別本可以參校，未敢移易，只得姑仍其舊也。

賜姓始末弁言

吳幅員

本書主要刊載黃宗羲著「賜姓始末」及「鄭成功傳」兩篇；並將「隆武紀年」、「魯紀年」及「永曆紀年」三篇收爲附錄，以供參考。所有五文，均採自清宣統二年吳江薛鳳昌氏輯編「梨洲遺著彙刊」（上海時中書局印行）。至本書書名，則以首篇「賜姓始末」署之。

著者黃宗羲（一六一〇～一六九五），字太沖，號梨洲，世稱南雷先生；明末餘姚人。魯王監國時，以副憲從亡；入清以後，隱居講學於甬、越間。晚年，清廷屢徵不起，以教授、撰述終其世。撰述之最著者，爲「宋儒學案」、「元儒學案」、「明儒學案」等書。至其紀述有關南明史事者，則有「賜姓始末」、「海外慟哭記」、「隆武紀年」、「贛州失事記」、「紹武爭立紀」、「魯紀年」、「舟山興廢」、「日本乞師記」、「四明山寨記」、「永曆紀年」、「沙定洲紀亂」等篇；自「隆武紀年」以下九篇，並彙稱「行朝錄」（另據「紹興先正遺書」四集之四越中徐氏鑄學齋雕本「行朝錄」，「賜姓始末」亦收入其中）。黃氏以勝國遺逸，就其身所見聞記述其事，當較眞切。但黃氏本人在其「行朝錄」（徐氏雕本）自序中則云：『向在海外得交諸君子，頗欲有所論著；旋念始末未備，以俟他日。搜尋零落，荏苒三十載。義熙以後之人，各言其世；而某之所憶，亦忘失大半。鄧光薦「塡海錄」不出世，惟太史氏之言是信；此聊爾談其可已夫』！由此，亦可知欲得史事信實之不易也。

至於「梨洲遺著彙刊」所載之「鄭成功傳」，與鄭亦鄒氏著「鄭成功傳」一加比校，除鄭著末繫評論一段而黃著則付缺如以及傳中極少部分稍有出入外，殆全雷同；至可詫異！於是，因進而指出如下三事：考「梨州遺著彙刊」載全祖望「梨洲先生神道碑文」及江藩、錢林、李元度等所作黃氏三傳述及黃氏遺著書目，如「賜姓始末」、「海外慟哭記」以及「行朝錄」各篇幾一一羅列，而皆未及「鄭成功傳」；黃氏七世孫垕炳輯「黃梨洲先生年譜」中，亦未述有「鄭成功傳」之作(其他各篇均約略記其撰作期間)。據此，此傳是否爲黃氏所撰，不無疑問。此其一。按「賜姓始末」「成功入臺」及「錦(按卽鄭經)卒」與「克塽降清」三事，前一事未詳年月，後兩事「歲次」亦不無誤混；可證黃氏「搜尋零落」，仍尙「始末未備」。而「鄭成功傳」則始末均較詳盡，已足疑非同屬一人所作。又如「賜姓始末」稱清朝爲「新朝」、爲「清」；而「鄭成功傳」則稱「天朝」、「我朝」及「我」，金陵之役且有成功『僞檄四方』之句。後者措詞，殊非前朝遺臣口氣。據此，則此傳似非黃氏所撰。此其二。據上述「年譜」，黃氏卒於清康熙三十四年（一六九五年）；而「鄭成功傳」末段載「康熙三十九年（一七〇〇年）勅令鄭成功父子兩柩歸葬南安」事，距黃氏謝世已逾五年。據此，設末段所記年曆無謬，則此傳非黃氏所撰，尤屬顯然。此其三。

本書所收各文，原刋本間有脫誤；經取徐氏雕本「行朝錄」及日本浪華木孔恭世肅校本鄭著「鄭成功傳」參考，發見頗多可資相互補正之處。因而凡有顯屬譌漏者，什九經予訂補；必要處，並加註語備考，或附問號存疑。至尙須特加說明者，則有如下各項：

（一）「賜姓始末」『成功王其地四年，卒』句，「四年」二字顯係有誤；而徐氏雕本爲「辛丑」，亦謬。按「辛丑」係明永曆十五年（淸順治十八年），成功興師入臺；其卒，在翌年壬寅也。查荷蘭「遷國」在辛丑十二月間，成功卒於壬寅五月初旬；自逐荷蘭後，在成功有生之年，完全佔領其地者爲時約四閱月。故「年」應爲「月」之誤刋。又，其後「甲寅」、「戊午」兩年文，原刋爲『甲寅三月，福藩耿精忠反，稱裕民元年；招朱錦爲助。錦引舶入據漳、泉，不受耿氏節制；與耿氏戰，互相勝負』。『戊午，精忠降（按指降於淸），錦猶稱永曆二十八年』。所謂「猶稱永曆二十八年」一語列於「戊午」年下，亦屬誤刋。按「永曆二十八年」係「甲寅」，且從文義以觀，精忠於「甲寅」稱「裕民元年」，而錦「猶稱永曆二十八年」，正所以示「不受節制」之意；此兩語彼此相對，至爲明顯。玆據徐氏雕本，將「猶稱永曆二十八年」一語移列於「甲寅」年下，以符事實。

（二）鄭成功傳「十八年冬十一月」節末附註語最後句，原刊爲『或曰福州陳所閏造』。據鄭著，則爲『或曰福州陳潤所造』。一時因無其他資料可稽，仍存原刊待考。

（三）「魯紀年」卷下正文末節註語云：『後遭風溺於海；或云爲鄭成功所沈，蓋忌者誣之』。此句句首，似脫「魯王」二字。據徐氏雕本，此註則爲『後聞魯王爲鄭成功沈之海中』；未及其他。

（四）「永曆紀」年正文末節註語，徐氏雕本祇謂『鈕琇記：吳三桂縊之貴陽府。或曰：後同太子絞死雲南城。三說未知孰是』？亦未及其他。

此外，「賜姓始末」末段：『史臣曰：鄭氏不出臺灣，徒經營自爲立國之計，張司馬作詩誚之』；下有夾註云：『詩在附錄「元著先生事略」中』（本書未收「元著事略」，此註經已略去）。但徐氏雕本，所引詩句則並載入。按張司馬元著卽煌言，號蒼水；金陵敗後，因見成功東定臺灣無西意，乃爲詩刺之。惟所引只截取其中數句：曰「中原方逐鹿，何暇問虹梁」？曰「圍師原將略，墨守亦彝風」。曰「只恐幼安肥遯老，藜床皁帽亦徒然」！曰「寄語避秦島上客，衣冠黃綺總堪疑」。另據連雅堂「臺灣詩乘」，各詩俱見張蒼水「奇零草」。五言句爲蒼水「送羅子木之臺灣」詩，其一曰：「中原方逐鹿，何暇問虹梁？欲攬南溟勝，聊隨北雁翔。鷁帆天外落，蝦島水中央。應笑淸河客，輸君是望洋」。其二曰：「羽書經歲杳，猶說袞衣東。此莫非王土，胡爲用遠攻？閫師原將略，墨守亦彝風！別有芻蕘見：廻戈定犬戎」。七言句則爲「得故人書至自臺灣」詩，曰：「災洲東望伏波船，海燕啣來五色箋。聞有象芸芝朮地，愁無雁度荻蘆天。抽簪身自逋臣幸，棄杖誰應夸父憐。祇恐幼安肥遯老，藜床皁帽亦徒然」。「杞憂天墜屬誰支，九鼎如何繫一絲？鼇柱斷來新氣象，蜃樓留得漢威儀。故人尙感蹇裳夢，老馬難忘伏櫪時。寄語避秦島上客，衣冠黃綺總堪疑」。附錄原詩於上，藉窺全豹。

臺灣雜詠合刻弁言

周憲文

劉家謀的「海音詩」，吳守禮先生已經出其藏書，校註印行（由臺灣省文獻委員會出版，列爲「臺灣叢書」學藝門第二種）。我們是根據省立臺北圖書館的抄本的。這一抄本，記有「臺南連横雅堂校」字樣，是經過連氏校正並『按所詠事類重編一遍』，故與原刋本不無出入。至韋、周二序，爲抄本所缺，乃據原刋本補入。抄本間有錯字或脫字，亦據原刋本改正或補正。我們所以這樣做，不祗因爲原刋本已經印行，而且因爲這一抄本曾經連氏的校正與重編，有其可取之處。但是，有一問題，却使本書的發排，躭延了頗多時日；那就是本書的分量過少，不能成編。爲要解決這一問題，我們原想找些劉氏的著作，附錄印行。據謝枚如說：『芑川（劉氏字）好談掌故，自寧調臺之府學左齋，其詩曰「觀海集」』（見「賭棋山莊文集」）。這一詩集，當與臺灣有關，可惜無由覓得。餘如「外丁卯橋居士初稿」、「東洋小草」等，均非臺灣文獻，不能有所補充。最後，還是曹永和先生替我們解決了問題。他在臺灣大學圖書館找到了一本爲伊能嘉矩所手抄的「臺灣雜詠合刻」（後來並由省立臺北圖書館找到「合刻」的油印本，比較伊能的手抄本多出龔序及題詞），內載王凱泰、馬清樞、何澂諸人的臺灣雜詠。兩書合刋，不獨篇幅相當，內容也頗調和。因此，我們即以「臺灣雜詠合刻」之名，把「海音詩」併入刊出，作爲「臺灣文獻叢刊」之一。書將付印，特誌其經過。

周憲文於臺北惜餘書室。

臺案彙錄甲集弁言

夏德儀

「臺案彙錄甲集」是就「臺案紀事本末」改編、增輯而成的。「臺案紀事本末」是省立臺北圖書館所藏的一部抄本。這部書裏輯錄了三十幾篇關於臺灣事情的檔案。其中有若干篇是敍述同一事情的，按照年月的先後排列起來，誠然可以看出這事的本末；但也有許多篇是彼此不相關連的，每篇只述及某一時期的某一事情，並不能說明這一事情的原委。然則此書統稱「臺案紀事本末」，並不十分確當，所以我們把它改稱「臺案彙錄」。

關於臺灣的檔案，現在我們看到的已經不少了。單就國立中央研究院歷史語言研究所近年刊印的一部「明清史料戊編」而言，便將近七十萬字。我們認爲這類可貴的原始資料，很有輯錄整理的必要。所以把這部「臺案彙錄」列爲「甲集」，將來還要陸續編印乙、丙、丁、戊諸集。

抄本「臺案紀事本末」是由數人分抄的，以致目錄頁裏所列的篇目有兩篇不見於正文，又有一篇在正文裏先後兩見。而全書三卷的編次也不完全妥當。所以我們除把沒有正文的篇目和重複的正文删去之外，還把全書略加變更。

新刊的「臺案彙錄甲集」仍分三卷。

第一卷是關於臺灣屯政的檔案，計共十篇。從這十篇文件裏可以看出自乾隆五十三年（一七八八）到道光十八年（一三八八）五十年間臺灣、鳳山、嘉義、彰化四縣和淡水一廳當初如何設立番屯以及後來如何清釐整頓的情形。這十篇中間，有二篇是從「明清史料戊編」裏抄出來的。

第二卷是關於辦理所謂「匪亂」的檔案。道光十二年（一八三二），張丙、詹通等起事，臺灣府知府呂志恒和嘉義縣知縣邵用之先後被戕；尤以斗六門縣丞方振聲、守備馬步衢等員弁並家屬、幕友死難最烈。所以事後由福州將軍瑚松額和閩浙總督程祖洛渡臺查勘。他們曾查明這次事變的起因和臺灣鎮、道以下平日居官的情形；又曾為斗六門殉難員弁請予獎卹、擇地建祠；又曾查明「剿匪」出力和戰守無方的文武員弁，分別奏請獎懲。最後還由程祖洛奏上「酌籌臺灣善後事宜摺」，列舉二十條改善的辦法，目的在於杜絕亂源。這個奏摺經過大學士曹振鏞等逐條審議，大都認為可行。於是張丙滋事案纔算告一段落。抄本裏本來輯錄了六個文件，我們又從「明清史料戊編」中找出十五件來加以補充，所以關於辦理此案善後事宜的資料是相當充分的。至於張丙等如何起事、官軍如何「剿捕」，都沒有參考資料；只從「明清史料戊編」裏找到福建陸路提督馬濟勝報告續獲勝仗、生擒股首詹通的一個奏摺，和江西巡撫周之琦奏聞預備支應川兵過境、轉閩入臺的一個附片，是和當時「官軍剿匪」有關的片段資料。後來在道光十八年十二月間，臺灣鎮總兵達洪阿等帶領軍隊從嘉義縣的店仔口分三路深入內山，捉到曾充張丙旗脚的鄭七，其時正打着「山東大王」的名號想聚衆滋事。敍述此事的文件亦見於「明清史料戊編」，因爲和張丙案略有關係，所以也附在後面。第二卷的最後還有三個文件：一件是道光二十三年（一八四三）臺灣鎮、道向督、撫禀報「剿辦巨匪」洪協、楊英等情形的，一件是大學士穆彰阿等覆奏審擬郭洸侯一案供情的，一件是吏部覆奏臺灣鎮、道、府應受處分的。原來洪協、楊英等人密謀起事被捕，供辭牽連到郭洸侯；郭洸侯實未與謀，地方官却信以爲眞，到處追拏。郭洸侯就逃出臺灣，上京告狀；後來由大學士穆彰阿等訊明結案，因此前任臺灣鎮昌伊蘇、現任臺灣道熊一本和臺灣府仝卜年都受到處分。

第三卷收有二十個文件。每一件或兩件敍述一樁事情：有查報臺灣廳縣界內並無未墾地畝的，有請求豁除被水田園銀穀或緩徵被災地方正供錢糧的，有酌定叛產田園科則的，有報告風災和救濟經過的，有倡議積貯以備不虞或籌撥銀兩預存道庫以應急需的，有調整府庫劃解收支辦法和規定催徵耗羨、商稅、官莊章程的，還有臨時請撥臺鹽以濟內地缺產或因銀價昂貴而議增臺鹽售價的。總之，二十個文件，計共涉及十六樁事情，彼此並無連貫性；所以這一卷可說是雜項檔案的輯錄。此外，我們還以「紀莊大田之亂」，作爲本卷的附錄。

手抄本通常免不了有錯字，臺北圖書館的這部抄本自然也有抄寫錯誤的地方；但除錯字之外，更因蟲蝕殘損，增加整理校訂的許多困難。抄本原分六冊，其中有兩本蟲傷得十分厲害，每本的整個書口都被蠹蟲咬掉了，以致每一頁裏前半頁的末行和後半頁的首行都剩不了幾個完全的字，幾乎無法讀下來。幸而這兩本全是關於屯政的檔案；因爲公文的稟詳奏咨和批飭議覆，大都是不憚繁瑣的先錄許多原文，所以我們能藉這些重複的文字逐頁補出所有蟲傷的字句。雖然費了不少的工夫，却獲得修殘補缺的樂趣！又抄本裏原有一篇閩浙總督程祖洛奏的「酌籌臺灣善後事宜摺」，道光皇帝把這個奏摺批交軍機大臣會同該部議奏。而「明淸史料戊編」却有一篇大學士曹振鏞等的奏摺，正是奉旨核議程祖洛奏臺灣善後事宜一摺的，因此我們把曹振鏞的奏摺抄出來編入新刊本裏。可是這篇奏稿裏的錯誤太多了。「明淸史料」的編者除已校正若干字外，還有七處註明「疑誤」、「疑脫」的字樣，還加了許多黑框（□）代表殘缺的字。我們用程祖洛的奏稿來校訂，不但校正了許多錯字，還塡補了許多黑框，添上許多脫落的字，删掉許多多出來的字。總計改正、添補、刪除不下二百數十字，幾乎把原有的錯誤都掃除了。這又是何等有趣的事情！又新刊本第三卷中閩浙總督程祖洛、福建巡撫魏元烺奏「酌籌撥解臺灣道庫貯備銀兩摺」，亦見於「明清史料戊編」第二本，却又藉「史料戊編」來校正了原稿上幾個錯字。現在在新刊本中雖還留有幾個黑框一時不能塡補和一兩處疑有譌誤的字句一時不能校正，但比起原抄本和「明清史料戊編」所載曹振鏞的奏稿來，我們已經非常滿意了。

從征實錄弁言

夏德儀

「從征實錄」原爲鈔本。民國十一年，秦望山君得之於福建南安石井鄉鄭氏後裔之手。十六年，歸於李岳君。二十年，國立中央研究院歷史語言研究所假其書影印，於是此一海內孤本沈霾二百五十餘年，終得刊布於世矣。

舊鈔本前後霉爛，原有書題四字，已經脫去。影印本前，有海鹽朱希祖逷先先生所作長序。先生謂『此書體例，不以延平一生事蹟爲始末，而以楊英從征目覩爲標準』，故題此書曰「延平王戶官楊英從征實錄」。

本書首頁謂：『戶部主事楊英爲輯造先王實錄事，謹將永曆三年己丑九月陳策從王、十月初一日蒙錄用，□永曆十六年壬寅五月先王賓天□，凡所隨從戰征事實，挨年逐月，採備造報』。今觀本書雖起於永曆三年九月楊英獻策，而自十五年八月杪迄十六年四月，以英染病，約七閱月未有記載。十六年四月，病愈啓陳農務之文，今已殘缺不全，且不見四月間之他事，更未及五月之事。故知鈔本之末，必有缺頁，至可惜也！

本書撰者楊英，不知爲何地人，其事蹟亦鮮見於他書。惟據本書所載，知其自永曆三年迄十六年，凡大小征戰，幾於無役不從，實爲延平王部下經理糧餉之要人。按永曆九年春二月，延平王承制設六官。時奉詔文武職官許其便宜委用：武職許至一品，文職許設六部主事。又賜詔許其軍前所設六部主事秩比行在侍郎、都事秩比郎中。永曆二十八年十一月，鄭經設六官，以楊英爲戸官（俱見夏琳「閩海紀要」及「海紀輯要」）。英在延平王時原爲戸都事，但此書作於嗣王經時，且在英爲戸官後，故書首題曰「戸部主事楊英」，蓋在鄭氏方面言之爲戸官，在行在方面言之則爲軍前戸部主事也。

本書內容之得失，朱逷先先生論之綦詳。爰節錄其言於左：

『楊英身任戸都事，而又每逢出征，必經理糧餉，故此書之記載，特專重財政、軍事兩端，而財政之記載爲尤詳，此爲本書最精彩處，其他史書均不能如此詳盡者也。且其職司會計，只知記載之完備，不顧事端之是非，故其搜括民間之米糧與其取償損失之刼奪，在鄭氏或欲引以爲諱者，彼亦不暇計及，而爲之盡量披露，此眞所謂「實錄」者也』。

『鄭氏養兵數十萬，固全恃沿海之徵取糧餉；然非經營東西洋商業及商行，亦不能措置裕如。則通商之事，亦成功事業中最重大者，不可不記載。此書雖不甚詳，然已能識其大矣』。

『此書記載軍事，雖皆爲其從征時所目覩，頗覺詳盡；然較其記載財政，則反覺失之繁蕪而不得要領，且有漏其機要、失其眞相者。可見其對於兵事之記載，臨事既不能深知底蘊，事後又未嘗參考他書，但采集案卷及其記憶所得之表面事實而已』。『楊氏身任戶官，六官案卷調取甚易，而又從征所至，身經目覩，故其所得史料，往往極可珍秘；他家史書所求之不可得者，而楊氏「實錄」中則瓌寶山積，觸目燦然。蓋其所値者多，偶爾采獲，雖玉石不分、金沙雜糅，然而渾金璞玉，往往而在。楊氏之書，其價値全在於此而已』。

右所錄者，皆爲主要之意見。其就每一事端，參證他書而辨其是非或糾其謬誤者，分別繫於正文之後，藉供讀者參考。

本書屢記西寧王李定國與延平王遣使來往之事，並附錄二王書札多通。惟書札次序顚倒、年月錯亂，一時未易考訂。此本僅將原來誤載於永曆八年九月之定國來書移置七年五月，並將書前原文『安西藩以書來會，書云』改爲『定國書云』。其餘各札，姑仍原書之舊，未敢擅爲移動。又本書影印本於永曆九年五月之末載淸世子與成功來往書札二通，其後有雙行小注云：『此來書並回書在十月，錯寫在此』。此本已將二札移置十月之末而刪其附注。

舊鈔本因蟲蛀霉爛，殘缺至多。茲參閱本書前後文，補出不少空白之處；其難於校補者，則約計字數，以黑框代之。又鈔本間有錯字，或逕爲改正，或將改正字加括弧列於原字之下。至於避諱諸字，則於每字初見時附以說明。

本書影印本印行於二十餘年前，今已不易得。經商得中央研究院歷史語言研究所之同意，用就影印本加以標點、分段，並略補其殘缺、正其譌誤，重付排印，以便學人。

靖海紀略弁言

周憲文

這本「靖海紀略」，是一好書。我說它好，因它在資料上有其寶貴的價値。著者曹履泰是明天啓乙丑（一六二五）進士，出宰同安，計時五載。初，鄭芝龍出沒沿海，視同安如几上肉；旋就撫，奉命進剿其舊日夥伴如李魁奇、鍾斌輩。這是當年海上的一大轉變，其間自有「曲折微妙」之處，而非局外人所能知道的。所謂『用戰、用守、用間諜、用招安、用解散、用誘購』，曹氏都身歷其境，親預其事；一一說來，如數家珍。他不但說出了鄭芝龍就撫前後的情景，而且對於當時吏治的腐敗、人民的疾苦，都有確實的報導。『覩微知著』，今後鄭芝龍以及明室的結局，在本書裏已可得其明徵。像這樣一本三百數十年前的「寫實之作」，是難得看到的；所以我說它是好書。

由上可知，本書並沒有提到臺灣的事情。我們把它列為「臺灣文獻叢刊」之一編印出來，這因臺灣與鄭成功一家有其不可分割的關係，而本書則對鄭芝龍就撫前後的經歷記述甚詳。我有這樣的感覺：如果本書早已「流通市上」，則迄今有關鄭芝龍的傳記一定要充實多了。於此，益可見公開史料之有迫切的需要。

此外，要附帶說明的，是原書現藏中央研究院歷史語言研究所，我們是得該所同意傳播付印的（並經分段、標點）。遺憾的是：在付印之前未能就原書校對一遍，所以少數地方祇能出之以「存疑」。又，原書「總目」本屬「總計」性質，例如「上周際五海道書三通」、「上朱明景撫臺書十四通」之類；現據「正文」改編目錄，以便標記頁碼而利索閱。卷首原有『年友馮元颷爾弢、宋玫文玉閣』及『門人孫枝灼調玉、蔡國光士歡輯』字樣，則經略去，並爲叙明。

最後，我們還從中央研究院歷史語言研究所編印的「明淸史料戊編」找出四篇有關鄭芝龍的文獻，作爲本書的附錄，以資參考。

周憲文於臺北惜餘書室。

靖海志後記

夏德儀

「靖海志」四卷，係國立中央圖書館所藏之抄本。前三卷題「海鹽彭孫貽羿仁氏著」，後一卷題「上海李延昰辰山補編」。彭孫貽約生於明天啓、崇禎之際而卒於淸康熙間；其生卒確年，一時未能檢得。據姜亮夫「歷代名人年里碑傳總表」，李延昰字辰山，上海人，生於明崇禎元年戊辰(一六二八)，卒於淸康熙三十六年丁丑(一六九七)。

此書用編年體記鄭氏四世之事，起明熹宗天啓七年丁卯（一六二七），迄淸聖祖康熙二十二年癸亥（一六八三），凡五十七年。其自天啓七年六月迄崇禎十七年（一六四四）正月之文字，多與谷應泰「明史紀事本末」卷七十六「鄭芝龍受撫」相同；而自崇禎十七年三月迄康熙二十二年之文字，又多與阮旻錫「海上見聞錄」相同。

「靖海志」與「明史紀事本末」稍異之處，在前者敍事較詳於後者。玆舉數例，以資比較：

丁卯（天啓七年）六月條下，兩書皆追敍鄭芝龍往日行事。「紀事本末」只謂：『芝龍與其弟芝虎流入海島顏振泉黨中爲盜』。而「靖海志」則先述芝龍爲父所逐，偕弟芝虎隨海舶往日本，娶婦生子；次述歸途爲海盜刼奪而入顏振泉黨爲盜。振泉死，芝龍繼爲渠魁。此「靖海志」詳於「紀事本末」者一。

甲戌（崇禎七年）十二月熊文燦遣人招降海盜劉香老事，「紀事本末」云：『時文燦令守道洪雲蒸、巡道康承祖、參將夏之本、張一傑往諭道山招劉香老，被執』；而「靖海志」則云：『時文燦令守道洪雲蒸、巡道康承祖、參將夏之本、張一傑往潮洲海角之道山，調集猺獞蠻黎與土漢諸軍入海招降劉香老；不三日，香老詐降，兩道、兩將皆被執入海』。此「靖海志」詳於「紀事本末」者又一。

乙亥（崇禎八年）四月，兩書皆記芝龍合粵兵擊劉香老事。而「靖海志」歷述芝龍誘殺香老遣來之黨羽，並以家丁著來人衣甲，駕彼來船下海，詐云入夥，乘其不備，襲擊香老。「紀事本末」則無此一段生動之記事。此又「靖海志」之詳於「紀事本末」者也。

劉香老既敗，「紀事本末」謂：『香老勢蹙，自焚溺死，康承祖、夏之本、張一傑脫歸』；而「靖海志」謂：『香老舉火自焚，精銳皆盡；康承祖以老疾卒於海，夏之本、張一傑脫歸』。則「靖海志」不僅敍事較詳，且更確實矣。

按谷應泰「明史紀事本末」成於清順治十五年戊戌（一六五八），遠在彭孫貽撰「靖海志」之前，彭氏因得取其書之卷七十六以爲藍本略加增易。故「靖海志」中最初十八年間之文字，除上述稍異者外，其語句多與「紀事本末」相同也。

「海上見聞錄」所記之事幾全見於「靖海志」，故兩書文字多相同。然「靖海志」所記之事亦有爲「見聞錄」所無、或較「見聞錄」爲詳者，故兩書雖多相同，而又不全同也。

如「靖海志」於乙酉、丙戌（隆武元、二年，順治二、三年）間，記鄭芝龍驕恣跋扈之事實至多，而「見聞錄」皆不載。

又如丙戌九月清兵入泉州，貝勒招降芝龍；芝龍不聽諸人之諫而降清，遂中貝勒之計被挾北去。「靖海志」述此事至爲詳盡，長約七百字；「見聞錄」敍述頗簡，僅百餘字而已。

又如庚寅（永曆四年、順治七年）六月，「見聞錄」曰：『成功殺定遠侯鄭聯，并其軍；建國公鄭彩逃於南海，將佐多降』。「靖海志」記此事曰：『鄭彩、鄭聯屯廈門，與芝鵬有隙。成功用施琅之策，以米千石餉鄭聯，欲襲取之。鄭彩曰：「是毒藥也！宜全軍出避」。聯不從。聯建生祠於萬石巖，十五夜，宴轄下諸將。二鼓後，成功將至，盡收其戰艦兵卒，其將陳俸、藍衍、吳豪等皆歸成功。成功撥親隨兵守其衙。後月餘，芝鵬說成功置酒萬石巖；夜歸，伏甲於路殺之。時鄭彩以舟師百餘艘逃於廣東南海之間，成功遣人往請回島，不遇而還。其部將楊朝棟、王勝、楊權、蔡新等來見，成功以朝棟爲義武營、王勝管水師。彩飄泊數載，士卒星散，成功以書招之，遂回；後病死於島』。觀此一事敘述，則知二書之文字頗有詳略之別也。

按朱希祖先生於其所作「延平王戶官楊英從征實錄」序文中盛稱阮旻錫『作史頗多直筆』，並舉成功殺鄭聯事以爲證，謂楊英撰「實錄」『既諱聯之被殺，又諱彩之擊走，文過飾非，毫無微辭』，不若阮氏『直書之而不諱』。然此僅就「從征實錄」與「見聞錄」比較論之也，若更以「見聞錄」與「靖海志」相較，則知阮氏究爲成功之故吏，故其書中於芝龍驕橫跋扈之狀既諱而不言，於芝龍歸降於淸及成功殺其族兄鄭聯事亦言之甚略。是阮氏之作史，仍不免有所隱諱也。

己亥（永曆十三年、順治十六年）夏，鄭成功出師長江。「靖海志」於此事記述頗詳，計自六月十四日成功合張煌言諸軍至焦山、迄八月十八日回師至浙江，敍述兩閱月間作戰經過，長達三千五百字；「見聞錄」則僅千七、八百字而已。「錄」記余新之敗曰：『城中覘知余新懈怠無備，請副將梁化鳳率兵夜出，從街坊居民舍中毀墻通道而襲其營。余新被擒，蕭拱宸（辰）泅水而逃，全軍覆沒』。「志」記此事，則先之以關尙賢之亡入淸軍，報告虛實。其文曰：『二十一日，成功營將關尙賢犯令當斬，夜亡抵金川門，縋而入，盡以營中虛實告城中曰：「營中令雙日盡解甲，明日又成功生日，諸將上壽，必置酒；若欲破敵，不出此日。營中地雷、伏弩、大礮、長槍，隨鹿角以密布，無隙可入；必從中而起，出不意，始可破之」』。次乃述郎廷佐集諸將定謀，其文曰：『郎廷佐集諸將謀曰：「成功營抱三門，中央神策門自明初塞之，近三百年；鑿之出兵，直擣中堅，彼自潰矣」』。終乃記清軍之攻與余新之敗，其文曰：『昧爽，穴神策門，去其土石。梁化鳳以所部五千人爲前鋒，闞尚賢導之，升屋踰垣，直入先鋒余新營。新兵不及甲而戰，舉火焚營，火器迸發，傷一、二百人。化鳳兵大呼奮擊，營中大亂，生擒余新，蕭拱辰泅水而逃，全軍覆沒』。據此片段之記述，已足見兩書作者敍事能力之高低，又不僅詳略之別也。

餘如癸卯（康熙二年）十月、十一月，清軍並荷蘭夷船與鄭經舟師在金門、廈門之戰役；甲辰（康熙三年）二月，淸福寧總兵吳萬福及靖南王耿繼茂先後報稱擊破阮春雷、張煌言於長腰、東蚶等島，七月張煌言被逮，九月就義；以及戊午、已未（康熙十七、八年）之際，沿海遷界之事；或爲「志」有而「錄」無，或爲「志」詳而「錄」略。

考阮旻錫亦生於天啓後期，享壽八十餘，卒年應在康熙四、五十年之間。是兩書作者皆爲同時人，而成書之先後不可知。今兩書文字既多相同，則究係「靖海志」以「見聞錄」爲藍本而加以增訂歟？抑係「見聞錄」以「靖海志」爲藍本而加以刪削歟？

按阮氏爲成功故吏，故其書稱成功曰「賜姓」，稱其子經曰「世藩」。「靖海志」之作者係以清人之語氣作史，故稱清朝曰「大清」、曰「我朝」，稱清軍曰「大兵」、曰「我兵」。兩書立場，顯然有別。然「志」於壬寅（康熙元年）三月條下記陳豹之事曰：『豹短小精悍，號「三尺陳」，守南澳近二十年，許龍、蘇利皆畏之；但驕傲專恣，數違藩令』；與「錄」全同。以阮氏稱鄭成功之令曰「藩令」，理所當然；「靖海志」作者既以清人之立場作史，焉能稱成功之令爲「藩令」乎？因知「見聞錄」原出阮氏手筆，「靖海志」錄之而改語氣。如「錄」作「賜姓」，「志」則改爲「成功」；「錄」作「世藩」，「志」則改爲「鄭經」；「錄」作「時賜姓謀舉義」，「志」則改爲「時成功往南澳募兵」；「錄」作「提塘黃文自行在來，報稱有旨詔成功入援」，「志」則改爲「提塘黃文自廣至，報請成功入援」；「錄」作「賜姓以舟師進取南都」，「志」則改爲「成功入寇長江」。然獨於書陳豹一段文字中忘將「數違藩令」改爲「數違成功之令」，遂貽吾人以可辨之機也（「靖海志」於順治八年卽永曆五年辛卯正月記施琅對成功之言曰：『勤王，臣子職分；但琅昨夜一夢，似大不祥，乞藩主思之』。此爲直接記載施琅之語，故「勤王」、「藩主」不必改易，與「數違藩令」之出於作者口吻不同）。

又按「從征實錄」記辛卯春成功第一次南下勤王之經過：『正月初四日至南澳；二十七日自南澳開駕；二月至白沙湖；二十五日卯時開駕，遇颶風，幾覆正副坐船；三月初十日至大星所，先令協將萬禮截殺惠州援兵，繼於十五日攻打所城，一鼓下之』。下文接叙中左所爲清師襲破云：『是月(當是三月)，福省僞撫張學聖令泉虜馬得光(功)、漳虜王邦俊合師寇中左。……十四日，虜過中左，前衝鎭阮引、後衝鎭何德等水師不敵，而芝莞亦遁。太夫人同世藩棄其輜重，只擕祖宗神主登舟。……二十二日，定國公遣鄭德同周全斌到大星，報稱三月十四日僞部院張學聖令泉虜馬得光（功）、漳虜將王邦俊襲破中左』。「見聞錄」記成功南下勤王云：『辛卯正月，成功至南海(澳)，以蘇茂爲左先鋒代施琅。至白沙河，颶風大作。至天（大）星所，殺退思訓（惠州）援兵，攻其城下之』。文中既未記明二月至白沙河、三月至大星所，則此諸事當在正月。下文接叙清師攻陷厦門及前大學士曾櫻殉節，似此二事亦在正月。且下文又云：『三月初一日，清撫院張學聖同興泉道黃澍渡海，見島嶼孤懸，波濤環繞，驚爲絕地；卽先引回，令知縣張效齡安撫居民。初四日，馬得功行牌於各鄉居民，意欲據守』。尤足證厦門之陷在三月初一日以前。此皆與「從征實錄」不相符合。「靖海志」記成功出師勤王，謂正月至南澳；二月至白沙河，遇颶風；三月至大星所，殺退惠州援兵，攻城下之。下文接敍清兵陷廈門與曾櫻殉節，足見二事皆在三月。此與「從征實錄」相合，不似「見聞錄」所記時日之模糊。然「志」於叙此二事後，亦接述三月初一日之事，其文與上引「見聞錄」之文全同。是「靖海志」究以廈門之陷與曾公之死在三月，抑在三月初一日以前？何以前後文自相矛盾？推原其故，則又由於「靖海志」以「見聞錄」爲藍本而正其謬誤，但又未能盡正其謬，遂致自相矛盾也。

又按兩書所載月日、人名、地名，頗多參差；若以「從征實錄」校之，則「志」所載者十九與「實錄」合（參閱兩書合校記），尤足證「見聞錄」之作在前而「靖海志」則就「見聞錄」加以增訂而成者也。

綜上所述，似可判定兩書之先後矣，然仍有可疑之點在。蓋「見聞錄」敍壬戌、癸亥（康熙二十一、二年）施琅征臺之事，皆稱琅曰「施將軍」，作者口吻頗與前文不相類。尤可異者，是書於癸亥六月條下記施琅率『諸將進攻澎湖，劉國軒禦之；（清）提標藍理等深入鏖戰，海船齊出，已合圍，施將軍恐有失，急以坐駕衝入，內外合攻，敵小却，將軍遂同七船隨流而出』。此所謂「敵」者，乃指海兵而言。此段文字亦與「靖海志」大致相同。「志」稱海兵曰「敵」不足異；原爲成功故吏之阮氏而稱海兵曰「敵」，則大可異矣！豈「靖海志」之作在先而阮氏刪削其文以爲「見聞錄」歟？

按黃典權君所作「鄭成功史料專刋序」：阮氏自甲辰（康熙三年）金、厦淪陷後卽離開鄭氏抗淸陣營，故其「見聞錄」於嗣後臺灣事之記載頗多缺略。又據周凱「厦門志」引阮氏「擊筑集」自序，知其丙午（康熙五年）入都、丁未（六年）返閩，旋又入都，戊申（七年）復自燕走豫；蓋阮氏於脫離鄭氏之後，大都放浪江湖，倘佯山水間也。且據陳兪侯所作阮氏「夕陽寮集」序文，知其與施琅有舊誼。故黃君以爲「見聞錄」記淸師攻臺之資料，卽得之於施琅，故其口吻前後未能一致。果爾，則阮氏作史，殆又不免自亂其例矣！

「見聞錄」在淸代並未刋行。民初，商務印書館始自金山錢選之假得抄本，錄副付印，列爲「痛史」第十四種。「臺灣文獻叢刋」中之「海上見聞錄」卽據「痛史」本標點排印。惟其書譌誤頗多，當時以無別本可校，只得姑仍其舊。茲幸獲見中央圖書館所藏「靖海志」抄本，並承慨假錄副，標點印行。因此書與「見聞錄」之文字多同，故作「合校記」附於本書之後，以正前刋「見聞錄」之失。又「靖海志」抄本末頁殘缺數行，卽以「見聞錄」之文補之。

「靖海志」首數頁之文字多與「明史紀事本末」卷七十六「鄭芝龍受撫」一篇相同；又兪正變「癸巳類稾」中有記荷蘭人據臺灣事一則，黃宗羲「行朝錄」中有記周鶴芝、馮京第、阮美等先後通倭事一則，並列爲本書附錄，以便參閱。

附：「靖海志」及「海上見聞錄」合校記

夏德儀

記中「靖海志」簡稱曰「志」，「海上見聞錄」簡稱曰「錄」。錄之頁行數係據本叢刊第二四種刊本。

「錄」一頁一四行『吏部黃道周』，「志」作『禮部尚書黃道周』。按「明史」卷二百五十五本傳，道周在福王時『拜禮部尚書協理詹事府事』。又按「明紀」卷五十九，道周在唐王時『為吏部尚書武英殿大學士』。此處當作『禮部尚書』。

「錄」二頁六行『陳豹為忠勇伯』，「志」作『忠勇侯』。按夏琳「閩海紀要」、「海紀輯要」及楊英「從征實錄」皆作『忠勇侯』。

乙酉（順治二年、弘光元年）閏六月，唐王即位於福州，改元隆武。按「明紀」曰：『改七月以後為隆武元年』，故「志」以丙戌（順治三年）為『隆武二年』。「錄」三頁首行謂是年『海上稱隆武元年』，與「志」異。

「錄」三頁八行『將移關，守將陳秀、郭曦投降，而仙霞無一守兵矣』，「志」作『時杉關守將陳秀、陳曦投降，而仙霞關無一守兵，寂如也』。按杉關在今江西省黎川縣東七十里杉嶺上，為閩、贛往來通道。

「錄」四頁四行『乘舟遣兵攻其舟』，「志」作『乘夜遣兵攻其舟』。

「錄」四頁六行『京中命王大人、陳錦、佟國器、李率泰督兵至』，「志」作『朝中命三大人陳錦、佟國器、李率泰督兵至』。

「錄」四頁九行『以龔有楨爲縣令』，「志」作『洪有楨』。

「錄」四頁一一行『陷大昌，攻順昌、將樂』，「志」作『陷大田，攻順義、將樂』。按福建省有大田縣、無大昌縣，有順昌縣、無順義縣。

「錄」四頁一三行及一六行『布政使顧元敬』，「志」作『顧元鏡』。按「明紀」卷六十亦作『顧元鏡』。

「錄」五頁七行『招討大元帥罪臣』，「志」作『招討大將軍罪臣』。按「閩海紀要」、「海紀輯要」及川口長孺「臺灣鄭氏紀事」皆作『招討大將軍罪臣』。

「錄」五頁一一行及一三行『清提督趙國祚』，「志」作『清提督趙國佐』。按「閩海紀要」及「海紀輯要」皆作『趙國祚』，而「臺灣鄭氏紀事」及沈雲「臺灣鄭氏始末」皆作『趙國佐』。

「錄」五頁一六行『清守將廉印』，「志」作『廉郎』。按夏氏二書亦作『廉郎』。

「錄」六頁七行『平夷伯周鶴之』，「志」作『平夷侯周崔芝』。黃宗羲「行朝錄」作『平夷伯周崔芝』，而「明紀」謂『魯王在長垣封周鶴芝平夷伯』，「從征實錄」作『周崔之』。按「崔」俗借用爲「鶴」字，遂訛爲「崔」。鶴壽千年，芝爲神草，似以作「鶴芝」爲當。

「錄」六頁八行『定西伯張名振』，「志」同。按明紀謂『魯王在長垣封張名振定西侯』。

「錄」六頁八行『阮美等守舟山至沙埕』，「志」作『舟山之沙埕』。

「錄」六頁一五行『於是永曆有船使令』，「志」作『於是永曆有詔使至』。

「錄」七頁七行『清鎮守漳浦副將王起俸』，「志」亦作『王起俸』。按「臺灣鄭氏紀事」、「臺灣鄭氏始末」皆作『王起鳳』，而夏氏二書則一作『王起俸』（「海紀輯要」），一作『王起鳳』（「閩海紀要」）也。

「錄」七頁九行『雲霄港守將張國貴』，「志」與「從征實錄」（以下簡稱「實錄」）皆作『張國柱』。

「錄」七頁一一行『送軍前收用』，「志」作『送軍前効用』。

「錄」七頁一四行『三吳壩』，「志」作『三河壩』。

「錄」八頁首行『但須由南海鱟灣過達濠浦』，「志」作『但須由鱟澳過達濠浦』。按「實錄」亦有『但須假道南洋由鱟澳過達濠浦至邑』之文。

「錄」八頁一〇行『知縣常鳳』，「志」作『常翼風』。按各書皆作『常翼風』。

「錄」八頁一五行『潮州守將郝尙文』，「志」作『郝尙久』。按「實錄」作『郝尙久』。

「錄」九頁一五行『正月，成功至南海』，「志」作『南澳』。按「實錄」亦作『正月初四日，藩駕至南澳』。

「錄」九頁一五行『天星所』，「志」與「實錄」皆作『大星所』。

「錄」九頁一六行『殺退思訓援兵』，「志」作『殺退惠州援兵』。

「錄」一〇頁三行『焚燬店舍』，「志」作『廬舍』。
「錄」一〇頁五行『僧歷灣』，「志」作『曾厝灣』。
「錄」一〇頁七行『經常』，「志」作『綱常』。
「錄」一〇頁一二行『吳轂』，「志」作『吳教』。按「教」同「勃」。
「錄」一一頁一三行『三月初三日』，「志」與「實錄」皆作『初四日』。
「錄」一一頁一四行『遂移兵九江東』，「志」作『遂移兵扎江東』。
「錄」一二頁四～五行『時張名振以地方事』，「志」作『以張名振管地方事』。
「錄」一二頁八行『執施琅及忠定伯』，「志」作『執施琅交忠定伯』。
「錄」一二頁一三行『二十□日』，「志」作『二十二日』。
「錄」一三頁五行『護軍前鎮』，「志」作『護衛前鎮』。
「錄」一三頁一三行至一四頁三行所記五月、九月及十月之事與「志」全同，而列於是年十二月之後，次序顛倒；蓋鈔寫之誤也。
「錄」一四頁首行『十月初二日』，「志」作『初三日』。按「實錄」亦作『初三早』。
「錄」一四頁五行『二月，遣前軍定西侯張名振等水軍恢復浙直州縣』，「志」作『三月』。按「實錄」亦繫此事於三月。
「錄」一四頁九行『金固山扎營楓山頭』，「志」與「實錄」皆作『祖山頭』。

「錄」一四頁一〇行『錮兵守禦』，「志」作『調兵守禦』。

「錄」一四頁一一行『前鎮衛萬禮幫鎮遠寨』，「志」作『前衛鎮萬禮守鎮遠寨外』。按「實錄」作『前衛鎮萬禮幫守鎮遠寨外』。

「錄」一四頁一二行『振遠樓』，應作『鎮遠寨』。

「錄」一四頁一五行『左足』，「志」作『右足』。按「實錄」作『右腿』。

「錄」一五頁一～二行『滿兵火礮、火銃連夜不絕，直至五鼓；放火礮兵頭疊，綠旗兵二疊，滿兵塡濠攀柵而上』，「志」作『滿兵礮銃並放，連夜不絕，至五鼓，火藥盡，放空礮以向城；頭疊綠旗兵，二疊滿兵，塡濠攀山而上』。

「靖海志」於永曆七年五月敍成功破金固山於海澄事畢，下接『三月，差監督池士紳以臘丸齎帛疏由陸路詣廣，敍方典破總鎮王邦俊、小盈嶺破提督楊名高、江東橋殲總督部院陳錦、海澄敗固山金礪之功』云云。按海澄敗固山事既在五月，則三月帛疏焉得預述其事？「海上見聞錄」無「三月」二字，而「從征實錄」又繫此事於五月，益知「靖海志」『三月』二字爲衍文。又「志」與「錄」所作『池土紳』，「實錄」作『池仕紳』。

「錄」一五頁一〇行『以海澄破邊功』，「志」作『以海澄戰功』。

「靖海志」於永曆七年五月之後，又敍四月築海澄城事，與「見聞錄」文字全同，惟「錄」無『四月』二字；是「靖海志」『四月』二字疑爲衍文。然「從征實錄」則又繫此事於上年十月也。

「錄」一六頁三行『至華平貴嶼寨，入納穀』，「志」作『至華平貴嶼，寨人納穀』。

「靖海志」於永曆七年八月迄八年五月所記諸事，「見聞錄」俱缺。「靖海志」於八年九月迄十二月所記諸事與「見聞錄」大致相同，惟「見聞錄」列此諸事於七年九月迄十二月，而無永曆八年。此蓋「見聞錄」原抄本脫去一葉之故也。

「錄」一七頁四行及三九頁四行凡兩見『房星曄』，「志」則前作『房星燁』，後作『房星曄』。按「實錄」雖亦作『房星燁』，然「志」與「錄」記其弟之名皆作『房星曜』，是『房星曄』可能不誤，以「曄」、「曜」皆係從「日」也。

「錄」一八頁二行『前衝衞』，應作『前衝鎮』。

「錄」一八頁三行『丙州』，「志」作『丙洲』。按「實錄」作『洒州』。

「錄」一八頁一一行『設領兵中軍二員』，「志」作『一員』。

「錄」一八頁一四行『會諸鎮兵於漳之東門外蓮花浦合操』，「志」作『蓮花埔』。按「實錄」謂大合操於漳之『巖亭埔』。

「錄」一八頁一五～一六行『忠定伯林習山』，「志」作『忠振伯洪旭』。按「實錄」亦作『忠振伯』。

「錄」一九頁三～四行『左戎鎮』，應作『左戎旗鎮』。

「錄」一九頁四行『至斬木柵』，「至」應作「直」。

「錄」一九頁五行『忠勇侯林察』，「林察」應作「陳豹」。

「錄」一九頁六行『進添各鄉寨米』，「志」作『追派各鄉寨納餉』。

「錄」一九頁一二行『左戎鎮』，應作『左戎旗鎮』。

「錄」二〇頁首行『英毅伯』，「志」作『英義伯』。按「實錄」及他書皆作『英義伯』。

「錄」二〇頁三行『掛征□將軍印』，「志」作『掛定北將軍印』。按「實錄」及「臺灣鄭氏始末」皆作『征虜將軍』。

「錄」二〇頁六行及七行『平藩兵』，俱應作『平南兵』。

「錄」二〇頁八行『難於進兵』，「志」作『難於退兵』。

「錄」二一頁首行『弔各灣船隻』，「灣」應作「澳」。

「錄」二一頁二行『援勦左協王明銃擊沈清船一隻』，「協」應作「鎮」，『王明』下奪「以」字。

「錄」二一頁四行『黃海』，「志」作『廣海』。又「錄」『不有一隻』，「志」作『不滿十隻』。

「錄」二一頁一〇行『精尼奇呢哈番』，應作『精奇呢哈番』。

「錄」二一頁一二～一三行『濯城』，應作『海澄城』。

「錄」二三頁首行『言上』，應作『上言』。

「錄」二三頁七行『浙江定海外師』，「志」作『浙江定關水師』。

「錄」二三頁二行『滿州梅章京』，應作『滿洲梅勒章京』（以下『滿州』皆應作『滿洲』。）

「錄」二三頁七行『格商日』，「志」作『甘輝日』。

「錄」二三頁一四行『總制金張英』，「金」字衍。

「錄」二四頁首行『鎭下灣』，「志」與「實錄」皆作『鎭下澳』。

「錄」二四頁三行『向導』，應作『嚮導』。

「錄」二四頁五行『陸察常壽密啓』，「志」作『六察常壽寧密啓』。按「臺灣外紀」作『察言司常壽寧啓』。

「錄」二四頁八行『紅夷人長』，「人」應作「酋」。

「錄」二四頁九行『箭桴』，「志」與「實錄」皆作『箭柸』。

「錄」二四頁一四行『八月初二日』，「志」與「實錄」皆作『八月十二日』。

「錄」二五頁二行『李繼寧』，「志」作『宋繼寧』。按「實錄」作『宋維寧』。

「錄」二五頁二行『令監督李繼寧（宋維寧）入城招諭守將張捷出』下應有「降」字，下接二五頁一五行『前所守將劉崇賢亦降』，迄二六頁一二行『用人字牌』，以下再接二五頁二行『遮身』，刪去「遮身」二字下之「牌」字，迄二五頁一五行『後衝鎭華棟』，又刪去『華棟』二字下之「逼」字，再接二六頁一二行『病故』。此蓋原抄本頁次錯亂之故也。

「錄」二五頁七行『集南船』，「志」作『禁商船』。

「錄」二五頁一一行『爲的』，應作『爲最』。

「錄」二五頁一一～一二行『左右武衛親軍』，「志」作『武衛、虎衛親軍』。

「錄」二六頁八行『二十四日』，「志」與「實錄」皆作『二十六日』。

「錄」二六頁九行『四月初一日』，「志」與「實錄」皆作『十一月初一日』。

「錄」二六頁一〇行『左戎鎮』，應作『左戎旗鎮』。又『潮陽』，「志」與「實錄」皆作『潮揭』。

「錄」二六頁一三行『義舉』，應作『舉義』。

「錄」二七頁首行『平陽關』，「志」與「實錄」皆作『平陽縣』。

「錄」二七頁一～二行『文誠祥』，應作『艾誠祥』。

「錄」二七頁二行『十九日』，「志」與「實錄」皆作『十六日』。

「錄」二七頁一二行『將北兵皆怕風浪』，「將」應作「時」。

「錄」二八頁首行『十月初三日』，「志」與「實錄」皆作『初二日』。

「錄」二八頁二行『金門所』，「志」與「實錄」皆作『海門所』。

「錄」二八頁三行『賜姓至礬石衛』，「志」作『成功至磐石衛』。按「實錄」亦作『藩駕至磐石衛』。

「錄」二八頁五行『沙門』，「志」與「實錄」皆作『沙關』。

「錄」二八頁一五行及一六行『盤陀橋』，「志」俱作『磐石衛』。按「實錄」亦作『磐石衛』。

「錄」二九頁五～六行『賜姓督左右武衞居中、中提督居右、後提督抄瓜州之後西，陣西對隔一小港』，「志」作『督左右武衞居中、中提督居左、左提督居右、後提督抄瓜州之後，兩陣相對，隔一小港』。按「志」文與「實錄」相合。

「錄」二九頁八行『守兵不意驚駭』，「志」作『守兵不意海兵至，驚駭』。

「錄」二九頁一〇行『左提督馬信攻奪譚家大礅』，「左」應作「右」，『譚家』下奪「洲」字。

「錄」二九頁一四行『營州事』，應作『管州事』。

「錄」三〇頁六行『李鳳』，「志」與「實錄」皆作『李胤』。

「錄」三〇頁八行『外四州郡』，「志」作『外面州郡』。

「錄」三〇頁一〇～一一行『三叉河』應作『三汊河』。

「錄」三〇頁一一行及三一頁三行『蕭拱宸』，「志」與「實錄」皆作『蕭拱辰』。

「錄」三〇頁一二行『第三大橋』，「志」與「實錄」皆作『第二大橋』。

「錄」三〇頁一三行『宣毅鎮』應作『宣毅後鎮』。

「錄」三〇頁一四行『後廟』，「志」與「實錄」皆作『嶽廟山』。

「錄」三一頁首行『二十一日』，「志」與「實錄」皆作『二十二日』。

「錄」三一頁一四行『洪琅』，「志」與「實錄」皆作『洪復』。

「錄」三二頁四行『吳淞江』，「志」與「實錄」皆作『吳淞港』。

「錄」三二頁六行『王起俸』，「志」作『王起鳳』。按「志」於永曆三年三月條下作『王起俸。』又按「實錄」亦作『王起俸』。

「錄」三二頁一〇行『屯紮蓁峽、三都、興化、日照、海南地方』，「志」作『屯扎蓁嶼、三都、興化、南日沿海地方』。按「志」與「實錄」相合。

「錄」三三頁七行『四月初二日』，「志」與「實錄」皆作『四月初三日』。

「錄」三三頁八行『治崇武』，「治」應作「泊」。

「錄」三三頁一〇行『防治裂嶼尾』，「志」作『防泊裂嶼尾』。按「實錄」作『防泊莿嶼尾』，「臺灣鄭氏始末」作『笠嶼』，注云：『即列嶼，在同安東南八十里，介廈門、金門之中，周二十里』。查今地圖上稱『烈嶼』。

「錄」三四頁首行『澥保寨』，「志」作『蠏保寨』。按「實錄」作『蠏仔寨』。

「錄」三四頁二行『神武營康彥邦』，「志」作『神武營康邦彥』。按「實錄」作『仁武營康邦彥』。

「錄」三四頁三行『神武一帶』，「志」與「實錄」皆作『神前一帶』。

「錄」三四頁五行『演武臺』，「志」與「實錄」皆作『演武亭』。

「錄」三四頁七行『正戎旗鎮』，「志」與「實錄」皆作『正兵鎮』。

「錄」三四頁一三行『左方榮』，應作『方左榮』。

「錄」三四頁一四行『船火飛烈』，「志」作『船撼飛裂』，「實錄」作『𦪈面飛裂』。按字書未見「𦪈」字。

「錄」三五頁三行『出橋侍衛一二等下十餘員』，「志」作『生擒侍衛一二等蝦十餘員』。按滿洲土語稱侍衛曰「蝦」。

「錄」三五頁六行『披甲二人』，「志」作『披甲三人』。

「錄「三五頁八行『左營陳蟒』，「志」作『副將陳蟒』。按「實錄」作『右協陳蟒』。

「錄」三五頁一〇行『領協鎮劉雄』，「志」與「實錄」皆作『領旗協劉雄』。

「錄」三五頁一五行『後浦』，「志」與「實錄」皆作『後埔』。

「錄」三六頁三行『詔兵民家眷』，「詔」應作「諸」。

「錄」三七頁二行『林瑞』，「志」作『林福』。按「實錄」作『禮武鎮』，應爲『林福』。

「錄」三七頁八行『水寨港』，「志」作『水寮港』。按「實錄」作『禾寮港』。

「錄」三七頁九行『夷長貓雞實叮發礮擊盤營並舵馬廄粟倉』，「志」作『夷長貓雞實叮發礮擊營壘並焚馬廄粟倉』。按夷長名，「實錄」作『貓難實叮』。

「錄」三七頁九～一〇行『赤嵌衛』，「志」同。按「實錄」作『赤嵌街』。

「錄」三七頁一二行『赤嵌城夷長貓雞實叮以城孤救之』，「志」文相同；惟『城孤』作『孤城』，皆不可解。按「實錄」作『赤嵌城夷長猫難實叮以孤城援絕，城中乏水，欲降』。

「錄」三七頁一四行『移紮崑身』，「志」作『七鯤身』。

「錄」三八頁四行『文武各營』，「營」應作「官」；『監匱米粟』，「監」應作「兼」。

「錄」三八頁一三行『黃德』，「志」作『裴德』，『挈守』，「志」作『協守』。

「錄」三八頁一四行『黃招』，應作『黃昭』。

「錄」三九頁三行『先人』，「志」作『北人』。

「錄」三九頁四行『左提督』，「志」作『右提督』；『門館』，「志」作『門客』。

「錄」三九頁六行『陞房星曜爲道員』，「志」作『陞房星曄爲道員』。

「錄」三九頁一〇行『尹文器』，「志」作『尹大器』；『蘇克薩』，「志」作『蘇克薩哈』。

「錄」四〇頁六行『南粵』，應作『南澳』。七行『守粵』，應作『守南澳』。

「錄」四〇頁八行『慕化伯』，「志」作『慕義伯』。

「錄」四〇頁九行『兵官楊都事』，「志」作『工官楊都事』。

「錄」四〇頁一二行『依回』，「志」作『依違』。

「錄」四一頁八行『九營』，「志」作『扎營』。

「錄」四四頁一五行『河南』，應作『湖南』。

「錄」四五頁七～八行『郭惟藩』，「志」作『郭維藩』。

「錄」四五頁一一行『陳啓太』，應作『陳啓泰』。

「錄」四六頁二行『黃翌』，「志」作『黃翼』。

「錄」四六頁七行、九行、一〇行『王錫璠』，「志」皆作『王藩錫』。按「臺灣鄭氏始末」亦作『王藩錫』。

「錄」四六頁一四行『率兵三萬』，「志」作『步騎二萬』。

「錄」四七頁九行『何祐爲右虎衛』，「志」作『左虎衛』。

「錄」四七頁一四行『鹽引』，「志」作『鹽司』。

「錄」四八頁六行第一字「傳」爲衍文。

「錄」四八頁九行『或東兵入見』，「志」作『東兵入見』。又『黃翌』應作『黃翼』。

「錄」四八頁一二行『解糧』，「志」作『餘糧』。

「錄」四九頁四行『賴升』，「志」作『賴陞』。

「錄」四九頁九行『擒其將黃翌、朱貴等殺之』，「志」作『獲其將黃翼、蔡龍、朱武、張濟、戴麟、陳驥、黃琯等』與夏氏二書相同，皆無『朱貴』。

「錄」繫『耿王檄曾養性等自溫州航海入閩』事（見五〇頁七～八行）於丙辰五月，「志」繫此事於是年十月。

「錄」五〇頁八行『獲巨船數千號』，「志」作『數十艘』。

「錄」五〇頁末行『延津』，「志」作『延建』。

「錄」繫『僞周將韓大任投誠』事（見五二頁一二～一三行）於丁巳六月，「志」繫此事於是年十月。「錄」又繫『康親王遣漳泉二府知府招撫』事（見五二頁一四行）於是年六月，「志」繫此事於是年十二月。

「錄」五三頁三行『三日河』，應作『三汊河』。

「錄」五三頁五行『劉□』，「志」作『劉符』。按夏氏二書皆作『劉符』。

「錄」五三頁七行『賴哈』，「志」同。按夏氏二書皆作『賴塔』。

「錄」五三頁一一行『水頭小灣』，「志」作『水頭山灣』。按夏氏二書皆作『水頭灣』。

「錄」五三頁一五行『十八日下午』，「志」作『十八日午刻』。按夏氏二書皆作『十八日』。

「錄」五三頁一五行『爲何祐殺退』，「志」作『何祐少却』。按「閩海紀要」作『何祐小却』，「海紀輯要」作『何祐少却』。

「錄」五三頁末行『國軒夜令軍士鑿塹，每人一丈』，「志」作『一人一尺』。

「錄」五四頁三行『郎廷佐』，「志」同。按夏氏二書皆作『郎廷相』。

「錄」五四頁七行『以爲乘夜礮』，「礮」上奪「發」字。

「錄」五四頁九行『姚義』，「志」作『姚儀』。

「錄」五四頁末行『蕩寇將軍』，「志」作『蕩虜將軍』。按夏氏二書皆作『蕩虜將軍』。

「錄」五五頁首行『大雅里』，「志」與夏氏二書皆作『雅大里』，「臺灣鄭氏始末」作『雅塔里』。

「錄」五五頁二行『黃朝』，「志」作『黃朝光』。

「錄」五五頁二行『江欽、楊欽』，「志」作『江欽、楊德』。「錄」同頁四行『江欽攻南安』，「志」同。按夏氏二書皆作『江勝攻南安』。又按「志」於己未十月敍漳州城外之戰，於『江欽』名下注曰：『改江勝』，且「錄」與「志」以後皆稱『江勝』，是『江欽』即『江勝』也。

「錄」五五頁九行『黃皓』，「志」與夏氏二書皆作『黃鎬』。

「錄」五五頁一一行『章元振』，「志」作『章元鎮』。按夏氏二書皆作『章元勳』。

「錄」五五頁一四行及五六頁一一行『陳啓明』，「志」與夏氏二書皆作『陳起明』。

「錄」五六頁四行『汊河』，應作『三汊河』。

「錄」繫施廷、陳申在東石之敗（見五七頁一～三行）於己未七月，「志」繫此事於是年九月。

「錄」五七頁首行『散卒三百人』，「志」作『二百餘人』。

「錄」五七頁七行『斬章巴石兒等』，「志」作『斬章京巴石兒等』。按夏氏二書皆作『章京巴石兎等』。

「錄」五七頁一〇行『建威左鎮』，「志」與夏氏二書皆作『建威右鎮』。

「錄」五八頁一五行『令每田一甲，出壯丁一名』，「志」作『十甲出丁壯一名』。按夏氏二書皆謂『籍文武官田甲與百姓，丁壯每十人抽一人』。

「錄」五九頁末行『塗輕庭火』，「志」同。按夏氏二書皆作『塗墼庭火』。

「錄」六〇頁二行『陳國威』，「志」作『陳典威』。

「錄」六〇頁四行『諸遇』，「志」作『諸邁』。

「錄」六〇頁一五行『十八日早，舟次於八罩』，「志」同。按「靖海紀事」所載施琅「飛報大捷疏」作『十七日早，將全鯮舟師，復收八罩水垵澳灣泊』。

「錄」六一頁首行『二十日早，穩至虎井，施將軍取小舟於內外塹峙間密覘形勢』，「志」作『十八日，移至虎井，施將軍泊小舟於內外塹峙間密覘形勢』。按「靖海紀事」施疏謂『十八日，進取虎井、桶盤嶼。十九日，坐小趕繒船往澎湖內外塹、蒔內細觀形勢』。

「錄」六一頁五行『二十三日巳刻』，「志」作『二十二日巳刻』。按「靖海紀事」施疏亦作『二十二日』。

「錄」六一頁一三行『九月初六日』，「志」作『九月初一日』。

「錄」六一頁一四行『因□諭部臣』，「志」作『因諭部臣曰』。

「錄」六二頁一二行『克舉』，「志」作『克塽』。按連橫「臺灣通史」卷二『延平郡王世系表』亦作『克塽』。

臺灣紀事弁言

夏德儀

「臺灣紀事」二卷並附錄四，皆吳子光撰。

子光字芸閣，生於淸嘉慶二十四年己卯（一八一九），卒年不詳。原爲廣東嘉應州（今梅縣）人，後移居臺灣。初，子光之祖鳴濬來臺經紀生業，閱十年，積數千金，囊資歸里，置田宅，遂稱小康。迨子光父讚謨秉家政，以豪爽好客、喜濟人之困，家道中落；乃於道光間攜子光渡臺謀生，因家焉。

子光自幼讀書，能文章，著有「一肚皮集」十八卷：卷一，總論；卷二、三，書札；卷四、五，傳；卷六、七，記；卷八、九，說；卷十至十二，雜說；卷十三至十五，考；卷十六、七，紀事；卷十八，序；末附「小草拾遺」一卷。全集約共二十萬言。茲選其集中記述臺事之文，彙爲二卷，題曰「臺灣紀事」。而以臺人或僑居臺地者之傳爲「附錄一」，以子光評議臺灣政事之論說與書札爲「附錄二」，以「淡水廳志」擬稿爲「附錄三」，以子光祖若父之「家傳」並其本人「別傳」與「一肚皮集序」爲「附錄四」。共五萬數千言，約占全集五分之一。

子光另著「三長贅筆」一編，凡十六卷，則二十三史緒論也；又「經餘雜錄」一編，凡十二卷，則書後題跋、古今辭語、詞林典實之類也。二書俱未刊行。

雲林縣采訪册弁言

周憲文

這本「雲林縣采訪册」，是根據臺灣大學圖書館藏抄本標點排印的。全書分斗六堡、大槺榔東堡、蔦松北堡、尖山堡、海豐堡、他里霧堡、西螺堡、白沙墩堡、大坵田東堡、溪洲堡、沙連堡、打猫東堡、打猫北堡、布嶼東堡、布嶼西堡，計十五地區。各就其沿革、人物、山川、物產、風俗等詳爲記述。原抄本卷首有「故伊能嘉矩氏蒐集」朱章，但無著者姓名及脫稿年月。經查：此書係倪贊元所編輯，時在光緒二十年（倪任雲林縣訓導），原爲供纂修「臺灣通志」之用。以當時之人記當時之事，本書的資料是比較確實可靠的。

同治甲戌日兵侵臺始末弁言

夏德儀

清同治十三年甲戌（一八七四年），日本藉口琉球難民被臺灣先住民殺害事情出兵臺灣。關於此一事件的檔案，散見在「同治朝籌辦夷務始末」第九十三～一百卷中間。現在把這些文件彙錄起來，題做「同治甲戌日兵侵臺始末」，分爲四卷。

從這些文件上，我們可以看出下列五項具體的事實：（1）日本怎樣出兵到臺灣；（2）欽差大臣沈葆楨在臺灣怎樣一面交涉，一面布置；（3）北京總理各國事務衙門怎樣和日本使臣柳原前光及大久保利通反覆爭辯；（4）中、日雙方怎樣獲得協議，互換條約；（5）日本怎樣撤兵離臺灣。

我們在閱覽這些具體事實的時候，最好用蔣廷黻先生所提示的幾個注意之點來助我們得到進一步的認識。他說：當年『臺灣問題，有幾點是我們應該注意的。第一、日本進攻臺灣的消息，我們最初得自西人，且半信半疑。第二、沈葆楨受命辦理臺灣海防以後，只好臨時抱佛脚。第三、中國彼時就好找西洋各國來處置中、日兩國間的問題。第四、日本特使大久保乘機大教訓我們如何主權與責任不能分離。第五、因臺灣問題，我們想起新式海軍之必要。第六、日本進兵臺灣，我們不但未抵抗，反而出錢以誘其撤退。第七、臺灣問題的解決方法，使日人以爲中國默認琉球是屬於日本』（見蔣廷黻編「近代中國外交史資料輯要」中卷一〇六～一〇七頁）。

敍述本案事實的文件裏面，有兩處或者令人摸不着頭緒，所以特別注意提供一點參考資料的出處。在七月二十五日總理衙門的奏摺中說到日本使臣提出英、美兩國兵船曾到臺灣，中國何不阻止的話（見本書九九頁）；在八月初二日沈葆楨的奏摺中說到李讓禮之來去，何關大局的話（見本書一一六頁）。按美國兵船曾於同治六年攻打臺灣「番社」，其時李讓禮（亦作李仙得，Le Gendrre）是美國駐厦門的領事。關於李讓禮這個人，可以參閱本叢刊第四六種「臺灣番事物產與商務」一書；關於美國兵船攻打臺灣「番社」的事情，見於「同治朝籌辦夷務始末」第四十九～五十卷，我們已經把這些資料抄出來附在前書之後了。又按英國兵船曾於同治七年在臺灣違約鬧事，亦見於「夷務始末」第六十二～六十三卷；我們也擬將這件事的資料，編入「臺案彙錄乙集」。

又本書所載二百多個文件，並不限於臺灣事件的範圍。其中有些是在臺灣事件緊張的時候，沿海各省奉命整頓防務的報告；有些是在臺灣事件了結以後，各省督、撫籌議此後如何講求自強的奏摺。

當時沿海各省整頓防務的事情，是由總理各國事務恭親王等發動的。他們在五月三十日的奏摺上說：『臺灣地方既經沈葆楨等竭力籌備，而各省沿海口岸甚多，不乘此時振刷精神，爲有備無患之計，則積弱之勢，曷由奮興？設一旦事變猝乘，又將何以禦之？臣等承辦各國事務，遇筆舌相爭時，無一事不防決裂，實無一日敢忘戰守。應請飭下南北洋兩大臣暨兩廣、兩江、閩浙、山東、奉天各督、撫、將軍統籌全局，體察各該省沿海形勢，何處可以扼要，何處必應設防？應如何聯爲一氣，得操勝算之處，會商妥籌，請旨辦理』（見本書三六頁）。同日，皇帝便下了一道上諭，着沿海各省的督、撫們妥籌布置，奏明辦理。於是各省督、撫在六、七、八三個月間，把各省籌辦海防的情形陸續奏報到京。仔細看看：這些奏摺的內容，其實也都是臨時抱一抱佛脚，敷衍了事而已。

那時中央大臣之中，要以在總理衙門商辦洋務的文祥爲最有遠見了。他在六月十三日的奏摺中就曾說：『現在日本藉端啓釁，欲肆侵呑，已有不能敷衍之勢。且彼與中國最近，倘使其得志臺灣，將來之患愈不堪問』。他認爲『爲今之計，惟有亟圖自強，以禦外侮』。他更具體的請求『飭下戶部，寬籌餉需，停不急之費用，謀至急之海防，俾各海疆督、撫備禦有資，不致因餉項支絀，再滋貽誤』（見本書五九～六〇頁）。所以到臺灣事件解決之後，恭親王等便於九月二十七日的奏摺中先檢討以往十幾年間「自強」

之所以全無實效。他們說：『溯自庚申（咸豐十年、一八六〇年）之釁，創鉅痛深，當時姑事羈縻，在我可亟圖振作。人人有自強之心，亦人人爲自強之言，而迄今仍無自強之實。從前情事，幾於日久相忘。臣等承辦各國事務，於練兵、裕餉、習機器、製輪船等議，屢經奏陳籌辦，而歧於意見致多阻格者有之，絀於經費未能擴充者有之，初基已立而無以繼起久持者有之。同心少、異議多，局中之委曲，局外未能周知；切要之經營，移時視爲恒泛，以致敵警猝乘，倉惶無備。有鑒於前，不得不思毖於後』。因此，他們擬了幾條緊要應辦的事宜，請求『飭下南北洋大臣、濱海沿江各督、撫、將軍，詳加籌議』（見本書一八一～一八二頁）。皇帝立卽諭令與江海防務有關的各省督、撫，就恭親王等所陳練兵、簡器、造船、籌餉、用人、持久諸端仔細研究，『將逐條切實辦法，限於一月內覆奏』。十月十一日，廣東巡撫張兆棟又把前江蘇巡撫丁日昌所擬海洋水師章程六條代奏到京。結果也發交各省督、撫一併籌議。所以本書第四卷中，大半都是討論海防問題的文件。其中固然有些幼稚可笑的文章，但也有不少可貴的意見。經過這一番熱烈的研討，此後的海防總該立下一個規模了；可是事實上仍和從前一樣的『人人有自強之心、人人有自強之言』，等到事過境遷，一切便都鬆懈下來，依舊是『無自強之實』。別的地方且不說，單就曾爲日本所覬覦的臺灣而論，只要看看劉璈「巡臺退思錄」（本叢刊第二一種）和「劉壯肅公奏議」（本叢刊第二七種）二書所述光緒七年到十年間臺灣的海防情況，就可證明這次籌議的辦法並沒有眞正做到。無怪乎中法戰爭和甲午戰爭中國都免不了失敗。

根據以上的敍述，我們將本書選錄文件的範圍放大一點，不是沒有意義的。

甲戌公牘鈔存弁言

夏德儀

「甲戌公牘鈔存」是省立臺北圖書館所藏的一部抄本。其中鈔存的公牘，全是關於清同治十三年（一八七四）日本出兵臺灣的各種文件。

關於同治十三年日本出兵臺灣的事情，我們已經從「同治朝籌辦夷務始末」中彙錄了二百多個文件，編成「同治甲戌日兵侵臺始末」四卷，列為「臺灣文獻叢刊」的第三八種。

「甲戌公牘鈔存」共載一百七十九個文件，除二十個奏章和十七個上諭全與「日兵侵臺始末」所載相同外，其餘多為原始資料。尤以委員周有基的探報十二件、委員華廷錫和袁聞柝的探報各二件、委員鄭秉機的探報十七件、地方文武如枋寮巡檢王懋功、千總郭占鰲、游擊王開俊和鳳山縣知縣李煐、孫繼祖等的稟報二十五件以及未具職銜姓名的「另紙探報」二十件，共計七十八件，為關於日兵侵臺事件最有價值的原始資料；因為他們幾乎把日本人在臺灣的一舉一動都逐日查明，作成報告，送給道臺衙門。

還有地方官吏與日本帶兵官辦理交涉的談話紀錄，也是很有價值的原始資料。本書二九頁至三二頁所載臺灣道稟報閩浙總督的文件裏，有安平協副將周振邦、署臺防同知傳以禮和淮補歸化縣知縣吳本杰於四月初七日在琅𤩝社寮港赴日本「高沙丸」兵船與日本海軍中尉大澤正衡的談話紀錄、初八日午與日本中將西鄉從道在日營會見的談話紀錄，又有日本陸軍少佐兼駐厦門領事官福島九成於初七日來見臺灣道的談話紀錄。等到欽差大臣沈葆楨於五月初四日到臺之後，便派幫辦潘霨和臺灣道夏獻綸赴日營交涉。他們於五月初九日上午八點鐘往訪日本西鄉中將，當日下午四點鐘西鄉中將來回拜他們。十二日下午，他們又往龜山日營會晤西鄉中將。十三日辰刻，又到日營繼續商談，西鄉終於向他們提出貼補兵費的要求。這幾次的交涉都有談話紀錄，載在本書的七七頁至七八頁和八〇頁至八四頁。這幾個記載雙方交涉人員會晤情形和談話內容的文件也是值得重視的。

至於臺灣道對將軍、督、撫們單獨稟報或與臺灣鎮會銜稟報的十幾個文件，就是根據上述那些基層採報而作的轉手敘述。而將軍、總督和欽差大臣對皇帝的奏章，則又是根據臺灣鎮、道的稟報和上述那些地方交涉的談話紀錄作成的報告。所以就公牘的內容言，下層文件是原始資料，較為詳盡；上層文件是轉手敘述，較為簡略。這本書中最可貴的，就在於保存了許多較為詳盡的原始資料。

再就本書與「同治甲戌日兵侵臺始末」一書的關係來說，除本書的一部分文件如奏稿、上諭之類已見於「日兵侵臺始末」外，其餘都不重複。我們看了本書，可以知道日本人在臺灣的一切行動，以及地方當局和日本軍方交涉的經過。我們看了「日兵侵臺始末」，可以知道清政府在此事發生之後，如何一面派沈葆楨入臺布置、如何一面由總理衙門和日使交涉，同時又怎樣責令沿海各省整頓海防以及事後怎樣籌議自強之策。然則本書內容重在說明此一事件在臺灣發展的情況，「日兵侵臺始末」的內容重在說明清政府辦理此一事件的經過；兩書各有價值，是缺一不可的。

又本書所載文件中，常常提到曾任美國駐厦門領事的李讓禮（Le Gendre）。自從是年二月間日本人水野遵等到柴城、社寮一帶查看當地形勢、繪製地圖起，他們就帶着李讓禮所繪舊圖，沿途查對。在總署覆福州將軍文煜函中，也說『美人李讓禮（卽仙得）上年偕副島種臣來華，卽欲慫慂搆兵；李讓禮現充東洋大臣，赫總稅司謂爲日本主謀』（見本書一八頁）。而當時的新聞紙也傳說『日本之事，有美國人李贊達，卽前厦口領事李讓禮在內』（見本書二四頁）。等到日兵到臺之後，地方官員探查日軍行動，便處處注意李讓禮和其他隨日軍來臺的美國人。如三月二十三日開到社寮港的日本兵船上便有美國人三名，和日兵一同登岸（見本書二四頁）。四月初八日，安平協周副將等晤見日本西鄉中將，便詢以『李讓禮有無同來』？答云：『素亦相識，今未同來』（見本書三〇頁）。但在四月初七日日本駐厦門領事福島九成和臺灣道夏獻綸的談話紀錄中，他們也說到李讓禮，而福島九成則謂『此次調兵過臺灣，聞美國本不令李讓禮前來，李讓禮硬要來的』等語（見本書三二頁）。其時臺灣道也因傳聞有李讓禮在內主謀以及日本兵船內有美國人四名之說，函請通商總局照會美國戴領事查辦。四月十六日，該局接到美領事覆照，謂『訪聞其中有美國人克些耳在日軍中，而李讓禮同日本軍旅駕抵長崎，經本國駐日本欽差大臣飛札調回，已遵札回京矣』云云（見本書五一頁）。迨五月十三日潘幫辦、夏道臺和西鄉中將在日營作最後一次談判時，雙方纔正式揭開了李讓禮之謎。在當時談話的紀錄裏有一段說：『我（潘幫辦）又問其此舉非貴國朝廷之意，前柳原曾告我係受美國人唆使，有諸？……西鄉云：亦知爲西洋人所欺弄，使伊國與中國不和；惟事已至此，無可如何，總願及早了結。我又告以西洋英、法兩國亦未預聞，惟美國李讓禮從中唆使，不可聽其說話。西鄉不能辯』（見本書八三至八四頁）。其時美國領事也曾備了洋字告示四紙和漢文告示一紙，託由臺灣地方官轉交，意在阻止美國人，不准跟日本人前來臺灣。據云美國人不肯收領，且將文件棄擲（見本書九四頁）。李讓禮不久到了厦門，厦門美領事於六月下旬將他逮捕了（見本書一〇九頁）。後來，沈葆楨等又聽說李讓禮爲上海美領事所釋放（見本書一二〇頁）。九月初十日，李鴻章與美國新任公使艾忻敏在天津晤談，李氏說道：『日本欲占番地，聞係美人李仙得唆使主謀。今李仙得既擒復放，中國現未與日本失和，亦難怪貴國領事徇護。惟貴使既欲調停此事，李仙得隨同大久保等在京，恐仍挑唆出壞主意，未免與貴使好意相反。望貴使見李仙得時嚴爲訓誡，勿令從中播弄』。艾使云：『李仙得本法國人，寄居美國。若帶兵赴臺，顯悖和約，美國自可拿辦。因彼尙在局外徘徊，不得不暫釋放。然李仙得久充東洋大官，參贊軍事，外間多議其主謀，我亦不敢保他是好人了』（見「李文忠公全集」「譯署函稿」卷二）。

根據以上的敍述，足見本書不僅爲研究臺灣史或中、日外交史的重要資料，就是研究中、美關係的人也用得到此書了。關於李讓禮在厦門美領事任內的活動，本叢刊的第四六種「臺灣番事物產與商務」一書可以參考。

本書爲閩人王元穉所編。其時王君客臺灣道幕，所以有機會把日兵侵臺事件的公牘錄存副本，編爲是書。惟抄本中頗有錯字；凡是看得出來的錯字，刋本中都已改正了，間有知其譌誤而不能校改的則附以問號。除錯字外，抄本還有兩個缺點：一則許多文件沒有標題，一則全部文件幾乎都未注明發送的日期。刋本中已將標題補上了，並在書前立了一個目次以便檢索。可是，每件公文的發送日期却沒法補塡。

臺海思慟錄弁言

周憲文

省立臺北圖書館藏有自署思痛子的「臺海思慟錄」抄本一册，記清光緒二十一年日本佔據臺灣戰事經過；分臺防、臺北、臺灣、臺南、澎湖五篇，約萬餘言。經傳抄整理後，以字數過少，久未發排；茲由「中國近百年史資料」中錄出羅惇曧著「中日兵事本末」與姚錫光著「東方兵事紀略」之「臺灣篇上」（第九）及「臺灣篇下」（第十），作爲附錄，付之手民，以利參考。

周憲文於臺北惜餘書室。

北郭園詩鈔弁言

夏德儀

「北郭園詩鈔」五卷，鄭用錫撰。鄭君字祉亭，臺灣淡水廳人；生於淸乾隆五十三年戊申（一七八八），咸豐八年戊午（一八五八）卒，享年七十有一。君於道光三年成進士，臺灣人士之登甲科者自君始；因以其著述列爲「臺灣文獻叢刊」之一。

鄭君嘗撰「欽定周易折中衍義」一書，凡數十萬言，未刊。其著作之刊行者有「北郭園全集」，係同治庚午（九年）刻本。全集中有「文鈔」一卷、「詩鈔」五卷、「制藝」及「試帖」各二卷。「文鈔」只收賦、序、論、記、誄文各一篇，分量甚少，「制藝」、「試帖」不足取，故僅錄其「詩鈔」五卷，標點付印。並錄其文三篇，以爲「附錄一」。

又全集之首有總序七，玆選錄林士傳、楊浚所作序各一與朱材哲撰「鄭君墓誌銘」及楊浚撰「文鈔序」，列爲「附錄二」，俾讀者得知鄭君之生平及其全集之大概焉。卷首有『男如梁稼田校刊』數字，則經略去。

海南雜著弁言

夏德儀

「海南雜著」是蔡君廷蘭所撰。因為他是澎湖人，所以我們把他的著作收入「臺灣文獻叢刊」。這部書的分量雖少，內容却很有價值；可說是淸道光間關於越南風土民情的一部實地調查錄。

蔡君之撰此書，完全是出於偶然的機會。原來他在道光十五年（一八三五年）秋間由廈門渡海回澎湖，被風飄到越南；次年初夏，纔由陸路回到福建。因而把他在越南所見所聞的事情，按日記載下來而成此書。正因為是他親身所歷的事情，所以寫得非常生動，教人讀了饒有親切之感。

書中所述，雖多為越南之事，似與臺灣無關，然而也有幾點相同之處。一則居住在越南各地的「唐人」，和臺灣一樣的都是從閩、粵移殖過去的；所以蔡君在越，到處遇到鄉親、聽到鄉音，更從他們的口中知道許多越南的習俗。一則越南的鄉村景色，頗與臺灣相像，蔡君記其初從海口往廣義省途中所見云：『大路兩旁植波羅密，枝葉交橫，繁陰滿地。遠望平疇千頃，禾稻油油。人家四圍修竹，多甘蕉、檳榔，風景絕類臺灣』。加以越南和中國有二千多年的歷史關係，所受中國文化的薰陶很深；蔡君在越，還看到幾處和中國有關的古蹟、聽到幾個和中國有關的傳說。就是越南的政教風俗，也有許多和中國相同。無怪蔡君到處都受到越南地方官的慇懃招待；又無怪蔡君撰述此書，字裏行間處處流露着親切之感。

此書原爲省立臺北圖書館所藏的刻本。因爲卷首幾頁殘缺了，不知刋於何年；連周凱所撰的序文，也是從「內自訟齋文集」抄補出來的。原刋本間有錯字，標點之時都順便校正了。

書末，並據「澎湖廳志」收入蔡君一些詩文及其傳與著述書目，作爲附錄。

馬關議和中之伊李問答弁言

周憲文

「中國近百年史資料續編」（中華書局印行）載有「馬關議和中之伊李問答」節略（原署「闕名」）一篇，為乙未宰割臺灣的史料之一。茲編列為「臺灣文獻叢刊」第四三種，並以丹徒姚錫光著「東方兵事紀略」「議款篇」一文附後，俾資互為參證。

按「問答」一文，不知何人所記；雖然有些地方，詞意似欠圓潤，但「言之鑿鑿」，既非可以想像描繪，更非可以任意杜撰的。這不是出於當年參加會議者的手筆，那一定是根據他們的傳述（我懷疑：這源於日本方面的紀錄）。我在近三十年前曾經看過這一文獻，時久，已無印像；最近又讀一遍，「重有感焉」，因附記之。

甲午戰爭的失敗，這不是李鴻章所能負責的（李是反對戰爭的），這應歸罪於滿清政府的糜爛。戰敗求和，割地賠款，這也是當年必有的結果，而不應責怪李鴻章交涉的無能。至於割地大小與賠款多寡，這原是交涉的焦點所在；我所注意的，却不在此（像李鴻章為要減少少許賠款的負擔，甚而至於說出『我亦非不定約，不過請略減；如能少減，即可定約。此亦貴大臣（指伊藤）留別之情，將來回國，我可時常記及』的話，一副可憐相；就一國使臣而言，未免失態。毋怪伊藤博文要說：『兩國相爭，各為其主；

國事與交情兩不相涉』了）。不論甲午當年日本國內的經濟情況以及西洋各國的政治動向，日本與中國開戰，都是相當冒險的；所以一經倖勝，迅求結束。這看「問答」內伊藤的態度，亦可「情見乎詞」；但是李鴻章沒有充份把握到這一點，未能善爲應付，僅在小處求情，這是他的最大失着（後來俄、德、法三國干涉還遼，這在李鴻章是出於意外，至在伊藤博文却早有此顧慮）。這一情景，在「問答」裏歷歷可見，毋須引證。

其次，談談有關臺灣的問題。日本對於臺灣，處心積慮，由來久矣；此番志在必得，自非李鴻章的口舌可以免其淪亡的。不過，當時李鴻章說的話，却是有欠分寸的。他說什麼『臺灣不易取，法國前次攻打尚未得手，海浪湧大，臺民強悍』；『臺地瘴氣甚大，前日兵在臺傷亡甚多；所以臺民大概吸食鴉片，以避瘴氣』；『即以臺灣而論，華人不善經營；有煤礦、有煤油、有金礦，如我爲巡撫，必一一開辦』；『臺灣華人不肯遷出，又不願變賣產業，日後官出告示，恐生事變，當與中國政府無涉』；『臺民戕官聚衆常事，他日不可怪我』；並聲明『此話並非相嚇，乃好意直言相告』；這不像是一國使臣在與敵國交涉時說的話。所以伊藤博文要說『日後之事，乃我國（日本）政府責任』；『聽彼鼓譟，我自有法』；『中國一將治權讓出，即是日本政府之責』了。

至於李鴻章講到『二十年前』（按指同治甲戌）日本『以臺灣生番殺害日商（按係

琉球人民）動兵』，他『立主和局』，並『倡議云「生番殺害日商與我無涉，切不可因之起衅」』；這在當年，曾經引起「軒然大波」，淸廷極力否認它的政府人員說過類似『生番殺人與我無涉』的話(參看「臺灣文獻叢刊」第三八種「同治甲戌日兵侵臺始末」)。李鴻章縱使健忘，或不致此；我們姑且當它是「記述的錯誤」。

不論就地位或見識來說，李鴻章在當時都算是「了不起」的。今李鴻章如此，「自膾而下」，更可知矣。一個政權，到了這一地步，乃是無可救藥了的。此所以康有爲之流雖然忠心耿耿，終於無法保全淸室的朝廷。在這裏，我們看出了中山先生的遠見與偉大。他推翻了滿淸皇朝，才給中華民族帶來了新生的機運。因馬關議和而致橫遭日本統治凡五十年的臺灣人民，對於這一歷史的演變，尤當有切膚之感。

裨海紀遊弁言

方豪

民國三十八年春，我來臺灣，卽對康熙三十九年來臺的郁永河所撰的「裨海紀遊」，作全面的研究；包括蒐集這本書的各種抄本和刻本，搜求郁永河的事蹟和載記，並根據不同版本，爲「紀遊」作合校本。三十九年十一月，合校本由臺灣省文獻委員會印行，列爲「臺灣叢書」第一種；我寫了一篇兩萬字的長序，內容分：

(1) 本書撰人之研究。

(2) 本書版本之研究。

(3) 日人對本書的研究與重視。

(4) 校勘本書的旨趣和方法。

時隔九年，臺灣銀行經濟研究室由於編印「臺灣文獻叢刊」，自當重刊本書。我向來主張「地方文獻愈流通愈好」；在這個原則下，臺灣銀行經濟研究室近年在這方面的努力，我是萬分贊成的。重刊「裨海紀遊」的消息，當然也是我所樂聞的。

九年來，我又陸續看到了一些有關於郁永河或「裨海紀遊」的紀錄，我也很想借此機會把它寫出來：

一、關於作者郁永河

我在合校本序言裏曾說過：『本書撰人曾經過一個時期的埋沒』。當時我開列了以下五個引徵文獻：

（1）雍正十年「渡海輿記」（本書的又一版本）周于仁序：『惜作記者姓氏不傳，不得與此書共垂不朽，亦歉也』！

（2）道光年間達綸刻本「裨海紀遊」序：『郁君之爲人行事，無可稽考』。

（3）咸豐三年「粵雅堂叢書」本「採硫日記」（亦本書異名）伍崇曜跋：『按是書見吳中吳翊鳳伊仲「秘籍叢函」鈔本，不著撰人姓氏』。

（4）同上伍崇曜跋又云：『永河字履未詳，俟考』。

（5）李慈銘「越縵堂日記」同治十二年五月二十九日記：『夜閱仁和郁永河「采硫日記」，永河字履無考』。

現在我可以再補充三種：

（6）嘉慶年間，翟灝撰「臺陽筆記」印行，有吳錫麒序歷舉有關臺灣之書，曰：『臺灣自本朝康熙間始入版圖，又孤懸海外，詞人學士，涉歷者少；間有著爲書者，如季麒光「臺灣紀略」、徐懷祖「臺灣隨筆」，往往傳聞不實，簡略失詳。唯藍鹿洲太守

「平臺紀略」、黃崑圃先生「臺海使槎錄」，實皆親歷其地，故於山川、風土、民俗、物產言之爲可徵信』。

吳穀人先生列舉了四部有關臺灣的書，其中兩部，是他認爲作者『親歷其地』，所以『言之爲可徵信』；可是他却不知有『親歷其地』的郁永河和郁氏的著作。這是一個消極的證據，證明郁氏和郁氏著作的被埋沒。

（7） 光緒八年，龔顯曾爲王凱泰「臺灣雜詠」作序，歷舉詠臺灣詩，曰：『「臺灣紀巡」百首爭傳（夏之芳著），「社寮雜詩」一卷成帙（吳廷華著）；「渡海輿地」附臺郡番境之歌，「赤嵌筆談」錄藍氏近詠之作（藍鼎元著）』。

這又是一個消極證據。龔氏共舉了四個名家的作品，三件有作者姓名，獨對「渡海輿記」付諸闕如；可見光緒八年（一八八二）龔顯曾所見的「渡海輿記」和雍正十年（一七三二）周于仁所見的「渡海輿記」，相去雖一百五十年，却同樣的沒有作者姓氏，也同樣的不知作者姓氏。這能不說是埋沒嗎？

（8） 民國十六年十一月，國立第一中山大學語言歷史學研究所週刊第一集第一期有薛澄清著「鄭成功歷史研究的發端」說：『「僞鄭逸事」，清郁永河撰。永河何縣人，無可考。惟是書曾見錄於「重纂福建通志」，是其爲福建人必也。卷數刻本，志亦未言，不知有否傳本。黃叔璥著「臺海使槎錄」雖曾引用，但其所指，是否卽爲是書，亦不可知也。姑志之以待考』。

薛澄淸到民國十六年，還不知郁永河是何許人，當然可以說他孤陋寡聞。但是薛君『知之爲知之，不知爲不知』的說法，如云『無可考』、『待考』、『不知有否傳本』、『不可知也』，尙不失爲學者風度；只有判永河是福建人，未免武斷。但我們在可惜他的孤陋寡聞之餘，更不能不可惜郁永河本人和他的著作的被埋沒。

二、關於本書版本

九年前，我開出了以下二十個版本：

(1)雍正十年前，袁黻皇藏「渡海輿記」鈔本；未見。

(2)雍正十年，周于仁在福建將樂縣刻本「渡海輿記」，據袁黻皇藏本；未見。

(3)雍正十年，于傭州刻本「渡海輿記」，孫殿起「販書偶記」著錄；未見。

(4)晚宜堂校本「渡海輿記」；未見。

(5)國立臺灣大學藏重裱鈔本「渡海輿記」；已見。

(6)移川子之藏傳鈔本「渡海輿記」；未見。

(7)臺灣省立臺北圖書館藏市村榮傳鈔本「渡海輿記」；已見。

(8)道光十三年，沈楙悳跋「昭代叢書」本「裨海紀遊」；已見。

(9)道光十五年，棗花軒刊巾箱本「稗海紀遊」，「販書偶記」著錄；未見。

(10)道光二十三年，「舟車所至叢書」「採硫日記」節本；已見。

(11)道光達綸刻本「裨海紀遊」，爲「屑玉叢譚」本「裨海紀遊」所本；未見。

(12)吳翊鳳「秘籍叢函」鈔本「採硫日記」，不著撰人姓氏，爲「粵雅堂叢書」本「採硫日記」所本；未見。

(13)咸豐三年，伍崇曜跋「粵雅堂叢書」刻本「採硫日記」；已見。

(14)光緒五年，上海申報館倣聚珍板、蔡爾康跋「屑玉叢譚」本「裨海紀遊」，據達綸刻本；三十九年作合校本時未見，四十五年獲見。

(15)光緒十年至二十年之間，王錫祺輯「小方壺齋輿地叢鈔」本「裨海紀遊」；已見。

(16)光緒二十七年，胡繩祖鈔本「採硫日記」；未見。

(17)光緒三十四年，諸田維光獲見小西藏胡繩祖鈔本，不知是否原本，抑或傳鈔本；未見。

(18)民國十三年五月至十二月，臺南連雅堂先生主編「臺灣詩薈」月刊分期校刊「裨海紀遊」；已見。

(19) 伊能嘉矩「臺灣叢書」遺稿傳鈔胡繩祖鈔本；已見。

(20) 民國二十四年，商務印書館發行「叢書集成初編」，有「採硫日記」，據「粵雅堂叢書」本排印；已見。

以上二十種版本，已見與未見者各十種；其中一種爲四十五年所見。未見的十種版本中，五種未見的「渡海輿記」，只有「販書偶記」著錄的一種，或是異本；其他四種，當與臺灣大學藏鈔本無甚大異。棗花軒刊本「裨海紀遊」未見。達綸刻本「裨海紀遊」既爲「屑玉叢譚」本所本，「秘籍叢函」鈔本「採硫日記」既爲「粵雅堂叢書」本所本，小西藏本「採硫日記」既卽胡繩祖鈔本，而胡繩祖鈔本僅在「粵雅堂叢書」本伍崇曜跋後加寫『光緒辛丑年歲次念七仲秋浙杭蓉伯胡繩祖書』等字，可見是謄鈔粵雅堂本。但因內容稍有不同，所以我曾揣測他作過「理校」。因此，見粵雅堂本雖不能說卽等於見粵雅堂所本的「秘籍叢函」本，但相去或不太遠；而由粵雅堂本而來的胡鈔本以及小西藏本與伊能傳鈔本，或亦大致相同。所以我所未見的本子，固然都是我懸目以求的，但「販書偶記」所著錄的「渡海輿記」刻本和道光十五年的棗花軒刊本「裨海紀遊」，當是我所最渴望的。

近年我又從民國二十八年四月出版北京人文科學研究所藏書目錄史部游記類見到「裨海紀遊」一卷，註明清郁永河撰，道光十五年刊本，和棗花軒刊本同年印行，想來就是棗花軒本；可是一作「裨」、一作「稗」，所以在未見原書之前，仍不能作硬性斷定。

在合校本序文中，我還紀錄「臺灣史料集成」中所收入的「臺北州大屯郡北投庄役場藏」節鈔本「採礦資料」和呂海寰舊藏鈔本「採硫日記」等五種。前者輾轉傳抄，且斷篇殘簡，不錄亦可；後者聊爲存目而已。

此外，另有一版本名「稗海紀游略」，也是我作合校本時所不知的。我未見原書，只見到淸仁和羅以智所撰跋文。羅文載「恬養齋文鈔」，收入民國三十四年五月出版「上海合衆圖書館叢書」第一集。羅氏便是「昭代叢書續編」戊編「裨海紀遊」的刪削者，這「稗海紀遊略」和「昭代叢書」本「裨海紀遊」是否相同，在未見原書前，我不敢斷定。「裨」作「稗」，合校本裏我只舉出連雅堂「臺灣詩薈」重刊及伊能嘉矩校稿；但原書名作「稗」者尚有道光十五年棗花軒刊本（見「販書偶記」），近人謝國楨「晚明史籍考」稱有「稗海遊記彙刊本」。見於他書者，除這篇羅以智的跋文和方志外，雍正二年黃叔璥撰「臺海使槎錄」有十餘處，乾隆十二年六十七著「使署閒情」卷二有一處，乾隆三十年朱仕玠「小琉球漫誌」有兩處，嘉慶間李元春「臺灣志略」有三處（原書卷二「兵燹」，最晚爲嘉慶十四年）。道光十年鄧傳安「蠡測彙鈔」、同治十二年丁紹儀「東瀛識略」兩處，均作「裨」，値得提出。凡我直接間接看到的各版本的序跋題詞，曾輯成「文獻彙鈔」，附於合校本後。但羅以智跋文未收入，今補記於此：

跋稗海紀遊略

郁氏永河「稗海紀遊略」一卷，附「僞鄭逸事」、「番境補遺」、「海上紀略」、「暴風日期」、「海上占晴雨」，予從振綺堂汪氏假得稿本，錄藏之；曾刊入「昭代叢書續編」戊編，刪削有半，非足本。「宇內形勢」一則，其文更異。

永河字滄浪，仁和諸生，久客閩中，徧遊八閩，康熙三十六年丁丑春，會當事採硫黃於臺灣之雞籠淡水。臺灣初隸版圖，在八閩東南，隔海千餘里，滄浪欣然與其役，因紀是編，備述山川形勢、物產土風、番民情狀，歷歷如繪。滄浪以斑白之年，不避險惡，且言：『游不險不奇，趣不惡不快』，其果好游耶？抑欲擴聞見而張膽識耶？

所載鄭成功攻紅毛爲順治十八年四月事，按「通志」繫之十七年；然「三藩紀事」：十八年十二月荷蘭降，施靖海侯疏中亦稱十八年，則「通志」未可據。又載康熙二十二年七月克塽率其族屬朝京師。按洪氏「海寇記」：閏六月十一日，降表至軍前，舉國內附；七月十五日，繳印；八月十五日，迎官兵進港；十八日，自克塽以下，官民悉遵制鬀髮；十一月十一日，齊到閩省，陸續進京。則非十月已朝京師。洪氏之記較詳。又載寧靖王朱術桂詩：『流離來海外，止賸幾莖髮；如今事異矣，祖宗應容納』。他書多作『流離避海外，總爲幾莖髮；而今事畢矣，不復采薇蕨』。則傳聞有所不同。所載風信，則不若「澳門紀略」爲尤詳。

滄浪所作「竹枝詞」及紀遊諸詩，編中兼載之。「國朝杭郡詩續輯」，吳仲雲方伯專屬黃薌泉丈爲搜採；丈久館於振綺堂，滄浪詩獨未之及，所謂失之眉睫者矣。

三、關於「臺海使槎錄」引文

「臺海使槎錄」，黃叔璥撰，成稿於雍正二年，乾隆元年刊行。它的成書只晚於郁永河來臺二十七年。書中引用「裨海紀遊」、「番境補逸」（不作遺）、「僞鄭逸事」的地方不少，並錄有「土番竹枝詞」二十四首。以時代言，應該是一個可以作爲校勘用的第一個底本。而比「使槎錄」晚出的臺灣方志，又往往從「使槎錄」轉錄「裨海紀遊」等郁永河著述中的文字。三十八年我來臺灣後，所作第一篇文字，是「文獻」創刊號上的「康熙五十三年測繪臺灣地圖考」，卽已引用「使槎錄」；但在作「裨海紀遊」合校本時，卽因其刪節過多，未列爲校勘底本之一。茲舉若干例，以見其刪改之多：

「使槎錄」卷一引第一節「裨海紀遊」，有一小段文字說：『余同王君仲千採硫，仲千登舟，余乘笨車。行十八日，至後壠社』。郁永河乘笨車就道，經過十八個社，化了十八天時間，纔到後壠社，原文在二千字以上；「使槎錄」只代以「行十八日」四字，而又未註明節刪。卽以「乘笨車」以前的兩句而言，原文作『王君圖便安，卒登舟，挽之不可；余與顧君率平頭數輩，乘笨車就道』。二十六字被改成十六字。

「使槎錄」所引四月二十四日郁永河到後壠社以後的文字，比較詳細，但亦多删改。茲將被删改情形錄後：『甫下車（上三字删），王君敝衣跣足在焉。泣告（告字下加余字）曰：「舟碎身溺，幸復相見」。余驚問所以不死狀，曰（上九字删）：自初三日登舟，泊鹿耳門，候南風不得（上五字删）；十八日，有微風（上三字删），遂（遂改乃）行。行一日（上三字删），舵與帆不洽（改作舵帆不協），斜入黑水者再；船首自俯，欲入水底（上八字改作船首俯入水底），而巨浪又夾之（上六字删）；舟人大恐，向馬祖求庇，苦無港可泊，終夜彷徨（上十四字删）。十九日，猶如昨（上三字删）；午後南風大至，行甚駛，喜謂天助（上四字删）。頃之，風厲甚，因舵劣，不任使，強持之（上九字删），舵牙折者三。風中蝴蝶千百繞船（上二字删）飛舞，舟人以爲不祥；片刻，風稍緩，有黑色鳥數百集船上，驅之不去（上四字删）。舟人咸（咸字删）謂大凶，焚楮鏹祝之又（又字删）不去，至以手撫之，終不去，反呷呷向人，若相告語者（上五字删）。少間，風益甚，舟欲沈。向馬祖卜筊，求船安，不許；求免死，得吉；自棄舟中物三之一。至二更（上三十二字删），遙見小港，衆喜幸生（上四字删），以沙淺不能入；姑（姑字删）就港口下椗。舟人困頓，各就寢（上七字删）。五鼓失椗（失椗改椗失），船無繫（上三字删），復出大洋。浪擊舵折，鷁首又裂，知不可爲（上八字删），舟師告（告字删）曰：

「惟有划水仙，求登岸免死耳」！划水仙者（上四字刪），衆口齊作鉦鼓聲，人各挾一匕箸，虛作棹船勢，如午日競渡狀。凡洋中危急，不得近岸，則爲之（上十二字刪）。船果近岸，拍浪即碎；王君與舟人皆入水，幸善泅（上十五字刪），得不溺』。

余文儀所修「臺灣府志」，引「裨海紀遊」文亦極多。或和通行各本大體相同，僅稍有歧異，我曾以之爲合校本的底本之一。但也有和「使槎錄」相同，而和其他版本絕不相同的地方；我也就不加理會而未說明，這是我的疏漏。例如「使槎錄」卷一「水程」所引第一段文字，亦見於「余志」卷一「附考」，注語亦同。「臺灣全誌」本「余志」「行大海中五十里」，「五」字下奪「六」字；「鼓蕩」作「鼓盪」；又注語「關童」作「關重」。「使槎錄」原文如下：『澹水登舟，半日即望見官塘山（原註：一作關童）。自官塘趨定海，行大海中五、六十里，至五虎門。兩山對峙，勢甚雄險，爲閩省門戶。門外風力鼓蕩，舟甚顚越。既入門，靜淥淵渟，與門外迥別。更進爲城頭（原注：土音亭頭），十里之閩安鎭，數十里至南臺大橋』。以上只八十四字，但「裨海紀遊」原文，從十月初四日『登舟』起，到『同至大橋』止，凡五百九十五字。可見刪改之多。

在我的合校本第二十五葉正面末二行，我曾提到「余志」和薛志亮「續修臺灣縣志」卷一「地志」「海道」所引上文，我亦錄出了「余志」原文。但在我的合校本中，一致沒有提到「使槎錄」；我再說一遍，這是我的疏漏。但據我現在的比勘，我這一疏漏，對於合校本是無損的。從正面來說，「使槎錄」出版雖早，引「紀遊」文雖多，但因刪改太多，對於「紀遊」的校勘是沒有甚麼補益的。

卷一「海船」引「裨海紀遊」文，其刪改情形如下：『余（刪）獨坐舵際，時近初更，皎月未上（上八字刪），水波不動，星光滿天，與波底明星相映。上下二天合成圓器，身處其中，遂覺宇宙皆空（以下刪八十六字）。海上夜黑，不見一物，則擊水以視。一擊而（上三字刪）水光飛濺如明珠十斛，傾撒水面（上四字刪），晶光熒熒，良久始滅，亦奇觀矣』！此一節文字，原書長一百七十三字，竟被刪去一百零二字。『海上夜黑，不見一物，則擊水以視』，本是永河朋友言君右陶的話，因被刪略，竟成了永河自己的知識，那又何必一試？未刪部分亦無補於校勘。

卷三「物產」亦有一則引文；但大加改竄，幾已完全失去眞相。原文作：『又有巨木，裂土而出，兩葉始蘗，已大十圍，導人謂楠也。楠之始生，已具全體，歲久則堅，終不加大，蓋與竹筍同理』。「使槎錄」改爲：『楠生深山中，裂土而出，全體悉具，蓋與竹筍相同。兩葉始蘗，已大十圍。歲久則堅，終不加大』。如此顚倒原文、橫加改易，當不能作爲校勘的底本。

卷四錄有郁永河「竹枝詞」，並無可資校勘之處。反之，原書每一首後，皆有注釋，「使槎錄」只在「馬祖廟前演劇」一首中，稍加注語，但亦有刪改。第八首「幹」字誤。

卷五「番俗六考」「北路諸羅番一」「雜載」亦引二則：前段一百五十五字，原文自合校本十一葉反面第十行起，至十二葉正面三行止，共有二百十八字，計被刪六十三字。未刪部分，於校勘無補。而光緒刻本且誤『令其子弟』爲『今其子弟』。後段四十三字，原文在合校本二十一葉正面第七、八兩行，「使槎錄」於引文之首多加「各社」二字。第二句刪「蓋」字。皆與他本異，可見爲作者擅自增刪。

同卷「北路諸羅番三」「附載」引一則，原文見合校本十二葉反面第一、二兩行。首句另加，餘同，於校勘無補。

卷六「北路諸羅番八」「附載」引一則，凡三百三十一字，原文在合校本十二葉反面第八行至十三葉第九行，共四百十二字，被刪八十一字、改兩字。

同卷「北路諸羅番九」「附載」引一則，共二百二十九字，原文散見於合校本十三葉反面第五行至第八行，又十四葉正面第十一行至十三行，又十四葉反面第五行至第八行；完全成了一篇雜湊文字。

同卷「北路諸羅番十」「附載」引一則，原文在合校本十四葉反面第九行及以下，但刪改甚多。『庣少翁、內北投……』以下，我曾說過「後半段不見於任何本」和「以下不見任何本」，很顯明的，是說我所引用的任何本。至於我之所以不用「使槎錄」爲校勘底本，乃是因爲他對「裨海紀遊」刪改太多，不足取信。我雖引余文儀所修「府志」，而仍以小字低二格排印，表示我並不承認那一段出自原文。至「余志」實出「使槎錄」，未加說明，這是我的疏漏。

卷八「番俗雜記」「生番」引一則，原文在合校本二十葉正面第四行起，第一句『諸羅鳳山番』五字係自加，第六行『血飲毛茹者』、第七行『無敢入其境者』，兩「者」字刪，以下刪一百零四字，然後再從第十行「客冬」云云起，至二十葉反面第三行『爲良民也』止，共二百零五字，被刪五十六字。其中『使當事者』一句，「使槎錄」與「採硫日記」刻本及胡繩祖抄本，「使」皆作「有」。

同卷「熟番」條引一則，原文在合校本二十葉反面第三行起，至二十二葉第一行止。本節被刪最多。計「使槎錄」現存者只有二百四十二字，但全文長達一千三百零五字，除中間被刪一大段八百四十七字外，其餘零零星星被刪的，亦有二百十八字，又自加二字。這樣一個本子實在不能作爲校勘的底本。

同卷「社商」條亦引一則，凡五百十八字，原文在合校本二十二葉正面第一行起，至二十三葉正面第七行止，多至一千一百二十字，可見被刪節的多至六百零二字，被刪節的多於被保留的。所以我們不能據這樣一個本子，作爲校勘底本。光緒刻本，『謀充夥長通事』句，「充」誤「長」。

同卷亦有「土番竹枝詞」，第十八首第二句『射得鹿來付社商』，「付」作「交」，但他本皆作「付」。又第二十首第一句『種秫秋來甫入場』，「甫」作「翦」，不見他本，似仍當以「甫」字爲是。

其他尚有若干則，註明出「海上紀略」。有實出「裨海紀遊」的，並不見於「海上紀略」。「海上紀略」則稱「海上事略」。又有註明出「番境補逸」的，「逸」通作「遺」。觀所引「裨海紀遊」，既被弄得體無完膚，其餘自沒有一一列舉的必要。

四、今本所據的底本

周憲文先生因我曾爲「裨海紀遊」作過一點研究，和我商討重印時的底本問題。他提出只印正文，不加校勘按語。我也贊成。一因如非合校本，自不必詳加說明；二因如此作法，便和省文獻會已出的拙著合校本，不相衝突。

但根據那個版本爲底本呢？

我想現在我們所有的本子，當以「渡海輿記」爲最早；但這是節本，不能用。

其次，道光年間的幾個本子，「昭代叢書」本亦有删節，最顯著的是詩句和竹枝詞多被略去，不能用；「舟車所至叢書」本，删改情形更壞，更不堪用。可惜棗花軒刋本和北京人文科學研究所藏道光十五年刋本，現在無從獲得！達綸本亦刻於道光年間，較「粵雅堂叢書」本爲早；目前雖見不到原本，但「屑玉叢譚」本既據達綸本，且錯誤最少，所以我向周憲文先生提供意見，卽以「屑玉叢譚」本爲底本，並以我的藏本供他翻印，仍由我參酌各本，爲之校勘，但不加說明。援連雅堂先生例，改「僞鄭逸事」爲「鄭氏逸事」。「海上紀略」末之「宇內形勢」，據他本另立一卷。「渡海輿記」乃「裨海紀遊」節本，有全本卽不必有節本，且已見合校本，茲不收。校書如掃落葉，「屑玉叢譚」本亦不免有誤，雖已校出數十處，但未能校出者恐仍不少。好古敏求人士，幸垂敎焉！

民國四十八年一月十五日，方豪校畢謹識。

臺灣番事物產與商務弁言

夏德儀

此書原名「臺灣番事」。因爲書中所述並不止於「番事」，還論及各種物產和臺灣通商各口的商務，所以我們把它改稱做「臺灣番事物產與商務」。

此書未題作者姓名，但據書中內容，可以斷定是淸同治七、八年間（一八六八～六九年）美國駐厦門領事官李讓禮（C. W. Le Gendre，亦譯李善得）寫的。書中第一篇「敍呈送各大憲緣由」的文中，開頭卽說：『一千八百六十七年至六十八年所寄每年報單，已付本國史官存案，想大人必當閱過在六十八年四月間所載往臺灣迤南一帶保固和好之事』云云，足見這些文字都是李讓禮向美國政府報告的底稿。原文自然是用英文寫的，不知何以譯成中文，更不知是何人翻譯的。譯文雖間有辭不達意之處，大體還算通順。正文下面的注字也不知是否譯者所加，這些問題都只能待考了。

此書第一部分所述番事，係一八六八年（同治七年）二月李讓禮再往臺灣「番地」所見所聞的紀錄和他對臺灣「番事」的若干意見。若欲問這個美國領事官爲什麼深入臺灣「番境」，必先說明上年美國船員被臺灣「生番」戕害事件的原委。

同治六年二月初七日（一八六七年三月十二日），美國商船「羅妹」（Rover）號在臺灣瑯璚洋面紅頭嶼遭風觸礁沈沒，船主赫特（Hunt）夫婦和水手一共十四人坐着杉板逃生，到瑯璚尾龜仔角龜鼻山登岸，被「生番」殺害了十三人，僅剩華人一名逃出被救，送交旗後英國領事館收領。當經英領事賈祿（Carrol）偕同這個水手乘兵船往出事地點去查勘，因有生番躲在叢林裏放槍射箭，沒法登岸，只看到船員們所乘的杉板留在沙岸上。英領事即於二月十八日（陽曆三月二十三日）致函臺灣道吳大廷，請飭地方官確查情形，照律究辦。吳大廷一面飭令鳳山營、縣查辦，一面函覆英領事說：『生番不歸地方官管轄，外國商人不可擅入番境，以免滋事』。而鳳山縣知縣吳本杰也曾和賈領事晤商，他說：『該領事亦知生番行同獸類，不可理喻；並知該處山海險阻，不便進兵』。

三月十四日（陽曆四月十八日），美國駐廈門的領事李讓禮乘兵船到臺，照會臺灣鎮、道，請他們撥兵會勦。他們隨即把先前和英領事函商的情形縷細照覆，答應即飭地方官設法辦理。並由吳大廷接晤李領事，告以『臺地生番穴處猱居，不載版圖，為聲教所不及。今該船遭風誤陷絕地，為思慮防範所不到；苟可盡力搜捕，無不飛速檄行，無煩合衆國兵力相幫辦理』。可是鳳山營、縣奉檄後委員哨探的結果，則謂：『馳赴瑯璚，詢之番民，均云該地（指出事地點）離龜仔角尚數十里，盡係生番，並無通事。水路則礁石林立，船筏罕到；陸路則生番濳出，暗伏殺人。其巢穴徑途，無從偵探』。臺灣鎮總兵劉明燈等便將這些情形，據實照覆李領事。

五月十二日（陽曆六月十三日），臺灣鎮、道又接李領事四月二十九日（陽曆六月一日）照會，催請勦辦。劉明燈等只得添委了幾個員弁，「酌帶兵勇，相機圖之」。那知這些弁兵人等纔於十五日的早晨出發了，而當天的晚上劉明燈等卻接到地方文武的報告：『花旗國的輪船在本月十二日（陽曆六月十三日）由旗後開往傀儡山的龜仔角社，有帶兵洋官一員和洋兵一百七、八十名被生番詐誘上山，結果帶兵官被打死了，洋兵傷了數人。第二天，輪船開走了，聲言「回國添兵，秋冬再來勦辦」』。臺灣鎮、道怕將來鬧出大事，就在五月二十四日（陽曆六月二十五日）奏請『飭下總理衙門照會該國公使據理辯論，毋得帶兵自辦』；並將這個奏稿抄呈閩省督、撫。

在初出事的時候，廈門李領事雖會到省見過閩浙總督吳棠，但在李領事來臺以後，大都和臺灣地方當局辦交涉；所以吳棠對於此案，只是照例的一面飭行臺灣鎮、道查辦，一面咨呈總理衙門查照而已。直待接到臺灣鎮道關於美國兵船輕進失挫、聲言添兵再來的報告和英國稅務司轉來李領事「語多恫愒」的照會，指摘臺灣鎮、道推諉不負責任，纔感覺事態嚴重。因此，照覆李領事允爲查辦，又「嚴檄責成臺灣鎮、道會督文武，遴選屯弁屯兵，雇覓熟番購線辦理，務將滋事之兇番緝獲懲治，一面查起被害洋人屍身交領」。

臺灣鎮、道和閩省督、撫的奏報，在六月十七日（陽曆七月十八日）和七月二十一日（陽曆八月二十日）先後經皇帝批交總理衙門辦理。其實總理衙門在三月十九日（陽曆四月二十三日），已經接到美國公使蒲安臣的照會請速查辦，並稱『達知本國水師提督，派兵船到臺灣會辦』。總理衙門也曾咨行閩省督、撫轉飭迅速查辦，並告以『生番雖非法律能繩，其地究係中國地面，與該國領事等辯論，不可露出非中國版圖之說，以致洋人生心』。無如地方當局「顢頇支飾」，以致遷延日久，尚未結案。總理衙門認爲應『請旨飭下閩浙督、撫嚴飭該鎮、道迅速購覓熟番相機辦結，庶美國無所藉口，而別釁亦可不生』。

劉鎮臺明燈在督、撫「嚴飭」之下，遂於八月十三日（陽曆九月十日）由郡起程，十八日（陽曆九月十五日）抵枋寮。布置一番，又於二十五日（陽曆九月二十二日）由枋寮統帥水陸並進，每日步行二、三十里，抵瑯璚後駐紮柴城，這裏離龜仔角「番社」還有四十多里。傳集各莊頭人詢問之後，知道龜仔角「番」已經邀結了其他十七個「番社」，意圖抵抗。又經過一番布置，在九月十五日（陽曆十月十二日）拔營進紮龜鼻山，距龜仔角「番巢」不遠。劉明燈等正擬分路並擊，卻得到一個意外的轉變。原來李領事在十六日送來照會，說他於本月十三日(陽曆十月十日)帶領通事吳世忠及閩、粵頭人親赴火山地方，途遇該處總目卓杞篤，面議和約：『嗣後船上設旗爲憑，無論中外各國商船，如有遭風失事，由該番妥爲救護，交由閩、粵頭人轉送地方官配船內渡；倘若再被生番殺害，閩、粵頭人轉爲幫拏兇番，解官從重究治』。並且贖回女洋人（Hunt 夫人）頭顱和「照影鏡」一具。李領事願與「生番」和解，代請撤兵，免予深究。十七日，李領事又親到大營向劉明燈面請，情詞懇切，至再至三。劉明燈與吳大廷函商之後，就決定『俯如所請』，並取具閩、粵「熟番」頭人保結，妥議章程照覆。劉明燈先回瑯璚，待李領事內渡後，纔於十一月初一日（陽曆十一月二十六日）率隊回郡。於是這一案件得告結束。

以上是據臺灣鎮道、閩省督撫和總理衙門的奏疏加以撮述的。這些文件，都散見於「同治朝籌辦夷務始末」卷四十九至五十六。至於李讓禮次年再入「番地」之事，則不見於「夷務始末」，而只見於本書了。

據李讓禮說，由於上年訂約之時天氣不佳，雖入「番境」，卻未能『悉往所應到地方，盡行面約』，他認爲『事尚未定着』，所以又偕臺灣商埠總稅務司意勒安打們和繙譯官畢克淋（W. A. Pickering，亦譯必騏驎）再入「番地」。他們在一八六八年（同治七年）二月二十四日由打狗開船，次日抵瑯璠上岸。又次日，乘轎到「孤灘」地方，改雇下甲挑夫，隨嚮導步行入山，當晚到「色比里」人的居地，在村中挂搭帳篷息宿。二十七日，應「色比里」頭人以瑟之邀，到他家裏去盤桓了多時，仍回原來的村莊過夜。次日，土官頭目多克察來會，晤談甚歡，並由李讓禮將去年所約各款，擬成告示，寫好了交與多克察。他們還送他許多禮物，他也以隆重的儀式設席款待他們。當天下午散席之後，他們就辭別多克察回到「迫樸」人的「古丹」地方，又和「迫樸」頭人矮三交際了一番。二十九日回到「賖鼇務」。三月一日登舟開行，其間還在「板寮」勾留一日，於五日晨回到打狗口。這一篇「論美領事入生番立約情節及風土人情」的文章，約有七千字，除敍述他們的行程之外，還記載了許多「番地」的情況，是研究十九世紀中葉臺灣「番地」風土人情的好資料。

我們看臺灣鎮、道的奏疏裏面動輒說：『生番之地，鳥道羊腸，箐深林密，人跡所罕到，版圖所未收』，『生番之兇，豺目獸心，見人卽殺，不可理喻，爲聲教所不及』。但這幾個外國人何以能一再深入「番地」，直接和「番目」辦交涉、立條約？再看看李讓禮的記載，則「番地」何嘗全是榛莽未闢之區？「番民」又何嘗全是冥頑不化之人？可惜臺灣自入版圖以來，地方官吏對於「生番」總是牢守着這樣的觀念，尤其是在遇到

「生番」殺了外國難民的時候，便拿這些理由來推卸責任。無怪同治十三年（一八七四年）日本竟藉口於琉球難民被「生番」戕害的事件出兵侵臺，而這個熟知「番社」情形的李讓禮竟做了日本軍隊的嚮導！這又是研究中國近代外交史者値得注意的一點。

本書第二部分記載物產。如臺灣煤礦的分布地區、採煤的方法與費用以及產煤的數量與價値，都有詳細的敍述；又討論到臺灣採煤和運煤工具的不及西洋，更論及中國人阻止開煤的說法之妄。

李氏在「論火山」一文中說，臺灣所謂火山，實在不是火山，不過在山脚近處因煤氣鬱蒸於內，時從山罅透出煤烟。他說門順先生曾在打狗地方親見一座火山，就是煤氣所成；他自己也曾看到「屈茭」地方（在淡水之東）所謂火山的石罅中，除煤氣外，還有石油流出。他認爲當煤氣初發時，人或未見；待石油流到附近地方，草木皆燃、土石並灼，當地人就稱之爲火山。中國記載臺灣火山諸書，大都不能辨別到這一點。據他的調查，這類的火山，計自「屈茭」各山起到「施嚕美啞」各山止、自臺灣南澳迤東各山起到迤南各山止，所在皆有。但在淡水、奎隆（基隆）之西、金包里、大有港和靠近艋舺的地方卻有眞火山。眞火山皆有湯泉，產硫磺。他還把親往金包里和大有港勘查硫磺產地的情形和臺民偷製硫磺的方法，一一列入報告書中。

關於樟腦，李讓禮最欣賞臺灣人製造樟腦的方法，他認為比當時日本人所用的方法巧妙得多。他曾把臺灣製樟腦的爐竈繪圖附說，列入報單。這個中文譯本裏雖將原圖略去了，卻還存有圖說。除樟木可製樟腦之外，他又搜集了許多種臺灣木料，寄給美國的博物院，並且分別說明每種木料的用處。

本書第三部分敍述商務。除論及臺灣、廈門兩海口應建燈塔和釐金稅則應該減輕之外，以記載廈門和臺灣通商各口的商務為最詳實，因為其中列了許多有用的表。從這些表中，我們可以知道自一八六七年冬季迄一八六九年秋季臺灣通商各港進出口貨物的種類、貨價和數量，各口進出輪船或帆船的隻數、噸數、所載的貨物以及從何處來、往何處去。甚至於何年何月何日那一國的什麼船裝運烏龍茶或坑固茶若干磅開往紐約，都有明白的記載。這不啻是一份九十年前臺灣進出口貿易的報告冊。

本書記載物產和商務的兩部分，是研究臺灣經濟史的珍貴資料。

本書有許多地名，原作者大約是依照各地的土音拼成英文的，譯者又從英文譯成漢字，因此和當時通行的地名不相符合。雖然知道「奎隆」就是「基隆」、「板寮」就是「枋寮」，但還有許多地名和番社名難於認識。這是閱讀本書的一個困難。本書載有不少富於經濟史料價值的表，但其中有若干數目字，彼此相加起來，並不能與總數相符，大約是抄寫的錯誤。這是應用本書資料的又一個困難。關於這些地名和數目字，只得一仍其舊，不敢妄爲注改；另有幾個顯然看得出的錯字，我們代爲改正了。

此書原爲中央研究院歷史語言研究所所藏的抄本，承允錄副印行，使本叢刊增加一種不易看到的書；這是値得感謝的。

「籌辦夷務始末」所載同治六年美國船員被生番戕害一案的那些奏稿，也附錄在本書之末，以供參考。

臺灣番事物產與商務後記

曹永和

這本中央研究院歷史語言研究所所藏原名「臺灣番事」的抄本，茲經臺灣銀行經濟研究室抄錄標點，列為「臺灣文獻叢刊」第四六種行世。書中有許多固有名詞，原著是依照土音拼成英文，譯者又從英文譯成漢字；因此，與實在的名稱，頗有出入。這是閱讀本書之一困難。周憲文先生囑我將這些固有名詞查出，使與實在的名稱予以對照，以供讀者之參考。

我讀了這本書後，記得曾看過本書的英語原文；這是美國駐廈門領事官 Le Gendre 所寫的。於是從國立臺灣大學圖書館把它找出，彼此對照。

本書是 Le Gendre 寄給美國駐華公使關於廈門、臺灣地方事務的一六八九年度報告，原題為 Reports on Amoy and the Island of Formosa, by C. W. Le Gendre, U. S. Consul at Amoy，是在一八七一年由華盛頓的國家印刷局 (Government Printing Office) 印行的，為一本總共五十面的小冊子。拿原文與本書對照的結果：

(一) 原文分為二部。前半部為廈門，後半部為臺灣。在本書後半的「論臺灣、廈門兩處海口宜建旗燈以便行船」至「各船隻進出口單」為止，係屬原文的廈門部份；而原文「厦門」部份，則並無分段標題。

（二）本書前半自「敍呈送各大憲緣由」至「論木料一項」，爲原文後半的臺灣部份。

（三）原文臺灣部份，再分爲二節。第一節爲 Le Gendre 再往「番地」的見聞與對「番事」的意見等，沒有標題；第二節標題爲「臺灣北部及中部的物產概要」，而再細分爲：煤、石油、硫黃、樟腦、樟腦的專賣、其他各種物產、木材等項。

（四）原文與本書之間，不但章節次序不同，內容的敍述順序也有許多不同處。如：（一）本書「論臺灣漢番來歷」至「論中外立約通商利弊」（一九～二五面）諸項，原文都包含於「樟腦之專賣」（本書「論包辦樟腦之事」）項下，其次序與原文亦有不同。（二）「論前劉鎮臺曾遣人至生番請其會辦事情」（二五面），原文寫在 Le Gendre 會晤卓杞篤後回到車城之後、到達楓港之前。（三）「論火山」（三四面）一節，原文寫在 Le Gendre與卓杞篤別後、途次「出火山」停歇的記事中。因此，可知譯者對於內容，曾經考慮，是有意加以更動的。至其目的，不得而知。不過，有些地方，却比原文妥當。

本書的譯者，似是淸末人，惟不知是何人？如爲 Le Gendre 所雇用的領事館華籍職員或各地洋商買辦，大概不會把基隆、安溪譯爲「圭隆」、「安桂」，「公行」譯爲「庫杭」。至於譯文，間有錯誤，也有省去了許多西文特有的冗長敍述，大體還算相當正確的。

因爲本書所譯的名詞，許多與通行的不相符合；故爲利便閱讀起見，查出原文和眞實地名、人名等項，予以對照，按筆劃加以整理，以供檢索。又在必要處，稍加注解，藉便讀者的參考。至若干未能查出者，也均已註明原文。至於本書的誤譯之處，因爲篇幅關係，未及指出。不過，周憲文先生已請周學普先生把原文譯成中文，不久可以刊行；這對讀者是大爲方便的。

附：臺灣番事物產與商務譯文考證

曹永和

一畫

一作書人（一二面）：「百年前，曾有一作書人，……」，原文爲 An author of the last century（前世紀的一位著作者），係指法國人天主敎耶穌會士 Jean Baptiste Du Hald（一六七四～一七四三）。此節，據 Le Gendre 的報告原文註謂，係引自 Du Hald 著「中國全誌」一書之一七三六年英文本。按 Du Hald 著「中國全誌」(Description géographique, historique, chronologique, politique, et physique de l'Empire de la Chine et de la Tartarie chinoise) 法文初版在一七三五年刊於巴黎，法文本第二版在一七三六年刊於海牙。英文本有一七三六年、一七三八～四一年、一七四一年等三種版本。

一素（八面）：原文：Esuck。射麻裏社頭目的名字，抄本亦作「以瑟」。按「恒春縣志」卷五「招撫」所收光緒十二年四月初十日稟報各社戶清冊云：「……以上七社，共一千零二十一人，歸射麻裏二股頭人一色管轄，每季給口糧銀七十二元。……」；又據同年十一月二十一日知縣等稟稱：「一、射麻裏社，共男丁二百七十六名，正副社長葛亦失、葛射落，月支口糧重洋五・三元，衣褲同前」。又光緒十五年三月初八日，知縣等造送已撫番社設立正副社長，並造戶口清冊曰：「射麻裏社，共八十三戶（男二百七十六丁，女二百四十八口）。正副社長亦失、射落。離城一十二里」。又曰：「射麻里社二股頭人一色等銀七十二元，……」等，有「一色」、「亦失」等名字，似爲同人異譯。

三畫

下甲人（六、七、九、一七、二一、二二、二四、二五、三六、四〇面）：原文：Hakkas，即「客家人」。

大有港（三五、三七、三八、三九、四〇面）：原文：Tah-Yu-Kang，當指七星山竹仔湖的東北邊金包里方面硫黃產地，土名爲「大油磺」。

大呂宋（一七面）：指西班牙。按當時菲律賓仍屬西班牙，因此，抄本對西班牙本國稱爲「大呂宋」，或單稱「呂宋」，而對馬尼拉稱爲「小呂宋」。

小呂宋（九、四九面）：原文爲 Manila（馬尼拉）。參看前條「大呂宋」。

四畫

中港（一九面）：原文作 Tung-Kang，即「東港」。

厄伯呢（三四面）：原文 Appennines。山脈名，爲歐州 Alps 山脈之支脈，延袤於意大利半島之上。

日里歷凱（一三面）：番語，意即「寒冷」，原文作 lelicki。

毛木（四三面）：樹木名，原文作 Mau-muh。

火山（一三、一六面）：原文 Volcano。此抄本對火山有兩種說法。一爲普通名詞，一爲固有地名。按「恒春縣志」卷十五「山川」項曰：『出火山，在縣城東五里，三台山之左。「爾雅」：「大山宮，小山霍」，此實霍也。爲縣城入射麻裏、赴內山之路。路岸穴孔如碗，火即出，無烟而焰；焰高尺餘，除燬天可見。投以草木，則烈而燼。火移徙無定處，然相去不遠耳；冬、春有，夏、秋無。沙土石，皆青黯色。山下有溪名出火溪；源細而流長，行六、七里，會龍鑾潭西北流入海。據「采訪錄」：「近年火少見」。士女往觀者，謂尋火而得，則吉；否則不吉。居民以此占否泰也』。

「**毛里遜**」山（一〇、三五面）：原文 Mount Morrison，即「玉山」。

五畫

必瑟（八、九面）：原文作 Esuck，射麻裏社頭目之名字。參看「一素」條。

加士邦（三四面）：原文 Caspian Sea，即「裏海」。

北里色底（五八面）：船名。原文 Benefactor。

古丹（一六面）：原文 Kootang，即「猴洞」，今恒春。抄本亦作「孤灘」（參看八畫該條）。

按沈葆楨「請琅璚築城設官摺」曰：『十八日，抵琅璚，宿車城，爲前大學士福康安征林爽文駐兵之處。接見夏獻綸、劉璈，知已勘定車城南十五里之猴洞，可爲縣治；臣葆楨親往履勘，所見相同。蓋自枋寮南至琅璚，民居俱背山面海，外無屏障；至猴洞，忽山勢迴環，其主山由左迤趨海岸；而右中廓平埔，周可二十餘里，似爲全臺收局。從海上望之，一山橫隔，雖有巨礮，力無所施；建城無踰於此』。

市乂（四四面）：樹木名。原文作 Chee-cha。

市頗（四三面）：樹木名。原文作 Chea-per，即土名「赤皮」之譯音重譯。學名爲 *Ouercus gilva*, Blume。

本國史官（一面）：原文 Hon. Secretary of State，即美國國務卿。按當時美國國務卿是 William Henry Seward。他是在一八〇一年五月十六日生於 Florida，係一位卓越的政治家，爲美國共和黨創始人之一。一八六〇年共和黨提名總統候選人大會時，雖在初選時壓倒其他候選人，最後敗於林肯。林肯當選總統後，入閣任國務卿。林肯遭刺後，仍留任 Johnson 總統的國務卿。一八六七年由俄國買收阿拉斯加，即在他的任內。一八七二年十月十日歿。

本國博物院（四二面）：據原文，爲 The Museum of Natural History of New York（紐約博物館），在第三六面作「紐約之博物院」。

瓜山（三面）：原文 Kwa Siang Bay，似指「南灣」。歐美人士稱南灣爲 Kwaliang Bay，而 Kwa Siang Bay 當爲 Kwaliang Bay 之誤排。按在較早時期，單字中間的字母「s」，都作爲「f」，其形體與「l」頗相似，排印時容易發生錯誤。故很可能由 Kwaliang Bay 誤排爲 Kwafiang Bay，而分寫作爲 Kwa Siang Bay。

瓜地律虁（三九面）：原文 Guadeloupe。地名，爲法領西印度羣島之一。位於英屬 Dominica

島之北，分東西二島，並附有五小島。總面積一千三百八十方公里；有火山地帶。

白沙（二三面）：原文作 Baksa，即「木柵」之譯音重譯。現高雄縣旗山區內門鄉木柵村。

白來士（三四面）：原文作 Pallas，人名；即 Peter Simon Pallas（一七四一～一八一一年）。生於伯林，是一位著名博物學者與旅行家。一七六七年應俄國女皇 Catherine 二世之聘，任教於聖彼得堡學院（Academy of Saint Petesburg）。他曾充女皇於一七六八年所派遣的 Siberia 調查團之一員，至一七七四年回到聖彼得堡。對 Siberia 及中國邊疆的動物、植物、地質的調查有鉅大的貢獻；他著有許多學術價值極高的調查報告與旅行記。一七九五年，由於健康的關係，轉到 Crimea，住了十五年後回到伯林，死於一八一一年。

白崎（七〇面）：原文 Pak Kee，當爲「北溪」之譯音重譯。按北溪係富屯溪上流名稱，發源於福建省光澤縣西北縣界。

石美（七〇面）：原文作 Chio Be，似爲「石碼」之譯音重譯。按石碼在福建省海澄縣港口堡。抄本亦作「珠比」，參看「十畫」該條。

石龍（四六面）：原文 Shek-Long, in the Canton province。按石龍在廣東省東莞縣東北三十里東江之濱，廣九鐵路所經。

六　畫

「**冰碻**」海關地方（二〇面）：原文作 Bay of Bengal，即「孟加拉」灣。在亞洲南境，介印度半島與印度支那半島之間，爲印度洋之一大海灣，北岸有「加爾加答」等市。

印度土人（一六面）：原文作 Indian。

吐拚勒（一四面）：原文作 Toapangnack，即「大板埒」之譯音重譯。按「恒春縣志」卷十五「山川」曰：『大板埒，在縣南十二里，與大沙灣、船篷石毘連。形勢太敞，無歸束處；東南風來，仍不可避』。

多克察（四、六、七、八、九、一〇、一二、一三、一四、一五、一六、二五、二六、二七面）：原文作 Tauketok，猪勝束社的土目，並統轄瑯嶠十八社之大土目。中文資料多作「卓杞篤」。

宅兒（一四面）：原文爲 Tait & Co.，即英商德記洋行，於一八六七年在臺灣南部開始營業。

宅碻落（一三面）：原文作 Tagal，即菲律賓 Tagal 族。

安打們（二六面）：原文 Mr. Man。參看「十三畫」「意勒安打們」條。

安桂（七一面）：原文作 An Koé，即泉州安溪縣之譯音重譯。

朵打（六七面）：地名。福建省煙草的產地，原文作 Tiotoa。

色肯（二〇面）：原文作 Saccam，即「赤嵌」（今臺南市）之譯音重譯。抄本所載「赤嵌」，均指「車城」。參看「七畫」「赤嵌」條。

色比里（七、八、九、一〇、一一、二八面）：原文作 Sabaree，即「射麻裏」社。

色比里土音（一一～一二面）：原文 Sabaree dialect。抄本所載數詞與原文互相比較如下：

數詞	抄本	原文
一	意他	Ita
二	佬沙	Lousa
三	拖路	Torro
四	實不	Sipat
五	里碼	Lima
六	音能	Ainem
七	壁桃	Pitau
八	阿蘭	Allau
九	什吙	Sivah
一〇	波盧	Porrou

西的南（五八面）：船名。原文作 Ferdinand。

西蓬萊士（五八面）：船名。原文 Surprise。

七畫

「**伯士喀多**」海島（三面）：澎湖西名 Pescadores Islands 的譯音。按抄本謂：到澎湖並「伯士喀多」海島，係誤。原文爲 Ponghoo or Pescadores Islands（澎湖，或稱「漁夫島」）。

伯司（一二面）：原文 Bashee islanders，即「巴士」島人。按巴士羣島為臺灣與呂宋間之一小羣島，係火山質構成。或云 Batan 羣島。參看次條「伯宅里」。

伯宅里（一二面）：原文 Batanes，即菲律賓之 Batan 羣島，在北緯二〇度一五分～二一度九分、東經一二一度四七分～一二二度三分 Bashi 海峽南方、Babuyan 羣島之北，大小五十島嶼；包括 Batan、Ibajos、Sabtan、Yami、Mabudis、Itbayat、Diogo、Siayan 等島。或稱 Bashi 羣島，住民為 Itbayat 及 Ibatan 族。

伯爾欵（三四面）：原文 Baker，地名，在裏海地方。

克釐士（一六、一八面）：原文 Kalis，即傀儡番；此係「傀儡」之譯音重譯。按「鳳山縣采訪冊」乙部「諸山」云：『內支（謂港東、西二里內山，故曰內山），總名傀儡山（地屬生番界，俗呼生番為傀儡，故曰傀儡山），由北而東、而南，綿亘一百二十餘里』。

利哩菴（一三面）：係十八社「番語」，意即「水」，原文作lalium。按「恒春縣志」，卷六「番語」項曰：「水，拏濃」。「鳳山縣志」卷三「番語」項曰：「水為喇淋」。

呂宋（三、九、二三、六一、六九面）：原文 Spaniard 或 Spanish，係指西班牙。參看「三畫」「大呂宋」、「小呂宋」兩條。

坑固茶（五九面）：原文 Congou，即「工夫茶」。

坑榛（四四面）：樹木名。原文 Kaon-Tsang，似為土名「校欑」之譯音重譯。學名 *Quercus*

glauca, Thumb.。

夾籠（三〇面）：原文 gollon，英、美之液量名稱，普通譯爲「加侖」。

李想兒（一三、一四面）：即 Le Gendre 之譯音。法裔美國人。一八六一年美國南北戰爭時，曾投北軍而因功陞爲陸軍少將。一八六二年，負傷退伍而來中國。一八六六年十二月任厦門領事，並兼轄臺灣領事。一八六七年三月美國船 Rover 號遭難後，奉命來臺灣與臺灣道交涉，未獲結果，遂有美國軍艦襲臺之舉。但美軍反被土人擊退，於是他乃單身進入「番境」，同年十月與猪勝束社大頭目卓杞篤簽訂協約。翌年，再到臺灣重晤卓杞篤。後回美國途次，適日本因琉球人被高士佛、牡丹兩社土人所殺，將興師侵臺，任日本外務省顧問。

沙虫（四三面）：樹木名。原文 Shwa-Sam，即土名「山杉」之譯音重譯。學名爲 *Podocarpus Nagio* Pilger。

沙龍眼（四四面）：樹木名。原文 Shwa-Lung-Yuen; or wild Lung-Yuen .，即土名「山龍眼」之譯音重譯。學名爲 *Helicia formosana,* Hemsl.。

赤㸿（二九面）：臺灣北部之地名。原文 Chemo，不詳。

赤嵌（三、五、六、一八、二五、二六面）：原文 Chasiag。即「車城」之譯音重譯。

赤當茭（五面）：原文 Chetongkah。即「莿桐脚」之譯音重譯。

邑鉋山（四〇面）：原文 Ape's Hill，意爲「猴山」，即「打狗山」之西名。

八畫

亞墨利加土人（二四面）：原文 Indians in America。

亞墨里駕（三四面）：原文 America。

兒梨（一四面）：原文 Elles & Co.，即「怡記洋行」；於一八六六年在打狗開始營業。

卑兒信（三面）：原文 Padre Sainz，即聖多明我會神父 Fernando Sáinz（華名：郭德剛）。生於一八三二年五月三十日，一八五四年一月十五日發願，一八五八年晉鐸。一八五八年十二月十二日，與 Joseph Duttora 兩人被菲律賓聖多明我會派來臺灣佈教。先赴廈門，Duttora 神父因通華語，留於廈門。一八五九年五月十五日，Sáinz 神父偕 Angel Bofuruall、中國修士三人、教友三人起程來臺，五月十八日到達高雄。在高雄前金建立教堂一座、神父宿舍一所。一八六八年九月二十九日奉命回馬尼拉，一八六九年七月十九日離臺。一八八六年間任馬尼拉華僑天主教本堂主任司鐸，一八九五年十月十七日病卒於馬尼拉任所。

卑魯（二六面）：「故提督卒卑魯」，原文為 lamented Rear-Admiral Bell（故海軍少將 Bell），即 Henry Haywood Bell（一八〇三～一八六八）。一八〇三年四月十三日生於 North Carolina，一八二三年八月四日任海軍少尉候補生，一八六五年被任為東印度艦隊（East India Squadron）的司令官，努力鎮壓在中國海域騷擾的海盜。一八六六年七月二十五日陞為海軍少將。一八六八年一月十一日在日本沿海溺斃。

卓先生（四〇面）：原文 Mr. Dodd。參看「九畫」「約翰多卓」條。

呀路兒（二、四、一三、一四面）：原文 The Rover，美國船名。一八六七年在七星巖附近遇風遭難，搭乘人員上陸爲龜仔角社土人殺害，因之引起美國搆兵「懲番」之舉。中文資料作「羅妹」。

「呢能爹啞」礮臺（二〇面）：原文 Fort Zelandia，即安平之「熱蘭遮城」。

孤灘（六面）：原文 Kootang，即「猴洞」之譯音重譯，今恒春。參看「五畫」「古丹」條。

屈茭（二八、三四、三五面）：原文 Koukau，似指苗栗縣牛角山。按「淡水廳志」卷十二「物產考」金石屬云：『磺油，亦名地油，產猫裏牛角山，由石壁中流出』。又「苗栗縣志」卷五「物產考」貨屬云：『磺油，產猫裏溪頭牛鬪山下』。

帖九辨（一八面）：番族名。原文 Takubien tribe。似爲瑯嶠十八社中之「竹社」(Tatalivan)之訛誤。

府城（五、一九、二六面）：原文作 Taiwanfoo（臺灣府）。

府城某先生（二三面）：原文 Dr. Maxwell, of Taiwanfoo（臺灣府之 Maxwell 醫生），即 James L. Maxwell, M. D.，係蘇格蘭長老會醫務傳道師，爲荷蘭撤退後清末初次來臺之新教傳道師。畢業於愛丁堡大學，得醫學博士學位，曾任長老會教堂長老。於一八六四年由英國抵厦門，學習閩南語。翌年五月二十八日由打狗登岸，至臺灣府城，一八六五年六月十六日在府城西門外租屋作佈道所兼診所。後受民衆包圍毀壞，被迫遷出，移居於旗後作爲行醫傳道之根據地，教務遂略有進展。一八六七年在埤頭建設禮拜堂，而一八六八年發生騷擾，教堂被拆搶，教友高長被毆，莊淸風遇害，發生「洋教」案。經中、英交涉後，福建總督委興泉永道渡臺會同英領事會辦結案。事後總督出示曉諭保護教士（參看「籌辦夷務始末」同治朝卷六十五）。Maxwell 於是再入府城居於二老口之許厝，施醫傳道。此地嗣後卽命名曰「舊樓」。按「臺陽見聞錄」卷上「洋務藥房」條中『光緒七年十月，醫士買威令請在安平行臺後舊礮臺邊，擇一官地，起蓋藥房。……』之「醫士買威令」，卽 Dr. Maxwell。

廹樸（三、六、一六、一七、二二、二三、二四面）：原文 Peppo，卽「平埔」族之譯音重譯。

廹樸（四四面）：樹木名。原文 Peh-poo，似爲土名「白匏」之譯音重譯。學名卽 *Mallotus paniculatus Muell,* Arg.。

抽加簪（四七面）：原文 Teuckcham，卽「竹塹」（今新竹市）之譯音重譯。

拍拉吐（三七面）：地名。原文 Pluto River, near Mount Helena, north of San Francisco。

拖土索土音（一一～一二面）：原文 Taoo-Siah dialect。按 Taoo-Siah 當爲「大社」之譯音。「大社」卽指住於武洛溪上流 Paiwan 族 Raval 系統之 Parirayan（參看「臺灣高山族系統所屬研究」第一冊第二六七面）。抄本所載「大社」之數詞，與原文互相比較如下：

數詞	抄本	原文
一	意他	Ita
二	丟沙	Dusah

三	吐嚕	Tourou
四	實不	Sipath
五	里痲	Limah
六	秧難	Ounum
七	壁吐	Pitoa
八	音鐃	Azou
九	實戊	Sivah
一〇	落奴	Pourouh

拖士索（二、一二面）：原文 Tallassock，即猪勝束社；係瑯嶠十八社之一。

拖米（四八、五〇面）：原文 Dr. Talmage，係美國改革派長老會駐廈門牧師。一九四七年至廈門傳教，達四十多年。其名字爲 Rev. John van Nest Talmage, D. D.，著有「廈門音字典」。

拖首板（二六、二七、二八面）：原文 Tossu Pong，即「大樹房」之譯音重譯。

杭（二四面）：原文 Hong，即行商「行」之譯音重譯。參看「十畫」「庫杭」條。

板崎（二三面）：地名。原文 Pangki, a town situated south of Takao。

板莫（四四面）：樹木名。原文 Pan-mock。

板寮（一八、一九面）：原文 Panliau，即「枋寮」。

林洋（七〇面）：原文 Long Yang，當爲「寧陽」之譯音重譯，即福建省龍巖州寧陽縣。

治丹（二〇面）：原文 Tatun，即「大屯」山之譯音重譯。

波梨格（六、九面）：原文 Poliac，即「保力」莊之譯音重譯。

肯褒爹（三面）：原文 Cambodia，即「柬埔寨」之譯音。

花事得（五九面）：船名。原文 A. E. Vidal。

門順先生（三四面）：原文 Dr. Manson。抄本亦作「們順先生」，爲當時洋行專任醫師，名 Patrick Manson（參看「臺灣研究叢刊」第六〇種「老臺灣」第一二三面）。

阿加弗理（五八面）：船名。原文 August Friedrich。

阿奴北（五八面）：船名。原文 Albert。

阿西亞呢亞（二四面）：爲 Oceania（海洋洲）的譯音。惟原文作 Australia（澳洲）。

非素亞（三四面）：原文 He-Soa, (fire hill)，即「火山」之臺語音譯之重譯。

九　畫

保供（六七面）：福建產紙地方。原文作 Po Lan，似爲木蘭溪之「木蘭」二字之對音。按木蘭溪流域，包括莆田、仙遊兩縣，爲產紙地。抄本亦作「保蘭」。

保蘭（七〇面）：原文 Polan，似指「木蘭」溪。參看前條。

前任史官（二六面）：原文 your predecessor，即前任美國駐華公使。據原文註係指 Anson

Burlingame。按 Burlingame（中國名：蒲安臣）在一八二〇年十一月十四日生於紐約州 Chenango country，曾學法律於 Harvard Law School，並在 Boston 操業律師，一八五四、五六、五八年三次由 Massachusetts 州被選爲國會議員。一八六一年任駐華公使，一八六七年卸任。在其任中列國覬覦中國時，處事和平，頗爲清廷盡力，極肯排難解紛；於是清廷請他代表中國出使。Burlingame 應允，並帶記名海關道志剛及禮部郎中孫家穀隨同出國，爲中國第一次正式派出使節赴歐美辦理外交。一行赴美，轉赴英、德、法、俄各國，不幸他因積勞成疾，卒於俄京聖彼得堡。

勃士底（五八面）：船名。原文 John Worster。

南直（五九面）：船名。原文 Nantib。

南港江（二〇面）：原文 Nankam River。

南澳（一三、一四、二七、三五面）：原文爲 Southern Bay，或作 South Bay，即「南灣」。

卽修（五〇面）：「洋人卽修」，卽修係 Jesuit（天主教耶穌會士）之譯音。此指康熙五十三年間耶穌會士所測繪之地圖。參看方豪撰「康熙五十三年測繪臺灣地圖考」（「文獻專刊」創刊號）。

奎隆（二〇、二八、二九、三〇、三二、三三、三五、三六、三七、四〇、四五、五二、五五、五六、五七面）：原文 Kelung，卽「基隆」（鷄籠）之譯音重譯。

客拉邦（四八面）：「公爵客拉邦」，原文爲 Lord Clarendon，指第四代 Clarendon 伯爵，其姓名爲George William Frederick Villiers Clarendon。生於一八〇〇年正月，一八三三～三八

年任駐西班牙大使。一八三八年因其伯父第三代 Clarendon 伯爵逝世，襲伯爵位。一八四〇年任掌璽尚書。一八五三年正月任 Aberdeen 內閣的外相。一八五五年二月 Palmerston 組閣時留任外相；不久，因 Palmerston 辭首相而連袂辭任。一八六五年十一月再任外相。由於 Reform Bill（選舉法修正法案）未獲議會通過而內閣總辭，後繼首相 Derby 擬邀他參加組聯合內閣而不就。一八六八年十二月 Gladston 組閣時，再入閣任外相。歿於一八七〇年。

施嚕美啞（三五面）：原文 Mount Sylvia（雪山），即「次高山」。

星察里（二面）：原文 Mr. Sinclaire，爲當時英國駐福州領事。

柏木（四三、四四面）：樹木名。原文 Kûng-moo，似爲土名「江栂」、「江某」之譯音重譯。「江栂」的學名爲 *Heptapleurum actophyllum*, Benth。

柴寮（四三面）：樹木名。原文 Cha-lew。

省佛淋食士庫（三七面）：即 San Francisco（舊金山）之譯音。

約哈馬（五五面）：日本「橫濱」（Yokohama）之譯音。

約翰多卓（三六面）：英人 John Dodd 之譯音。抄本亦作「卓先生」（Mr. Dodd）。一八六四年在淡水創設行號 Dodd & Co.（寶順洋行），爲臺灣茶業的恩人。他於一八六五年在臺灣調查茶業以後，翌年試買粗茶；又爲增加生產起見，從安溪運來苗木，貸款給農夫，獎勵栽培。一八六七年，向澳門輸出而大受歡迎。於是在艋舺設一茶館試行粗茶的精製，受居民阻擾後遷移大稻埕。這是臺灣茶葉精製的濫觴。一八六九年以帆船二隻載運臺灣烏龍茶二、一三一擔直輸紐約，以 Formosan Tea 招牌銷售，博得聲譽，對臺灣茶葉市場之開拓頗有貢獻。一八六六年間亦曾在淡水爲 Dent & Co. 的代理人，收購臺灣樟腦。

英守孥（五九面）：船名。原文 Insulaire。

香柳（四四面）：樹木名。原文 Shiong-Lew, or willow tree。

十　畫

們順先生（二八、三五面）：原文 Dr. Manson。參看「八畫」「門順先生」條。

庫里美亞（三四面）： Grimea 之譯音。在俄國西南部，突出於黑海北部的半島。

庫杭（二四面）．行商「公行」(Cohong) 之譯音重譯。

庫臘（二、一二、一三面）：原文作 Koalut，瑯嶠十八社之一 Kuraluts 的譯音。按「鳳山縣志」作「龜勝律社」，「恒春縣志」作「龜仔角社」。

庫臘土音（一一～一二面）：原文 Koalut dialect。抄本所載「龜仔角社」數詞，與原文互相比較如下：

數詞	抄本	原文
一	意他	Ita
二	柳仇	Lusu

三	里格	Lero
四	庫落	Poorok
五	司拿	Zeina
六	仁拿	Inum
七	壁仇	Pichu
八	意崇	Azoo
九	實瓠	Siboo
十	普落	Poorok

格致士（二三面）：「西國之格致士」，原文作 many philosophers（許多哲學家）。

桑肥擔（四三面）：樹木名。原文作 Sung-pih，即「松柏」土音之譯音重譯。學名爲 *Pinus formosana*, Hayata，或指 *Pinus Massonicana*, Lamb.。

氣利伯賒（三面）：原文 Isles of Calabashes, a group situated on the coast of Cambodia（柬埔寨沿海之 Calabash 羣島）。按據原文註，此節係引自一七四九年倫敦出版的Dampier「航海記」Circumnavigation of the Globe 一書。這本書迄未獲睹，惟據一九二七年所重印一六九七年的 Dampier「航海記」，他們寄椗地當爲 Pulo Condore（崑崙洋）。參看「十二畫」「登賒」條。

烟臺（六六面）：抄本亦作「燕臺」。原文作 Chefoo（芝罘）。

烏木（四四面）：樹木名。原文爲 black Ebony，黑檀之一種。土名爲「烏皮石苓」，學名即 *Maba buxifolia,* (Rottb.) Pers.。

烏倖（四三面）：樹木名。原文 O-Ting，即土名「烏甜」之譯音重譯。學名爲 *Vitex quinata,* (Lam.) F. N. Will.。

烏狸北茭（五八面）：船名。原文 Rebecca。

烏魯彎（四八面）：原文 Admiral Rowan，即 Stephen Clegg Rowan（一八〇八～一八九〇年）。生於愛爾蘭 Dublin 近郊。少時隨家屬移居美國。一八二六年任海軍少尉候補生。一八六七～一八七〇年任美國亞洲艦隊（the Asiatic Squadron）的司令官。

烏蘭（二一、三四、三六、四七面）：原文 Oulan，即「後壠」之譯音重譯。

珠比（六六、六七面）：原文 Chio Be。當爲福建省海澄縣「石碼」之譯音重譯。抄本亦作「石美」。

留庫呢啞（三面）：Luconia 之譯音，即菲律賓之「呂宋」島。

索圩海關（二一面）：原文 Sauo Bay，即「蘇澳灣」之譯音重譯。

索淤海關（二三面）：原文 Sau-o-Bay，即「蘇澳灣」之譯音重譯。

郞嶠海關（一〇面）：原文 Liangkiau Bay，即瑯嶠灣。

高市（四七面）：原文 Gauchay，即臺中縣「梧棲」之譯音重譯。

十一畫

偉廉先生（二六面）：原文 Mr. Williams，即指 Samuel Wells Williams。按 Williams 係於一八一二年生在紐約州 Utica，一八三三年來到中國傳教並兼通譯，爲 China Repository 的編輯。一八五三年 Perry 提督訪問日本時曾充任通譯。一八五七年又回到中國，在美使館任書記官，並曾任代理公使等職。一八七六年回美國，在 Yale 大學教授華語。有頗多著作，就中 The Middle Kingdom 一書爲當時名著。

啞梭笁（一四面）：原文 Tuiahsockang，當爲「猪勝東港」之譯音。按夏獻綸撰「臺灣輿圖並說」作「猪勝東大港」；「恒春縣志」作「大港口溪」。有云：『大港口溪，在後山，距縣東南二十三里。其源出高仕佛山，經三百六崎南行二十里，有大魯公溪水入之。又西南曲折行，歷九間厝，有响林、擺仁坑水入之；又南行十里，經猪勝東、文率、阿眉等社各山之水入之。至港口出海』。

得吉利（五〇面）：「美國教士得吉利」，原文作 Rev. Dr. Douglas, of the London Mission，即英國長老教會駐厦門牧師 Rev. Carstairs Douglas. M. A., LLD. Glasg.，著有「厦門音辭典」(Chinese English dictionary of the vernacular or spoken language of Amoy)。

曼素（五八面）：船名。原文作 John C. Munro。

畢客淋（一、四、一二、一四、二五、二六、二八、三五面）：即 W. A. Pickering，中國名爲「必麒麟」。英人，初在海關任職，後爲英商 Ellis & Co. 駐臺人員。Le Gendre 來臺時，充翻譯。

著有 Pioneering Formosa（老臺灣），中文譯本收於「臺灣研究叢刊」第六〇種。

船主勿氏（五〇面）：原文 Captain Ray, R. N.。

荷哇炎（五六、五七面）：原文 Hawaiian，即「夏威夷」。

荷威（二〇面）：原文 Howei，即「滬尾」（今淡水鎮）之譯音重譯。

荷蘭史官（二三面）：「一千六百七十五年間，荷蘭史官會記彼地風俗云……」，原文爲 In 1675 one of their historians,……，係指 C. E. S.: 't Verwaerloosde Formosa 一書。

麥里那（二三面）：Manila（馬尼拉）之譯音。

麥里森絲兒（一三面）：番語。原文 mazangiel，意即「頭目」。

麥肯士（一、四面）：Mckenzie 之譯音。按一八六七年三月美船 Rover 號在臺灣南部七星巖附近觸礁沈沒，搭乘人員上陸遭遇「番害」。Admiral Bell所率美國艦隊受命懲處「兇番」，六月六日駛至南岬。七日卽派 Captain Belknap 與 Lieutenant Mackenzie 帶同約一八〇名陸戰隊上陸，與「兇番」交鋒，而 Mackenzie 卽中彈斃命。

麥庫里（二八、二九、三五、四〇面）：原文 Lacoulie，或作 Lakoulie，卽「六龜里」的譯音重譯。今高雄縣「六龜」鄉。

麥桑禿古（二〇面）：原文 Mason Peninsula，今金山鄉之馬鍊半島。

麥氣哪把（三四面）：原文 Maccaluba，係在 Sicily 島西南岸 Girgenti 州北方六哩之有名的泥火山。

麥揹糧（一三面）：番語。原文 Machoolia，意即「饑餓」。

麥黎人（九、一一面）：原文 Malay，係馬來人；而抄本謂係日本之麥黎人，誤。

十二畫

喀喀（一三面）：番語。原文作 Kaka。意即兄。按「恒春縣志」卷六「番語」項，兄作「加嘎」。

斑亞（四四面）：樹木名。原文 Pung-a, or wax-bearing tree, (Stillingia sebifera)，即土名「柏仔」之譯音重譯。學名為 *Sapium sebiferum*, Roxb.。

曾板（七一面）：距廈門八〇哩之產茶地方。原文作 Chan Poan。

森木（七面）：原文 Mahogany，即「桃花心木」。

測赤萊（一三面）：番語。原文 chachilai，意即「石」。

疏辛（六六面）：痲袋產地。原文 Sur Sing。

登陂（三面）：Dampier 之譯音，即指 William Dampier。他生於一六五二年，好航海，十九歲時曾到過 Bantam。一六七三年英荷戰爭時入海軍，因負傷退伍。一六七五年到 Campeachy，於一六七八年回倫敦。一六七九年到 Jamaica，後隨 Mr. Hobby 將往 Mosquito 沿岸貿易，而在 Negril Bay 遇海賊船隊集合於該地，全部船員被誘加入海賊；Dampier 雖不願意，遂亦入夥，數年間劫掠西班牙的各殖民地。後橫斷太平洋，經過 Guam 島，於一六八六年六月二十二日到菲律賓的

Mindanao 島，滯留六個月。嗣因 Captain Swan 殘暴，發生叛變，水手佔領了船隻，遺棄 Swan，於一六八七年一月十四日離開 Mindanao 島。在呂宋島沿岸捕獲一些西班牙船隻；二月二十六日離開呂宋島到 Pulo Cordore。四月二十一日自 Pulo Condore 開往暹羅灣，五月二十一日再返 Pulo Condore。後要開往馬尼拉，遇風不果，北上駛到中國沿岸；因遇猛烈颱風。七月二十日到澎湖。七月二十九日自澎湖解纜，沿臺灣西南岸駛向 Bashi 島，於一六八七年八月六日到達。後到過 Celebes、澳洲北岸、Nicobar 等地。由於長久的航海，海賊們規律頗紊亂，好飲酒、多爭吵；Dampier 厭惡這種瘋狂的生活，常想逃走。在 Nicobar 島遂與船醫、另一英人偕同若干土人逃至Achin，結束他八年半的海賊生活。後到過Tonquin, Malacca等地，於一六九一年九月十六日回到英國。一六九七年出版他的「世界航遊記」，頗受歡迎，有許多版本。一六九九年海軍當局供給他一隻船，去探險澳洲等地。一七〇一年回英國，出版其「探險記」。嗣後數次出外航海，於一七一五年去世。在 Le Gendre 的文中，謂 Dampier 於一六八五年八月六日到達 Basshee 羣島，係一六八七年八月六日之誤。抄本又誤爲到達「瓜山」。按 Le Gendre 的原文：『海賊們在海上遊弋時，必定也看到了臺灣南部的海岸。雖然也許爲西南貿易風所阻，不能在 Kwa Siang 灣（按即南灣之誤，參看「五畫」「瓜山」條）上陸，却沒有什麼會阻止他們在東岸接近琅璚或猪勝束罷。在一六八五年時，番人仍佔有現在車城的那些地方；而不多年之後，福建的中國人便來該處定居了』。

絲秧柳（四三面）：樹木名。原文 Seaon-lau，係土名「松蘿」之譯音重譯。學名爲 *Chamaecy-*

paris obtusa, Sieb. et Zuce.。

買士提落（五面）：臺灣之「買士提落」，原文爲 Mestizos of the Philippines。按 Mestizo 係西班牙統治菲律賓時期，對於中國人爲其父親、菲律賓爲其母親之混血人所稱（參看 Censo de las Islas Filipinas, 1903 Tomo 2, P.463 Nota)。

都逢（二九、三三面）：「管輪人姓都逢者……」，原文作 an engineer, Mr. Dupont。

十三畫

意米亞（一〇面）：番族名。原文 Amia。

意勒安打們（一、一四面）：原文 I. Alexander Man。英國籍，當時爲打狗海關稅務司。一八六三年二月開始服務於海關，一八六八年六月陞爲稅務司。中文名字稱「滿三得」（參看 China. Imperial Maritime Customs. Service list, 1875)。

煤骨（二九面）：原文 coke，即「焦煤」。

矮三（一六、一八面）：原文 Assam，猴洞社土目的名字。

十四畫

彰化迤西（二四面）：原文 at other points east of Changhwa，故應爲「彰化迤東」。

漳津（六八面）：原文 Chang Chin。

賒薝務（五、六、一五、一八面）：原文 Sialiao 或作 Sialio，即「射寮」。

赫里那山（三七面）：原文 Mount Helena。

赫德（四五面）：原文 Mr. Hart，即 Sir Robert Hart。一八三五年生於愛爾蘭之 Portadown，一八五四年來華，在香港貿易監督廳任助理通譯官。一八五九年英法聯軍侵略廣東時任關稅監督官。一八六三年轉任上海稅務司，對中國海關行政的改革頗有貢獻。一八九六年陞爲總稅務司，一九〇七年辭任回國，一九一一年逝世。

十五畫

鳳港（一八面）：原文 Hong Kang，即楓港。抄本云：『此地爲鄭成功夫人墳墓所在』，按據「恒春縣志」卷二十二「雜志」云：『鄭延平女娣墓，在楓港海岸山上。天朗氣清之日，泛槎海上，望而見之；及登山尋訪，則渺矣無踪。其山之仙耶？其鄭之仙耶』？

劉鎮臺（一五、二五、二六面）：原文 Chentai Lew，指臺灣鎮總兵官劉明燈。

嘴等加（四〇面）：原文 Chui-ten-kah，即「水返脚」；今汐止鎮。

璉國（五六、五七面）：原文 Danish，即「丹麥」。

遮駕（四九面）：原文 Java，即「爪哇」。

十六畫

鄭禮乾（二六面）：通事鄭禮乾，原文 Tseng Tayen。

燕臺（四九面）：抄本亦作「烟臺」。原文為 Chefoo（芝罘）。

龍崎（七一面）：原文 Liong ké，當為「龍溪」之譯音重譯。

龍清潭（七〇面）：距廈門一〇〇哩之產茶地，原文 Loan Chin-chian。

十八畫

雜加丁（四三面）：樹木名。原文 Chug-Kha-Ting。

十九畫

羅蚶（二〇面）：原文 Lohan，似為「羅漢」之譯音重譯，在基隆西側「萬人堆鼻」之別名。

識星里（三四面）：地中海第一大島 Sicily 之譯音，屬意大利。

二十一畫

鶯呼哩（一五面）：原文 Enifield，一種來福鎗之牌名。

二十四畫

讓禮（一三、一四面）：原文 Charles，卽 Le Gendre 之名（Charles W. Le Gendre）。

戴施兩案紀略弁言

周憲文

省立臺北圖書館藏有抄本「戴案紀略」三卷及「施案紀略」一卷，俱爲彰化立軒吳德功所著。前者係紀咸豐十一年(一八六一年)戴萬生之事，後者係紀光緒十四年（一八八八年）施九緞之變。現經傳抄、標點，併爲一冊付印，改題「戴施兩案紀略」。吳氏以當時之人、紀當時之事，這是本書之可寶貴處。如果要說本書的缺點，那就是抄本的通病：很多錯字與脫字。也許就因爲錯字與脫字的關係，有些地方詞意似嫌不足；除了顯然的脫字或錯字經予補正或改正外，儘照原文刋出，未敢輕加更易。再則「戴案」卷下，係屬附錄性質，祇拿一些有關的文件「錄而附之」，大體都是沒有標題的；現仍照樣刋出，也未另加標題。

原抄本「戴案紀略」首有「東京府中村誠伯實」的序文，未及錄刋；原抄本「施案紀略」首有蔡德芳的序文，因它說到「戴案紀略」，所以提作全書的序文。

苑裏志弁言

周憲文

省立臺北圖書館藏有「苑裏志」稿本，是日本佔據臺灣以後的第三年、卽光緒三十三年（一八九七年）苑裏蔡振豐所修輯的。蔡君爲前清附生。據其自序，是在光緒三十三年三月應當時臺中縣苗栗支廳長橫堀氏之聘，出任「事務囑託」，不久，『支廳裁缺』，原支廳財務課長淺井氏『轉任』『苑裏辨務署長』，他應邀修輯「苑裏志」。十一月一日開始工作，『閱一月而全稿告成』。這是本書的「來源」。由此「來源」，可以知道本書「告成」之速及其「告成」的背景（『　』內引文，見著者自序）。

當時，日本人來臺灣不久，在文化方面有一特殊現象。他們（來臺灣的日本人）不但歡喜做些漢詩，而且常用漢文寫作。他們的目的，無非想藉以接近並吸引上層的知識份子。這一政策，是部份成功的。這本「苑裏志」，就是有力的物證。我可以隨便舉兩個例子。(一)「賦役志」「田賦」項下：『自帝國涖臺以來，卽將明治二十八年錢糧一切赦免，祗徵二十九年以後之額。其愛民之至意，亦可想見矣』。(二)「學校志」「樂器」項下：『國家（按指日本）得地之始，政府卽孜孜求治；欲循臺民之慣例，以順民情。王度恢恢，於是乎見。此節祀典，正宜悉仍前時之儀度、品物，依時舉行，毋缺毋褻。既可覘一王之規模，並可以洽全臺之輿論；道何隆也？典何盛也？則他日之人才輩出，亦於是乎基』。這完全失去了國家民族的立場。

那怎麼辦呢？思之復思之，我們決定了一個整理的原則。凡是事實，我們祇去其有礙於國家民族的字面，而仍予保留；凡屬議論，要是有害於國家民族的利益，一概剷除。根據這一原則，上例（一）經改刪成『自日本佔據臺灣以來，即將光緒二十一年錢糧一切蠲免，祇徵二十二年以後之額』；上例（二）則完全刪去。我們這一做法，除了有人想研究著者的思想以外，對於臺灣文獻的本質，是絲毫無所損傷的。至少，對於我們刊印「臺灣文獻叢刊」的目的是完全相符的。所以我們就這樣做了。在這一做法之下，本書被我們刪去了的，約略估計，當有七千餘字。其中被我們全文刪去了的，則有著者的自序、蔡相的序文、「苑裏志」凡例、擬撰國語講習所所長卒學訓諭文稿（蔡振豐）、苑裏新開辦務署宴會祝詞（蔡相）及苑裏新開辦務署筵中即事詩（蔡相）。再在附圖裏面，我們刪去了「辨務署」、「警察署」、「守備隊」及「苑裏八景」共十一幅；這理由是因原圖過於草率，在「文獻」上無此需要（苑裏八景的說明則保留下來，以供參考）。

此外，還有幾點得附帶說明的。(一)苑裏這一地名，在歷來各種紀載中，有宛里、苑里、苑裏及苑裡等幾種寫法，即在這本苑裏志的「稿本」上，也寫法不一；經統改爲

「苑裏」，以求一致（至於「附圖」，則因製版關係，乃仍其舊）。再如「通霄」與「呑霄」、「房裏」與「房裡」、「山柑」與「山甘」、「六尺埔」與「六尺布」、「火燄山」與「火炎山」等同名異稱，均予統一。㈡由於本書是『閱一月而全稿告成』的急就編，所以文字難免有所脫誤，我們經據「淡水廳誌」、「苗栗縣誌」及其他有關書籍酌予訂補，並於必要處用〔　〕（　）等括號加以說明。

滄海遺民賸稿後記

周憲文

王友竹先生的著作很多，我知道其已印行的，則有三部。（一）是「臺陽詩話」，（二）是「友竹行窩遺稿」，（三）是「如此江山樓詩存」。「臺陽詩話」，已由我們標點出版，列爲「臺灣文獻叢刊」第三四種。「友竹行窩遺稿」，因與臺灣史事關係不深，我們決定割愛。餘下來的，祇有「如此江山樓詩存」；可是我們找不到這一刊本。

某日，有一長者見訪，名片上印的是「王承祖」三字。他雖然也在本行服務，我們却是初次見面。他手裏拿着一本「臺陽詩話」，翻開鄭序（鄭如蘭序），指着其中『明歲（按爲光緒二三年）舉一子』幾字，自我介紹：『此子就是本人』。原來他是友竹先生的哲嗣；歲月不居，今已白髮蒼蒼一老翁。於是，我們談到當年友竹先生在異族統治下的生活情形。他不爲威武所屈，他不爲富貴所淫。他詩以明志，他酒以寄情。他名其所居曰「如此江山樓」。這些都是舊社會智識份子的「高度行動」。日本人對他，終也無可奈何（其「代柬謝當道」云：『天生性癖本粗豪，左手持杯右手螯。往事悠悠腸欲斷，壯心耿耿首空搔！誰知賤子趨時懶，不是山人索價高。耻學横行累兒女，明公漫笑許由逃』！何等朗爽曉暢！『耻學横行累兒女』，這是情感與智慧的交流融貫）。他一生最大的遺憾，是沒有看到臺灣的光復（其「偶成」云：『對此茫茫有所思，胡塵滿目放翁悲。他時故友編遺稿，爲補「示兒」一首詩』。這與劍南的『王師北定中原日，家祭毋忘告乃翁』，先後映輝，永垂不朽）。

講到如此江山樓，使我想起了久求未獲的「如此江山樓詩存」。承祖先生告訴我：這一「詩存」，乃於一七二五年（民國十四年）承吳興劉承幹氏的關懷，附以「四香樓少作」，題爲「滄海遺民賸稿」，在上海以聚珍倣宋版印行。當時臺灣當局忌之甚，所以總督府圖書館（今省立臺北圖書館的前身）未有此書，其他圖書館更無論矣。不過，承祖先生却藏有一册，視同拱璧。他極願意借給我們抄錄印行。因此，本書得列入「臺灣文獻叢刊」，重爲傳播。爲誌經過，以留鴻爪。

臺灣生熟番紀事後記

周憲文

這本「臺灣生熟番紀事」付印，有幾點需要說明。

(一)本書列爲「臺灣文獻叢刊」第五一種，遲遲沒有出版；這因「臺灣銀行季刊」打算編印有關臺灣先住民的特輯，我們想以本書先在特輯的文獻欄轉載，藉便查考。現因特輯久未集稿，所以本書先行排印；但已躭延了不少時間。

(二)本書所載「生番歌」與「熟番歌」，據陳淑均的「噶瑪蘭廳志」及柯培元（易堂）的「噶瑪蘭志略」都說是柯培元的作品，至屠繼善的「恒春縣志」刋錄「熟番歌」，則署黃逢昶之名。按陳、柯的著作遠在道光年間，黃、屠的著作係在光緒時代；我們無暇考據，照理當以前者爲是。這原因，本書是由著者的兒子（芷陔）代爲編輯的，故把別人的著作錯爲他父親的著作了（「恒春縣志」的來歷，可能是根據本書的）。

(三)由於本書的篇幅過薄，所以我們乃以淸季的「化番俚言」與「訓番俚言」作爲附錄。

安平縣雜記弁言

周憲文

本書有兩種名稱，一曰「安平縣雜記」，一曰「節令」。『顧名思義』，由這兩種名稱，就可推想本書內容的大概了。其名爲「節令」，猶如時下的「短篇小說集」，因無適當的書名，乃以首篇的篇名爲名。在這意義上，本書名爲「安平縣雜記」，毋寧是比較恰當的。

由於本書祇是有關當年安平縣的雜記，所以我們想整理出一個稍有系統的目錄都未嘗辦到；現在爲了便利檢索起見，勉強湊成一個目錄。至於本書出於誰的手筆？成於什麼時代？更無紀錄可尋。據推測：『諒係清光緒二十年所修之「安平縣采訪冊」之一部份』（見「文獻專刊」三卷二期）。但因「安平縣采訪冊」未見傳本，所以這一推測也就無法證實。不過，在我們校讀本書之後，對於本書的措詞、用語，有點「奇異」的感覺。關於措詞，說來話多，讓讀者自去體會；現就用語，姑舉一例。書中對於中國概稱「清國」，甚而至於有『清國福建浙江』的語句；這顯然是外國人（日本人）的口氣。就這一點來說，本書的作者縱使不會是日本人，但其成書，當在日本佔據臺灣（光緒二十一年）之後（書中也有講到日本佔據臺灣以後的事情）。如果本書確爲『光緒二十年所修之「安平縣采訪冊」之一部份』，則可能是在光緒二十一年之後經過日本人的更改與補充（另一例證：本書對於日本，常逕稱「帝國」，經改爲「日本」）。在這裏，我們不想做考據的工作，我們祇是提出問題。

不過有一點，却得附帶說明的。卽在日本佔據臺灣的最初幾年，它爲了要「籠絡人心」，對於「上層社會」的「讀書人」，特別注意。當時，它派來臺灣的「地方官」，都儘量選擇能懂漢文、能做漢詩的人，以便與這些「讀書人」詩酒聯歡，進而促使他們爲日本統治臺灣而服務。這些「讀書人」所有的本領，除了認得一些字、可能還會做些詩以外，就是知道一些過去的掌故與當地的風俗；於是，日本人就利用他們做「採訪編輯」的工作。因爲日本人初來臺灣，「入境問俗」，這些掌故與風俗，是他們的統治基礎所在，爲他們所急需了解的（當年臺灣總督府且有「舊慣調查會」的組織）。在這一情形之下，結果就有不少「地方采訪冊」之類的「著作」脫稿。這本「安平縣雜記」，在我看來，可能也是這類「著作」之一。

再，本書原抄本藏在省立臺北圖書館，我們在傳抄標點的時候，爲了存眞起見，除顯係錯誤的字眼逕予訂正外，凡屬可疑的字句，概行照舊刊出。不過，像「淸國」兩字，或已予刪去，或已易作「淸廷」。附爲說明。

臺戰演義弁言

夏德儀

「臺戰演義」原名「臺戰實紀」，初集、續集各六卷，撰者姓氏不詳。書中所述，皆為清光緒二十一年乙未（一八九五年）割讓臺灣而臺民抗拒日軍之事。全書雖以劉永福為中心，然所記戰況，皆與當時事實不符；蓋屬小說性質，故改其名曰「臺戰演義」。

省立臺北圖書館藏有此書之初刻本。「初集」首頁有『光緒乙未閏月校印』八字，按是年係閏五月也；書首有人物圖六、臺灣全圖一暨劉軍門告示，次為正文六卷。「續集」首頁有『光緒乙未六月校印』八字；書首有人物圖十，並「捷音」一篇，次為正文六卷。國立中央研究院歷史語言研究所藏有此書之翻刻本，「初集」首頁有『光緒戊戌仲秋重訂』八字。書中除臺灣全圖重行繪製外，其餘人物圖並所有正文皆與初刻本同。惟書首較初刻本多序文三、總目例言各一，並附錄臺灣古今郡縣名、疆域、職官、學校、賦稅、風俗、土產、山川、古蹟、名宦、人物及「倭國考略」等項；又於每卷之首，仿章回小說體例，各加七言或六言聯語目錄二句。而「初集」六卷及「續集」卷一正文之前又各繫評語數則，此皆後之好事者所增也。

是書「初集」描寫戰況，略具「演義」規模；「續集」雜湊成篇，全無「小說」意味。蓋當日兵入臺、臺民抗拒之際，作者以此種通俗文字爲鼓勵人心之具耳。迨後有人翻刻，又加重訂，增入卷目、評語，遂成章回體小說；然其目的則仍如書中所言『以慰天下士庶之心，以解千古中國之恨』也。茲依翻刻本謄錄付印，列爲「臺灣文獻叢刊」之一；非謂此書可當史料之用，只在反映當年臺灣民氣之憤激而已。

又是書之兩刻本譌誤皆多；有初本誤而翻刻本校正者，有初刻本不誤而翻刻本反誤者。茲以兩本互校，一一爲之改正。兩本俱誤或俱有脫落者，則以應改之字加（）列於誤字之下，或以脫落之字加〔〕列於刋落之處。又原書有人物圖十六幀分列「初集」、「續集」之前，而劉大將軍圖兩集皆有之；茲去其重複者一，將其餘十五幀合列於前。又刪去「臺灣全圖」一幅。又翻刻本所增「臺灣古今郡縣名」等項參考資料原列初集之前，茲移置全書之後，以爲附錄。

臺灣教育碑記弁言

夏德儀

這本「臺灣教育碑記」共計輯錄了四十三篇屬於教育性質的碑文。其中有三十六篇是從「臺灣教育誌稿」中抄出來的。「臺灣教育誌稿」是日據時期明治三十五年（清光緒二十八年、一九〇二年）臺灣總督府民政部總務局學務課編印的，全書皆用日文寫作，惟在最後一節中搜集了這三十六篇碑記。原書雖注明每碑所在的地方，但那時距今又將近六十年了，一切變化很大，原碑現在何處、甚至是否存在，都有待實地訪查之後，纔能確切的知道。

除這三十六篇之外，我們又在臺灣省文獻委員會編印的「臺灣中部古碑文集成」（「文獻專刊」第五卷第三、四期）一書中補錄了七篇爲「臺灣教育誌稿」所無的碑記。

因爲這四十三篇碑記的總字數只有二萬幾千字，不足一冊的分量，就以「明志書院案底」作爲附錄。「明志書院案底」二卷，是省立臺北圖書館所藏的抄本。第一卷爲乾隆二十八、九年（一七六三、一七六四）建立明志書院的文件。第二卷爲光緒十八年迄二十一年（一八九二～一八九五）間劃分書院經費、遴充收租董事及催繳欠租的文件。其中楊廷璋撰的「明志書院碑文」雖已見於「教育碑記」，但因文句小有出入，所以兩存。

本書的三個底本都有不少的錯字，我們在點校的時候已經改正了許多；但還有些不敢擅爲改動的地方，只得姑仍其舊。又凡遇文中以干支紀年的，皆查明年數附注其下，以便閱覽。

臺灣采訪册弁言

周憲文

省立臺北圖書館藏有「臺灣采訪册」傳抄本（據書末附記係於昭和十四年、即民國二十八年八月由臺南石暘睢氏所藏抄本傳抄），分訂六册；本書卽據以標點分段的。考本書成於道光九、十年間，參加這一工作的，則有陳國瑛等十七人。或於每一紀事之首、或於每一紀事之末，詳列采訪者的姓名及采訪的日期（本書一律改在紀事之末）；但也有漏記的。由於本書祇是若干人的采訪集刊，而未經嚴密的編輯，所以缺少完整的體系；甚至部份祇有「內容」而無「標題」。我們爲便於檢讀起見，在不損及「內容」的前提之下，勉強列出一個「標題」。凡是新列的「標題」，有的已經註明、有的因過於瑣碎未及註明。再則，也許由於傳抄的關係，本書不僅錯字很多，而且不少地方留着空白。我們除已酌予改正或塡補外，祇能用「□」或「……」的符號，讓這些「缺憾」殘存下來。

閩海贈言弁言

方豪

本書原藏東京帝國大學附屬圖書館，編號二二七二九六「文科大學史學研究室XIV，26」，「大正五年八月二十八日」入藏。東京帝大今改名東京大學；所謂「附屬圖書館」、所謂「史學研究室」，或爲舊名，今庋於東大東洋史研究室。大正五年、卽民國五年，是入藏至今已四十四年。學術界初不知有此書，東京大學乃以「閩海通談」書名編目。

學術界引用此書，殆始於田中克己先生所撰「鄭氏之臺灣地圖」一文（載「和田博士還曆紀念東洋史論叢」，昭和二十六年、卽民國四十年冬出版）。田中文末「註四」提及東大東洋史研究室藏有萬曆四十五年丁巳（一六一七年）黃承玄撰「閩海通談」；且述及書中有萬曆三十一年陳第所作「東番記」。民國四十三年秋，余始展轉獲田中教授原著抽印本，有紅鉛筆校改字句，殆田中託人轉贈者。

始余以民國三十八年春來臺，讀金雲銘著「陳第年譜」，知萬曆三十年十二月初八日（一六〇三年一月十九日）沈有容曾來臺剿倭；隨行有陳第者撰「東番記」，實明季親臨本島目擊本島情形者所遺之最早文獻。第友何喬遠撰「閩書」卷一四六「島夷志」

記東番文，有『連江陳第曰云云』，疑非全文。四十一年夏，大阪大學桑田六郎教授抄寄京都大學桑原文庫藏康熙三十八年杜臻撰「粵閩巡視紀略」中陳第所記東番文；以杜臻書較晚出，未多注意。

及獲見田中先生文，大喜，乃再託桑田先生及東大東洋文化研究所小堀巖先生，設法求得「東番記」之攝影；桑田先生轉託東大東洋史研究室石橋秀榮先生，石橋抄寄全書目錄，乃知書中有關明季閩、臺之史料極豐，不僅「東番記」已也。終於四十四年冬，由小堀先生寄來全書攝影，則所有各家序跋及凡例，均稱書名曰「閩海贈言」，目錄及書口則簡作「贈言」。

四十五年二月，余以其書爲研究明季閩浙臺灣史、臺灣原住民族史、中荷交涉史、中日關係史、倭寇史、中國海權史、通商史、漁業史等等之重要文獻，乃以「愼思堂」名義影印行世，撰小序，略述獲得原書攝影經過。

同年四月，余復撰「陳第東番記考證、附論閩海贈言」長文，發表於國立臺灣大學「文史哲學報」第七期，分「周嬰東番記索隱」、「陳第東番記之提出」、「陳第東番記全文與閩海贈言全書之獲得」、「閩海贈言中平東番倭寇之史料」、「陳第東番記異本源流考」、「閩海贈言、閩書及彭湖臺灣紀略中東番記三異本之校勘」、「明史與東西洋考中東番記引文之校勘」等七節，文長不錄。所可言者，書非黃承玄撰，承玄僅爲序；但有年代，故編目者遽以其爲撰人。其實乃沈有容自輯，而其季子又於其卒後爲之增輯，並梓以行世。讀卷五末林守奎「讀贈言感贈一首」引，可知也。按所收各文，標有年代者，以泰昌庚申年（一六二〇年）爲最晚，知其書初刻必在天啓間；惟此本有何喬遠祭沈有容文，作於崇禎二年陰曆三月十五日、合西曆一六二九年四月八日，是此本必刻於崇禎二年或二年之後也。此文不見於目，可知其爲家人增入。且凡有目無文或有文無目者，多在卷末，可證其乃隨收隨刻、隨刻隨印者。誠如「凡例」所云：『凡贈即繕寫入集，盡付剞劂』。

四十六年夏，余赴歐出席東方學會議及漢學會議，經美、日返臺，十一月九日至東大訪此書，書共六冊七卷，前五冊，每冊一卷；第六冊爲六、七兩卷（目錄有卷末而無卷七，正文有卷七而無卷末）一函，帙脊依然標題爲「閩海通談」，迄未改正。第五冊第十葉重，稱「又十」；第六冊缺第二葉，即魏應時「贈沈寧海大將軍之山東督府五言排律二十韻」，第四句「于今脫」以下即殘。查目錄知尚應有林古度五言排律「贈總鎭東萊」一首。余之影印本雖未註明，但善讀者一見即知有缺葉，且知缺於何處？細心者，更知缺詩幾首。

然影印本若干處糢糊不清，爲其大病，即如卷五葉向高「賦東沙捷」一詩，標題及首二句，因原書紙張有一塊黝黃，攝影紙上文字依稀可讀，影印本則不復能辨認矣。又卷四傅啓祚「東沙獲倭，還歸宛陵贈別」及李時成同題兩詩，皆不全，蓋爲印工偶失一葉；幸照相底片尚在，故得補足。

臺灣銀行經濟研究室重印此書，囑余校訂，余喜能彌補影印本之遺憾也，欣然從之。文中分段及目錄之改編，胥研究室同人爲之；標點方面，亦多所商榷。原書目錄卷五尙有吳國俊「贈破倭海上」、林懋「贈總鎭登萊（有引）」、林古度「讀閩海贈言感贈（四首）」、王承學「贈總戎登萊」、王舋「贈總戎登萊（三首）」俱佚，以是今本並目錄亦刪去。校既竟，爲識一言如上。

中華民國四十八年雙十節，杭縣方豪。

割臺三記弁言

夏德儀

本書內容分三部分：一為「割臺記」，羅惇曧撰；一為「臺灣八日記」，俞明震撰；一為「讓臺記」，吳德功撰。三文皆記臺灣割讓之事，故彙為一冊，題曰「割臺三記」。

「割臺記」係錄自「中國近百年史資料初編」。此事綜述臺島割讓及臺民抗日之經過，而所言至略，全篇僅約二千二百字而已。

「臺灣八日記」係錄自前書之續編。此文記光緒二十一年五月初五日日兵在澳底登陸後數日間中、日兩軍之戰況及十二日臺北兵變之情形。撰者俞明震先於四月二十五日受命總理全臺營務，繼於五月初一日接署藩司，更於初八日奉命赴前敵督師兼理餉械、電報事宜。故此文所述皆為俞君親歷之事，自較可信。俞明震於事勢危迫之際，焚燬各處來往密電，只取電奏草本藏衣帶中離臺，故其「八日記」後所附是年二月二十八日迄五月初二日唐中丞電奏稿三十九件，即據此僅存之草本也。當日電稿中所奏之事事後知其不可信者，俞君並加按語為之說明。

「讓臺記」係省立臺北圖書館所藏之抄本。原書有撰者吳德功於光緒二十三年春所作自序，謂當『澎湖甫破之時，民心惶恐，土匪蜂起，官威不振；出城一里許，官眷行李卽爲土匪所奪。城中舖戶爰請德功與上官議防守之策。德功思一家三十餘口，旣乏厚貲將家眷渡泉州，而欃槍不靖，雖貽憂桑梓，自己身家亦難保存；卽商於邑主丁燮，請孫太尊傳袞開設聯甲局，擢德功爲正管帶、族兄廣文吳景輔爲副，招集邑內外窮民五百名爲練勇，用總理爲哨官，日則東西南北巡緝匪類，土匪由是斂跡，早稻收成免於搶掠。然割臺議成，人心瓦解，上諭令各地方官將糧額、官產造冊交日本管轄，無一語及紳士。德功知時事不可爲，初兼辦局務，六月辭帶練勇，以許舉人肇淸代之；德功亦卽避於鄉下，旋丁母艱。遂將目見耳聞並取資公報，筆之於書。但臺南之事多係吳汝端、吳汝祥兩茂才所述，而臺北則出岳裔先生所言』。書首又有「凡例」若干則，其一云：『篇中叙帝國（指日本）兵將戰跡，取諸中尉修嗎灰愈所著「臺灣戰役」一書』。此爲撰者自述其書資料之來源。書中記事，始於光緒二十一年四月十四日簽約割臺，終於九月二十七日日本北白川宮親王卒於臺灣，運柩返日。其間臺灣軍民抗日凡一百三十餘日，此書逐日記載作戰之經過，而於地方人士之參與戰役者叙述尤詳。惟此書稱我國曰「大淸」、曰「淸國」，稱日本曰「大日本」、曰「帝國」，而於「自序」、「凡例」及記事後所附論說中又多阿諛日本之辭；蓋吳君當日人竊據臺灣時撰寫是書，不得不以此爲掩護而免蹈文字之禍也。新刊本已爲之改正、刪削矣。

「讓臺記」後原附撰者錄自是年十月「閩報」之隨筆一則。又吳君所著「瑞桃齋文稿」中有「吳彭年傳」一篇，並附於後，以供參考。

嘉義管內采訪册弁言

周憲文

本書的全稱是『嘉義管內打貓西堡、打貓北堡、打貓南堡、打貓東下堡下三分、打貓東頂堡采訪册』。我們略稱爲『嘉義管內采訪册』。原書爲一抄本，藏省立臺北圖書館；首頁有『大正十二年四月賜皇太子殿下台覽』紅印；蓋在民國十二年（一九二三年）四月日本皇太子（今昭和天皇）來臺灣時，當局曾以本書給他看過。至於本書成於何年何月？著者爲誰？均無記載。按其內容，當爲日據初期臺南打貓辦務署（打貓區公所，今民雄地區）的調查報告。在這裏，對當年臺灣行政區劃的變遷，可略爲介紹。

光緒二十一年（明治二十八年），日本佔有臺灣；五月二十一日，廣島大本營公佈「臺灣總督府假條例」（臨時條例），分臺灣爲三縣一廳，即臺北縣（轄基隆、宜蘭、新竹三支廳）、臺灣縣（轄嘉義支廳）、臺南縣（轄鳳山、恒春、臺東三支廳）及澎湖島廳。

同年八月六日，「臺灣總督府條例」公佈，乃分本島爲三行政區；即臺北縣（轄基隆、宜蘭、新竹、淡水四支廳）、臺灣民政支部（轄嘉義、彰化、雲林、苗栗、埔里社五出張所）、臺南民政支部（轄鳳山、恒春、臺東、安平四出張所），澎湖廳仍舊。

翌年（光緒二十二年、明治二十九年）三月三十一日，臺灣總督府公佈地方官制，實行「民政」（過去爲軍政時期）。臺灣的行政區劃，又有更張。除本島的臺北縣（轄四支廳）、臺中縣（轄四支廳）及臺南縣（轄四支廳）外，加上附島的澎湖島廳；共計三縣一廳。

明年（光緒二十三年、明治三十年）五月二十七日，臺灣的行政區劃，又有更張；乃由前此的三縣一廳，擴大爲六縣三廳，並改支廳爲辦務署；卽臺北縣（轄十一辦務署）、新竹縣（轄六辦務署）、臺中縣（轄十三辦務署）、嘉義縣（轄六辦務署）、臺南縣（轄七辦務署）、鳳山縣（轄五辦務署）、宜蘭廳（轄二辦務署）、臺東廳（轄二辦務署）、澎湖島廳（轄一辦務署）。以上六縣三廳，共計六十五辦務署。

光緒二十七年（明治三十四年）五月一日，臺灣的「地方官制」，又有改動；改六縣三廳爲三縣（臺北、臺中、臺南）、三廳（宜蘭、臺東、澎湖）；縣廳所轄的辦務署，亦減爲四十四。

同年十一月九日，當局認爲：『總督府……縣（廳）……辦務署』的三級制，在事務處理上，有欠靈活；乃廢辦務署，而改兩級制。同時，廢縣改廳，而分臺灣爲二十廳；卽臺北、基隆、深坑、宜蘭、桃園、新竹、苗栗、臺中、彰化、南投、斗六、嘉義、鹽水港、臺南、鳳山、蕃薯寮、阿緱、恒春、臺東、澎湖。

由上可知：「辨務署」這段歷史很短；它起自光緒二十三年五月二十七日，止於光緒二十七年十一月九日。這本「嘉義管內采訪册」，應當就是這一時期的產物。因此，本書的內容，未免有如以「明治」紀年這一類的缺點，而文字亦有欠圓潤（例如打貓南堡內有兩項目，一爲「在地出仕職文官」、一爲「在地出仕職武官」，它的意思是：當地在外面做事的文武官員；經略爲出仕文官與出仕武官），更說不到體例的嚴整；至於脫字與錯字，那是一般抄本的通病。我們在不損傷實質的前提之下，已經儘可能地加以整理，並列出一個目錄，以便檢索。還有少數費解的地方，祇好讓它「存疑」了。

周憲文於臺北惜餘書室。

瀛海偕亡記弁言

洪　櫆

先父諱攀桂，學名一枝，字月樵；臺灣淪陷後，改名繻，字棄生。原籍福建省南安縣；先曾祖至忠公流寓臺灣鹿港，遂家焉。先父生於淸同治六年十一月十一日，卒於民國十八年二月九日，享年六十有三。先父幼攻舉業，每遇觀風，試輒冠羣。性至孝友，有撫孤寡姑常恃先父書院所得膏火以維生計。光緒十七年，以案首入泮。割臺後，絕意仕進，不再赴考，遂潛心於詩、古文辭。身居棄地，危言危行，扢揚風雅，鼓舞民氣，不爲威屈、不爲利誘，以遺民終其生。臺灣淪陷凡五十年，民族精神訖未泯滅、祖國文化尚能延續者，先父預有力焉。

先父遺著，有「寄鶴齋詩集」、「寄鶴齋古文集」、「寄鶴齋駢文集」、「寄鶴齋詩話」、「八洲遊記」、「八洲詩草」、「中東戰紀」及「瀛海偕亡記」等書，都百餘卷。所有著述，無不充滿反抗精神，且多記述敵人之虐政者；故在淪陷期間，無由出版。民國十年，先父有遊歷祖國之計，乃將集中無礙當軸之篇什選出一部分，刋爲「寄鶴齋文讋」六卷、「寄鶴齋詩譽」四卷，以備攜回故土，分贈同好。

「瀛海偕亡記」二卷，原存島內，以其內容易被注目，乃命櫆攜往北平保存。櫆以逆旅孤寂，散失堪虞，遂爲改名「臺灣戰紀」，與「中東戰紀」一卷同於民國十一年委託北京大學出版部代印各五百部，分贈國內諸文化機關，以免遺逸；而島內亦有秘密攜回者。當時所以不用眞名而用洪棄父者，避筆禍耳。

臺灣光復後，「臺灣戰紀」一書，先由黃德福先生註釋標點，陸續刊佈於省立圖書館之「圖書月刊」，繼由臺灣書店於民國三十五年十二月印成單行本，以廣流傳。茲承周憲文先生之雅意，將此書列爲「臺灣文獻叢刊」之一，用識數語，冠於篇首。

民國四十八年七月，洪櫄炎秋謹識於臺北。

臺灣外記弁言

方豪

這本「臺灣外記」是根據下列七個本子合校而成的：

(一)「臺灣外志」抄本(甲)，四部十卷，加利福尼亞大學東亞圖書館藏(攝影)。

(二)「臺灣外志」抄本（乙），五十卷一百回，加利福尼亞大學東亞圖書館藏（攝影）。

(三)「臺灣外記」，求無不獲齋刋木活字本，三十卷，國立臺灣大學圖書館藏。

(四)「臺灣外記」，求無不獲齋刋大型本，三十卷，省立臺北圖書館藏。

(五)「臺灣外記」，求無不獲齋刋小型本，十卷，省立臺北圖書館藏。

(六)「臺灣外紀」，上海進步書局石印「筆記小說大觀」本，三十卷，國立臺灣大學圖書館藏。

(七)臺灣外記，上海均益圖書公司鉛印「國學叢書」本，上下兩卷，省立臺北圖書館藏。

我也參考了黃典權先生以求無不獲齋大型本、小型本互校的新刋本。但最近世界書局出版的，只是進步書局石印本的影印本；廈門會文堂石印本「臺灣外誌」，曾蒙楊雲萍先生借閱，是一個改編得很多的異本，沒有利用。香港某君藏有舊抄本「臺灣外志」，八十七回，共八冊，無撰人姓氏，亦無序，全記劉進忠事。第一回：「劉伯祿上京尋友，沈千歲保舉出仕」；第八十七回：「劉青天上京終計，建豐順潮郡太平」。四十七年秋，余曾在友人饒選堂教授寓邸獲覩原本。饒教授考證豐順置縣在乾隆三年，斷其書作於乾隆以後，與江日昇「臺灣外記」實非一書，故亦未比勘。

關於「臺灣外記」的版本，我曾寫了一篇「臺灣外志抄本和臺灣外記若干版本的研究」，發表於臺灣大學「文史哲學報」第八期。我在加利福尼亞大學東亞圖書館能找到兩種「臺灣外志」抄本，又能攝影回來，都是房兆楹先生協助成功的。我很感激！

在傳教、教書、研究之餘，從事此書校訂，耗時一年以上；增補八千餘字，改正三千餘字。但可能是異本的如「臺灣紀事本末」、「臺灣野記」、「海濱紀略」、「臺海外史」等，仍在懸目以求；希望海內外愛好臺灣文獻之士，繼續惠我以寶貴的意見或稀見的版本。

四十八年七月三十一日，方豪杰人謹識。

新竹縣志初稿弁言

吳幅員

清季「新竹縣志」，初成於光緒十九年，爲陳朝龍（新竹縣學廩生）、鄭鵬雲（臺北府學廩生）所修纂；惜因甲午、乙未之變，舊稿散佚。日人據臺後之三年（光緒二十三年），復由鄭鵬雲、曾逢辰兩氏採集原修殘稿等資料重加編輯；翌年（光緒二十四年），又因「地方官制」變更（縣廳廢止）而匆匆結束，未及蕆事。所留「草稿」，即爲這本「新竹縣志初稿」耳。「初稿」稿本，現藏新竹縣文獻委員會；承錄副郵寄，經加整理、標點，予以印行。

「初稿」稿本已編纂完成者，計有「建置志」、「賦役志」、「學校志」、「典禮志」、「職官表」、「選舉表」、「風俗考」諸篇；餘如前面的「沿革」至「山川」（稿本「八景」列於最先，經我們改移「山川」之後）、後面的「列傳」、「古蹟」、「兵燹」以及「文徵」等均未成編。按『是書體例倣照「淡水廳志」及光緒十九年臺灣省志采訪冊式』（見「凡例」），我們即據以將「沿革」至「山川」冠以「封域志」篇目，「風俗考」及「古蹟」、「兵燹」三部分分別改編爲考一、考二及考三，繫以原有篇目。於是，便成爲志五（封域、建置、賦役、學校、典禮）、表二（職官、選舉）、考三（風俗、古蹟、兵燹）及列傳（彙目凡五：名宦、鄉賢、人瑞、孝友、節烈）與文徵等十二篇。至其分卷，原編爲四：卷一，「封域志」（原缺篇名）、「建置志」；卷二，「賦役志」；卷三，「學校志」、「典禮志」，並附「風俗考」；卷四，則集「職官」、「選舉」二表與「列傳」、「古蹟」、「兵燹」、「文徵」爲一帙，篇幅較多，似爲「匆匆」彙錄而成。茲增列卷五、卷六兩卷名稱，將卷四之各考（原卷三之「風俗考」移併一起）與文徵分別另立一卷，以符體例。現刊目錄卽據此改成(各篇目下若干子題，亦據正文分別訂刪)。再，原「稿本」甚多錯字、脫字，已儘可能予以訂補；必要處，分別加（ ）註明原字或以〔 〕表示補入。內有幾處用「明治」年曆者，並均經以光緒紀元改易。

在此，尚須予以指出者，當時所稱之新竹縣，其疆域已與淸代有所不同（詳見「封域志」「沿革」目），幸讀者注意焉。

楊勇慤公奏議弁言

周憲文

中央研究院歷史語言研究所藏有「楊勇慤公奏議」一部。我們沒有看到全書，祇借到「首卷」及「卷十五」與「卷十六」三冊。「首卷」封面有故傅所長的題字：『辛樹幟先生贈我，轉贈歷史語言研究所。斯年，十九年一月』。裏封面的簽題却稱：『楊勇慤公遺集首卷』；翻過來，則刻有『光緒二十一年冬十一月問竹軒刊』字樣。至「卷十五」與「卷十六」，都題『楊勇慤公奏議』，是楊岳斌在光緒十年到十一年間（一八八四～八五）奉命招編隊伍來臺灣準備與法國軍隊作戰、旋因中法議和而遣撤所募兵勇回籍的前後奏議。就我們知道的來說，這一文獻在臺灣是難得看到的。我們爲使讀者充份了解楊岳斌的「經歷」起見，乃以「首卷」的「國史本傳」及「神道碑」列於卷首；原「首卷」尚有「上諭」、「諭賜祭文」、「御製碑文」、「湖南巡撫代遞遺摺疏」及「閩浙總督查明事蹟疏」，未予錄刊。

樹杞林志弁言

林　眞

「樹杞林志」抄本，係國立臺灣大學圖書館之藏書。光緒二十四年（日本佔領臺灣第四年）三月，前清附生林百川、訓導林學源應樹杞林辨務署長木戶氏之託，編修是志。同年四月，全稿告成。

本書「告成」之速及其「告成」之背景，均與「苑裏志」相同（「文獻叢刊」第四八種）。因爲修志時間較「苑裏志」落後一年，故其章節編排亦完全參照「苑裏志」之手法。現在把部份內容失去國家民族之立場者，完全依照周憲文先生在「苑裏志」弁言上所說的整理之原則：『凡是事實，我們祇去其有礙於國家民族的字面，而仍予保留；凡屬議論，要是有害於國家民族的利益，一概剷除』。全書計被删去四千餘字；內全文被删去者，計有序（一署樹杞林辨務署長木戶有直、一署前郡庠生林帆海）跋（彭裕謙）及「樹杞林志凡例」五則。附圖删去「樹杞林八景」八幅；亦因原圖過於草率，在「文獻」上無此需要。

至於「辨務署」這一機構的變遷經過，周憲文先生在「嘉義管內采訪册」（「文獻叢刊」第五八種）的弁言上，已有詳細的記載，可以查考，不再錄叙。

臺灣府志弁言

周憲文

清代臺灣官修方誌，我們本來是編入「臺灣研究叢刊」的。直到現在，已經出版的，計有九種：即陳培桂的「淡水廳誌」（「臺灣研究叢刊」第四六種），陳淑均、李祺生的「噶瑪蘭廳誌」（同第四七種），周璽的「彰化縣誌」（同第四八種），王瑛曾的「鳳山縣誌」（同第四九種），林豪的「澎湖廳誌」（同第五一種），周鍾瑄、陳夢林的「諸羅縣誌」（同第五五種），謝金鑾、鄭兼才的「臺灣縣誌」（同第六一種），余文儀的「臺灣府誌」（同第六二種），沈茂蔭的「苗栗縣誌」（同第六七種）。此外，還有一種在排印中，即光緒年間的「臺灣通誌」（同第六四種）。照理說來，這些官修方誌，是臺灣最重要的文獻，自當編入「文獻叢刊」。這話不錯的。我們所以拿這些官修方誌編入「研究叢刊」，是因「研究叢刊」的出版在先，當時我們還沒有想到要出「文獻叢刊」。現在，我們決定把所有尚未發排的臺灣官修方誌完全改編爲「文獻叢刊」，以期增加「文獻叢刊」的完整性。這本高拱乾的「臺灣府志」，正是這一工作的開始。因此，我們有在這裏加以說明的必要。至於已經編入「研究叢刊」的十種方誌，雖然學術界的朋友們一致希望改版重排；我們因爲目前還無力及此，同時自然也考慮到印刷費用的問題，所以尚未能作最後的決定。

現在，講講這本高拱乾的「臺灣府志」。有清一代，臺灣府修誌，先後凡五次。最早是康熙三十三年高拱乾修的（通稱「高志」，康熙三十五年刊行），其次是康熙四十九年周元文重修的（通稱「周志」），其次是乾隆五、六年間劉良璧重修的（通稱「劉志」），其次是乾隆十一年范咸重修的（通稱「范志」），最後是乾隆二十五年余文儀續修的（通稱「余志」）。這五種「臺灣府志」，以「高志」爲最早，亦最難得。本書是據「民國四十五年三月杭縣方氏愼思堂據日本內閣文庫藏本景印」本標點排印的。方豪（杰人）先生在景印本的序文上有段話，摘錄如下，以供參考。

『……「高志」流傳迄今，爲世所知者僅北平圖書館、協和大學圖書館、無錫大公圖書館暨日本內閣文庫各藏一部；臺灣省立臺北圖書館有影寫卷首及卷一，又抄本一冊記「高志」與「周志」之歧異並附圖攝影六張，如此而已。余以臺灣第一部「府志」而島上並傳抄本亦不全，每以爲憾。爰託東京大學小堀巖先生代向內閣文庫洽商攝影。四十四年十一月底片寄達臺北，詳讀一過，知非原刻本。如「秩官」、「武備」兩志頗多康熙三十五年以後就任者；而南路營參將林雲漢、守備謝時晟、水師協標中營遊擊廖騰煌、鎮標左營把總駱南、右營把總沈貴、張勝、李成龍、臺協中營把總鄭順、王三、左營把總曾猛、陳鳳、右營把總陳斌、陳德、澎湖協左營把總林龍、于高、右營把總王必勝、許志等，胥康熙四十年任，距「高志」刊行已五年，而補刻之痕迹復極顯然。是此一內閣文庫藏本，必康熙四十年或次年所補刻者』。

前年秋天，方豪先生海外歸來，他告訴我：『這一「高志」，在巴黎大學漢學研究所和浙江諸暨圖書館也各有一部，總計天壤間尙存刻本六部』。

茲承方先生惠借攝影底片以供校勘，附誌謝忱。

重修臺灣府志弁言

周憲文

這本周元文重修的「臺灣府志」（簡稱「周志」），我們是就曹永和先生的重抄本整理排印的。曹先生重抄本的來源，則是根據省立臺北圖書館所藏的影抄本的；這一影抄本的「原身」，則爲日本宮內省圖書寮所藏的木刻本。按「周志」的刋本，原在康熙四十九年；但本書扉頁反面，則有『康熙五十一年重修臺灣府志臺灣府知府周元文重修』字様。又據「秩官志」，諸如分巡臺廈道陳璸、梁文科、知府馮協一、王珍、經歷王士勷、臺灣縣知縣張宏、俞兆岳、縣丞張琮、陳亮采、新港巡檢張知宰等到任或卸任年月多在康熙五十一年以後，竟有遲到五十七年的。足見本書曾經增補，其問世的時期，當在康熙五十七年以後。

我們曾以此書與「高志」（高拱乾的「臺灣府志」，「臺灣文獻叢刋」第六五種）互爲比勘，知道此書實以「高志」原版爲基礎，而將新編部分另行刻版插入（其間也有將「高志」原版改換一、二頁的）。因此，其中有與「體例」不甚相適或次序錯雜之處，尤以「藝文志」爲甚。玆因排印之便，稍加整理。舉其著者，以爲說明。

（一）「秩官志」已列有「名宦」一目，不意再於「人物志」加列「名宦」目，補刻「范承謨」（福建總督）一條，顯見重複。經將此條改列「秩官志」。

(三)「藝文志」「記」目之「鳳山文廟告成詳文」及「諸羅文廟告成詳文」兩篇，論「體例」應在「公移」目。茲爲儘少變更起見，經將此兩文分別移附同目中「鳳山文廟記」及「諸羅文廟記」後，作爲附文。

此外，(一)「藝文志」「公移」目有「治臺議」一文，原書有脫頁，我們無法補充。(二)此書原留有「高志」序跋七篇及其「修志姓氏」，經予略去；餘如「凡例」及地圖等，則仍其舊。同時，「高志」中有被手民誤植之字，我們在此書中已儘加訂正。

鄭成功傳弁言

夏德儀

這本「鄭成功傳」，包括下列六種作品：

（一）鄭亦鄒著「鄭成功傳」　鄭亦鄒字居仲，海澄人；康熙三十二年（一六九三年）中舉人，四十五年（一七〇六年）成進士，旋授內閣中書。因為他有志著述，澹於仕進，所以在京供職不久，就乞假歸里，結廬白雲山麓，授徒著書。閩撫張清恪伯行曾聘他做過書院學正，對他很敬重；後來又薦他入纂修館，未赴而卒。這是根據光緒間沈定均「漳州府志」所載資料摘要敘述的。至於他的生卒確年，一時無從查考。

關於鄭著「鄭成功傳」的內容，黃典權君在其所作「鄭成功史料合刊序」中曾加論述；歸納其意，可分三點：

（1）黃君認為鄭亦鄒的生卒之年大概不出康熙年間，雖不及親見鄭成功的活動，但仍與鄭成功時代相接。而鄭亦鄒的家鄉海澄又是鄭成功和鄭經抗清多年用兵的地方，當然存留著許多戰蹟和故老的傳說。然則鄭亦鄒之作「鄭成功傳」正合於「時地相近」的條件，所以此書具有史料的價值。

（2）黃君又認為鄭亦鄒既在康熙間中舉人、成進士、做京官，其政治立場當然是

「從淸」的；因此，他對鄭成功之海上起義頗有微辭。鄭亦鄒是海澄人，而又隱居於漳州東南的白雲山麓，與黃梧的家族自不免有相當的關係；因此，書中關於黃梧及其子芳度、芳泰的記載頗有曲筆。若以此書的觀點與楊英「從征實錄」、阮旻錫「海上見聞錄」和夏琳「海紀輯要」相比，是大異其趣的。

（3）黃君又査考鄭亦鄒所著的「白麓藏書」十數種中，有「明季遂志錄」、「明季辨誤」、「江閩事略」、「明餘行國錄」、「明遺民錄」等書，足證鄭氏對晚明史曾作過全盤的硏究，而這本「鄭成功傳」就建立在這個廣大的基礎上面。所以書中有關人物的出處和歸宿，都能詳述無遺。同時還把他參考過的當代著作的資料注於正文之下，因而保存了許多不見於他書的異聞。

以上三點意見，實爲公允的批評，足供讀者的參考。

又，鄭亦鄒著「鄭成功傳」與世傳黃宗羲著「鄭成功傳」內容幾乎完全相同。黃著「鄭傳」已刋於本叢刋第二五種「賜姓始末」一書裏面。我們認爲「梨洲遺著彙刋」所載的「鄭成功傳」不可能是黃宗羲的作品。這個意見已經寫在「賜姓始末」的弁言中間，這裏不再贅述。

（二）「淸史列傳」「鄭芝龍傳」　此傳見於「淸史列傳」卷八十「逆臣傳」中，

雖以鄭芝龍傳爲目，實則包括鄭氏幾代的史事，而以鄭成功的活動爲主要部分；所以，這篇「鄭芝龍傳」也就是「鄭成功傳」。

（三）「清史稿」「鄭成功傳」　此傳見於「清史稿」列傳十一。按「清史稿」的列傳大都是就「清史列傳」的原稿加以刪改增訂而成，故「清史列傳」較詳而「清史稿」列傳較略。但這裏所錄兩傳，則「清史稿」的「鄭成功傳」比「清史列傳」的「鄭芝龍傳」詳實得多，大概「清史稿」的「鄭成功傳」是經過一番參考而重撰的。

（四）匪石著「鄭成功傳」　我們只知道匪石姓陳，是鎮江人。我們曾隨時向人詢問關於匪石的生平，但無人比我們知道得更多。匪石著的「鄭成功傳」，曾在「浙江潮」上發表過。「浙江潮」是革命初期的宣傳品之一，大約在庚子（一九〇〇年）以後與「湖北學生界」、「新湖南」、「江蘇月刊」等刊物繼「中國日報」之後而發刊的。然則此一「鄭成功傳」當成於庚子之後。現在我們是據甲辰（一九〇四年）十一月東京並木活版所排印而由清國留學生會館發行的單行本謄錄點校的。此書內容大都採自日本人的著作，史料價值並不甚高，只是用作鼓吹民族主義的一種宣傳品而已。原書之首，載有鄭成功的肖像和臺南鄭成功祠的圖片各一幅，今並列於這個新刊本的全書之首。

（五）「延平二王遺集」　集內有鄭成功詩八首、鄭經詩十二首、諭五篇。此集刊於「玄覽堂叢書續集」中，其原抄本藏於國立中央圖書館。至於原抄本的來歷，則集後未署年月、姓名的跋文已經叙述了。世傳延平王之詩很少，而此集且有嗣王之作；如係眞品，自爲稀世之珍。用特迻寫於此，以爲「附錄」之一。

（六）「鄭延平王受明官爵考」　朱希祖先生說：『延平王鄭成功所受明之官爵，各書記載，官則缺略不全、爵則名稱互異，其除授封拜年月又各不同。於是一切軍國大事，有與其官職、封爵牽連而不能定其年月者，皆糾紛而不能理；往往因果倒置，事實淆亂』。因此，他參考許多資料，撰爲此文，刋於民國二十一年三月出版的國立北京大學「國學季刋」第三卷第一期。我們覺得這篇文章對於研究鄭成功史事的人有很大的幫助，所以轉載其文，以爲「附錄」之二。

清一統志臺灣府弁言

夏德儀

清朝的「一統志」，先後勅撰三次。第一次成於乾隆八年（一七四三），凡三百四十二卷；第二次成於乾隆四十年（一七七五），凡四百二十四卷，連子卷共五百卷；第三次成於道光二十二年（一八四二），凡五百六十卷。因爲第三次的纂輯始於嘉慶十六年，而所增輯的事實也止於嘉慶二十五年（一八二〇），所以定名爲「嘉慶重修一統志」。我們就從這部最後纂輯和較爲詳細的「嘉慶重修一統志」裏抄出臺灣府的部分，而名之曰「清一統志臺灣府」，列爲「臺灣文獻叢刊」之一。

「清一統志」中關於臺灣府的記載只有二萬多字，不足一冊的分量，所以又從顧炎武著「天下郡國利病書」裏轉錄了一些有關彭湖和泉、漳二府的資料作爲附錄，以充篇幅。這些資料的內容，雖然全是講的明代後期的事實，但我們藉此可以明瞭明季閩海的情況和彭湖在當時海防上的重要性；對於臺灣史的研究還是很有幫助的。

鄭氏關係文書弁言

吳幅員

省立臺北圖書舘藏有「鄭氏關係文書」及「石井本宗族譜」（一名「延平郡王鄭氏系譜」）兩種有關臺灣鄭氏的文獻；前者爲抄本，後者爲影抄本。茲就以上兩抄本加以整理標點，合併刋爲一書；並卽以「鄭氏關係文書」爲名，而將「石井本宗族譜」作爲「附錄」。

所謂「鄭氏關係文書」，據賴永祥先生所記：『光緒二十七年（日本明治三十四年、一九〇一年）夏，日本東京帝國大學教授市村讚次郎（已故。「東洋史統」之著者。時年三十八歲，爲助教授）來遊吾國北京調查紫禁城內閣東大庫、文淵閣「四庫全書」等書籍，曾於內閣東大庫檢出有關臺灣鄭氏之文書若干，卽所謂「鄭氏關係文書」之「原本」也。渠回國後，卽將此等文書原文全部同「簡單說明」在「史學雜誌」第十三編九號九八〇～九三頁、十號一〇八二～九四頁及十二號一二六九～七七頁（明治三十五年九、十、十二月刋）發表，命題爲「淸初臺灣の鄭氏に關する文書」。其後，市村氏又將「原本」移存東京帝國大學圖書舘』（見「臺南文化」第四卷第三期八五頁所刋「附記」）。這是這些文書「原本」的來歷。按省立臺北圖書舘所藏抄本，係昭和七年（卽民國二十一年）七月二十九日日人水尾徹雄氏寄贈。在其卷首「目錄」下有三項「說明」；其第三項云：『原文書藏於東京帝國大學圖書館。大正十二年（按卽民國十二年）關東地大震，燬於火』。卷尾並附有『本書爲昭和七年六月水尾徹雄抄』字樣。由此可知，這一抄本是在「原本」燬於火後九年抄錄的。至其抄自何本，則未有註明。原抄本目錄：『第一號：鄭泰、洪旭、黃廷致靖南王書。第二號：官員兵民船隻總冊（前號文書附屬之件）。第三號：鄭泰、洪旭、黃廷致李率泰書。第四號：賫岱有關鄭泰等投誠奏章。第五號：僞冊底（前號文書附屬之件）。第六號：密奏』。惟查第三號文書未抄全文，僅存文尾『右咨呈總督福建少保兼太子太保、兵部尚書李率泰。永曆十六年八月二十四日移咨』等三十四字。據註：『本文與前錄之第一號文書相同，玆省略之』。據此，第一號及第三號實爲一文「分行」之件，並非獨立的兩種文書。「說明」第三項已見上述，第一、第二兩項並記如下：『本文書「第二號」爲「第一號」、「第五號」爲「第四號」附屬之件，其他諸號則各不相屬。爲便於檢讀，裝訂一冊。至「第一號」至「第六號」等名稱，均非原件所有』。『各號文書，俱附記其款式（款式說明）；其行次、文字位置之高低等項，謹依原件款式保存之』。又據各號文書「附記」：原文書第一號（包括第三號）首尾及騎縫間與第二號標題下、年月日上及各頁間均各蓋有「建平侯」之印。第四至第六號末並各附有滿文，第四號漢文、滿文首尾亦各蓋有印章，篆文爲『福建……』；但未能辨認全文（以上「目錄」、「說明」以及各號文書之「附記」等原爲日文）。現在我們除將「目錄」重編並刪去「說明」及每號文書前之「附記」外，略加整理改編如下：原第一、二、三號文書併爲一件，題爲「鄭泰、洪旭、黃廷咨靖南王耿繼茂、總督李率泰文」；內用於致李文中少數字句以（　）表出，第二號則併列爲附件。原第四、第五兩號文書併爲第二件，題爲「欽命管理福建安輯投誠事務戶部郎中賁岱等題本」；以前者爲本文，後者爲附件。原第六號文書遞改爲第三件，題爲「南安縣生員黃元龍密奏」。而各件原有款式，一概未予保留。

關於「石井本宗族譜」，省立臺北圖書館係於日本昭和六年（按卽民國二十年）影抄自臺南「開山神社」藏本（據影抄本卷末所註）。所謂「開山神社」，卽今之延平郡王祠（淸同治十三年沈葆楨奏請爲鄭成功立祠，光緒元年詔准，定名爲「延平郡王祠」；日據時改稱「開山神社」，光復後恢復今名）。至其所藏刻本抑是抄本，未據說明；惟由內容觀之，可能爲斷片抄本。且其最後一頁，疑已殘缺不全；我們無法整理，卽據其原狀刊出。

由於這兩種文獻均爲抄本，譌誤脫漏所在都有；尤以「石井本宗族譜」爲甚。這使我們在校勘上，遭遇不少困難。茲就所知，酌加訂補；一時無法訂補之處，惟有任其自然或加問號存疑。並另作「校勘記」附後（見五三～七〇頁），用供參考，並資求正。

書末，另外附刊日本津藩齋藤正謙著「海外異傳」一篇。此傳記述山田長正之覇暹羅（事在一六一五～三三年）、濱田彌兵衞之脅紅毛（踞臺灣之荷蘭人。事在一六二四年）及鄭成功之王臺灣（自一六二四年成功出生，迄一六八四年其孫克塽降清止）三事。其著作時間，約在一八五〇年以前不久。此傳原擬編入「文獻叢刊」第六七種「鄭成功傳」「附錄」中。茲移刊於此，同樣作爲研究臺灣與鄭氏史事的參考資料之一。

附：鄭氏關係文書暨石井本宗族譜校勘記

吳幅員

這一校勘記，其作用有三：（一）揭示「原抄」譌誤或脫漏字句，用以「存眞」。（二）若干訂補或有疑難之處，藉此略加說明。（三）如有謬訂，並可冀求高明指正，俾補校者一時之缺失。

又，這兩種文獻，前經方豪先生等先後根據原抄本加以校勘，撰有「石井本宗族譜暨鄭氏關係文書校記」（刊「文獻專刊」第一卷第三期）。本書進行編校時，對於方氏「校記」多所借鏡。附誌一言，用示未敢掠美云爾。

鄭氏關係文書

鄭泰洪旭黃廷洛靖南王耿繼茂總督李率泰文

第一頁第三行第六字『淅』，「原抄」作『淅』。

同頁第九行第二七字以下「原抄」疑脫一字或以上脫一字。

第二頁第二行第五字『且』，「原抄」作「且」。

同頁第三行第六字『庶』，「原抄」作『庶』。

同頁第七行第三五、三六兩字『派撥』，「原抄」作『泒潑』。

同頁第八行第一七字『商』，「原抄」作『啇』。

同頁第九行第二五字『祿』，「原抄」作『錄』。

同頁第一〇行第二九字『典』，「原抄」作『曲』。

同頁第一一行第一字『閒』，「原抄」作『間』。

同行第三四字『計』，「原抄」作『躰』（卽『體』）。上文有兩『不得不「計」及此也』語，義同。

同頁第一四行第五字『候』，「原抄」作『矦』。

同行第一八字『歸』，「原抄」作『舊』。（「歸」、「舊」草書相似）。

同頁第一六行第六字『創』，「原抄」作『別』，疑形誤；否則，應爲「闢」之音誤。

第三頁第四行第三〇字『瀆』，「原抄」作『瀆』。

同頁第六行第二七字『三』，「原抄」作『參』，係大寫『叄』之別寫；今改普通小寫。以下各種數字，凡「原抄」大寫者，一律準此照改，不另逐一贅述。

第四頁第四行第四、五兩字『統陳』，疑有誤。

同行第二〇、第五行第二〇及第六行第七等三字『員』，「原抄」作『人』。

同頁第一二行第一、二兩字『寺卿』，「原抄」作『卿寺』。

第六頁第一二行第二字『副』，「原抄」脫。

第八頁第二行第二七字『堂』，「原抄」作『坐』。

同頁第五行第一七字『遊』，「原抄」作『營』。

欽命管理福建安輯投誠事務戶部郎中賁岱等題本

第八頁第一四行第二四字『官』，「原抄」作『宦』。以下多處類此，不一一贅。

同行第三七字『迹』，「原抄」作『逑』。

第九頁第二行第一九字『楊』，「原抄」作『揚』。

同頁第三行第三〇字『兵』，「原抄」脫。前「欽命太保建平侯鄭造報官員兵民船隻總冊」內有『水陸官兵計四十一萬二千五百名』語，與此相合。

同頁第一四行第八字『鍾』，「原抄」作『鐘』。

同行第二〇字，「原抄」缺；疑脫一字或若干字。

第一〇頁第六行第一三字『澄』，「原抄」作『登』。

同頁第七行第三二字『眷』，「原抄」作『脊』。

同頁第一一行第二九字『尙』，「原抄」作『省』。

第一二頁第二行第七字，「原抄」缺，可能脫一字。

同頁第一四行第一九字『範』，「原抄」作『范』。前「馮澄世」名下有『率男僞侍衛鎭馮錫範由銅山駛船投誠』及『男馮錫範復逃臺灣』等語，據以改訂。惟按諸各種文獻，『範』『范』二字互見。

第一二頁第八行第一三字『官』，「原抄」脫。

同頁第一二行第一八～二五字『拱辰弟蕭福逃歸證』語，「原抄」作『拱辰弟逃歸蕭福證』。

第一四頁第一行第一五字『與』，「原抄」脫。

同頁第五行第四字『督』，「原抄」脫。

第一五頁第一三行第二、三兩字『武閑』，「原抄」作『閑武』。前有『偽文閑員姓名開列』、後「南安縣生員黃元龍密奏」中有『投歸抄帶有偽鎮、偽文官及偽文武閒員冊底』語，可資參證。

第一六頁第一一行第一八字『萬』，「原抄」作『万』。

同頁第一二行第六字，疑脫一字（或數字）。

南安縣生員黃元龍密奏

第一七頁第六行第二七字『曄』，「原抄」作『葉』。按諸各種文獻：「海上見聞錄」作『曄』，「靖海志」前作『燁』、後作『曄』，「從征實錄」、「臺灣外記」均作『燁』，「海紀輯要」作『燦』，「臺灣鄭氏始末」作『華』，種種不一。自以作『曄』爲正，其說已見「文獻叢刊」第三五種「靖海志」所附「靖海志及海上見聞錄合校記」。究其紛亂之由，除「從征實錄」似屬形誤外，當爲避聖祖（康熙）玄曄諱而改『燁』（音同曄）或『華』（取曄之偏）；至『燦』爲『燁』之轉誤，而『葉』又爲『華』之轉誤也（「黃奏」在康熙六年）。

同頁第八行第三一字『各』，「原抄」作『名』。

同頁第一二行第三七～第三八行第二字『愛鼎遷善』語不解。

同頁第一六行第一字『恣』，「原抄」作『姿』。

第一八頁第二行第二五字『免』，「原抄」作『兎』。

同頁第四行第三〇字『淩』，「原抄」作『淩』

同頁第六行第三五、三六兩字『便重』，疑有誤。

同頁第一一行第九字『穽』，「原抄」作『穿』。

同頁第一四行第三、四兩字『縣週』，「原抄」作『週縣』。

第一九頁第二行第三八字『劄』，「原抄」作『剳』。

同頁第三行第九字「外」，疑有誤；或爲『經』之譌，附供參考。

同頁第七行第一四字『纘』，「原抄」作『讚』。查「石井本宗族譜」「井江鄭氏歷代人物」十三世「鄭纘祖」名下有『題授參政道』語，可爲佐證。至同行第一五字『斥』，「原抄」作『斤』。

同頁第八行第二二字『杭』，「原抄」作『抗』。

第二〇頁第五行第一二字『辦』，「原抄「作『辨』。第七行第一一字『辦』同。

同頁第八行第一〇字『啇』，「原抄」作『商』。第一五行第一〇字『啇』同。

同頁第一五行第一三字『宇』，「原抄」作『字』。「臺灣外記」作『字』。

第二一頁第三行第四字『騶』，「原抄」作『騶』。

石井本宗族譜

石井本宗族譜序（鄭芝龍撰）

第二三頁第六行第三五字『戈』，「原抄」作『弋』。

同頁第九行第二三字『閩』，「原抄」作『門』。後鄭芝鸞「石井本宗譜序」有『迺其光啓間十姓從王緣光州（「原抄」作『卌』）固始入閩』及鄭名山「本宗族譜序」有『夫我鄭自唐光啓間入閩』語，可證其誤。

同頁第一〇行第二九字『蘿』，「原抄」缺字。後鄭名山序亦有『蔦蘿相附（「原抄」作『符』），意味投合』語，可資證補。

同頁第一一行第二字『於』，「原抄」作『與』。第一〇字『焉』，「原抄」作『馬』。後鄭名山序亦有『遂於楊子山下石井家焉』語，可證其誤。

同行第一八字『具』，「原抄」作『俱』。後鄭名山序亦有『今武榮山邱壠具在』語。

同行第三六字『烟』，「原抄」『作炟』。

同頁第一二行第二八字『抑』，「原抄」从『木』。

第二四頁第一行第一六字『固』，「原抄」作『因』。

同行第三〇字『修』，「原抄」脫；據「後漢書」鄧禹本傳訂補。

同頁第四行第五字『炷』，「原抄」作『柱』。

同頁第六行第五字上「原抄」缺字，是否脫一字？附此存疑。

同頁第一三行第一字『世』，「原抄」脫。

石井本宗族譜序（鄭芝鸞撰）

第二四頁第一五行第一四字『以』，「原抄」脫。下句有『譜以聯情』語，與此『史以記事』相對。

第二五頁第一行第一八字『遠』，「原抄」作『遞』。

同頁第三行第三一字『湮』，「原抄」作『煙』。

同頁第八行第一字『徙』，「原抄」作『徒』。

同頁第一二行第二五字『萁』，「原抄」作『箕』。

同行第二七字『拊』，「原抄」作『付』。

同頁第一三行第六字『鉏』，「原抄」作『鉗』。

同頁第一四行第一三字『殷』，「原抄」作『殿』。

同頁第一五行第一三、一五兩『逃』字，「原抄」均作『述』。

同行第二七字『州』，「原抄」作『卅』。按固始（縣）屬河南（省）光州。

第二六頁第一行第二四～二八字『氏絲於蟻矣』語費解，疑有誤。

同頁第二行第一五字『蟬』，「原抄」作『禪』。

同頁第六行第三字『輯』，「原抄」作『緝』。

同行第七字『展』，「原抄」作『扆』。『展親』，盡親親之道。

同行第一二字『釁』，「原抄」作『纍』。

同頁第九行第七字『寧』，「原抄」作『寍』。

石井祠堂聯文

第二六頁第一三行第一一字『龍』，「原抄」作『籠』。

第二七頁第七行第一〇、一一兩字『萬壑』，「原抄」作『壑萬』。

井江祖傳春冬二祀儀注

第二八頁第五行第八字『祀』，「原抄」作『札』。

同頁第八行第九字『筷』，「原抄」作『快』。

同頁第一二行第五字『揖』，「原抄」作『楫』。

第二九頁第六行第一一字『迎』，「原抄」作『迗』。

石井名賢序

第二九頁第一一行第一七、一八兩字『周室』，似爲『同安』之誤，附此存疑。

同頁第一三行第三一～三五字『又烏可乎哉』語，疑中有脫字。

本宗族譜序（鄭名山撰）

第三〇頁第三行第一四、一五兩字『以記』，「原抄」脫。「說明」見前。

同頁第四行第一七字『逮』，「原抄」作『遞』。

同頁第六行第二一及二七兩字『事』、『所』，「原抄」均脫。前鄭芝鸞序亦有『昭穆明、祀事舉，不忘其所繇生也』語，可資證補。

同頁第一〇行第四字『幾』，「原抄」作『几』。

同行第三六字『澳』，「原抄」作『湾』。以下尚有數處同此，不一一贅。

同頁第一一行第一一字『經』，「原抄」作『耕』。

同行第二四字『沃』，「原抄」作『泆』。前鄭芝龍序亦有『蕃滋衍沃』語。

同頁第一三行第一三字『徙』，「原抄」作『徒』。

同頁第一四行第二字『勸』，「原抄」作『動』。前鄭芝龍序有『動我世世子孫忠孝思者也』語，似有不同。『動』乎？『勸』乎？存此求正。

第三一頁第一行第五字『弁』，「原抄」作『升』。

族譜名行序

第三一頁第二行第三字『名』，「原抄」作『自』。

同頁第三行第七字『姓』，「原抄」作『侄』。

同行第一一字『名』，「原抄」作『多』。

同頁第八行第一、二兩字『十一』，「原抄」併作『土』。按「石井鄭氏宗譜」初排名行第十一世至十六世爲『日、明、哲、實、作、則』，覩下「井江鄭氏歷代人物」芝龍輩（十一世）字「日□」、成功輩（十二世）字「明□」、經輩（十三世）字「哲□」、克塽輩（十四）名「實□」……等，均相吻合，可證「原抄」『土』爲『十一』之誤。

世系圖譜序

第三一頁第一二行第五字『序』，「原抄」疑脫。

第三二頁第三行第一字『恩』，「原抄」作『息』。按前鄭芝龍鸞序『矧身荷國恩』及後「井江鄭氏歷代人物」第十二世「鄭垚」名下『諱恩』之『恩』，「原抄」亦作『息』，可證其誤。

石井謁祖序

第三二頁第五行第二八字『物』，「原抄」作『派』。『派』疑衍，『物』竄入下句，見次條。

同頁第六行第三、四字兩字間衍一『物』字。

同行第一三字起『豈不以樂樂所自生』語，疑有誤。

同頁第八行第一一字『五』與次頁第八頁第一二字『二』，似應相同，『五』、『二』必有一誤。

同頁第九行第一一字『不』，「原抄」脫。

同頁第一〇行第二二、二三兩字『逢相』，「原抄」作『相逢』。

第三三頁第一一行第一字『榮』，「原抄」作『栄』。

同頁第一二行第一四字『先』，「原抄」作『光』。

序　贈

第三四頁第四行第三、四兩字『往此』，疑「原抄」有誤。

同頁第六行第三、四兩字『因而』語，疑有誤。

同頁第七行第二二、二三兩字間衍一『此』字：第二四字『約』，「原抄」作『初』。

同頁第一〇行第一五字『逑』，「原抄」作『述』。

同頁第一二行第八字下，疑脫一字或數字。

第三五頁第一行第一九、二〇兩字『拜贈』，「原抄」在上文『以列於後』語下。

井江鄭氏歷代人物

第三五頁第四行第二三字『戍』，「原抄」作『戌』。

同頁第五行第三一字『陜』，「原抄」作『陝』。

同頁第八行第二九字『掾』，「原抄」作『椽』。

同行第三二字起至次行第一二字止，顯係有誤；且最後一字（現以□代）抄寫不清，無法辨認。

同頁第一一行第三六字『部』，「原抄」脫。

第三六頁第三行第七字『侯』，「原抄」作『候』。

同頁第七行第一、二兩字『西亭』，「原抄」脫。因芝龍一支係屬『西亭』，非『東角』也。

同頁第八行第一〇字脫。

同行第二二字「原抄」缺字，脫。

同頁第一四行第二八字『役』，「原抄」作『投』。

第三七頁第二行第三三字『天』，「原抄」作『三』（『天』、『三』草書相似）。

同頁第三行第二三字『紅』，「原抄」脫。

同頁第四行第五字『戌』，「原抄」作『戍』。

同行第一六字『科』，「原抄」脫；第一八字『二』是否爲『三』之誤，待考。

同頁第一四行第八字『管』，「原抄」作『翟』。

同行第一七字『帶』，「原抄」作『萬』；第一八字疑脫。

第三八頁第一行第一一字『諱』，「原抄」作『號』。

同頁第三行第二三字『投』，「原抄」脫。

同頁第四行第三一字『號』，「原抄」脫。鄭拔煌兄瑛（見前行）號『振吾』，其號『奇吾』當無誤。

同頁第七行第三四及第九行第一六兩字『陝』，「原抄」均作『陜』。

同頁第一〇行第一〇字，「原抄」缺字；其下一字『卿』，「原抄」似作『鄕』，『卿』、『鄕』不易辨別。

同頁第二四行第九字『齊』，可能爲『齋』之誤，附此存疑。

同行第二九、三〇兩字『誤入』，「原抄」作『入誤』。

同頁第一五行第一〇字『諱』，「原抄」脫。

第三九頁第三行第二四字『名』，「原抄」作『各』。

同頁第五行第一三、一四兩字，「原抄」缺字；且『任山東□□府遂安縣』語，非『山東』、即「遂安」有誤，因兩不相屬也。

同頁第七行第一二字『帝』，「原抄」脫。

同頁第一一行第一三字『方』，「原抄」作『封』。

同頁第一八字『駙』，「原抄」作『附』。

同頁第一一行第三、四兩字『貝勒』，「原抄」作『見敕』。

同行第一九字『悲』，「原抄」作『懼』(係『悲』誤『愳』而轉誤『懼』)，且其下文脫一『歌』

字。第一三行第七字『四』，「原抄」脫。第一四行第一六字『揖』，「原抄」作『楫』。鄭亦鄒「鄭成功傳」：『廼悲歌慷慨謀起師，攜所著儒巾、襴衫，赴文廟焚之，四拜先師，仰天曰「……」！高揖而去』；與此相合。惟鄭著中『仰天』二字似以此譜『仰之』義長；附此求正。

第一四行第二一字『文』，「原抄」作『又』。

同行第二九字『曆』，「原抄」作『歷』。

第一五行第二字下，「原抄」衍『延平王』三字。

同行第二九字『容』，「原抄」作『客』。「臺灣外記」（「文獻叢刊」第六〇種）「鄭氏應讖五代記」作『容』。

第四〇頁第六行第二七字『衷』，「原抄」作『裒』。

同頁第九行第一三字，「原抄」脫。

同頁第一三行第二五字『授』，「原抄」作『[illegible]』。

同頁第一六行第一三字，「原抄」缺字。

第四一頁第九行第二字『卒』，「原抄」脫。

同頁第一四行第三〇字『贍』，「原抄」脫。

第四二頁第二行第二九字『累』及次行第一四字『贍』，「原抄」均脫。

同頁第五行第二八字『勦』，「原抄」作『巢』。

同頁第一〇行第六字『姬』，「原抄」作『姖』。
同行第二八字『曆』，「原抄」作『歷』。
同頁第一二行第五字『啇』，「原抄」作『商』。
同頁第一五行第二三字及次頁第二行第二三兩字『詳』，「原抄」均作『祥』。
第四三頁第七行第二六～二八三字『太學生』疑脫；第二九、三〇兩字『授欽』，「原抄」作『欽授』。
同頁第九行第二七字下，「原抄」有缺文。
同頁第一〇行第八字『郎』，「原抄」作『部』。
同頁第一一行第八字『壐』，「原抄」作『璽』。
同頁第一五行第七字『莊』，「原抄」作『庄』。
第四四頁第六行第一四字『友』，「原抄」作『文』。
同頁第九行第一五字『授』，「原抄」脫，而其上或更脫一『欽』字。
同頁第一〇行第一二字『孺』，「原抄」作『儒』。一因其表字爲『哲孜』，二因下「十四世」其子『鄭修典』名下有『孺雲公長子也』語，可證『儒』爲『孺』之誤。
同頁第一一行第一〇字『襲』，「原抄」作『龍』。
同頁第一三行第一二字『來』，「原抄」缺字。

同頁第一四行第一八字『義』，「原抄」作『儀』。上「十二世」其父『鄭鳴駿』名下，有『以歸誠功，封遵義侯』句。

同行第二八字『賜』，「原抄」脫。

第四五頁第三行第一四～一六三字『式天公』，「原抄」僅一『其』字；第一九字『乘』，「原抄」作『東』；第二八字『各』，「原抄」作『名』。按江日昇「臺灣外記」卷首「鄭氏應讖五代記」『鄭克壓』名下載：『經長子。當甲寅之變，經乘釁西渡，仍居金、廈各島；允陳永華請，令其在臺監國……』，與此相同；上一『其』字應爲『式天公』，以示與下一『其』字有別。

同頁第五行第二二字『歎』，「原抄」作『双』。前引「鄭氏應讖五代記」作『嘆』（其轉誤當由於歎、難、难、欢、双順序而成）。

同頁第四行第三三字『譖』，「原抄」作『僭』。

同頁第六行第一五字下『天』，「原抄」作『之』（『天』『之』草書相似）。

同頁第七行第一五字及第一二行第一七兩字『晦』，似有一誤。

同頁第八行第二七字『琅』，「原抄」作『限』。

同頁第九字下『寧靖王同五妃投繯絕脰而死』句，「原抄」『寧』作『寍』、『同』作『因』、『繯』作『環』、『脰』作『脛』。

同頁第一○行第二一字『正』，「原抄」脫。

第四六頁第一二字，「原抄」缺文。

同行第二一字『曉』，「原抄」作『號』。

同頁第四行第八字『商』，「原抄」作『商』。

同頁第六行第五字下，「原抄」缺若干字。

同頁第七行第五字下，同前。

同頁第一一行第二四字『恩』，「原抄」脫。參閱「十三世」其父『鄭纘緒』名下可證。

同頁第一二行第五及一七兩字『巳』與『入』，「原抄」均脫。參閱下「十五世」其子『鄭武』名下，可證。

第四七頁第四行第一四字以下，「原抄」脫二字。

同頁第五行第三六字『彰』，「原抄」作『漳』。按鄭仕謨子廷策進彰化學，嘉慶十六年拔貢，載「彰化縣志」「人物志」；下「十六世」『鄭廷策』名下亦作『漳化』，兩『漳』字同誤。

同頁第七行第一一字『仰』，下「十六世」其子『鄭嵩』名下作『昂』，今兩存備考。

同頁第九行第一一字『嵩』，「原抄」作『蒿』。按鄭輝星即拭，下「十六世」『鄭嵩』(字峻瞻)之父。

同頁第一一行第七字『園』，「原抄」作『國』。上「十四世」其父『鄭修典』名下有『號慎園』語及其事略可作參證。

第四八頁第一行第一四字『昂』，是否作『仰』？存疑；請參閱上頁第七行第一一字校記。
同行第二五及三二兩字『己』與『人』，「原抄」作『已』與『入』。
同頁第二行第五字，「原抄」缺字；第九字『備』，「原抄」脫，其下並有缺文；第一六字『遊』，「原抄」作『右』，且此『右』字可能原在『營』上，因竄至『營』下而脫『遊』也，並此存疑。
同頁第四行第一二字，「原抄」脫，其下並有缺文。
同行第一七字『彰』，「原抄」作『漳』。說見上頁第五行第三六字校記。

南安縣四十三都石井鄉鄭氏世譜

第四八頁第九行第一字『四』，「原抄」作『五』。
同頁第一一行第八字『扁』，下第五〇頁第一三行作『扃』（第一五字）；未悉孰是？存疑。
第四九頁第一二行第二七字『山』，「原抄」脫。前鄭芝龍序及鄭名山序均有『遂於楊子山下石井居焉』語，可資證補。
同頁第一三行第一五字『拮』，「原抄」作『桔』。
第五〇頁第一行第一二字『顯』，「原抄」作『显』。按『显』為『顯』別寫。且乃弟隱泉公諱岱（與⿱山显均从『山』）字頤中，『顯』與『頤』均从『頁』，亦足參證。
同頁第二行第四字『之』，「原抄」脫。
同頁第七行第二字『泉』、第九字『栻』及第十六字『砥』，「原抄」均缺字。參閱前列「世譜」

及下文，足資證補。

同頁第一三行第一四字『扃』，「原抄」「世譜」作『扁』；參閱第四八頁第一一行第八字校記，存疑。

第五一頁第一行第一七字『玉』，「原抄」作『王』。

同安縣感化里石潯保石獅鄉鄭氏圖譜

同頁第三行第四字『之』，「原抄」脫。

同頁第四行第一七字『軒』，「原抄」作『軒』。

同頁第五行第二四字『葬』及第六行第一、二兩字『坤向』，「原抄」均缺字。後有「殘文」『葬在漳州南靖金山水頭，坐坤向艮兼未丑』語，與此相同，足資證補。

同頁第一五行第九字，「原抄」缺字。

同頁第八行至第五二頁第三行止，顯係殘缺未全，祗仍其舊。

嶺雲海日樓詩鈔後記

周憲文

省立臺北圖書館藏有「丘、黃二先生遺稿合刊」一冊，是民國三十一年（一九四二年）六月彰化施梅樵編印的。書首列有施氏序文謂：『天地誕降英將，固與國家文獻相維繫者也。國運隆昌、才人輩出，若漢魏之有曹劉、南北之有鮑謝、唐之有李杜、有元白、有韓孟、宋之有蘇黃，類皆以詩歌文辭名世。近代詩學日盛，雖僻壤遐陬、牧夫豎子，亦解歌誦；香閨處女、繡閣名姝，亦嗜吟咏。風雅之感人如此其廣，未始非斯文得延一線之明徵也。丘逢甲進士字仙根，官工部主事，臺中州人，詩名聞海內外，與嘉應之黃遵憲（字公度，官梟憲）之詩相伯仲。此二老平生著作宏富，雖已作古人，余讀其遺篇，心爲之醉，朝夕不忍釋手。余每思有諸己者不如公諸人，爰不辭數月之辛苦，親自抄謄，並妄爲選擇，付之剞劂。斯集一出，俾島內之青年吟侶熟讀詳味，便可日進無疆，則此集之益人豈淺哉！……』。編者所推崇於丘氏的，祇是其『詩聞名海內外』，對於丘氏一生最爲國人所景仰的愛國思想與抗日行動，隻字未提。所以經其選擇刊出的詩篇，儘是一些文學意義比較深長的作品。這因當時編者的環境所限，毋怪其然。不過，我們在傳抄整理之後總有「美中不足」之感。因此，我們拿這意思告訴丘念台先生；

請他指示、補充。不久，念台先生送來民國二十六年出版的「嶺雲海日樓詩鈔」四巨冊；這是由倉海先生的同懷弟瑞甲、兆甲諸先生編輯，並經鄒海濱先生校定；可算是當今最完備的倉海詩集了。我們即據以標點印行。但有一點必須附帶說明；原書對於同義異形之字，例如「游」「遊」、「叠」「疊」、「邨」「村」、「象」「像」、「淡」「澹」之類，都是並用的；也有目錄作「叠」而本文作「疊」的。凡「目錄」與「本文」不同之處，我們乃根據「本文」予以統一，餘則概未改動。

本書在付印之前，除承張劍芬先生細心訂正，並經指出多處原刊的誤植外，又蒙丘念台先生撥冗校閱，所有總目後「附誌」與序、跋、小誌及年譜後之「附註」俱爲念台先生所加。附此說明，並示謝意。

臺灣日記與稟啓弁言

毛子水

胡鐵花先生在臺灣時的「日記」和「稟啓」，於民國四十年由臺灣省文獻委員會印行，叫做「臺灣紀錄兩種」，爲「臺灣叢書」第三種。「日記」和「稟啓」，各爲一冊。出版以後，胡適之先生因方杰人敎授的提議，將「日記」和「稟啓」按照時日合編，定名爲「臺灣日記與稟啓」，分爲三卷。

四十八年夏天，臺灣銀行經濟研究室得到適之先生的同意，把這個「臺灣日記與稟啓」作爲該室所編印的「臺灣文獻叢刊」的第七一種。適之先生因出席夏威夷大學所召開的哲學會，將所編成的稿子交給我，囑我看了後付印。

我略讀一遍，覺得這雖然是一位地方官的日常生活和公事的紀錄，但從這紀錄裏，非特可以看出清代末年政治和軍事一部份的情形，亦可以知道當時少數知識份子對於時局的態度，以及一個實事求是的讀書人對於改進政治的措施。這倒是很值得讀的一部傳記類的書。因把以前校印的人所作的句讀符號略加整理，以期讀者可以一覽了然。間有幾處校議，都於括弧內注明。

凡括弧內不標明名字的注，除極少數爲原稿裏所舉的人的名字或別號外，都是適之先生所加的。附錄二則係適之先生剪取於「大陸雜誌」的。

中華民國四十九年二月二日，毛子水謹記。

附：臺灣日記與稟啓後記

方豪

今年五月，臺灣省文獻委員會刊行胡適之先生的父親鐵花先生有關臺灣的兩種遺著：一種是「臺灣日記」，一種是「臺灣稟啓存稿」，彙刊爲「臺灣紀錄兩種」。在光緒二十年正月初二日、初五、初六日和三月初一日的日記中，我發現鐵花先生還寫過「臺東州採訪修志冊」，而這本「採訪冊」就列在當時纂修的「臺灣通志」(稿本)卷十九和卷二十。於是我在八月十日「公論報」的「臺灣風土」第一四一期發表了一篇「胡鐵花先生與臺東州採訪修志冊」，並寄給胡先生一份。在那篇文中我糾正了伊能嘉矩「臺灣文化志」中對這本「採訪冊」撰人推測的錯誤；我介紹了「採訪冊」的內容，我也列舉了冊中關於鐵花先生本人的事蹟；我又認定「通志」卷二十七臺東昭忠祠所附「文武員弁勇丁名冊」也是鐵花先生所擬的；最後我說明在「通志」其他卷內還有轉載「臺東州採訪冊」的地方。稍後，我又託學生鈔了一份「臺東州採訪修志冊」和「文武員弁勇丁名冊」，一併寄給胡先生。胡先生讀到我的短文、收到「採訪冊」鈔本，非常高興，他寫信告訴我他身邊還有他父親的文集鈔本，不過不是自己編的，內有「記臺灣臺東州疆域道里表地方情形並書後」一篇，共二千五百餘字，其中「書後」佔七百五十字，和「採訪冊」的「建置沿革」相同，更足證明「採訪冊」是他父親的遺稿。胡先生把他父親的那篇遺文鈔了一份，用「採訪冊」仔細校了一遍，然後寄給我，要我作一序或跋，送「大陸雜誌」發表。可是我收到後，發現有些疑問，同時我又參考了光緒五年夏獻綸的「臺灣輿圖並說」，於是我把鐵花先生的遺文和胡先生的校語重鈔一份，再寄到紐約；胡先生又校改了幾處，再寄回給我。因着航空事業的進步，爲這篇文字，我們信件來回了六、七次，這篇文稿也在中、美間飛行了幾次，然後纔決定付印。付印前我又不放心臺大所藏的傳鈔本「臺灣通志」，再借省立臺北圖書館的鈔本來校閱，結果又發現「採訪册」原本有兩處和集本相同，而是臺大傳鈔本鈔錯了。

臺灣省文獻委員會刊印「臺灣紀錄兩種」時，如把「稟啓存稿」依照日子印在當天的「日記」後，豈不更便於稽考！我曾舉一例告訴胡先生。日記卷一、光緒十八年四月初五日日記，有一句說：「城中及城外無安靶處」，羅爾綱先生在「及」字下註說：「綱按及字疑爲云字」，大約羅先生以爲城中不能安靶，所以有此註；但若一查同年同月初九日的申報文件，記初五日巡閱鳳山軍營說：「因城內外無空地可作操場，是以點名而未校靶」。此處所說「城內外」和日記所說「城中及城外」完全符合。胡先生第一次回信，對於把「稟啓存稿」依照日子印在當天的「日記」後，說：「此意我完全贊同」。又說：「先生所舉『及』字一例最確」。第二次回信說：「先人「臺灣紀錄」，我依照先生指示，用印本剪貼，重編爲「臺灣日記與稟啓」三卷」。因爲鐵花先生自編年譜，到四十一歲爲止；胡先生近來正在替他父親續編年譜，主要的步驟，是先把他父親的詩文稟啓編入「日記」。所以在給我的信中說：「最近我校讀先父臺灣遺著兩種，即將「日記」所記稟啓各件的月日，注在稟啓無月日各件之下」。又說：「可惜「稟啓存稿」不完全，詩文又多無月日，當先考訂詩文各件的年月日，然後儘可能選擇材料爲年譜之用」。在這裏我們可以看出流寓海外的胡先生，是怎樣的不忘他已故的父親、不忘臺灣和他一貫的治史方法；我們也可以看到他父親是怎樣的能在五、六十年前，便很詳細的注意到臺灣東部的地理情形和它的重要性。

四十年十一月二十二日，方豪謹跋。

鳳山縣采訪冊弁言

周憲文

這本盧德嘉彙纂的「鳳山縣采訪冊」，脫稿於光緒二十年，本來是爲纂修「臺灣通志」之用。原抄本分訂六冊，省立臺北圖書館列爲「特種藏書」，十分重視。現經傳抄標點付印，以實「臺灣文獻叢刊」；並分訂三冊，以便閱覽。

我們如果由「體例是否完整」的角度來看，則本書不但缺少一般「采訪冊」所應有的「物產」一項，而且儘有地方可以吹求（吹求，即吹毛求疵，這不是壞事，這是求進步的必要手段；我的隨筆集「幼稚錄」「吹求論」曾詳言之）。姑舉一例。書首「總目」載「甲部地輿」，計分『疆域、沿革、各里、莊社、田園、平埔、戶口、路程』。這一分類本已不甚嚴謹，但翻閱內容則大標題爲『鳳山縣採訪局造報疆域、田園、平埔、人丁、戶口淸冊甲部』，比較上述「總目」少了沿革、各里、莊社、路程而多出人丁。再看小標題，誰知祇有「沿革」與「路程」二目。所謂田園、戶口、人丁、莊社之類，都包括在「沿革」之內。這就嚴格的體例而言，顯然有欠完整。凡此，祇得依據內容改正標題，以求兩者的一致。

不過，我們如果換一角度，由「內容是否詳盡」來看，那末，本書在臺灣所有的各種采訪冊中，固然是首屈一指；卽在大陸，我想也是難得有的。就這一點說，本書堪稱是「空前的」（至少在臺灣是如此）。空前還不足奇，照我個人的看法，恐怕也是「絕後的」。這不是說後人的能力不及前人，再不能編出這樣詳盡的縣采訪冊；這是因爲時代變了（理由見拙作「臺灣方志彙刊」「重刊贅言」，茲不引述）。我這想法，是否正確，且讓今後冷酷的事實來證明罷。

說到「時代變了」，我於校讀本書之後，有點感想，不妨一提。首先，抄錄本書「辛部列女」的幾段記事如下：

（一）『節婦黃眞娘……咸豐己未，婦年十七，適……葉奇珍爲妻。同治癸亥，夫故，婦方二十有一，僅遺一孤；勤苦操作，百折不回，竟撫其孤成立』。

（二）『烈婦吳潔娘……年十八，歸夫黃尙志。……尋而志卒，家方治殮，氏更素服潛出村外半里許，投水死』。

（三）『節烈婦王掞娘……年十七，歸夫黃研。逾年，研卒，無嗣……；服三年喪，……於大祥日，哭泣盡哀，夜起梳洗、投繯而絕』。

（四）貞烈婦林研娘……商民林六長女也。……光緒丙戌，婦年十有八，許字……商民王連長男穆爲妻。丁亥，穆病卒，研娘……立志願以身殉……朝夕啼哭，饑餓七日而死。是年蓋十有九也』。

這些都是當年婦女的美德善行，而爲士大夫們所加意促成、極力宣揚的。現在誰都知道這中間「血淚斑斑，慘絕人寰」。我無意於追究當年那些士大夫的責任，但是我們却不能不就這些事蹟覓取寶貴的啓示而對現實的世態有所體味，至少要對自己的言行有所警惕。研究歷史，不是僅僅爲了知道歷史的眞相，主要是在了解這一眞相變遷的法則而「鑑往知來」。在這意義上，歷史是活的，不是死的。「鑑往」毋寧是手段，「知來」才是目的；亦卽由「鑑往之所以然」，使「知來之必然」，而謀盡其在我，以爲社會造福。不然的話，「留芳」與「遺臭」，固然都與古人無關痛癢；而「三國演義」給予後人的趣味也比「三國志」濃厚多了。

重修福建臺灣府志後記

周憲文

這是一本臺灣第三次纂修的府志，原名爲「重修福建臺灣府志」，是清乾隆初年分巡臺灣道劉良璧所輯的。我們依據的是省立臺北圖書館所藏的影抄本，卷末附有「昭和三年（卽民國十七年、一九二八年）影抄自帝國圖書館所藏刻本」的日文註語。至其究於何年所刻，卷首未有說明。按纂輯者「自序」，此志修於乾隆五年（庚申）十月，至六年（辛酉）五月完成；但其「隨刻隨補」的痕跡，是顯然可見的。例如書首其他各序，有成於七年（壬戌）者；而纂輯者姓氏並列有知府錢洙、范昌治前後兩任；按錢氏於七年二月卒於官，范氏係七年任（均見「職官」。其餘文武職官亦多有修至七年蒞任者）。可知刻印完竣，定在七年或其以後。

此志較前修兩志爲充實，但亦多脫誤；若干地方，當屬影抄者忽略所致。我們除儘量參考先後各志訂補外，無法訂正者，附（？）以存疑。至書首原列有「舊志」序文及其「修志姓氏」，照例概予删略，以節篇幅。

恒春縣志弁言

方豪

這部「恒春縣志」，原抄本係修史盧藏，中央研究院歷史語言研究所晒藍。遠在民國二十六年七月，該所圖書室管理員張政烺先生所編的「圖書室報告第二號，方志目」，在福建省「臺灣附」，卽列有此書。二十八年我在昆明，亦已看到這一本「方志目」，但當時並未深切注意。那目錄上是這樣寫的：『「恒春縣志」，淸光緒二十年修，本所由抄本晒藍，二十二卷（原誤作二十一卷，校勘記更正）、首一卷、末一卷，四冊。主修陳文緯，纂修屠繼善。附註：舊隸臺灣』。

因爲這本書一直在國內，而史語所的「方志目」，也是對日抗戰時期用雲南當地出產的土紙印刷的，所以流傳也不很廣；因此，不用說臺灣學人，或到過臺灣的日本人，在民國三十九年前發表有關臺灣地方志的文字中，或專書中涉及臺灣方志時，絕未提到這部「恒春縣志」。連朱士嘉編的「中國地方志綜錄」和「中國地方志備徵目」，也沒有列入本書。

我是三十八年二月到達臺灣的。六月，約姚從吾先生到楊梅史語所看書；其時，陳列的書很少，極大部份還鎖在箱內。奇怪的是我回到臺北，逢人便說我已看到了一部「

恒春縣志」，是晒藍本；而且，還彷彿記得是在第三排最下格。當時首先懷疑的便是好友楊雲萍先生，因爲他從來沒有聽說過；他並問我『是不是在大陸另有一個恒春縣』？

同年國慶日，我再約楊先生同去，竟找不到此書；我因爲肯定的說曾目覩此書，而且也沒有人借閱，所以管理員王寶先先生也爲我們翻尋了四、五次，仍然是杳無踪跡。查卡片目錄，比「方志目」只多了一句『修史廬抄本』。囘臺北後再去函查詢，並說明在何排何格，管理員仍苦覓不得。最後，王寶先先生把「方志目」寄來，我纔恍然大悟。原來是我第一次去楊梅時，見到「方志目」，並記得是晒藍本，大約因爲那時我正在起草「臺灣方志中的利瑪竇」，天天縈繞在我心目中的是臺灣方志，所以囘到臺灣大學宿舍，便在夢中重遊楊梅史語所圖書室，居然在我夢想中的第三排書架最下格，夢見其書，然後又像目覩一般的向別人津津樂道。其實是太虛幻境，眞書還鎖在箱內哩。

三十八年十月以後，史語所爲進行檢查、登記及殺蟲等工作，分批將全部書箱開啓，但因地方狹窄，隨開隨裝；我請求負責人檢查到「恒春縣志」時，把它取出，暫時替我保留。那時十二月二十日，我三遊楊梅，「恒春縣志」還不知深藏在那一箱內。三十九年一月十四日，四訪楊梅，史語所全體朋友看到我來，都不約而同的說：『「恒春縣志」出來了』！後來我曾在「臺灣文化季刊」第六卷第一期發表了一篇「恒春縣志的發現」，敘述找到這本縣志的經過，並介紹其內容。

臺灣省文獻委員會曾於民國四十年將此志付印，由林熊祥、廖漢臣二君校閱標點。現在臺灣銀行經濟研究室重印此志，囑我重校；我爲審愼起見，請現在中央研究院工作的學生張存武和王璽二君根據晒藍本對校，然後再由我校閱。這一切的經過，我是很樂意向讀者報告的。

至於民國二十年（昭和六年）日人稻葉直通、瀨川秀吉所著「紅頭嶼」一書中所提到的「恒春縣志稿本」，我相信是另一個本子。因爲那段文字是在原書十一頁「島之歷史」一節中，茲譯如下：『如看「恒春縣志稿本」，則有光緒三年三月固有基、汪喬年等一行二十餘人勘查此地，並把此地劃入恒春縣的報導。這是政府派員視察曾被列於化外之島的嚆矢』。按史語所藏本「恒春縣志」卷末「附紅頭嶼、火燒嶼」原文說：『光緒三年，前恒春縣周有基、船政藝生游樂詩、汪喬年偕履其地，歸述其所見如此』。日人據所見「恒春縣志稿本」，記勘查者只有周（誤爲固）有基和汪喬年二人，而史語所藏本却多一游樂詩；日人記勘查時期爲光緒三年三月，而史語所藏本有年無月；日人所見稿本，記勘查者一行達二十餘人，而史語所藏本只記三人；日人所見稿本又有『並把此地劃入恒春縣管轄之報導』，史語所藏本却不見有這一報導。可見「紅頭嶼」一書作者見到的「恒春縣志稿本」，並不同於我向臺灣學術界報告的史語所藏本「恒春縣志」。這一別本，至少民國二十年還在本島；至目前是否仍在本島？只能說「待訪」了。

中華民國四十九年五月四日，杰人方豪謹識。

天妃顯聖錄後記

夏德儀

記載天妃靈蹟的書籍，有「敕封志」、「顯聖錄」、「顯應錄」、「昭應錄」、「述異記」等數種，今已不可多見。我們只從省立臺北圖書館找到一部木刻本的「天妃顯聖錄」。此書不知刋於何年，僅在目次之前有「住持僧照乘發心刋布，徒普日、徒孫通峻薰沐重修」的字樣。書首有「湄洲勝境」圖，已缺一頁，餘三頁也都殘破，不大看得清楚。繪圖之後，接着是三篇序文，皆未載明作序的年代。第一篇序是林堯俞撰的。他說：『余自京師歸，偶於案頭得「顯聖錄」一冊，捧而讀之』。又說：『惜乎「顯聖」一錄尚多闕略，姑盥手而爲之序，以俟後之采輯而梓傳』；足見此錄原是一部舊有的書。第二篇序是黃起有撰的。他也只說『天妃歷著靈蹟，應輯錄有書，茲僧照乘刻而傳之』；並未說明這書是誰輯錄的。第三篇序是林麟焻撰的。他在序文裏詳述他於康熙二十二年奉命冊封琉球所受天妃保佑的情形，也沒有述及此書的來歷。

又此刋本的目次，起於「列朝誥敕」，以次爲「天妃誕降」、「窺井得符」，以迄「庇楊洪出使八國」，共計四十四個項目。而正文首列「歷朝顯聖褒封共二十四命」，次列「歷朝褒封致祭詔誥」，再次始爲「天妃誕降」、「窺井得符」、以迄「庇太監楊洪使諸番八國」（按此標題與目次中「庇楊洪出使八國」略有增損）等四十三段記述。然則目次中的「列朝誥敕」是指上述正文的前兩部份而言。何以目次的項目和正文前兩部的標題不同？我們猜測：舊錄所載「列朝誥敕」原只包有宋、元、明三代褒封和致祭的誥敕，這個刊本裏所載清朝的誥敕是後來加入的；因爲文字的分量多了，所以剖成兩部分，一稱「歷朝顯聖褒封共二十四命」、一稱「歷朝褒封致祭詔誥」，但沒有改動舊錄的目次。現在這兩部分正文裏還留着「皇明」的字樣，足見舊錄是輯於明代、刊於明代的；清朝人把清朝的誥敕加入了，當然用上「皇清」的字樣，但沒有删去「皇明」的「皇」字。

又此刊本的目次，於「庇楊洪出使八國」之後，先空兩行，再附四行文字：前二行爲「天妃功德崇隆，威靈烜赫，累代褒封榮典，綸音洊錫，自古神明顯著，未有如」共二十九字；後二行則分列「師泉井記、燈光引護舟人、澎湖神助得捷、琉球陰護冊使」四個項目。這四項文字顯然是後來附入的，決非舊錄所有。但正文內接着「庇太監楊洪使諸番八國」之後，尙有「託夢除奸」迄「湧泉給師」八段文字，再下面纔接到上述「師泉井記」等四個項目。因此，我們又猜想：這部「天妃顯聖錄」最早的本子是從「列朝誥敕」到「庇楊洪出使八國」共四十四個項目；第二次輯錄的本子可能加上了「託夢除奸」到「湧泉給師」八個項目，最後增輯的本子又加上「師泉井記」等四個項目。而正文之首「列朝誥敕」的剖析爲二，並且增入清朝的誥敕，大約是在第三次輯錄的時候這樣辦的。

省立臺北圖書館又藏有「天上聖母源流因果」一冊，係日本大正六年（民國六年、一九一七）臺北保安堂石印本。此書未載列朝褒封和致祭的誥敕，只述天妃的靈異事蹟，大半與顯聖錄相同；惟明代部分不若「顯聖錄」所載之多，清代部分則比「顯聖錄」多載乾隆、嘉慶、道光間事。可見天妃的故事是像滾雪球樣的越滾越大。現在把這部書作爲附錄，印在後面，以供參考。

從這兩部書裏所述的許多靈異之事看來，天妃的神通眞是廣大。她能身處室中，神遊方外；她能變小草爲大木，驅鐵馬以行空；她又能降伏妖魔，禳除災疫；她更能禱雨防旱，拯饑救潦。大約因爲她生長在福建的海邊，所以對於護航濟溺的本領特別大；她能在狂飈怒濤之中、檣摧桅折之頃，指引海舟，救助乘客。而天妃也就因爲這個緣故逐漸轉變爲航海者的保護女神了。

原來元朝最重海運，東南漕船，都賴天妃的護持，才得安全到達北方。因此，元代諸帝屢降詔敕，或加封，或致祭。這是天妃被尊爲航海神的第一步。

明永樂、宣德之際，中國下西洋的使臣絡繹不絕，他們也無不仰賴天妃的保佑。因此，成祖、宣宗又有加封和致祭的詔敕。這是天妃被尊爲航海神的第二步。清康熙間，萬將軍之克敵於廈門、靖海將軍之獲捷於澎湖，以及汪、林二使之册封琉球，皆蒙神庥，康熙皇帝也因此降了幾道加封、賜祭的詔敕。這是天妃被尊爲航海神的第三步。

由於元、明以來的君主、大臣們都奉天妃爲航海神而加以崇祀，流風所播，民間就更加相信了。於是沿海各省的諸府州縣莫不建立天后宮，一切飄洋過海的船隻上莫不供奉天妃神位。臺灣居民原是從閩、粵渡海而來的，他們和內地之間的往還當然繁數，他們要求天妃保護的心思當然迫切，他們對天妃的信奉因此格外虔誠，臺灣因此也到處建有天妃廟，這些廟裏的香火之盛也許還過於內地呢。

天妃的故事既然流傳得如此之久，天妃的神靈既然成爲民間普遍信仰的對象，天妃的廟宇既然廣建在沿海各省和臺灣各地，研究民俗學的人似乎可以把天妃當作一個專題來加以研究。這個刊本只供給研究者以最基本的材料。我們相信：假如再從正史、方志和私家著述中做一次廣泛的搜索，一定可以找到更多可貴的資料。

茲就近日偶爾看到的書本裏，抄出三條有關天妃的參考資料，藉作本刊的補錄：

一、婁東劉家港天妃宮石刻通番事蹟記（見錢穀「吳都文粹續集」卷二八）

明宣德六年，歲次辛亥，春朔，正使太監鄭和、王景弘、副使太監朱良、周滿、洪保、楊眞、左少監張達等立。其辭曰：

勅封護國庇民妙靈昭應弘仁普濟天妃之神，威靈布於鉅海，功德著於太常，尙矣。和等自永樂初奉使諸番，今經七次。每統領官兵數萬人、海船百餘艘，自太倉開洋，由占城國、暹羅國、爪哇國、柯枝國、古里國，抵於西域忽魯謨斯等三千（當作三十）餘國，涉滄溟十萬餘里。觀夫鯨波接天，浩浩無涯，或烟霧之溟濛、或風浪之崔嵬，海洋之狀，變態無時。而我之雲帆高張，晝夜星馳。非仗神功，曷能康濟？直有險阻，一稱神號，感應如響，卽有神燈燭於帆檣；靈光一臨，則變險爲夷，舟師恬然，咸保無虞。此神功之大概也。及臨外邦，其蠻王之梗化不恭者生擒之，寇兵之肆暴掠者殄滅之，海道由而淸寧，番人賴以安業，皆神之助也。

神之功績，昔嘗奏請於朝廷，宮於南京龍江之上，永傳祀事；欽承御製記文，以彰靈貺，褒美至矣。然神之靈無往不在，若劉家港之行宮，創造有年，每至於斯，卽爲葺理。宣德五年冬，復奉使諸番國，艤舟祠下，官軍人等瞻禮勤誠，祀享絡繹。神之殿堂，益加修飾，弘勝舊規。復重建嵎山小姐之神祠於宮之後，殿堂神像，粲然一新。官

校軍民，咸樂趨事，自有不容已者。非神之功德感於人心而致乎？是用勒文於石，並記諸番往回之歲月，昭示永久焉。（下略）

二、嘉慶十一年六月二十四日上諭（見「重纂福建通志」卷首之五）

本日遞到溫承惠、李長庚由五百里拜發二摺。據稱：蔡逆匪船於五月二十八日在鹿耳門內先經副將王得祿等配載兵船，衝入賊隊，攻獲盜船三隻，殲斃賊匪甚多。賊匪竄出鹿耳門，適值風狂浪大，復又擊破十餘隻、淹斃賊匪無數，續被官兵擒獲賊匪二百餘名。復經李長庚在大岞等處洋面瞭見賊船潰逃，擊沈一隻；又拏獲賊船三隻，殲擒賊匪一百七十餘名等語。伊二人奏報情形，大略相同。

此次賊船潰逃之際，適值颱颶大作，將船擊斃多隻，而兵船無一損失，官軍聲勢倍增。此實仰賴天神佑助，曷勝欽感！着發去大小藏香各五炷，交溫承惠親詣沿海各處天后宮敬謹代朕祀謝，並默祈速淨賊氛。（下略）

三、嘉慶十四年七月上諭（見「重纂福建通志」卷首之五）

阿林保等奏省城驟發颶風、損壞房屋田禾、懇請加恩一摺，已降旨撫卹緩徵，並准其動項修葺矣。該省（福建省）五月內業經被水，今復猝遇風災，實堪憫惻！但此次海颶大作，公廨、民居、兵船、商船無不損壞，甚至傷斃人口、漂沒田禾，迥非尋常災祲。推其原故，或吏治民風均有不能感召天和之處。該署督等必當震動恪恭，自加警省，實心實力，撫邮災區；並於地方一切事務，認眞辦理，除莠安良，庶可虔祈昊佑。並著於天后宮敬謹致祀，以迓神庥。將此諭令知之。欽此。

從上錄劉家港天妃宮的碑記上，我們知道天妃不但保護鄭和等航程的安全，還幫助他們殄滅寇兵、生擒蠻王。按鄭和初下西洋，曾擒舊港（今蘇門答臘東北部）酋長陳祖義；再使時，又擒錫蘭國王亞列苦奈兒及其家屬；最後又遇蘇門答剌王子蘇幹利謀弑王、殺和，和便將他討擒了。而且鄭和等出使外洋七次，他們所到的地方，南至爪哇、西及紅海，西南達非洲東岸；竟皆蒙天妃的佑助。天妃之靈眞是「無往不在」了。

又從上錄嘉慶十一年六月的上諭上，我們知道海上戰爭也是靠着天妃之助而獲勝利的，所以嘉慶皇帝特發藏香着人到沿海各處天后宮去代他祀謝。但在上錄嘉慶十四年七月的上諭上，福建省城猝遭風災，損失很重。風是從海上來的，福建又是天妃的桑梓之鄉，天妃何以不阻遏這個颶風的襲擊呢？原來是當地的吏治民風都有不能感召天和之處，天妃就不得不讓福建官民受一次嚴重的教訓。所以嘉慶皇帝不但不抱怨天妃的袖手旁觀，反而着該署督阿林保等到天后宮去「敬謹致祀以迓神庥」。這更是一個有趣的看法。

（按：本書出版後，某人認是「提倡迷信」，幾使本叢刊夭折；淺薄而有權，最爲可怕。憲文補記）。

清代臺灣職官印錄弁言

夏德儀

省立臺北圖書館藏有「清國時代官署印影集」一冊。這部書原爲「臺灣總督府圖書館」的藏書，書裏共計搜集了一百七十個清代臺灣文武各機關的官印，都是從原件公文出來而黏貼成冊的。這個工作是日本人在割據臺灣之後做的，所以用他們的口吻定上剪出這個書名。我們現在把它改稱「清代臺灣職官印錄」，較爲恰當。

原書裏面有一方「福州府印」和一方「浦城縣印」，因爲不屬臺灣範圍，被删去了；還有兩方字跡模糊和三方先後重複的印也，被删去了；共存一百六十三印。其中「督辦全臺鹽務總局關防」二方，印文雖同，字體大小相異，顯然是兩個印，所以重列。

原書未將各印作有次序的排列。我們先把這一百六十三印分作四大類，計有十八個「印」、一百二十五個「關防」、十八個「鈐記」和兩個「戳記」；每類再依文武官階和官署性質略加整理，依次排列。並在書首列一目次，以便檢閱。這些印本來就有許多看不清楚，再經照相製版，不免更加模糊；幸而原書已在每印之下另用楷書錄出印文，現在仍將楷書所寫的印文附在每印之下。因爲這些官印都是從公文上剪下來的，所以大多數的印上面還帶着年月。我們怕年月字樣遮蓋着印內的文字，所以在照相製版時把原來的年月去掉了。但這些年月和印的關係不小。例如光緒二十一年是臺灣被割讓的一年，其時臺灣軍民喋血抗日，我們就因這些官印上面蓋着「光緒二十一年某月某日」的字樣而能數出那時二十幾個抗日軍隊和軍事機構的名稱。因此，我們仍將原印上面所蓋的年月日附記在下面。可惜有二十三個印上僅有「移文」、「驗文」、「正詳」、「副稟」、「照會」、「清摺」或「具領狀」之類的字樣，未見年月，只好從闕了。最奇怪的是「福建臺灣巡撫關防」上面填着「光緒二十三年三月」。臺灣在光緒二十一年就被日本竊據了，何得在光緒二十三年還有蓋着「福建臺灣巡撫關防」的文件呢？仔細觀察，原來這個關防是用紫紅顏色描繪出來的，旁邊還寫了一個草書的「繪」字。關防上的年月大約是繪者隨便填寫的。另外還有「幫辦臺北撫番開墾事務關防」的右旁也寫了一個「繪」字，也是紫紅的顏色，和用眞正的印泥蓋出來的印不同。因此我們在這兩個關防下面的楷書印文之後都各注了一個「繪」字。

這部書裏雖已搜集一百六十多個官印，但遺漏的一定不少。將來如能續有所得，不妨刊印續錄。國內外的收藏家如以此類資料惠借，我們是非常感激的！

臺灣私法債權編弁言

林　眞

日本佔據臺灣時期，對臺灣舊慣之調查甚爲重視。光緒二十七年四月成立臺灣舊慣調查會，着手調查工作。該會將調查內容區分爲二部：第一部爲法制之部，第二部爲農、工、商經濟之部。第一部於光緒二十七年五月開始工作，前後調查三次，歷時十載。計第一次調查臺灣北部地區，於光緒二十九年完成，刊行第一回報告書及附錄參考書；第二次調查臺灣南部地區，於光緒三十二年完成，刊行第二回報告書及附錄參考書；第三次調查臺灣中部地區，於宣統元年完成，刊行第三回報告書及附錄參考書。翌年，經綜合以上三期之調查資料加以整理後，復將第三回報告書及其附錄參考書修正後出版。該版內容完整，共分緒論、不動產、人事、動產、商事及債權等編，可謂集以上三期之大成。其每回刊行之報告書全用日文撰寫，主爲臺灣私法一般性之介紹；其附錄參考書純爲臺灣私法事例之彙集，全係中文，僅於每則事例開端綴以數語之日文說明。

以上係日人對臺灣私法舊慣調查之經過。本書之來源係以宣統二年修正刊行之「第一部調查第三回報告書臺灣私法第三卷附錄參考書上卷」第四編之第四、五兩章爲主，再加上宣統元年刊行之「第三回報告書臺灣私法附錄參考書第三編下卷」之第八章而成，其中重複之處予以刪除。關於章、節之編排，完全沿用原「第三回報告書臺灣私法第三卷附錄參考書上卷」之次序，每則事例則按內容分類編號；如其內容上下關連而屬於同一事例者，則標以「之一」、「之二」等記號。原日人於每則事例之開端均以摘由方式叙述其內容，今爲避免摻入個人之主觀意識，僅按事例之形式分類，賦以極簡單之標題。此外，每則事例發生之年、月亦完全按照清代年號，一一予以訂正。

又，原文有些「鈐記」與「花押」由於印刷不便，經予略去。還有數目字，原文有作俗寫的，例如〦〤〢元、〩〣〥十元，亦因印刷不便，經改爲六·四二(元)、九·三五(十元)。

金門志後記

吳幅員

「金門志」原刊本扉頁載：『「金門志」十六卷。光緒壬午十月開雕，板藏浯江書院』。按壬午爲光緒八年(卽一八八二年)，距今七十八年。現據省立臺北圖書館所藏前述刊本整理並加標點印行，列爲「臺灣文獻叢刊」第八〇種。惟所惜者，原刊本卷十二「人物列傳（四）」有脫頁（八、九兩頁）；「流寓」張煌言（附羅子木）起，並欠辜朝薦、王忠孝、張士樃、諸葛昺（附盧灦）、董颺先、魯王朱以海諸傳，留下一大缺陷。

編校既竣，因假卷末說明下列諸事：

(一) 原刊本印有「金門全圖」、「浯江書院圖」、「金門書院圖」及「奎閣圖」共四幅。現祇存「金門全圖」，餘概從略。再，「金門全圖」中烈嶼地名漏刊，經予補上，以便檢索。

(二) 原刊目錄與正文標題互有出入。亦經參閱內容，彼此改訂一致。

(三) 原刊「職官」、「選舉」兩表，間有次序相混。因就先後調整編列，以求醒目。

要之，爲了閱讀方便，經在形式上略加整理，固無損於內容本質也。上述數事，舉其要耳。

臺東州采訪冊弁言

方　豪

光緒十八年，臺灣創修「通志」，各州、廳、縣編纂採訪冊；至二十一年五月，「通志」稿已十成其九。但那年四月，中國已敗於日本，臺、澎割讓，全島騷亂。大約卽在此時，「臺灣通志」被志士攜往厦門。後被日本總督府出價收回；民國八年（大正八年），總督府圖書館又謄錄一部。這兩部，現都保存於省立臺北圖書館。

「通志」的卷十九和卷二十是「臺東州採訪修志冊」。一部全省性的「通志」，附上了一部地方性的「採訪冊」，當然是不合體例的；但亦幸而有此不合體例之舉，這部「臺東州採訪冊」，乃得保存勿失。

但對於這部「採訪冊」的撰人，只有日人伊能嘉矩曾加揣測。在他的「臺灣文化志」中卷第八篇第二章，他說「臺東州采訪冊」三卷，業已完成。關於編修人的姓名，他一方面說是「不詳」；但另一方面却又懷疑或者是光緒十九年從臺南移住卑南、在那裏設塾教書的張之遠所修的。可是，他的推測錯了！

民國四十年五月，臺灣省文獻委員會印行胡適之先生尊翁鐵花先生(傳)「臺灣紀錄兩種」；書一出版，我立卽翻讀。當我讀到上冊「臺灣日記」卷六光緒二十年正月初二日記說：『具「臺東志建置沿革」稿』，我便懷疑是志書的開端；接着，又讀到初五、初六日說：『爲修志事採訪一切』。最後讀到三月初一日說：『是日「採訪修志冊」脫稿』。於是，我對於附在「臺灣通志」中的「臺東州採訪修志冊」找到了眞正的編著人。同年八月十日「公論報」「臺灣風土」第一四〇期便有我的一篇「胡鐵花先生與臺東州採訪修志冊」，敘述這一段經過；我並認定「通志」卷二十七臺東昭忠祠所附「文武員弁勇丁名冊」，也是鐵花先生所擬的；最後，我說明在「通志」其他卷內還有轉載「臺東州採訪冊」的地方。我曾把「臺灣風土」上的那篇拙作，和從「臺灣通志」中抄錄的「臺東州採訪修志冊」、「文武員弁勇丁名冊」，寄給遠在美國的胡先生。胡先生讀到我的短文和「採訪冊」抄本，非常高興。他寫信告訴我，他身邊還有他父親的文集抄本，不過不是自己編的；內有「記臺灣臺東州疆域道里表地方情形並書後」一篇，共二千五百餘字，其中「書後」佔七百五十字，和「採訪冊」的「建置沿革」相同，更足證明「採訪冊」是他父親的遺稿。胡先生把他父親的那篇遺文抄了一份，用「採訪冊」仔細校了一遍，然後寄給我，要我作一序或跋，送「大陸雜誌」發表。可是我收到後，發現有些疑問；同時我又參考了光緒五年夏獻綸的「臺灣輿圖並說」，於是我把鐵花先生的遺文和胡先生的校語重抄一份，再寄到紐約。胡先生又校改了幾處，再寄回給我，然後纔決定付印。在這期間，我又發現臺灣大學的傳抄本有幾處抄錯。

現在這本「臺東州采訪冊」已由臺灣銀行經濟研究室加以整理印行。其中原稿上有些錯字，是該室吳幅員先生根據胡鐵花（傳）先生的「臺灣日記與稟啓」（「臺灣文獻叢刊」第七一種）和夏獻綸的「臺灣輿圖」(同叢刊第四五種）等書校正的。本書從編纂到出版，相隔六十六年；撰人的姓氏隱而復現，不能說不是一件令人高興的事。

書末附有一篇陳英的「臺東志」，是臺灣銀行經濟研究室所加的，應在這裏附帶說明一下。

中華民國四十九年五月四日，杰人方豪謹識。

內自訟齋文選弁言

周憲文

省立臺北圖書館藏有「內自訟齋文集」，爲富陽周凱仲禮（一字芸皐）所著，是清道光庚子（道光二〇年、一八四〇年）雕板印行的。全書共計十卷，分裝八冊。書首除有光澤高澍然的序文（道光一五年撰）外，還有著者自纂的年譜、吳德旋仲倫寫的周氏墓誌銘及本書參訂與校刊者姓氏。本書內容，頗爲廣汎，我們祇選其「涉及臺灣部份」整理印行，定名「爲內自訟齋文選」，列爲「臺灣文獻叢刊」第八二種。同時，我們將全書目錄連同參訂及校刊者姓氏，作爲附錄刊出，以利查考。

中復堂選集弁言

周憲文

國立臺灣大學圖書館藏有姚瑩石甫著「中復堂全集」，分裝四函，凡二十八冊；是他的兒子濬昌在淸同治丁卯（六年、一八六七年）所重刊的。卷首列有「總目」，計㈠「東溟文集」六卷、「外集」四卷，㈡「東溟文後集」十四卷、「外集」二卷，㈢「後湘詩集」九卷，㈣「後湘二集」五卷，㈤「後湘續集」七卷，㈥「東溟奏稿」四卷，㈦「識小錄」八卷，㈧「東槎紀略」五卷，㈨「寸陰叢錄」四卷，㈩「康輶紀行」十六卷，(十一)「姚氏先德傳」六卷，(十二)「中復堂遺稿」五卷，(十三)「中復堂遺稿續編」三卷，(十四)附錄：傳、墓志銘、墓表、年譜，可以說是「洋洋大觀」。其中「東溟奏稿」四卷已經刊行，列爲「臺灣文獻叢刊」第四九種；又「東槎紀略」五卷亦已出版，列爲「臺灣文獻叢刊」第七種。除此兩稿以外，凡與臺灣有關者，經曹永和先生詳爲錄出，彙爲一冊，並仍以方東樹序置於卷首，而以著者之傳、墓志銘、墓表及年譜作爲附錄；定名爲「中復堂選集」，列爲「臺灣文獻叢刊」第八三種。此書出版，則姚氏有關臺灣的著作，可告結束矣。

福建通志臺灣府弁言

夏德儀

我們曾自「嘉慶一統志」裏錄出關於臺灣府的部分，印成一册，稱做「淸一統志臺灣府」，列爲本叢刊的第六八種。現在又把「重纂福建通志」裏和臺灣有關的文字抄出來，加以整理，稱做「福建通志臺灣府」，列爲本叢刊的第八四種。

關於「福建通志」重纂的經過，請看書首的三篇序文，我們不再敍述。這部「通志」的卷帙很多，我們錄出的分量也不少，大約有六十萬字。現在且把我們選錄的標準分述於後：

（一）原書的前面載地圖十八幅，其中有「臺灣府山險水道關隘古寨疆域圖」和「臺灣海口大小港道總圖」各一幅，因爲原圖刊刻不精，影印縮小之後更難淸楚，只好放棄了。

（二）原書有幾個項目是混合敍述的，我們只就其中酌錄一部分和臺灣有關的文字；如星野、倉儲、蠲賑、錢法、鹽法、典禮、雜錄等項，就是這樣作的。

（三）原書除少數項目之外，都是分府敍述的，我們只錄了臺灣府的部分。但也有幾個項目，選錄的範圍不僅限於臺灣府。如兵制一項，便將明代福建的兵政、淸代福建全省的營汛以及明、清兩代的福建船政都錄入了；海防一項，也將福建沿海各縣衝要之地和關於守禦、海禁的奏疏、議論錄入了。又如職官一項，便將督、撫、布政使、按察使和將軍、副都統、水陸提督等官都錄入了；宦績一項，也將與臺灣有關的福建全省文武各官錄入了。又如人物一項，則無論明朝或清朝，無論何府或何縣，無論普通列傳或良吏、武功、儒林、文苑、忠節、孝義、隱逸、僑寓等傳，凡是與魯王、唐王、鄭氏或臺灣有關的人物都被錄入了。總之，我們對於這幾個項目所以擴大選錄的範圍，就因爲這些資料與臺灣史的研究有極大的幫助。

本書內容，凡分三十五個項目；其中職官一項原在宦績之前。茲因本書分裝六冊，同一項目既不能分在二冊，而每冊頁數又須求其勻稱，不得已將職官改列宦績之後，所幸本書係屬參考資料性質，項目稍有移動，想亦無妨。百吉又識。

南明野史弁言

吳幅員

本書原來的書名爲何？作者南沙三餘氏爲誰？均無所悉。惟據卷首所冠「自序」，只知此書作於清乾隆四年（一七三九年），並由此推知作者的生卒年代當在康熙～乾隆間。此書稿本原分五卷，舊藏於涵芬樓；直至民國十八年（一九二九年。距撰作時已歷一百九十年）五月，乃由吳縣王鍾麒氏「釐而訂之」，總顏爲「南明野史」。翌年（一九三〇年）三月，由商務印書館初版印行。這是本書書名與版本的由來。

至書中所有「校者案語」，原由王鍾麒氏所加；凡此字句卽有譌誤，概仍其舊，以有「案語」可資參證也。此外，偶有漏未訂正或誤植之字，均經重訂；所補之字，並加〔〕用資識別。

本書排版之後，復獲「明季五藩實錄」（又名「明末五小史」）一書，發見卽爲本書未經王鍾麒氏「釐訂」前所印行者。「實錄」分五篇：一曰福藩、二曰唐藩、三曰唐王聿鐭、四曰魯藩、五曰桂藩（各篇又有分上下二篇者）。論理，原應刊印未「釐訂」前之版本；但以排校既竣，乃決定卽以本書印行。本書與「實錄」比校，除卷次與篇目的變動以外，則爲清曆紀年改爲明曆紀年。因此，原有「王師」、「我朝」一類字樣亦改爲「清師」、「清朝」，「福王」、「唐王、」

「桂王」等改爲「安宗皇帝」、「紹宗皇帝」、「永曆皇帝」（簡稱爲「帝」）。還有「自序」刪削頗多。這是兩書主要相異之處。

斯未信齋文編弁言

周憲文

省立臺北圖書館藏有徐宗幹伯楨的「斯未信齋文編」一部，內計軍書四卷、官牘七卷、藝文四卷，分裝七冊；是清同治年間所刊印的。本書係由其中有關臺灣部份選輯而成。我們仍以桂超萬的序文列於書首，並將全書的目錄附於書末，以利查考。軍書內的「雪夜探營圖自記」，這等於著者的自傳。

左文襄公奏牘弁言

吳幅員

中央研究院歷史語言研究所藏有「左文襄公全集」一部（清光緒十六年庚寅仲春月開雕的），計一百二十八本；原書除卷首外，分爲奏稿六十四卷、謝摺二卷、文集五卷（附詩集、聯語、說帖）、書牘二十六卷、批札七卷（附咨札、告示）。此外，附有「張大司馬奏稿」四卷及「駱文忠公奏稿」十卷；書末，並有年譜十卷（湘潭羅正鈞纂）。卷首目錄列有國史本傳、墓誌銘、神道碑及總目錄，但墓誌銘以下均未見本文。本書節取其「奏稿」及「書牘」中與臺灣有關各篇，合而輯爲「奏牘」；同時，並附錄著者的「國史本傳」（據「全集」卷首所載）及「神道碑」（吳汝綸著。採自「桐城吳先生全書」文集卷二）二文於書末，以備查考。

「奏稿」原爲長沙楊書霖編次校勘。楊氏跋文有云：『起咸豐十一年辛酉十二月、訖光緒十一年乙酉七月，都六十四卷。蓋公自咸豐庚申四月詔以四品京堂襄辦軍務，辛酉奉命督師援浙，始專摺奏事。旋授浙撫，晉督閩浙，掃盪粵賊；調督陝甘，平捻、平回，廓清關內外。凡兵餉及地方事宜，罔不躬親料理。奏疏未嘗倚辦幕寮，與胡文忠、曾文正二公皆推當時大手筆。迄光緒辛巳總督兩江，年已七十；間屬幕友起草，而自加改削。甲申督辦福建軍務，則幕友所擬較多。茲編所登，凡出自公手而有關事實者，雖夾片數行必錄；幕府所擬，必經公修飾最多者，始行編入。尋常例摺，一概從删。謝恩諸摺，另爲兩卷；不欲與言事之疏錯雜也』。由於這段記述，不特可知「奏稿」的「義例」，亦已獲見著者經歷的大概。著者服官與臺灣直接有關的，計分兩段時間，即在閩浙總督任內與欽差大臣督辦福建軍務時期。前一時期爲同治二年至五年（一八七六～七九），初則專意兩浙，繼則勦辦「粤賊」，治軍之日多、治事之日少，對於臺灣的經理，較少顧及。後一時期爲光緒十年至十一年（一八八四～八五），時値法兵侵臺，專爲督辦援臺軍務赴閩。故本書所收「奏稿」，前一時期較爲零雜，後一時期則具始末。

至於「書牘」部分，亦可分爲兩個時期，但却與上述不盡相同。一在閩浙總督駐浙之時，爲與閩撫徐宗幹（樹人）及臺灣道丁日健（述安）等討論戴潮春事變有關事宜；一在調任陝甘總督之後，適當甲戌日兵侵臺，爲與總理各國事務衙門及欽派總理船政巡視臺灣防務大臣沈葆禎（幼丹）等咨商與臺防有關問題。自然，由於「書牘」體裁的關係，間亦旁及他事。

此外，尚有兩點說明。（一）「國史本傳」載：光緒十一年六月有「請將福建巡撫移駐臺灣」之奏，但此摺在「奏稿」中則未之見。執是以觀，原「奏稿」或爲前述「義例」所摒、或為彙輯所遺，想不在少。這就蒐集史料的觀點而言，至可惋惜！(二)本書在編輯時，由於另一原因，未能充分利用「全集」原書，恐不免有疏漏之處；引為遺憾。

臺灣遊記弁言

夏德儀

本書收遊記與日記各兩種，合題曰「臺灣遊記」。

一爲池志徵撰「全臺遊記」，係錄自「惜硯樓叢刊」。池君於清光緒辛卯（十七年）冬來臺，迄甲午（二十年）中日之役起，始倉皇內渡。三載之間，池君足跡幾歷全臺，遂就其當時之日記刪削而爲「全臺遊記」一卷；舉凡山川之扼要、人物之蕃昌、風俗時候之奇異以及社寮險阻、民番雜處之情況，莫不記之，足爲臺灣割讓前夕之寫照。

二爲吳德功撰「觀光日記」，係省立臺北圖書館所藏之抄本。先是馬關和約成，清允割讓臺、澎；臺人力爭不可得，乃組義軍以相抗，卒以強弱之勢懸殊，全臺淪於日人之手。然自光緒乙未（二十一年）以來，臺民抗日之舉，屢仆屢起，頗使日人心驚膽慄，閱四、五載始得稍安。日人知徒恃武力鎮壓之難於收效也，思以懷柔之法籠絡全臺知識分子，遂於明治三十三年（光緒二十六年）春舉行「揚文會」，而吳君德功即爲應召參加斯會之一員。吳君於是年三月八日自其家鄉彰化起程，十三日抵臺北。十五日上午開會，下午閱陸軍操演，十六日往基隆觀戰艦「橫須賀號」演放鎗礮。其餘諸日除宴會及遊覽外，則參觀警察獄官學習所、製洋烟所、電火所、病院、商品陳列所、郵便局、兵工廠、鋸木所、度量衡調查所、測候所、法院、樟腦製造所等機構。二十六日離臺北，三十一日返抵彰化。「觀光日記」即記此二十四日間之活動。吳君頗好吟咏，故其日記中附詩甚多；雖其詩文並無可取，然日人之籠絡手腕與當時各機構之情況，尚足供研究臺灣史者之參考也。

三爲施景琛撰「鯤瀛日記」，係省立臺北圖書館所藏之鉛印本。施君奉制軍松鶴齡之命渡臺調查實業，於壬子正月初三日（民國元年二月二十日）自福州乘「撫順丸」先赴厦門。更於初九日乘「大仁丸」渡臺灣海峽，次日抵臺北。十二日開始其考察工作。先在臺北參觀臺灣日日新聞報社，調查臺灣鐵路建設情形，訪問權度、專賣二局，嗣即往臺南參觀物產展覽會與教育展覽會；又赴打狗參觀港口工事，又赴阿緱參觀血淸作業所及臺灣製糖會社工場，又赴大目降參觀糖業試驗場。再轉嘉義，參觀苗圃及竹器製造傳習所。再轉臺中，參觀葫蘆墩製疕會社及製造磚瓦工場。再返臺北，參觀瑞芳金礦、新店瑠公圳工事、水源地、發電所、電話交換所、臺北監獄。最後訪問民政當局及鹽務機關，查詢臺灣財政與鹽務概況以及土地調查與改善市區辦法。施君在臺十八日，於正月二十九日（陽曆三月十七日）乘「大仁丸」離臺返閩。「鯤瀛日記」即記此一月間之行程與考察之所得也。「日記」之後，附詩二十九首，多爲旅途酬贈之作。

四爲張遵旭撰「臺灣遊記」，係省立臺北圖書館所藏之油印本。此記未言何年，但以記中所述事實考之，知爲民國五年。是年，張君以福建省長所派代表名義於四月三日由福州乘「新高丸」赴臺。五日抵臺北，七日參觀勸業會。八日參觀工業講習所、農事試驗場、殖產局附屬養蠶所、臺北水源地、博物館。九日遊淡水、北投。十日參與勸業會之開幕式。十一日到臺中，先遊公園，繼卽參觀物產陳列所、農會、水源工場、米穀乾爆所、米穀檢查所及附設帽子檢查所。十二日到嘉義，參觀製材工場，並遊神社、公園。十三日到打狗，先往阿緱參觀血清作業所及臺灣製糖株式會社；旋囘打狗，參觀港口。十四日遊覽臺南諸名勝。十五日囘臺北。十六日再觀勸業會。十九日遊基隆水族館，遂乘「湖北丸」於次日返抵福州。「臺灣遊記」卽記臺灣勸業會之內容與此十八日間訪臺之經過也。

上列四記，皆有錯字，尤以「觀光日記」譌舛爲多；多數皆已校正，間有無法校改者，只得姑仍其舊。

番社采風圖考弁言

夏德儀

巡臺給事中六十七著的「番社采風圖考」有兩個刋本：一個是「藝海珠塵」本，一個是「昭代叢書」本。因為「昭代叢書」本多一篇跋文，所以先把它錄出副本，再用「藝海珠塵」本校了一遍，然後標點付印，列為「臺灣文獻叢刋」第九〇種。

兩個刋本的前面都載有巡臺御史范咸撰的序文。序文裏說：『同事黃門六公，博學洽聞，留意於絕俗殊風；既作「臺海采風圖考」，復就見聞所及，命工繪為圖若干册，亦各有題詞，以為之考』。足見「番社采風圖考」原來是有圖的。但是後來刻書的人沒法將原圖影印出來，只好丢開原圖，僅刻圖說性質的文字。所以「昭代叢書」本後面所載楊復吉的跋文就認為「其圖久佚」，而以「不克並錄」為可惜了。

現在我們找到三種「番社圖」，都縮小影印在這個新刋本裏：

第一種是省立臺北圖書館藏的「六十七兩采風圖合卷」。原圖為工筆著色的繪本。一部分是描繪番人生活情況的，計有瞭望、渡溪、舂米、耕種、捕鹿、刈禾、種芋、布牀、乘屋、糖廍、織布、迎婦等十二幅；就是「番社采風圖」。另一部分是描繪臺灣物產的，如小米、番麥、番薯、椰子、檳榔、西瓜、芽蕉、茘支、龍眼、番柿、黃梨、刺竹、刺桐、番石榴、波羅蜜、浮桑花、魚子蘭之類，共計十二幅；就是「臺海采風圖」。其中有三幅是重複的被删去了，仍存九幅。因爲是把兩套圖合併在一起的，所以題做「兩采風圖合卷」。圖內原有的說明文字，經過照相縮小之後便看不淸楚了，所以分別抄出來另排在每圖的下面或在每圖的次頁。

第二種是中央研究院歷史語言研究所藏的「臺番圖說」。原圖也是工筆著色的繪本。除第一幅番社是表明番社的地理位置之外，其餘十七幅都是描繪番人生活情況的。其中有十二幅與第一種的第一部分完全相同，另外多出了捕魚、猱採、遊車、守隘、社師等五幅圖。圖內的說明文字，除第一圖的番社名稱因爲字跡模糊難於辨認外，也都抄出來另排在每圖的下面。

第三種是從「故宮信片」第十三輯第一組「臺灣內山番地風俗圖」翻印的。此圖原藏內務府造辦處，後存故宮博物院的文獻館，分上下二册，共二十四圖，絹本著色，不著繪者及年代（見「文獻叢編」第十七輯）。這二十四幅圖全是描繪番人生活情況的。其中有一大半（乘屋、種園、饁餉、穫稻、夜舂、渡溪、遊社、書塾、紡織、射魚、捕鹿、猱採、哨望、迎婦）與第一、二種各圖的名稱或畫稿雖不完全相同，但其所繪題材是相同的。另一小半（牽手、禾間、會飲、鬬捷、賽戲、互市、文身、捉牛、樹宿、浴兒）却爲第一、二種圖內所沒有。每圖的說明文字並不見於圖內，大約原來就是寫在圖外的。第一、第二兩套圖內相同各圖的說明文字也相同，惟有這一套圖的說明文字和前兩種的都不相同。因此可以斷定前兩種「番社圖」是出於一個畫工的手筆，後一種「番社圖」是出於另一個畫工的手筆。

這三種番社圖的前後都沒有序文和跋文，然而在余文儀續修的「臺灣府志」卷二十二藝文三裏面却載有六十七自撰的「臺海采風圖序」和莊年撰的「記采風圖後」。現在把這兩篇文章排在後面，作爲「附錄」之一。

黃叔璥對於各番社的衣食住行和婚喪習俗曾作有系統的記載，他的「番俗六考」三卷和「番俗雜記」一卷已經刊在「臺灣文獻叢刊」第四種「臺海使槎錄」中。現在又把省立臺北圖書館藏的黃叔璥「臺灣番社圖」縮小影印，作爲本書的「附錄」之二。原圖高一尺二寸、長約一丈，是一幅紙本著色的番社地圖。此圖大概是黃叔璥撰寫「六考」和「雜記」時繪製的，但因無法刊刻，所以不見於「使槎錄」。

余文儀「續修臺灣府志」卷二十二「藝文三」又載范咸撰「海東選蒐圖序」一篇。按例：每年冬天巡臺御史要檢閱臺灣駐軍一次。「選蒐圖」便是描繪六十七和范咸兩位巡方侍御在臺舉行閱兵大典情形的。原圖現在雖然看不到了，但這篇「圖序」未嘗不是臺灣史料的一鱗半爪；所以也把它抄出來，作爲本書的「附錄」之三。

噶瑪蘭志略後記

夏德儀

膠州柯培元撰「噶瑪蘭志略」，諸方志目皆未著錄，以其無刊本流行於世也。此間頃有兩抄本：一藏中央研究院歷史語言研究所，一藏臺灣省立臺北圖書館；前者有上虞羅振玉光緒三十四年戊申跋文一篇。

按晉江陳友松纂「噶瑪蘭廳志」卷二「職官門」「官秩目」下載柯培元於道光十五年十一月十七日署噶瑪蘭通判、十二月十六日卸任，繼之者爲江西新建人葉之筠。「柯志」吳孝銘序謂柯君署篆蘭地，『勤於厥職，政治日新，慨然以修志爲己任；博考旁搜，分門別目，積歲月之力，釐成「志略」十四卷』云云，似未悉柯君之署篆爲時僅一月也。

考陳友松之纂「噶瑪蘭廳志」，著手於道光十一年辛卯，次年壬辰粗成「志稿」八門十卷。其時分任採訪之勞者則有楊德昭、李祺生、林逢春、蔡長青諸人。十四年甲午，陳君內渡。十八年戊戌，再蒞臺灣，遂向蘭人士索前稿，刪繁補缺，於三十年庚子改訂爲八卷十二門。又十餘年，通判董正官囑曩所襄事者續增庚子以後事入志，並詳加校正，付之剞劂，而於咸豐二年壬子冬成書。故董君序文稱『茲志前無師，旁無倚』也。柯君署篆既在道光十五年冬，其時陳君所纂「廳志」已成初稿，存於蘭人士之手矣，柯君焉得不知？柯志吳序竟以『創始之功』歸之柯君，豈不謬乎！

余意柯君攝噶瑪蘭廳事僅一月，自無暇於修志。但可能將陳君已撰「廳志」初稿錄爲副本，攜歸故里，遂以一己之力，更加纂輯，成此十四卷之「噶瑪蘭志略」也。

斯未信齋雜錄弁言

周憲文

徐宗幹的「斯未信齋文編」，我們已就涉及臺灣部份，集輯爲「臺灣文獻叢刊」第八七種。此外，省立臺北圖書館還藏有「斯未信齋雜錄」兩冊，計分六卷；『顧名思義』，它的內容是十分龐雜的。略介如左：

卷一：「用靜吉軒隨筆」（辛丑）。這是清道光二一年（一八四一年）著者大體記官山東時事。

卷二：（一）「南臺精舍隨筆」（癸卯）。這是清道光二三年（一八四三年）著者大體記官四川時事。（二）「小浣霞池館隨筆」（甲辰）。這是清道光二四年（一八四四年）著者大體記官福建（漳州）時事。

卷三：「堊廬雜記」。這是清道光二五年（一八四五年）著者奔母喪回到故鄉（南通州），『次年長夏無事』，『懼其終日昏睡』，『因追憶舊事及新有見聞者隨筆記之』。

卷四：（一）「丁戊隨筆」。這是清道光二七～二八年（一八四七～四八年）著者大體記自『奉到上諭補授臺灣道』，而至攜眷渡海抵達臺灣事。（二）「斐亭隨筆」（戊申）（清道光二八年、一八四八年）。（三）「君子軒偶記」。（四）「退思錄」。

卷五：(一)「壬癸後記」(原刊有一上字，因未見有下字，故把上字略去)(清咸豐二～三年、一八五一～五二年)。(二)「癸丑日記」(清咸豐三年、一八五三年)。以上大體都是著者記在臺灣時事。

卷六：(一)「甲乙日記」。這是咸豐四～五年(一八五四～五五年)著者記『甲寅(一八五四年)三月初十日奉檄調省察看』以後，由臺灣卸任內渡前後時事。(二)「丙辰日記」。這是清咸豐六年(一八五六年)著者大體記在河南、山東一帶協剿「捻匪」時事。(三)「歸田續記」。按著者於己未(清咸豐九年、一八五九年)十月間接部檄解組(時任浙江藩司)，初則『養疴吳門』，旋歸故里，所以這是清咸豐九年以後著者致仕鄉居的雜錄。

以上共計六卷十三篇。因爲它是「雜錄」，所以在臺灣所錄的，內容不盡是臺灣之事；非在臺灣所錄的，內容也有提到臺灣事的。如果祇把有關臺灣部份選輯出來，未免割裂太甚；要是全書刋出，又有「過猶不及」之感。衡量的結果，決以篇爲單元，其中「用靜吉軒隨筆」與「南臺精舍隨筆」兩篇，因與臺灣完全無關，故予删去，餘均保留。

劍花室詩集弁言

震東

先父雅堂先生之詩，可分爲四部分：

一、「大陸詩草」：此集爲壬子至甲寅先生遊大陸時之作，凡一百二十六首，曾於民國十年出版。

二、「寧南詩草」，又名「龍耕詩草」：先生於甲寅冬歸自大陸，仍居寧南，嗣遷淡北；丙寅夏，移家杭州。自「寧南春望」至「別臺北」，凡二百五十四首，爲此十三年間之作。丁卯自杭州又回臺南，至癸酉離臺赴滬，所作凡二十一首，先生亦親自編入此集中。

三、「劍花室外集」之一：此集爲先生自乙未割臺以後、至辛亥遊大陸之前青年期之作，凡四百六十五首。

四、「劍花室外集」之二：此集爲先生自癸酉至乙亥晚年之詩，間有缺字或缺句者，蓋先生未完成之作也，凡四十九首。

連震東謹識。

張文襄公選集弁言

吳幅員

這是一本清末張之洞所有關涉臺灣文書的彙輯。全部文字，選自民國二十六年（丁丑）潛江甘鵬雲等校印的「張文襄公全集」（北平開雕，楚學精廬藏板）一書。按上述「全集」除「卷首」上下兩卷外，分爲「奏議」七十二卷、「電奏」十三卷、「公牘」三十六卷、「電牘」八十卷、「勸學篇」二卷、「輶軒語」二卷、「書目問答」四卷、「讀經札記」二卷、「古文」二卷、「書札」八卷、「駢文」二卷、「詩集」四卷、「弟子記」一卷，都二百二十八卷（末附「校勘記」），凡三百六十餘萬言。我們就其「奏議」、「公牘」、「電奏」、「電牘」及「書札」中選出關涉臺灣各文，依時日順序，混編成這本選集，列爲「臺灣文獻叢刊」第九七種。綜其內容，分如下述：

一爲關於對日商務交涉與臺防人事。時在同治甲戌牡丹社事件後之六年（琉球亡後一年），張氏以詞臣言事，深以保臺爲急。這一部分，祇有一摺、一片，爲量不多。

二爲關於中法戰爭法軍侵臺前後的兵事。時張氏任兩廣總督，奉命規越援臺。這一部分，凡是涉及臺灣的奏議公移，均予採入。並將有關黑旗劉永福內徙文電，一例收錄。這因爲一方面劉軍的內徙與當時法兵的撤離澎湖有關，一方面並可藉以明瞭十年後黑旗渡臺抗日與唐（景崧）、劉的淵源。又，「抱氷堂弟子記」一百二十條，爲張氏生平瑣記，內有二則與「規越援臺」有關，亦錄附於此。

三爲關於甲午、乙未割臺之役的後援事宜。初期，張氏尙任湖廣總督；隨後，調署兩江。由於兩江總督兼任南洋大臣（掌中外交涉之事，兼理浙、閩、粵三省）以及與唐、劉有舊交的關係，竭力支援臺防。這一部分，除了一、二奏摺以外，統屬電文。如與俞明震「臺灣八日記」所附「臺灣唐維卿中丞電奏稿」（見「臺灣文獻叢刊」第五七種「割臺三記」）並讀，對於當日的情形，更能獲得瞭解。

如前所述，各文係依時日順序編列；不特均註有發出日期，電稿更註有時刻。至有少數書札未註明月日者，當視其內容，分別插入適當處所。惟發電日期與電末韻目間有出入，據初輯張氏遺文的許同莘所記：『各件排比，一以時刻爲準。惟公治文書常至夜半，故稿末韻目猶繫本日，而發出已在次晨，韻目不符以此』（見「全集」「凡例」所引許輯「敘例」）。再，我們也曾參考許輯的「張文襄公電稿」，見每電均有署名；而在「全集」，僅見會銜「電奏」列名者外，餘均已略去。一併附此說明。

書末，並附錄「全集」卷首所載張公「墓誌銘」（陳寶琛撰）及兩傳文（一爲「清史稿」「張之洞列傳」、一爲「大淸畿輔先哲傳」「張文襄公傳」），以供參閱。

哀臺灣箋釋弁言

夏德儀

李鶴田先生「哀臺灣箋釋」一卷，原係中央研究院歷史語言研究所所藏的抄本。「哀臺灣」是一首長達一千零二十七字的七言古詩，從甲午戰後割讓臺、澎說到臺灣抗日的失敗；悽愴感慨，充分寫出了臺灣陷敵的沈痛。箋釋之文，除引舊籍以明詩中所用典故的出處之外，還引用了「中日戰輯」和「中東戰爭始末」的許多文字，補充詩中所陳的事實。因爲詩和箋釋都有參考的價值，所以錄出副本，略加整理，列爲「臺灣文獻叢刊」之一。可惜單憑抄本所題的書名，不能斷定李鶴田是「哀臺灣」的作者，還是這首詩的箋釋者。至於李鶴田究爲何許人，一時也無法查考，只得在新刊本上照舊用了原來的書名。

甲午之役，我國割地賠款，損失很大；輿論非常憤激，對於當事者責難頗多。曲阜魯陽生（孔廣德）曾博採當時的這類文字，編爲「普天忠憤集」十四卷，凡分三門，首章奏、次論議、次詩賦。恰巧李定一先生藏有此書，係光緒戊戌仲秋經濟書莊石印小本，遂就其書的十一、十二兩卷中選錄古今體詩七十一首，作爲本書的附錄。

欽定平定臺灣紀略弁言

周憲文

省立臺北圖書館藏有「欽定平定臺灣紀略」，計「卷首」五卷、「紀略」六十五卷，共七十卷，分裝三十六冊，是清乾隆皇帝欽定對當年林爽文革命鎮壓經過的詳細紀錄。經整理標點，並加列目錄，作爲「臺灣文獻叢刊」第一〇二種。我們讀「卷首」的「御製詩」「平定臺灣聯句」，就可充份看出這位「十全老人」「躊躇滿志」的情景。關於本書的內容，我們不想有何介紹。但有一點，原來的「諸羅」，因在林爽文革命時「守城有功」，乾隆改爲「嘉義」；日本人沿用舊名，自有可說；臺灣光復已十餘年，未聞有人倡議易稱，豈眞「事不關己」？我在這裏，僅僅提出這樣的一個小問題。其實，這一問題並不算小，要是當年柴大紀堅守諸羅足以「嘉義」，則林爽文自然屬於「匪類」了；這正是乾隆皇帝的看法。不過，我們如果也承襲這一意識，認林爽文的革命行動是「犯上作亂」，則對後來的辛亥革命又將有何辭說？這些地方，不弄清楚，我們的思想會永遠是混沌的。講到這裏，對於乾隆皇帝對付柴大紀的前後經過有點感想，附帶一提。先是，他看到柴大紀堅守諸羅，不惜一再嘉獎，賞東西、賜爵位，溫語存問，無所不至；而柴大紀也裝成一副忠臣孽子、願爲皇上捐軀的樣子。最可笑的，乾隆叫他在必要的時候不妨放棄諸羅，他却表示要死守到底。而其實呢？他是龜縮在諸羅，不敢出來作戰。後來，乾隆知道柴大紀在臺灣作惡多端，正是激變的禍首，他就「掉轉頭來」，置之死地，毫不留情；可愛之處，是他承認了自己的『任人僨事』，而且『愧難怡』（他又說：『貪官劣將致僨事，事著方知愧亦眞』。他又說：『僨轅方悉誠吾過，伏鑕奚辭信彼堪』）。舊時的專制皇帝，在本質上，是最自私、最殘酷的，同時也是最容易受欺騙的；精明如乾隆，亦所不免。但他究竟有爲一般皇帝所不及的地方，他肯反省，他肯認錯。有清一代，乾隆的承平時期，這恐怕也是一個造因。

省立臺北圖書館還藏有「乾隆平定臺灣得勝圖」銅版十二張（原圖高五十四公分、寬八十九公分），頗爲難得。我們特製版列於書首（圖的次序，據「彰化縣志」首卷「列聖諭旨詩文」所載乾隆御筆題詩爲準），並將圖上題詩用鉛字排在旁邊，以利閱覽。這使本書生色不少。

臺灣縣志後記

方豪

此第一部「臺灣縣志」也。康熙五十九年庚子王禮主修。迄今蓋已四度還曆矣。舊僅知美國國會圖書館有藏本。茲據朱士嘉編「中國地方志綜錄」增訂本（民國四十五年出版），則知「天津人民圖書館」亦藏有一部。

四十七年夏，臺灣省文獻委員會就美國國會圖書館藏本所攝得之照片，影印問世。惜「卷五」葉八下與葉九上竟付闕如，乃於書末，以乾隆十七年王必昌「重修臺灣縣志」「選舉志」所載者，據以補遺，以爲「當無不可」。

初，余不知省文獻委員會有此本之攝影也；四十六年夏，余出席在西德馬堡舉行之第二十四屆國際東方學家會議與第十屆國際青年漢學家會議，會畢，繞道美國東返，亦向美國國會圖書館借攝此第一部「臺灣縣志」；值臺灣銀行經濟研究室重印此書，取以互校，則余所攝者，幸爲完璧，知原書並不殘闕也。此本庶可以復原書之舊矣。

民國四十九年庚子冬，杭縣杰人方豪謹識。

澎湖臺灣紀略弁言

周憲文

中央圖書館的「善本」藏書中，有所謂「稽瑞樓秘冊」一種，不著編人，是一難得的「舊鈔本」。「秘冊」內含下列五書：一是「也是和尙傳」一卷，淸陳鼎撰。二是「燼宮遺錄」二卷，淸不著撰人。三是「松仙傳」一卷，附記「萬尊師事」一卷，淸陳鼎撰。四是「澎湖臺灣紀略」一卷，淸杜臻撰。五是「癸巳小春入長沙記」一卷，淸丁大任撰。我們拿其中杜臻撰的「澎湖臺灣紀略」整理出來，列入「臺灣文獻叢刊」。著者字肇余，秀水人，順治進士，歷官吏部侍郎；康熙間耿、尙亂平，徧歷閩、粤，處置有方，轉禮部尙書。著有「經緯堂集」、「閩粤巡視紀略」、「海防述略」等書。

因爲杜臻的「澎湖臺灣紀略」篇幅不多，所以我們拿周于仁、胡格的「澎湖志略」與林謙光的「臺灣紀略附澎湖」集在一起，作爲「臺灣文獻叢刊」第一〇四種。關於周于仁、胡格的「澎湖志略」，原書已有三篇序文，毋庸介紹；我們是以省立臺北圖書館所藏的抄本爲根據的。至於林謙光的「臺灣紀略附澎湖」，我們是根據商務印書館的「叢書集成」的；而「叢書集成」的來源則爲「龍威秘書」。按林謙光字芝嵋，福建長樂人。本書著於康熙二十四年（一六八五年），是臺灣的一種「早期文獻」。

抄本之有錯字，這是不免的。我們除已盡力校正外，有些地方衹好附（？）號以存疑了。

明季三朝野史弁言

夏德儀

「明季三朝野史」四卷，原爲抄本，舊題「崑山顧炎武輯」。因其書記福王、唐王及桂王事，而又稱淸曰「虜」，在淸代當爲禁書。淸季文網漸弛，遂有印本行世。玆即據陳漢光先生所見示之光緒戊申（三十四年）上海石印本鈔錄，並加標點，列爲「臺灣文獻叢刊」之一。

此書分量不多，難成專冊，用自「荆駝逸史」中錄出汪光復撰「航海遺聞」一篇，作爲附錄。「三朝野史」未記魯王監國始末，此文正可補其闕也。

「野史」及「遺聞」皆間有譌誤之處，以無別本可校，只得俱仍其舊，不敢妄爲竄改。

臺風雜記弁言

夏德儀

「臺風雜記」是日本人佐倉孫三撰的。他在臺、澎割讓後入臺，供職於臺灣總督府民政局的警務部門有三年之久。他曾到各處去巡視過，和臺灣社會接觸較多，因此把所見所聞的事情記載下來成爲這部書。書中記事共計一百一十四條，舉凡衣食住行、社會習俗、宗教信仰、教育程度以及農工商賈、器皿產物，莫不有所敍述。每條之後，皆附評語，是佐倉氏的幾個朋友寫的。評語除補充事實外，多以臺灣與日本本土作比較，說明臺灣習俗，有些很好而足資取法，有些不良而應加改革；大體可以說是持平之論。若以此書與那些摘錄方志和私家著述纂爲「臺灣風土記」之類的著作相比較，自以此書能顯出當時的眞相。因此將省立臺北圖書館藏的日本明治三十六年（光緒二十九年）八月東京國光社排印本抄錄出來，加以標點，列爲「臺灣文獻叢刊」之一。

排印本的錯字，已經改正。以日本人而能寫出這樣的中文，相當可貴；所以雖然間有不盡通順的文句，也不應該加以苛求。

書中記事偶有錯誤之處。如「橄欖」條說：「橄欖一名曰文旦，其花純白，其實碩大如人頭；破之有氣，芬乎撲鼻。有白色者，有紫色者」。這明明是文旦或柚子之類的水果，焉能稱爲「橄欖」！

書中記事也有觀察不深之處，如「耶穌教」一條，先敍臺島耶教之盛，繼謂：『余曾觀臺人坐叛逆罪處斬首刑者，輒從容就死，毫無鄙怯之態，輒怪焉；自今日思之，知宗教之力居多矣』。按此所謂坐「叛逆」罪者，係指日軍入臺後從事抵抗日軍的臺灣志士。其從容就義，實爲我國傳統的民族精神之表現。佐倉氏拿宗教力量來解釋，認識未免太淺了。也許他站在日本人的立場，不肯承認這是民族精神的表現，只好拿宗教的理由來掩飾罷了。

這部書不但使我們了解日人初據臺灣時臺灣的習俗是怎樣的情況，更使我們知道日人剛據臺灣不久就已着手種種的改革和經營了。在本書的「學房」、「不潔」、「浴場」、「火車」、「醫生」、「城郭」、「大甲筵」、「砂金」、「樟腦」諸條裏，可以略見梗概。

還有一事值得一提。本書「工匠」條說：臺灣工匠『使用鋸鉋，向前方而推之，全與我工匠相反，宜其勞力多而成功少』。果然，現在臺灣木工使用鋸鉋都是向後拉的，足見他們早已接受了日本式的訓練。此事雖小，但從這件小事上却可以推想其他的一切。

彰化節孝册弁言

夏德儀

省立臺北圖書館所藏「彰化節孝冊」抄本，是日本人竊據臺灣之後彰化吳德功輯錄的。冊中所列彰化節孝婦的姓氏，有已載在「縣志」的，有爲後來采訪的；有的有傳，有的無傳。現在仍照原式迻錄，加以標點；只在每傳之前加上標題，並且改正了幾個顯然看得出的錯字。

日本人鷹取田一郎編的「臺灣孝節錄」，係大正五年（民國五年、一九一六年）臺灣總督府的排印本。其中記載了全臺十七個節婦、八個孝子、一個孝女、兩個義僕和兩個「篤行家」的行事；「篤行家」是指慷慨尙義、樂善好施的人。這三十個人都曾在大正四年（一九一五年）經內田民政長官引見賞邺，其中還有多數人由安東總督特授褒狀或欽定錄綬褒章。這本「孝節錄」是在日本竊據臺灣期中撰寫的，所以文內都用日本年代。全書只有五千數百字，難成專冊，故附錄於「彰化節孝冊」之後。

忠孝節義之事，素爲我國社會所重視。自漢劉向撰「列女傳」以後，歷代正史及各地方志幾乎都有孝子、節婦之類的傳記。吳德功輩之采訪節孝、修葺祠宇、輯錄名冊，便是承此餘風。而日本人統治臺灣，竟也利用中國社會的傳統，從而獎勵，藉以籠絡士大夫，收攬一般人心。所以有明治三十五年（一九〇二年）彰化廳長須田綱鑑准予旌表貞烈節婦四名，又有大正四年（一九一五）年臺灣總督府對全臺節婦、孝子、義僕之類的賞邮褒獎。我們讀此二書，不僅知道當時臺灣社會是如何的重視節孝，還能體會到日本人的褒獎節孝是別有政治作用的。

臺灣海防檔弁言

吳幅員

這本「臺灣海防檔」，係就「中國近代史資料彙編」「海防檔」（中央研究院近代史研究所編）選輯而成。所謂「海防檔」，即爲清季總理各國事務衙門暨外務部膽清之「海防」檔案。原檔分爲（甲）購買船礮、（乙）福州船廠、（丙）機器局、（丁）電線、（戊）鐵路、（己）礦務六部分，經由中央研究院近代史研究所將（甲）（乙）（丙）（丁）（戊）五部分影印而成爲「海防檔」一書（據謂（己）礦務部分數量甚少，將來擬併入「各省礦務檔」印行）。本書乃就其（甲）（乙）（丁）（戊）四部分有關臺灣者錄出九十九項檔案，並加標點分段，編印爲「臺灣文獻叢刊」第一一〇種。至（丙）機器局部分，除其所附「機器局大事年表」中載有『光緒十一年（乙酉）六月劉銘傳設立機器局於臺灣臺北府』及『光緒十二年（丙戌）二月臺灣機器局廠房竣工』二事外，並未見有涉及臺灣之檔案，故無所取（按上述二事，另見「臺灣文獻叢刊」第二七種「劉壯肅公奏議」「設防略」中「奏報造機器局軍械所並未成大機器廠摺」）。

本書所錄九十九項檔案，在「海防檔」全書將近五千項文件中，所佔比例僅及百分之二左右。就卷帙浩繁之巨集選輯一書，其間取捨至費斟酌。凡與臺灣直接有關之檔案，一概收錄；其「事關通案」或非直接關係而旁涉臺灣之件，除酌採必需者數項以外，餘均從略。並就各部分錄出文件，再依時間順序混合編列，藉見各事之先後。茲將本書內容分爲船政、電線、鐵路三類（「購買船礮」及「福州船廠」兩部分所錄各案，中有相互關聯，因統爲「船政」一類論），分別撮述如下：

（一）船政一類，較爲廣泛。舉其要者，有涉及閩臺買受租僱洋船章程，有派官輪赴臺渡送官兵文報及順搭客貨之案，並有福州船廠養船經費與臺防經費之關涉事件等項。除上列有關「船政」本身者以外，且間見有同治十三年日兵侵臺事件發生後船政大臣沈葆楨及光緒三年吳贊誠渡臺巡視防務之零星報道。

（二）電線，約可分爲三段落：一爲因同治十三年臺防事起，籌設福厦電線及與丹商大北電報公司間之交涉諸事；二爲分省之初，劉銘傳購辦安設臺北（基隆、滬尾）、安平陸線及安平、澎湖、厦門海線各案；三爲日據以後，關於讓售閩臺海線涉外事件。此外，光緒七年五月間北洋大臣李鴻章批准丹商大北公司擬議之中丹海線聯繫辦法，中有涉及臺灣，因亦錄入。

（三）鐵路，主要自屬建省時期劉銘傳籌建基隆臺南鐵路、與辦商務之件；其次，則爲光緒十六年以後修建蘆漢鐵路臺灣攤籌經費一案。

至於每項檔案之前，原未標出案題或事由。經參考「海防檔」原有目錄及影印本增編目錄，分別冠以標題；且另編目，以便檢索。又各案所有收發日期，全屬陰曆；並經查對陽曆，另加括弧註明。例如同治四年閏五月二十一日，即加註（一八六五、七、一三）是。

影印本編撰有大事年表，附於每一部分檔案之後。本書亦參照編一有關臺灣部分之年表，附載書末。表中所記大事，一如影印本所編，以見於檔案者爲限，未另增補。不過本書所附年表，有若干事項未見選錄文件中者，均見於上述「事關通案」或非直接關係而旁涉臺灣之件；原案雖未採編，正可藉以補其不足。

再，影印本「例言」後並附一浮簽，其文曰：『本檔內有關批評外人字句，均係當時當事者之主觀見解。此項史料之刋行，旨在便利學者研究，務求存眞，並非編者同意此種見解』。茲亦轉錄如上，用示所見相同。

思文大紀弁言

夏德儀

南明隆武帝諱聿鍵，太祖第二十三子唐王桱之後。崇禎五年，嗣封唐王。九年八月，京師戒嚴，王率護軍勤王；部議以擅出境罪，廢爲庶人，安置鳳陽高牆。南都立，大赦出；禮部請復故爵，不許，命徙居廣西之平樂府。弘光元年五月，行抵杭州，南都已覆。王勸潞王監國，不聽。時鄭鴻逵、鄭彩、蘇觀生皆會於杭，鴻逵、彩與王語及國難，王輒淚下，乃命所部衞王入閩。既而潞王降清，二鄭全師歸閩，遂與巡撫張肯堂等奉王監國。旋於閏六月丁未（二十七日）卽皇帝位於福州，改元「隆武」。明年八月，清兵入閩；辛丑（二十八日），帝被執於汀州，尋遇害。永曆帝立，遙上尊號曰「思文皇帝」。十一年丁酉春，上謚曰「紹武襄皇帝」。

「思文大紀」八卷，皆記隆武朝事。起弘光元年六月唐藩監國於閩省，迄次年九月清兵陷福州、曹學佺等殉難；據事直書，不加論斷。書中頗載當時詔諭、奏疏，皆爲直接史料，尤爲可貴。

是書不知撰人姓氏。謝國楨「晚明史籍考」謂：『舊稱戴笠耘野所撰，未敢臆斷』。又謂：『據楊鳳苞「秋室集」，是書一名「三山野錄」，又名「思文紀略」』云。

續補明紀編年弁言

吳幅員

國立中央圖書館藏有清順治年間刋印之「明紀編年」一書，列爲善本書之一。全書分十二卷：卷一，太祖高皇帝（洪武元年至九年）；卷二，太祖高皇帝（洪武十年至三十一年）、惠宗讓皇帝（建文四年）；卷三，成祖文皇帝（永樂二十二年）、仁宗昭皇帝（洪熙一年）、宣宗章皇帝（宣德十年）；卷四，英宗睿皇帝（正統十四年）、代宗景皇帝（景泰七年）、英宗睿皇帝（天順八年）；卷五，憲宗純皇帝（成化二十三年）、孝宗敬皇帝（弘治十八年）、武宗毅皇帝（正德十六年）；卷六，世宗肅皇帝（嘉靖四十五年）、穆宗莊皇帝（隆慶六年）；卷七，神宗顯皇帝（萬曆四十八年）、光宗貞皇帝（泰昌一年）；卷八，熹宗悊皇帝（天啓七年）；卷九，懷宗端皇帝（崇禎元年至十年）；卷十，懷宗端皇帝（崇禎十一年至十七年）；卷十一，赧皇帝（弘光一年）；卷十二，隆武（魯監國附）。前八卷爲明鍾惺（竟陵）撰，後四卷爲自署草莽臣王汝南（季雍）續補。

本書係截取自崇禎元年至隆武二年，亦卽由卷九起、至卷十二卷止，適全屬王氏所續之作。因此，本書書名冠以「續補」二字，著者亦單署王氏，以示與全書有別。又因並非照刊全書，且略去卷次，僅列篇目。原書有王氏所作序一篇，茲並迻刊書首。惜序文前脫二頁，約缺二百餘字，未能窺其全豹；但王氏所以續補之意，已躍然可見。

由於中央圖書館藏本中有脫頁並有模糊不清多處，又曾利用中央研究院歷史語言研究所所藏另兩種版本加以校補。兩版本一為清康熙戊子（四十七年）新鐫、一未說明刊印年代。前一版本，止於懷宗皇帝。後一版本，不但續補齊全，且於懷宗末年間有增添，並載有「永曆皇帝」（至四年止，文與鄒漪「明季遺聞」卷四「福建、兩廣」下半篇殆全同。按王氏「自序」未及永曆事，且於「隆武」篇末已有「明統云墜」等語，則此篇或為後人補錄）附錄一篇（兩版本均無序文）。除增添部分未予採入外，並將「永曆皇帝」一篇亦收列為本書附錄。

魯春秋弁言

周憲文

這本查繼佐著的「魯春秋」，轉刊自「適園叢刊」第一集；原題簽爲「魯春秋附北征紀略、使臣碧血」，並駐有「查東山稿本」字樣。按查繼佐字伊璜，自號東山釣史；海寧人，明季舉人。南都敗，魯王監國紹興，授兵部職方，歷主事兼監軍御史。清初，罹莊氏史獄，幸而獲免，乃隱姓名爲左尹，字非人。其參與浙東兵事，在本書中即以隱名代之。查氏門人沈起（亦見於本書中）序中所謂『渡小亹、戰檀山，獲其大醜，則隱存東山之字』，蓋即指此。本書據謝國楨「晚明史籍考」：『原題左尹非人撰』。茲將著者眞實姓氏補上，並在左尹非人序前冠以「自序」字樣，以存「廬山面目」。書首原有著者裔孫熙臺（世澧）識語數行，並經移刊正文之後，俾符其『略書數言於卷末』之意。至所附「北征紀略」已署名張煌言（蒼水）作，而「使臣碧血」則未著撰人。

本書所記明末監國魯王始末，由於躬與其事者執筆，當較信實。關於魯王與鄭成功間的關係，本書中有較多紀載。「明史」有「成功沈王於海」之謬，周凱已於「明監國魯王墓考」及「明監國魯王墓碑陰」兩文（見「臺灣文獻叢刊」第八二種「內自訟齋文選」一）中辨之詳矣；本書所記，自爲有力佐證之一。

再，前年八月間在金門並已發見「魯王壙誌」（全題爲「皇明監國魯王壙誌」），堪稱爲魯監國一篇簡要信確的傳記。茲特附於本書之後，不但爲錄存這一重要文獻，且可藉以訂正本書少許紕繆。同時，並將劉占炎的「發現皇明監國魯王墓記」及胡適的「跋金門新發見皇明監國魯王壙誌」錄入，以供參考。以上三文，均經適之先生親爲校對，並有所改正。他就其原著，刪去了兩行，用紅筆在旁邊寫了「我錯了」三個大字。這種精神，本是現代做人、做事的起碼條件；但在「死要面子」的我們舊社會，却是難能可貴的。故特「表而出之」，希望起點示範作用。

本書原本頗有錯字，例如「自序」中『魯開國王檀』之「檀」誤作「權」，『再傳肇煇』之「肇」脫、「煇」誤作「輝」，『六傳頤坦』之「坦」誤作「垣」（以上據「明史」可證，但著者另一著作「罪惟錄」則無誤）。凡此，不一一列舉，均經改訂。

諸蕃志弁言

周憲文

省立臺北圖書館藏有「函海」一冊，爲綿州李調元（雨村）所刊行。書分四部份：第一部份爲宋陳襄撰「州縣提綱」，第二部份爲宋趙汝适撰「諸蕃志」，第三部份爲宋李邦獻撰「省心雜言」，第四部份爲宋唐庚撰「三國雜事」。由於原書並無序跋，故不知刊於何年。我們拿其中的「諸蕃志」錄出，加以標點，列爲「臺灣文獻叢刊」之一。這因現在研究臺灣早期歷史的人，無不引用這部「諸蕃志」的。其實，全部「諸蕃志」中，找不出臺灣兩個字；大家的看法，當年的毗舍耶就是今天的臺灣。不過，原書關於毗舍耶的記載，也不滿二百字；祇因全書字數不多（共二萬餘字），所記諸蕃（卷上志國）及其物產（卷下志物），對於荷、鄭時代臺灣對外通商關係的研究，不無可供參考之處，故予全部刊出。

二萬餘字的「諸蕃志」，還不足以構成一冊「文獻叢刊」（一冊「文獻叢刊」至少得有近四萬字）；因此，我們又向省立臺北圖書館借到一部元汪大淵撰「島夷誌略」。這是光緒十八年順德龍氏知服齋刊的；是一部次於「諸蕃志」的早期有關臺灣的著作。因爲我們拿這部書當作「諸蕃志」的附錄的性質，所以對其內容略略加以選擇。除了序跋及目錄全行刊出以外，我們祇選擇了澎湖、琉球、毗舍耶三條，以供參考。

以上兩書，總計仍祇三萬餘字；我們又向省立臺北圖書館借到明張燮（紹和）著的「東西洋考」。全書分裝六冊，未載刊刻年月；我們祇選擇了雞籠淡水、日本、紅毛番三條，同樣附錄著者所撰的凡例及全書目錄，以供參考。

因此，本書包括了宋、元、明三朝的著作，即宋「諸蕃志」（全書）、元「島夷誌略」（摘錄）及明「東西洋考」（摘錄）。

關於這類書刊的標點，最困難的是地名（國名），但也因此更加顯得標點的重要。本書在這方面，恐怕仍有錯誤的地方。

臺灣通紀弁言

夏德儀

清代纂修的「福建通志」有三個本子。第一個是郝玉麟等修、謝道承等纂的，刊於乾隆二年，凡七十八卷、首五卷。第二個是沈廷芳修、吳嗣富纂的，刊於乾隆三十三年，凡九十二卷、首四卷。第三個是道光九年孫爾準等修、陳壽祺纂、十五年程祖洛等續修、魏敬中重纂的，刊於同治十年，凡二百七十八卷、首六卷、附一卷。我們曾把最後這部「福建通志」裏臺灣府的部分以及和臺灣研究有關的資料抄出來，略加整理，稱做「福建通志臺灣府」，列爲「臺灣文獻叢刊」第八四種。

民國初期，福建又修了一部「通志」，凡六百卷，是陳衍纂輯的，刊於民國十一年。可惜全書沒有刊竣，現在看得到的共有三百一十多卷。這部「通志」的第一部分是「福建通紀」，起周顯王三十五年、迄清宣統三年，計二十卷；臺灣的史事也包括在裏面。我們就又把這一部分抄出來，稱做「臺灣通紀」，起明神宗萬曆元年、迄清德宗光緒二十一年，分爲四卷。

這部「臺灣通紀」，不僅把割讓前的臺灣史事按照年月作有系統的記載，還把每一條記載所根據的原書注明在下面，對於臺灣史的研究是很有用處的。

續修臺灣府志弁言

周憲文

這本余文儀的「續修臺灣府志」，我們曾經列爲「臺灣研究叢刊」第六二種印行；現在改版重印，乃借「弁言」，略作交代。

當我們印行第一部「臺灣府志」（康熙三十三年高拱乾修，「臺灣文獻叢刊」第六五種）的時候，在「弁言」裏有過這樣的話：『清代臺灣官修方誌，我們本來是編入「臺灣研究叢刊」的。已經出版的計有九種，卽陳培桂的「淡水廳誌」（「臺灣研究叢刊」第四六種）、陳淑均的「噶瑪蘭廳誌」（同第四七種）、周璽的「彰化縣誌」（同第四八種）、王瑛曾的「鳳山縣誌」（同第四九種）、林豪的「澎湖廳誌」（同第五一種）、周鍾瑄的「諸羅縣誌」（同第五五種）、謝金鑾的「臺灣縣誌」（同第六一種）、余文儀的「臺灣府誌」（同第六二種）、沈茂蔭的「苗栗縣誌」（同第六七種），此外還有一種在排印中，卽光緒年間的「臺灣通誌稿」（同第六四種）。照理說來，這些官修方誌，是臺灣最重要的文獻，自當編入「臺灣文獻叢刊」。我們所以拿這些官修方誌編入「臺灣研究叢刊」，是因「研究叢刊」的出版在先，當時我們還沒有想到要出「文獻叢刊」。……至於已經編入「研究叢刊」的十種方誌，雖然學術界的朋友們一致希望改版重排，我們因為目前還無力及此，同時自然也考慮到印刷費用的問題，所以尙未能作最後的決定』。此刻，我們決定改版重排了。這本余文儀的「續修臺灣府志」，就是改版重排的第一本。促成我們如此決定的，則有四種原因。（一）自然是學術界朋友們一致的希望。（二）是「文獻叢刋」快要結束。（三）是原刋雖然出版不久，早經售贈缺書。（四）是最現實的，因有現成的范咸重修「臺灣府志」鉛版可以利用，改版不多，工省費少。

如果印刷條件許可的話，我們準備在本年內把「臺灣文獻叢刋」初步結束，明年再做人、地、事三種索引，並就原刋文字及標點錯誤之處作一總校勘，使這工作圓滿收場。因此，我們現在竭誠的要求：海內外藏有臺灣文獻的，敬請儘速惠借或抄示，以便整理排印。

使署閒情後記

楊雲萍

「使署閒情」決定要重印的時候，周憲文先生要我寫一篇「弁言」；因爲重印是根據小樓（楊氏習靜樓）收藏的原刊本的。可是因爲我忙，寫不出來。今天，看到臺灣銀行經濟研究室送來的校定樣，却突然感覺要寫幾句話。

「使署閒情」是一部比較（或可說很）稀見的文獻。日人山中樵，是以前臺灣總督府圖書館長。他收蒐有關臺灣的文獻甚勤，看到有關臺灣的文獻亦甚多。可是他曾說：六十七的「使署閒情」已散佚不可復見（見「臺灣蕃俗の圖譜」）。

本書最早見於著錄的是范咸、六十七合修的「臺灣府志」。「范志」（卷十九）「雜著」云：

『「使署閒情」，一卷，白麓六十七居魯著』。

余文儀的「續修府志」因之。然而薛志亮修「續修臺灣縣志」（卷六）却云：

『「使署閒情」，四卷，巡臺御史白麓六十七著』。

記得「續修縣志」此條，是根據王必昌的「重修縣志」的。要之：「府志」作一卷、「縣志」作四卷，此一疑問，迨看到范咸的序文，始冰釋。序文說：

『公（按：卽六居魯）本於使署之餘，作詩歌以適閒情，因有是集一卷。余與公修志時，已採入「雜著」中矣。既而志事已竣，公又搜得近時臺灣詩文若干首，不暇補入。公既珍惜此邦之文獻，且不忍沒人之長，因卽移己之集之名以名之，而附己所作於後』。

「府志」、「縣志」著錄以後，近今研究臺灣的學人，却很少（如上述山中氏以爲已散佚了）看到此書的原本。例如連雅堂撰「臺灣通史」（卷二十四）「藝文志」著錄此書，作一卷。顯是襲「府志」，而未及考慮「縣志」所載，又未見原本。「江蘇省立國學圖書館圖書總目」以及孫殿起的「販書偶記」等，亦未及著錄。惟記得「北京人文科學研究所藏書簡目」錄本書一部，但卷數作三卷，蓋非完本也。

臺灣光復當初，「長官公署」設一規模頗大的「編譯館」，聘許壽裳先生爲館長，我亦參加工作。當時「臺灣研究組」（雖名爲「臺灣研究組」，但臺灣之外，亦研究琉球及南洋各地的事情）有過許多的計劃；其一就是重刊有關臺灣的重要稀見文獻。乃先借錄這些文獻，並附校勘。第一次完成的，就是「欽定平定臺灣紀略」（臺北圖書館藏）及小樓的此書。此書的校勘者，記得是楊乃藩先生。後來「編譯館」改組爲「臺灣省編審委員會」，這些傳抄本，移交該會。又數年，有人卽據此傳抄本印行，但未及參照原刊本。

原刊本，刊於乾隆年間（有乾隆十二年序）；每面九行，行二十二字；四卷分訂四冊。現在根據原刊本的「使署閒情」快要重印出來了。我感覺高興，亦有點感慨，乃忽忽寫了這幾句話，用作「後記」。

楊雲萍記。五十年九月二十日。

徐闇公先生年譜後記

夏德儀

民國十五年（一九二六），是華亭徐闇公先生逝世之後的二百六十一年。他的遺著「釣璜堂存稿」，在這年夏天，由金山姚氏懷舊樓刻出來了。存稿之前，有海寧陳乃乾和江浦陳洙纂輯的「徐闇公先生年譜」。他們作這個年譜，搜羅了不少有關的資料，還有若干訂正之處。「年譜」的內容翔實，不但足以表章闇公先生的大節，更爲研究南明與鄭氏史事者很好的參考書。因此，我們把它列爲「臺灣文獻叢刋」的一種。

年譜之後，原來附有幾篇傳記、碑銘、祭文和書稿，現在還附在後面；並且把原書之前林霍撰的兩篇序文和存稿目錄也附在後面，作爲本書的「附錄」之一。

「釣璜堂存稿」二十卷，共收古今體詩二千七百多首，分量很多，未能翻印。現在只把「存稿」後面附刻的「交行摘稿」一卷錄在後面，作爲本書的「附錄」之二。

「年譜」之末，原有陳洙跋文一篇，現在移置書前，改跋曰序。又「年譜」起明萬曆二十七年己亥、訖永曆十九年乙巳，凡六十七年。茲於每年之下，附列西元，以便閱讀。

鳳山縣志弁言

李騰嶽

淸康熙末葉，本省纂輯有地方志書三部，其一卽「鳳山縣志」。然細按「鳳山縣志」之編成，遲於「諸羅縣志」者二年、早於「臺灣縣志」者一年，而其刊行則與後者同在康熙五十九年。唯其版本，世已尠覯。朱士嘉在其「中國地方志綜錄」雖載臺灣總督府圖書館及南京國學圖書館各藏有此書，然據本會前採集組長陳漢光查悉，臺灣總督府圖書館並無是書，蓋係誤傳也。

民國四十六年，本會因國立臺灣大學圖書館主任兼本會顧問賴永祥君出席亞洲圖書館協會會議之便，託其調查有關臺灣文獻時，發見日本東洋文庫藏有此書一部；乃特請爲攝製影片帶回，以備印爲本會「臺灣叢書」之用。嗣因此項預算被削減，以致經費無着，而以之束之高閣者竟達數年。

今春臺灣銀行經濟研究室以本刊深藏爲可惜，介賴君來洽，倘本會肯提供該版本照片，該室願負責爲加標點及校勘，而以該行之「臺灣文獻叢刊」之一種出版，藉廣流傳。竊惟邇今本省各縣市方各汲汲從事於纂修地方志書之秋，應有不少人士願得此書爲參考者；故甚表贊同，樂於交與印行。茲諸工作就緒，將付剞劂，來請一言爲弁，因略述本書版本入手之經過等如是。

附記：照片中缺卷六「賦役志」第五、六兩頁（約計五百餘字），不知係攝照誤遺，抑藏本原缺？附此請閱者諒之，並向對於本刊刊行之執勞及素日留心臺灣文獻諸君，深表敬意！

辛丑重陽前二日，李騰嶽識於臺灣省文獻委員會。

欽定福建省外海戰船則例弁言

周憲文

中央研究院歷史語言研究所藏有「欽定福建省外海戰船則例」一書，除卷首外，計分十一卷，約二十餘萬言。在我個人來說，是第一次看到這部書。但可惜並不完整，而且可能缺了一半。我們曾向中央、故宮以及其他圖書館都找過，知道這是目前臺灣的孤本。因此，我們就無法補充，深為遺憾。

在我們決定拿這本「欽定福建省外海戰船則例」編入「臺灣文獻叢刊」的時候，確實經過一番考慮。這並非因為本書殘缺不全，而在本書可否視為「臺灣文獻」？結果，我們是把它編入「臺灣文獻叢刊」了，這有三個理由。第一：當年臺灣屬於福建，是福建省的一府（福建省臺灣府）；所以福建省的戰船則例，也就是臺灣府的戰船則例。第二：臺灣是福建最主要的海外島嶼，福建的「外海戰船」，一定會與臺灣發生密切的關係。第三：我們研究臺灣的歷史，不論雙方海戰或官方巡海，都要講到「戰船」；所以「戰船則例」，正是我們所需要的智識。

其次，在我看到這本書的當時，還有一點感想；不妨記在這裏，留個紀念。說實在的，我十分驚訝在木版印刷的年代，會有這樣科學性質的巨著問世。不用查究，這一定是乾隆年間的東西。由出版物來看時代的治亂，眞是絲毫不爽的。不過，時代的治亂固然眞切地反映於出版物，但畢竟這是「被動的」，不算得偉大；我們所希望的，是如何在動亂的時代，仍能注意並發揚出版事業，這方是「主動的」，才值得欽佩。亦必如此，始可反亂爲治。語云：『入境問俗』；我們伸引開去，入其境，祇要看看它有些什麼出版物，就可知道當地的一切了。

至於本書特別提到臺灣的部份，易川先生於整理以後曾有簡單的摘記，刊錄於後。

清代福建省外海戰船，臺灣幾及三分之一。關於臺灣戰船的船數及其修造演變，在「臺灣府志」的「武備」或「兵制」門都有記載。至各種戰船的「做法」，則詳載這部「欽定福建省外海戰船則例」中。據「則例」，福建省額設外海戰船原爲三百零二隻，計有趕繒、雙篷艍哨等名目；前者分爲十八則，後者分爲十則。至乾隆中葉以後，經裁減趕繒船第十五則、第十八則及雙篷艍哨第一則、第二則、第四則、第五則，共留大小戰船二百六十六隻。內臺灣（包括澎湖）原爲九十八隻，隨亦裁減爲八十隻。此八十隻戰船，其分配各營船號彙列如下。

淡水營：「波」字二號、四號（趕繒船）。

臺灣協標中營：「平」字一號、二號、三號、四號、五號、六號、七號、九號、十號、「波」字七號（趕繒船）、「平」字十一號、十二號、十三號（雙篷艍哨）。

臺灣協標左營：「定」字一號、二號、三號、四號、五號、六號、九號、十號（趕繒船）、十三號、十四號、十六號（雙篷艍哨）。

臺灣協標右營：「澄」字一號、二號、三號、四號、五號、六號、七號、八號、九號、十號（趕繒船）、十一號、十二號、十三號、十五號（雙篷艍哨）。

澎湖協標左營：「綏」字一號、二號、三號、四號、五號、六號、七號、八號、九號、十號（趕繒船）、十一號、十二號、十三號、十四號、十五號、十六號、十七號（雙篷艍哨）。

澎湖協標右營：「寧」字一號、二號、三號、四號、五號、六號、七號、八號、九號、十號（趕繒船）、十一號、十二號、十四號、十五號、十六號、「綏」字十八號（雙篷艍哨）。

此外，臺灣協標中、左、右三營並有「利」字杉板頭哨船八號。

因爲本書並不完整，所以趕繒船十二則以下及雙篷艍哨各則均付缺如。即上列各則中，亦間有脫頁。又，原書未編目，現刊目錄爲整理後所加。

清朝柔遠記選錄弁言

周憲文

本書原名爲「國朝柔遠記」，又名「通商始末記」（亦稱「國朝通商始末記」），爲清季王之春所撰。原書起自清順治元年至同治十三年止，凡十八卷，分以順治、康熙上、下及道光一、二、三、四、五等爲卷目；用「編年」、「綱目」體裁，記有清開國以後二百三十年間對於邊疆藩屬以及東西各國有關職貢、兵戎並通商交涉諸事。其中記載臺灣者，除清初與鄭氏爭衡東南海上諸役與其他零星事項外，大部分爲中英鴉片戰爭英船襲臺事件及同治甲戌日兵侵臺之役所引起之臺灣設防問題（卷十七、十八殆全屬後一事件）。由於「文叢」範圍及其篇幅所限，本書祇選錄其涉及臺灣諸事，餘概從略。原書書名，中央研究院歷史語言研究所編目已改稱爲「清朝柔遠記」；因亦從之。至本書雖未照刊全文，仍將原書各序（史語所藏光緒十七年刊本無彭、李兩序，玆另據省立臺北圖書館藏光緒丙申（二十二年）重刊本補入）、「凡例」及跋一，分載書首、書末，以供參考。

原書末附「附編」二卷：卷一載「瀛海各國統考」一文及「蠡測卮言」十三篇，卷二載「沿海形勢考略」、「沿海輿地圖」、「三島分圖」及「寰海地球剖圓圖」各圖文。

同前理由，亦僅將「沿海形勢考略」一文及「三島分圖」中之臺灣與澎湖兩圖（另一爲瓊州圖，從略）並其「圖說」採列爲本書「附錄」。

臺海見聞錄後記

周憲文

省立臺北圖書館藏有『「臺海見聞錄」二卷，淸董天工撰，乾隆十八年刋』（見「臺灣文獻資料目錄」）；由於原書沒有目錄（本書的目錄，是我們新加的），所以該館一向作爲全書處理。我們在三年以前就把本書整理好了，乃始發覺缺三、四兩卷；因此，遲未發排。三年以來，我們盡力搜求，希望把本書的三、四兩卷找到，使成「完璧」，終於沒有達到目的。現在，「文獻叢刋」的出版已過「頂峯」，快近結束；雖是「殘書」，聊勝於無，所以把它印行。我們見聞有限，搜求未週，海內外藏有本書三、四兩卷的，如承抄給我們，當爲設法補刋；毋任企盼。

臺灣通志弁言

周憲文

這本「臺灣通志」，曾經列爲「臺灣研究叢刊」第六四種（「臺灣方誌彙刊」卷九）印行。茲即以原刊的「弁言」刪去幾字，作爲本書的「弁言」。

『關於方誌的界說，迄無定論。因此，關於方誌的範圍，也就所見不一：有人認爲「吳越春秋」也是方誌，可見一斑。不過，如就近代官修方誌的內容而論，這無異是一定地方的百科全書。它不但包含歷史與地理，而且涉及習俗與藝文。這種地方單位的百科全書，在我們學習經濟學的人看來，它是以農業生產爲其背景的。它是農業生產發展至相當時期的產物。過去中國的農業生產較爲發達，所以方誌之盛也非世界各國所可企及。有清一代，刊印特多。據朱士嘉「中國地方誌綜錄」：清代共修方誌四、六五五種、七六、八六〇卷，創歷朝未有之紀錄。這半由於印刷技術的進步，半出於當局的蓄意提倡。但無論如何，方誌不失爲中國文化之一特徵，亦爲前人遺給後世之一瑰寶。它在中國的文化遺產上，形成了重要的部分。不說別的，我們今天研究臺灣的歷史，就少不了當年的方誌。所以，方誌的價值是不可掩抹的。不過，由於社會的進步，到今天，方誌的時代畢竟已經過去。因爲現代的學術貴乎專精，所以方誌的地位就得重新檢討。

這一變化，在我們學習經濟學的人看來，自亦有其深遠的社會基礎，卽與農工生產的基本精神具有密切的關係；在此不想申論。至少無可否認：今天是「學術分科的時代」，不是「地方單位的時代」。例如方誌的編輯，在過去，這可由一、二通儒負責經營；在今天，則一草一木，都得有專家的鑑定。今天祇有專家，已無所謂儒，更無所謂通儒。因此，今天還要像過去一樣，各省、各縣遍修方誌，卽使有此志趣，恐亦無此可能。先哲昭示後人迎頭趕上，我們豈可固步自封？

『現在，由於「臺灣研究」上的需要，我們拿清代官修的臺灣方誌彙集重刊。章學誠說：「志屬信史」；而朱希祖則謂：「官書大都不足徵信」。所以如何利用官修方誌，這就得憑各人的史觀與鑑別了。

『本書是依據省立臺北圖書館所藏的所謂「原稿本」標點排印的。「原本稿」既無序跋，又未署明纂修者的姓氏。據該館編「臺灣文獻資料目錄」：「『臺灣通志』，四十卷，清蔣師轍、薛紹元纂，原稿本」。連橫著「臺灣通史」卷二四「藝文志」載：「光緒十八年，臺北知府陳文騄、淡水知縣葉意深禀請纂修「通志」，巡撫邵友濂從之。設總局於臺北，以布政使唐景崧、巡道顧肇熙爲監修，陳文騄爲提調，通飭各屬設局採訪，以紳士任之。二十一年略成，續進總局，猝遭割臺之役，戎馬倥傯，稿多失散；其存者，亦唯斷簡而已」。日人伊能嘉矩著「臺灣文化志」卷中第八篇「修志始末」則謂：至光緒二十一年三月間，通志已成稿十之六、七……云云。林熊祥影印「淸光緒臺灣通志序」有云：「割臺後，此稿不知落於何人之手，攜之以內渡。光緒三十三年，日人訪知有此，由其駐福州領事以銀一百五十元購得，送回臺灣，藏諸臺灣總督府圖書館」（按卽現今省立臺北圖書館）。

『以上是引述「臺灣通志」纂輯的大概及所謂「原稿本」的來由與其收藏經過。

『但，蔣師轍實未曾參與纂修工作。按蔣氏（字紹由，江蘇上元人）於光緒十八年二月應巡撫邵友濂之聘，於三月二十日抵臺，至八月二十一日離去，留臺僅六閱月（是年六月加閏）；初則襄校臺南、臺北試務，旋（四月）雖應通志局總纂約，惟因與當時志局提調陳文騄有所齟齬，遲遲未能開局，纂輯無由開展。蔣氏著有「臺游日記」（「臺灣文獻叢刊」第六種），詳記留臺始末。蔣國樑在跋文上謂其於「光緒壬辰應邵侍郎之招，修「臺灣通志」，與某太守議不合……遂拂衣歸」。所謂「某太守」，卽指陳文騄而言。至於修志緣起及其進行情形，「鳳山縣采訪冊」（「臺灣文獻叢刊」第七三種）卷首載有「采訪事由」，頗有涉及，可供參閱。此須說明者一。

『又，「臺灣通志」之名稱有待商榷。所謂「原稿本」四〇卷，實祇由於裝訂方便的區分。前半部疆域、物產、餉稅、職官、選舉、列傳各部門編輯粗備，至其以下則屬「素材」性質的一束資料而已。以此猶未完稿之彙抄本，似未可卽以正式「通志」名之。此須說明者二。

『再，「原稿本」卷十九及二十係將「臺東州採訪修志冊」收入，尤屬不合體例。這一部分，已另抽出編印爲「臺東州采訪冊」單行本（「臺灣文獻叢刊」第八一種）。此須說明者三。

『又再，由於「原稿本」下半部全屬資料性質，無法分門編目，惟有以「附錄」形式刊列。因爲這些資料大體可分兩大類，前一類爲有關武備之件，後一類爲有關獎卹事項，因區分成「資料（一）」及「資料（二）」，並將各件標題詳列，以便檢索。此須說明者四。

『末了，尚須附帶一提的；因爲本書是所謂「原稿本」，顯然很多地方還有待於整理，所以錯字之類特別多（此次重印，頗有改正）。在這裏，我們可以看到「影印」的優點，也可看到「影印」的缺點。如果我們採取「影印」的方式，管它錯不錯，「一印到底」，既省費，又省事，別人更找不出你的錯處。現在改爲標點排印，那結果就適得其反。但是，我們爲了責任心的驅使，爲了要使靑年讀者易於閱讀，我們仍舊採用標點排印的辦法。像這本可說「錯字百出」的書，我們明知道不可能拿這些錯字一一校正，甚而至於我們明知道本身的標點也可能會有錯誤的地方；我們「權衡輕重」，還是這樣做了。至於負責本書標點的，是新竹中學的趙制陽先生，我們對他的艱苦工作，表示謝意』。

李文忠公選集弁言

周憲文

桐城吳汝綸輯錄的「李文忠安全集」，是『光緒乙巳（三十一年、一九〇五）四月金陵付梓，戊申（三十四年、一九〇八）三月印行』。內計「卷首」一冊、「奏稿」八十卷五十冊、「朋僚函稿」二十卷十冊、「譯署函稿」二十卷十冊、「𩕳池教堂函稿」一卷一冊、「海軍函稿」四卷二冊、「電稿」四十卷二十六冊，總共一百冊，說得上「篇幅浩繁」。

要拿這樣「篇幅浩繁」的全集，選輯其中有關臺灣的部份列爲「臺灣文獻叢刊」之一，大有「沙裏淘金」之感。講到「沙裏淘金」，這最要緊的，既不能將金作沙漏去，也不宜將沙作金收入。好在金是金、沙是沙，兩者截然分明，不難辨別。我們選輯本書所遭遇到的困難，首先還是辨別「金」、「沙」的標準問題。舉例來說，有關乙未割讓臺灣的文件，這毫無疑義地不能放過；但乙未事變並非突如其來的，它的直接原因是甲午中日戰爭；因此，關於中日戰爭的文獻應否收入？收入至如何程度？這就值得考慮。如果答案是應當收入的話，則甲午中日戰爭也不是突如其來的，它的直接原因是前此的朝鮮政局；這樣一來，取捨就更難了，篇幅也就更多了。對於這一標準問題，我們經過仔細的考慮，定下了一個「不甚理想」的辦法；那就是：凡有臺灣（或澎湖、基隆）字樣的，一律收入；否則，概行放棄。我們說它「不甚理想」，因爲一方面有些可供參考的文件，由於其中未曾提及臺灣而被放棄了；另方面有些「長篇累牘」實與臺灣無關，祇因其中偶見臺灣兩字（例如光緒三年九月二十九日「論維持招商局」）而被收入。不過，這一辦法，雖然「不甚理想」，但在我們目前這微薄的計字給酬制度之下，平心而論，也許還是最理想的了。

却有三個例外：

（1）關於甲午中日兩國的海陸戰事，我們畢竟收入了幾篇比較重要的「奏稿」。

（2）凡是提到巡撫臺灣以後的劉銘傳的，我們全部收入。

（3）若干有關美國人李善德（C. W. Le Gendre）在朝鮮及日本活動的文獻，也都收入。這因他對臺灣的關係實在太深了。

至於編排的方式，如上所述，原書是就「奏稿」、「函稿」、「電稿」之類分編的；最大的缺點，同一性質、同一日期的文件，往往由於「奏」、「函」、「電」的形式不同而被前後分裂，失去彼此聯繫。本書則不問「形式」如何，概按「時日」統一編次；其「時日」相同的，始依「奏」、「函」、「電」循序排列。這一編排的方式，可以看出事態的發展，應比原書好些。

至於原書的「卷首」，則删去了諭賜祭文及各地奏建專祠疏等十九篇，其餘改作本書的附錄。

其次，說到分段。這一工作，認眞說來，並不嚴格。有些顯然應當分段的，我們是分段了；但是有些分段，却祇因爲原文太長的關係。同時，有些可以分段的，因爲字數不多，分了過於瑣碎，也就沒有分段。尤其是「電稿」，一概沒有分段；本來是因電文簡單，實際也有長篇的。

符滌塵兄自喉疾開刀以後，不良於言；大暑天埋頭爲本書做整理工作，特別值得感謝。

續明紀事本末弁言

吳幅員

清初谷應泰（豐潤人）著有「明史紀事本末」八十卷，起自「太祖起兵」、終於「甲申殉難」，記有明一代大事；其卷七十六「鄭芝龍受撫」，前已採入「文叢」第三五種「靖海志」，作為「附錄」之一。這本倪在田輯的「續明紀事本末」，仿谷氏之書，專記南明史事，因有「續編」之稱。倪氏江都人，其生卒年代一時未能檢獲。閱本書「凡例」，此書撰在徐鼒（彝舟）「小腆紀年」之後；而其版本，題為「光緒癸卯仲夏育英學社印行」：可知本書當成於清同、光年間（「小腆紀年」成於咸豐末年，癸卯為光緒二十九年），與徐氏同記南明史事的「小腆紀年」與「小腆紀傳」兩書，均為比較晚出之史書。史體有三：曰「編年」、曰「紀傳」、曰「紀事本末」；本書合以徐氏兩書（均已編入「文叢」，「紀年」列於第一三四種、「紀傳」列於第一三八種），則晚明史書，各體稱備。

本書原書為排印本，譌誤多。即如鄭成功（本書作朱成功）所設二十八宿營（見一八七～一八八頁），其星名二十八字却誤其二（「胃」誤作「冒」、「昴」誤作「昂」）；他如地名人名上下兩字之倒置、紀年分注年次彼此之不符等，不一而足。除儘予訂正之外，恐錯處仍不在少。這是應請讀者特別注意的。

海外慟哭記弁言

周憲文

黃宗羲（梨洲）先生（一六一〇～一六九五）的道德文章，楷模百世，矜式士林。但是，他的遺著，直至宣統二年（一九一〇），始由吳江薛鳳昌集印問世，定名曰「梨洲遺著彙刊」。由於年代過久，散失在所不免。民國四年（一九一五），續有所得，曾經增補；分訂二十冊。除首卷外，計有「南雷文約」四卷、「南雷文定前集」十一卷、「南雷文定後集」四卷、「南雷文定三集」三卷（附錄一卷）、「南雷文案」四卷（外卷一卷）、「南雷詩歷」四卷、「明夷待訪錄」一卷、「破邪論」一卷、「歷代甲子考」一卷、「西臺慟哭記註」一卷、「冬青樹引註」一卷、「汰存錄」一卷、「隆武紀年」一卷、「贛州失事紀」一卷、「紹武爭立紀」一卷、「魯紀年」二卷、「舟山興廢」一卷、「日本乞師紀」一卷、「四明山寨紀」一卷、「永曆紀年」一卷、「沙定洲之亂」一卷、「滇考一卷」、「賜姓始末」一卷、「鄭成功傳」一卷、「張元箸先生事略」一卷、「思舊錄」一卷、「金石要例」一卷（附論文管見）、「今水經」二卷、「匡廬游錄」一卷、「孟子師說」七卷、「南雷文定四集」三卷、「海外慟哭記」一卷（後三種爲民國四年續得補刊）。其中有關臺灣史事部份，我們曾以「賜姓始末」爲名，集印過一次（「臺灣文獻叢刊」第二五種），包括「賜姓始末」、「鄭成功傳」、「隆武紀年」（「行朝錄」之二）、「魯紀年」（「行朝錄」之四）、「永曆紀年」（「行朝錄」之八）；按黃著「行朝錄」共九篇，自成一冊，較爲妥當，可惜當時我們沒有這樣做。現在再將其餘部份，在「海外慟哭記」的書名之下，再集印一次，俾告一結束。總計本書除「海外慟哭記」外，還有「思舊錄」等七篇作爲「附錄」之一，「張元箸先生事略」等十一篇作爲「附錄」之二（其中「張元箸先生事略」與「兵部左侍郎蒼水張公墓誌銘」，所述兩岐，亦並錄之），「梨洲先生世譜」等六篇作爲「附錄」之三。

罪惟錄選輯弁言

周憲文

「罪惟錄」，是一部明季查繼佐撰著的「明史」。「四部叢刊」三編「史部」收有此書，影印自吳興劉氏嘉業堂藏的手稿本。查氏（海寧人，字伊璜，自號東山釣史）在所作的「自序」（原題「東山自叙」）中，亦一如其另一著作「魯春秋」（已刊列爲「臺灣文獻叢刊」第一一八種），假託左尹非人氏爲撰人；蓋查氏曾遭清初南潯莊氏史獄之波累，因隱姓名以自晦。其書名「罪惟」者，亦即以此。但書中凡南明諸王，皆列入「本紀」，並撰有「鄭成功」及「臺灣」諸傳；其惓惓故國之意，雖幾罹重辟而不悔。茲選集南明諸紀及列傳等篇，彙成這本「選輯」，列爲「臺灣文獻叢刊」之一。書首加「東山自序」，書末編繫「附錄」，載全書「卷目」（細目過繁不錄）、「編印例言」與三篇跋文，藉以覘原書之梗概。

本書所輯，凡原文有譌誤，亦同「魯春秋」例，儘予訂正；所補缺文殘字，則加（ ）用示區別。又本書每於人名下註有「有傳」或「自有傳」等字樣；或因原書未見其傳，或因原書雖有傳、但以越出「選輯」範圍（後者以「叛逆列傳」爲多），故多從缺。

黃漳浦文選弁言

夏德儀

漳浦黃道周先生，生當晚明喪亂之際，報國有心；而迫於環境，歷遭困頓，終至以身殉國。後世之人讀其遺著，固無不爲之唏噓歎息也！

先生遺著，以福州陳壽祺所編「黃漳浦集」爲最完備。茲即據道光十年庚寅刊本，錄其有關當時史事者，次爲六卷。卷一爲崇禎間先生之奏疏，卷二爲弘光、隆武間先生之奏疏，卷三爲弘光、隆武間先生所上之箋、表及爲思文皇帝所擬之詔、制、誥、諭，卷四爲先生代思文皇帝所擬之書稿及先生自與各方往來之函札，卷五爲先生所作序、記、傳、碑與墓誌之文，卷六爲「興元紀略」及「三事紀略」，所記皆南都事也。六卷字數，僅及原書十分之一而強，因名之曰「黃漳浦文選」。原書卷首載先生傳記、逸事、蔡夫人行狀及有關先生遺著之文，取以爲「文選」之「附錄一」；原書又載莊起儔撰先生年譜，取以爲「文選」之「附錄二」。

明季學者無不敵視滿洲，而稱之爲「夷」、爲「虜」。故淸乾隆間，藉修「四庫全書」之名，屢申禁書之令；明人著作之被燬棄者，殆難勝數。先生遺著雖幸蒙淸帝推重，特准刊行，然其違礙字句，必令改易；故原書塗抹、空白之處至夥。「文選」遂亦因之，不敢妄爲增易也。噫！專制君主之淫威，可畏也夫！

臺灣府賦役冊弁言

吳幅員

省立臺北圖書館藏有清道光二年刊的「福建賦役全書」一部，內載福建全省各府州縣廳「截至嘉慶二十四年奏銷止」的賦役總、細冊。總冊分爲「內地九府二州」及「外臺灣府屬」兩項，細冊分爲「府總」及州、縣、廳諸目。當時臺灣府的行政區劃已擴分爲臺灣、鳳山、嘉義、彰化四縣與淡防、澎湖、噶瑪蘭三廳。但澎湖廳的賦役，仍併在臺灣縣課徵；噶瑪蘭廳建置不久（嘉慶十五年始入版圖，十七年正式設官），田則未定，賦役細冊尚待編造（參看「臺灣府總」末尾附言）。所以在這部「賦役全書」中，臺灣府祇有「臺灣府總」、「臺灣縣」、「鳳山縣」、「嘉義縣」、「彰化縣」及「淡防廳」六目。按臺灣府通府的賦役，在余文儀纂修的「續修臺灣府志」（「文叢」第一二一種）中僅載至乾隆三十年代；這以嘉慶二十四年爲止的賦役資料，迄今尚少見利用（卽連著「臺灣通史」的「戶役」、「田賦」、「度支」三志亦未嘗採引）。因將上述六目彙成一書（總冊的「臺灣府屬」與細冊的「臺灣府總」殆全同，略），名之曰「臺灣府賦役冊」（內六四頁第一五行～六五頁第一五行因原書文字紊亂，無法辨解，卽照原狀刊出）；列爲「臺灣文獻叢刊」第一三九種，以利查考。至所缺噶瑪蘭廳部份，則另有陳淑均、李祺生纂修的「噶瑪蘭廳志」的「賦役」門可資參閱。

續修臺灣縣志弁言

周憲文

這本「續修臺灣縣志」，計有下列各種稿本與板本：

(一)初稿：卽謝金鑾、鄭兼才纂修的原稿。

(二)薛刻本：卽薛志亮的初刻本，刋於淸嘉慶十二年。據「藝文(三)」薛志亮族人薛約「臺灣竹枝詞二十首」序，雲廬(薛志亮字。一作耘廬)續修「臺灣縣志」成，郵歸付梓；薛約因檢舊作「竹枝詞」，附入末卷。又據「補刻本」(見下)卷末按語：『薛君約「竹枝詞」二十首，摘存五首，爲此志鋟板姑蘇之證』。由此可知「薛刻本」是郵歸姑蘇出版的(「後跋」亦提及)。照理，「薛刻本」應屬「初稿」，但因薛約的加入「竹枝詞」，已與「初稿」有別。

(三)訂稿：卽謝金鑾就「初稿」改訂的，故稱「訂稿」，又稱「訂本」。

(四)補刻本：卽鄭兼才根據「薛刻本」及「訂稿」增刪的板本，刋於道光元年。其「補刻本」增刪的情形，鄭兼才除以「後跋」說明外，並在書中分別加有「按語」。其出入較多者，則爲「外編」「叢談」删去「檳榔閒話」與「識小錄」八條及「藝文(三)」删去「在局」諸詩詞。末卷「按語」有云：『至同局詩，謝君來書謂：「名志、佳志必不收現在詩。……」云云；玆已鋟成，删補俱難，盡照「訂稿」；惟在局諸詩，悉如來書，不論「初稿」所收及未收添入者，一概删去』。

按本書曾列爲「臺灣研究叢刊」第六一種印行，當時是完全根據「補刻本」的；現在我們爲保存史料起見，凡「薛刻本」「外編」與「藝文（三）」被删去的部份，仍行補入。這在「義例」上，也許不盡妥當；但我們編印「文獻叢刊」的目的是在提供史料，「義例」不是我們所重視的。

張蒼水詩文集弁言

周憲文

明、淸之際，鄞縣張蒼水煌言倡義越東，跋涉江海歷十九年之久。自魯王舟山敗後，扈蹕南航閩海；由於浙、閩舊嫌，與鄭成功間爲魯、爲唐，極盡款曲。並嘗與成功南京之役，著有戰功。後見鄭氏東取臺灣，先後貽書責望、作詩寓諷，冀其同戈同定中原，卒不如願。所著「北征紀略」（一作「北征錄」、一作「北征得失紀略」）一卷，專紀同仇事蹟；卽其他詩文，亦幾無一不關當日史事。可惜一再亡於兵燹，經後人所收藏、傳抄與綴輯之各本「張蒼水集」，每多出入。晚近由其族裔張壽鏞氏廣事搜羅勘比，重爲編次，成有「四明張氏約園開雕」本（見「四明叢書」第二集）一集，較爲完備。計分正文九卷：卷一至卷三「奇零草」，卷四「采薇吟」，卷五「冰槎集」，卷六「外編一」（遺詩），卷七「外編二」（遺文），卷八「北征得失紀略」及卷九「鄉薦經義」；附錄有八：一、二均爲年譜，三爲傳略，四爲墓錄，五、六爲題詠(上、下)，七爲「人物考略」，八爲「校訂淸池張氏世系圖表」及「世德錄」。卷首並列刋各本原序、原跋共十八篇，具見各種集本之淵源。本書卽據此本採輯，並易名爲「張蒼水詩文集」。

本書之編排，正文部分改以文先詩後，且將「北征得失紀略」列爲首篇（「文叢」

第一一八種查繼佐著「魯春秋」附有「北征紀略」，茲經比較，查著附文對於若干當時所謂「違礙」字句頗有竄改，已失其眞），其次爲「冰槎集」、爲「奇零草」、爲「采薇吟」；而以原編「外編」一、二分附「采薇吟」、「冰槎集」之後。至其「鄉薦經義」無關史實，卽予割棄。附錄部分，除「人物考略」（王慈著）係就蒼水詩文所涉人物有所考證，經將逐則分附於每一人物初見之處以便閱讀外，採有全祖望、趙之謙兩「年譜」、「鄞縣志」列傳、闕名「兵部左侍郎張公傳」、沈冰壺「張公蒼水傳」、黃宗羲「有明兵部左侍郎蒼水張公墓誌銘」及全氏另著「明故權兵部尚書兼翰林院學士鄞縣張公神道碑銘」與「張督師畫像記」等八篇，併作本書「附錄一」。所有原序、原跋移作本書「附錄二」。原有張壽鏞序跋各一及張美翊氏（署名蹇叟，亦卽讓三）跋一仍分別列刊，書中凡屬二張所附「案語」亦均保存，用示不沒兩氏搜考之勤。至原書「附錄」未採詩文（若干篇已另見「文叢」各書），特爲編錄存目，附於書後備考。

新竹縣采訪册弁言

周憲文

這本「新竹縣采訪册」，與「雲林縣采訪册」（「文叢」第三七種）、「鳳山縣采訪册」（同第七三種）及「臺東州采訪册」（同第八一種）同爲清光緒二十年纂修「臺灣通志」時期的產物。據當時臺灣纂修通志總局文札（見「鳳山縣采訪册」「采訪案由」），各廳縣先後送局的采訪册，尚有臺灣、安平、恒春、宜蘭、苗栗等縣及澎湖、埔裏等廳；但均未有傳本。現雲林、鳳山、臺東三采訪册已陸續印行，本書也許是臺灣地方采訪册最後刊印的一種。

此册原書爲一抄本，現藏於省立臺北圖書館；可惜祇存第一～三、五（分上、下兩本）及八共六本，餘缺。根據卷首總目，所缺者約爲書院、祠廟、坊匾、風俗及列傳等項。我們在整理時，經就各本定其卷次，並於缺卷加列目錄（現存總目已略去細目）。因此，所缺各卷雖有目無文，惟尚能見其編次的大略。

原抄本不著撰人，或謂係由陳朝龍執筆。存此待考。

窺園留草後記

黃典權

臺南許南英先生所著「窺園留草」（詩集）附「窺園詞」一冊，計二四四頁，是他的四子許地山（贊堃）先生在「中華民國二十二年六月刋於北京」（見原書扉頁）的絕版書。當時祇印了五百部，沒有標價，自然是種非賣品；大概用作自家寶藏並分贈親友。因爲印數無多，且多歷年所，故存世遂稀。如以收藏臺灣文獻見著之省立臺北圖書館，就未見此書的著錄（查閱臺灣省文獻委員會刋行之「臺灣文獻資料目錄」可悉）。所以說這是一本頗爲珍貴的臺灣文獻，諒不過份。

原書首冠序文四篇，接着還有「窺園先生自定年譜」。「年譜」不獨是作者很好的傳記資料，同時也是淸末臺灣史事値得參考的史料。「年譜」之後，地山先生更爲他父親撰有詳盡的「窺園先生詩傳」，質素嚴謹，是一篇很標準的傳記文學。傳中述及的故事，也有不少是他書難得見到的可貴文獻。

「留草」和「窺園詞」本身，是一個臺灣名進士家破國危幽思淒切的心聲，交織着很多地方掌故以及當時文人風雅際會的紀錄，所以「留草」的文獻價値，好像比同時代的一些詩文集更高得多。

原刊最後附有「初」「再」二正誤表，足見此書原刊校對時的仔細。「再補」之正誤表說：『一再校對，仍有錯誤，未及改正底字恐怕還有，望讀者原諒』。這表現出刊印者地山先生對他父親的作品是如何的恭敬其事了！本書據臺南許丙丁先生所藏的「留草」刋本作底，加新式標點，附添目錄，作爲「臺灣文獻叢刊」的一種。丙丁先生很贊同本叢刊的發行，故提供資料，不談條件；使整理標點的工作從容而且順利，這應該深切地感謝他。

臺灣中部碑文集成弁言

劉枝萬

本書是依據拙著「臺灣中部古碑文集成」（臺灣省文獻委員會編印「文獻專刊」第五卷第三、四期）一書重加整理、改編，以符「臺灣文獻叢刊」之體例而成者。該書原錄碑碣，包括現存、已失共計一百三十八件，均係著者歷年實地調查所獲。區域限於臺灣中部之一市三縣（臺中市、臺中縣、彰化縣及南投縣，即等於清代彰化縣轄區）；而斷代，則至清季淪日時爲止。

惟其中有原碑已失，僅知碑址。有僅雕題詞數字；或文面已殘，剝落過甚，字跡幾無從辨認者。茲將其無甚參考價値者概予略去，而採錄一百零七件（略去者詳見書後「附錄」「未錄碑文存目表」）。所錄碑文，再就其文字性質，分爲三類如次：

（甲）記：凡記敍文屬之，計四十碑。

（乙）示諭：凡官憲示禁及諭告之類屬之，計四十一碑。

（丙）其他：各種捐題及不屬於以上二類者屬之，計二十七碑。

每類以年代之順序而排列，每件碑文分冠標題，正文加以新式標點、分段，並附簡略按語。至於簡體字、異體字或錯字，均已儘量查正，以利閱覽；但未便擅爲改動者，卽姑仍其舊。

明季荷蘭人侵據彭湖殘檔弁言

夏德儀

這本「明季荷蘭人侵據彭湖殘檔」，是用中央研究院歷史語言研究所編印的「明清史料」乙編、戊編裏所載紅夷檔案以及「明熹宗實錄」裏的紅夷資料編輯而成的。

關於紅夷的檔案，在「明清史料乙編」第七本裏載有八件，「戊編」第一本裏載有兩件。這十個文件竟有六件是殘缺不全的。我把這些文件彙攏來仔細閱讀之後，纔知道「乙編」第七本六二四頁的「彭湖平夷功次殘稿」和「戊編」第一本一～三頁的「彭湖信地仍歸版圖殘件」原是一個文件的前後兩部分；因而把這兩件放在一起，改稱爲「彭湖平夷功次殘稿（一）」和「彭湖平夷功次殘稿（二）」。又看出「戊編」第一本第三頁的「兵部題兵科抄出福建巡撫南、巡按姚會題殘稿」和「乙編」第七本六〇三～六〇七頁的「兵部題行條陳彭湖善後事宜殘稿」也是一個文件的前後兩部分；因而又把這兩件放在一起，改稱爲「兵部題行條陳彭湖善後事宜殘稿（一）」和「兵部題行條陳彭湖善後事宜殘稿（二）」。

「明清史料戊編」第一本第一頁載有「天啓紅本實錄殘葉」一頁，也是記述紅夷事情的。這個「殘葉」和南京國學圖書館影印的「明實錄」第四七五冊「熹宗實錄」卷二十八天啓三年四月壬戌日下所記紅夷事完全相同。我把影印本的「熹宗實錄」略加翻閱，隨手又抄出六個有關紅夷的文件。其中福建巡撫南居益的奏捷疏原出「兩朝從信錄」，「實錄」於天啓四年十月己亥日下用雙行小字轉錄了「兩朝從信錄」的這個奏捷疏。後面還附了「從信錄」作者的註字，敍述南撫臺發兵攻剿紅夷的經過。再將這個奏捷疏和「明清史料乙編」第七本六〇二頁所載「彭島紅夷拆城遁去殘稿」對看之下，又知道這個殘稿後面的殘缺部分恰巧見於「從信錄」的奏捷疏。換句話說，「從信錄」的奏捷疏只節錄了原本奏捷疏的最後一部分，而原本奏捷疏就是「明清史料乙編」第七本所載的「彭島紅夷拆城遁去殘稿」。因此又把這兩件放在一起，一件改稱「福建巡撫南居益奏捷疏殘稿」，一件稱爲「福建巡撫南居益奏捷疏節錄」。

在將上述幾個殘稿整理之後，又連同那些見於「熹宗實錄」的紅夷資料，按照年月次序加以排列，便能看出天啓年間中國對付紅夷侵犯的情形。現在且作一個簡略的敍述：

據天啓三年正月二十四日「實錄」所載福建巡撫商周祚的奏疏，紅夷自天啓二年六月入我彭湖，專人求市。因爲所請不遂，就駕舟騷擾福建沿海。他們雖被官兵堵截，頗有殺傷，但還要求互市。商周祚止允他們遵照舊例在咬𠺕吧和閩商貿易，決不許在我內地另開互市之名；並且諭令速離彭湖，不許夷舟在我汛守之地拋泊。

「實錄」雖於天啓三年四月初三日記商周祚『以紅夷遵諭拆城徙舟報聞』，其實他是受了副將張嘉策的欺罔，紅夷並未撤退；所以六月二十六日「實錄」又載商周祚的奏疏，就說紅夷背了「拆城徙舟」之約，只得速修戰守之具，準備驅逐了。

天啓三年八月二十九日，「實錄」上載了南京湖廣道御史游鳳翔的奏章。游鳳翔是福建人，對於紅夷侵據彭湖和閩中所受禍害，說得非常痛切。他還附帶的參劾中左所副總兵張嘉策的欺罔撫臣，意欲遷延以成互市。兵部因此將張嘉策革職，並令查勘彭湖、中左、浯嶼、銅山各處守汛失事將領。其時福建巡撫商周祚已經卸任，新任巡撫南居益已經到職。所以同一天的「實錄」上又載有南居益的奏疏，報告紅夷仍舊據彭築城，要挾互市。他認爲『羈縻之術已窮，天討之誅必加』，只有『略抽水兵之精銳五千，列艦海上，以張渡彭聲討之勢；仍分布水陸之兵，連營信地，以爲登岸豕突之防』。兵部贊成他的主張；熹宗皇帝也有聖旨，着他『督率將吏悉心防禦，作速驅除』（俱見天啓三年九月初五日「實錄」）。

經過幾個月的準備，渡彭搗巢的計劃果然現實了。根據南居益的奏捷疏和「兩朝從信錄」的敍述，討夷舟師是從天啓四年正月裏開始出發的，接着還派遣過兩次援軍。逐步布置，到六月十五日便誓師進攻，直逼夷城。七月十一日，夷酋竪起白旗投降。十三日動手拆城，二十八日拆完，夷舟十三隻遁往東番（臺灣）。於是多年逋寇，一旦剷除。

「實錄」記南居益奏捷的奏疏在天啓四年十月十八日。奏報平夷功次和條陳彭湖善後事宜，當然都在奏捷之後。「彭湖平夷功次殘稿」首尾仍有殘缺，看不出奏報的年月。幸而「兵部題行條陳彭湖善後事宜」的兩個「殘稿」拼湊起來却完全了，知道是在天啓五年四、五月間辦的。足見紅夷一案，在天啓五年五月應告結束了。那知並未結束。原來太監魏忠賢恨南居益疏中無一字歸美於他，而勘功按臣姚應嘉又無稱頌一語，他便把這次平夷的將吏功次一概抹殺，連所陳彭湖善後諸款也都擱置未行。直到魏閹失敗，南居益起爲戶部右侍郎總督倉場，纔在崇禎二年三月間再陳閩事始末，由兵部題請敍功，了却紅夷一案。南居益的「謹陳閩事始末疏」是從「兵部題行彭湖捷功殘稿」裏面抽出來的；因爲先看了這個奏疏，再讀彭湖捷功的兵部題稿，頭緒較爲清楚。

以上出自「明清史料」和「熹宗實錄」的十四個文件，是關於天啓年間荷蘭人侵據彭湖的事實。此外，還有崇禎七年的四個文件，都是從「明清史料乙編」第七本抄出來的。現在也把這四個文件的內容提出要點：

先是，福建巡撫鄒維璉咨照兵部說：紅夷初犯南澳、攻中左，繼窺海澄、圍銅山，他一聞警報，就檄調鄭芝龍等帶領舟師進勦，前後生擒紅夷一百多名。先將僞出海王一名和夷目十三名檻送京師，餘夷暫收閩獄，且待春和起解，或卽就近正法。這批俘虜送到之後，兵部隨於崇禎七年正月初七日將夷酋呷吣嘽吧吐等十四名發交巡捕提督衙門監固，初八日題請擇吉獻俘。初十日奉聖旨批准了。

福建巡撫鄒維璉和巡按路振飛又曾爲守備傅元功勦夷陣亡，合疏請卹。據稱：崇禎六年九月初六日，陸鰲守備傅元功在古雷吉釣灣與紅夷作戰，初獲勝利，繼被銃斃。他們認爲這樣奮不顧身的人，應當優卹。結果由兵部於崇禎七年正月十一日題請褒贈參將職銜。二十五日奉旨照准。

最後一件是兵部於崇禎七年六月間覆議福建巡撫路振飛題報紅夷突犯南澳、泉南等處，確查失事情形的題行稿。據福建各級官員逐層的勘報：紅夷於崇禎六年六月初一日進犯南澳。相持到初六日，我船被焚十隻，我兵僅焚紅夷哨船六隻，把總范汝樛被彈打傷，目兵死了十七人。防守南澳的副總兵程應麟不但不據實報警，反而飾功冒賞。六月初七日，夷船突入中左。中左是游擊張永產的汛地。其時游擊鄭芝龍方從廣東勦寇回閩、閤船燀洗，張永產也在泉州料理會勦船械，不意紅夷猝至，兵船被燒掉十五隻。他們都因此受到降級的處分，戴罪圖功。七月初八日，夷船復犯中左。張永產鏖兵抵禦，乘勝窮追。後來還與鄭芝龍獲得料羅大捷，建有殊功。而漳屬備總韓登壇等，或斬夷級、或焚夷舟、或擒活夷，也各有所表現。只是程應麟無功可贖。因此兵部議將程應麟革職，張永產、鄭芝龍復其原銜，韓登壇等量行紀錄。奉旨允准。

綜觀上述三個片段的事實，足見崇禎六年紅夷又曾騷擾漳、泉。可惜資料不全，不知料羅大捷發生在這年幾月，戰況如何。更不知巡撫鄒維璉所稱生擒的一百多名紅夷，是否料羅大捷的成果。

「明史」「和蘭傳」對於明季荷蘭人和中國的關係有一個較爲完整的敍述，所以取爲本書的「附錄」。傳中所記萬曆三十二年紅夷初據彭湖事，大概是以張燮「東西洋考」卷六「紅毛番」爲藍本的。此文已見本叢刊第一一九種「諸蕃志」的「附錄」。沈德符「野獲編」卷三〇也有「紅毛夷」一則，述及萬曆年間紅夷謀通貢市的事情。「東西洋考」卷八「稅璫考」中又有一段記載稅使高寀謀納紅夷通市的事情。這兩個敍述都可供參考，所以也附錄在本書之後。沈有容往諭夷酋事，本叢刊第五六種「閩海贈言」

卷二載有陳學伊作「諭西夷記」、李光縉作「却西番記」和池浴德作「懷音記」，都是寫得有聲有色的文章，尤其值得參閱。除上述這些文字外，關於萬曆時期的紅夷交涉就沒有更原始的資料足供參證了。

「和蘭傳」記天啓年間紅毛番侵據彭湖事頗有錯誤。傳謂『天啓三年，果毀其城，移舟去』；這是誤信了「實錄」所記巡撫商周祚『以紅夷遵諭拆城徙舟報聞』的緣故。其實紅夷並未在這年撤離彭島。傳又謂天啓四年南居益遣軍攻剿，紅夷退去，『獨渠師高文律等十二人據高樓自守，諸將破擒之，獻俘於朝』。參以本書所輯資料，此說似有疑問。

按「熹宗實錄」天啓四年十月己亥日下轉錄「兩朝從信錄」敍述彭島攻剿紅夷之文，謂豎白旗請降的夷酋名叫『牛文來律』。又謂紅夷被迫拆城，於『舊高文律所居』的大樓不忍拆毀。足見這座大樓是高文律舊日往過的，不是拆城之時高文律等據城自守。據南居益「謹陳閩事始末疏」，夷首高文律是在攻剿彭湖之前被擒於厦門港口的。南巡撫會具疏以聞，謂『俟蕩平之日，俘解闕下』。彭島既平，果將高文律等解京，熹宗皇帝還『祭告郊廟，御門受俘，刑高文律等於西市，傳首各邊，以昭示天下』。「和蘭傳」說到崇禎時期的紅夷事情，對於崇禎六年紅夷之犯漳泉、巡撫鄒維璉之獻俘京師以及鄭芝龍、張永產的料羅大捷，都沒有詳晰的敍述，只籠統的說了一句『崇禎中爲鄭芝龍所破，不敢窺內地者數年』。未免失之簡略。

不僅「和蘭傳」有舛誤略漏之處，就是「明史」裏的南居益、沈有容、鄒維璉、路振飛等傳，關於夷事也都記得簡單。這本以荷蘭人侵據彭湖爲中心的史料集倒有相當的價值；可惜缺了萬曆年間紅夷初據彭湖的原始資料，而現存天啓、崇禎時的文件又多殘缺不全。因此，這本書被題爲「明季荷蘭人侵據彭湖殘檔」。

清初海疆圖說弁言

吳幅員

這是一本有清初葉七省海疆與臺灣、澎湖諸島嶼的圖說，並冠有三篇「總論」。原書爲抄本，分訂上、中、下三冊，現藏中央研究院歷史語言研究所。內無序跋、目錄及頁碼，又不著撰人（僅內「粵東海圖說」末尾見有「澤園識」三字）。抄本編次失序，首爲「臺灣圖說」，次爲「澎湖海圖說」，餘爲「浙江海圖說」、「江南海圖說」、「京師二東海圖說」、「七省海疆總論」、「天下地輿總論」、「天下海疆總論」、「粵東海圖說」及「福建海圖說」等篇。或由於原書已佚名，因即以首篇「臺灣圖說」稱之（史語所編目如是）。至其撰作年代，覲乎「臺灣圖說」中『今北路半線適中之處，多增一縣彰化以分諸羅之勢』云云，當知在雍正初年臺灣府彰化設縣之後不久（其餘各篇間有涉及浙閩總督覺羅滿保暨兩廣總督楊琳事蹟，時期同屬康、雍之交）。

本書除了臺、澎圖說係屬「臺灣文獻」以外，他如江南、浙江、福建、粵東等各海圖，亦均可供瞭解明、清前後東南海上兵事進止之助。因將全書重編篇次、另加目錄，列入「臺灣文獻叢刊」印行。又按抄本對於各圖所註地名頗有疏誤，諸如直隸之榆關（誤揄關）、江南之揚州（誤楊州）、清河（脫「河」字）、浙江之玉環山（誤五環山）、蒲門（誤滿門）、福建之海澄縣（誤澄海縣）、白犬（誤白大）、廣東之海豐縣（誤海山與縣）、鷗汀垻（誤鷗汀涓）、臺灣之大武隴（誤文武隴）、內八投、外八投（誤內入投、外入投）等錯書不下五十餘處，臺灣笨港至竹塹港間以及其他脫漏亦不止一處；惟受種種限制，概未訂補。本書稱爲「臺灣圖說」顯不甚宜，因易稱「清初海疆圖說」。

此外，適從淸兪正燮著的「癸巳類稿」錄得「臺灣府屬渡口考」一文，特附於本書之末。

鄭氏史料初編弁言（一）

夏德儀

鄭成功和他的後人以臺灣爲基地，反抗淸朝，因此鄭氏史事成爲臺灣史上主要的題材之一。

成功的父親芝龍，原是著名的海盜渠魁。他自崇禎初被福建地方當局招撫之後，屢建剿寇之功，逐步陞任到總兵官，成爲東南沿海安危所繫的人物。可惜他後來變節降清，自取滅亡。但成功所以能在東南沿海抵抗清軍，未嘗不是靠着他們鄭家原來在海上的聲望和勢力；就是成功手下的將領，也不少是芝龍的舊部。因此凡記述鄭氏史事的，無不從芝龍少年時候往海外冒險的故事說起。

關於鄭氏史事的著作，「臺灣文獻叢刊」已經刊印了十多種。其中如「臺灣割據志」、「臺灣鄭氏紀事」、「臺灣鄭氏始末」、「閩海紀要」、「閩海紀略」、「海紀輯要」、「靖海志」、「臺灣外紀」、「海上見聞錄」、「賜姓始末」、「鄭成功傳」等書，都是通述鄭家幾代史事的。又有延平王戶官楊英所記自永曆三年到十六年的「從征實錄」，是一部較爲可貴的史料書。又有「平閩記」和「靖海紀事」：前者是福建提督楊捷在康熙十七年到十九年間與延年嗣王鄭經作戰的奏疏和其他公牘，後者是康熙二十二年靖海將軍施琅征澎湖、降臺灣的奏疏，也都具有原始資料的價值。此外，本叢刊裏還有二十幾種記述南明或臺灣史事的書，每書都有一部分講到鄭氏抗清的事蹟。但這些著作多係轉手的敍述，不能被視爲第一等的史料來應用。

早在光緒二十七年（一九〇一），日本人市村讚次郎就從北京內閣東大庫檢到有關臺灣鄭氏的三件舊檔案。他曾把這三件檔案的原文連同他的簡單說明於第二年在「史學雜誌」上發表了。這便是本叢刊所已刊出的「鄭氏關係文書」。這三個文件，一件是康熙元年鄭泰、洪旭、黃廷移咨靖南王耿繼茂和總督李率泰的咨文，並附官員兵民船隻總冊；一件是同年欽命管理福建安輯投誠事務戶部郎中賁岱等的題本，並附鄭成功歿後鄭經所管文武官員的底冊；一件是康熙六年南安縣生員黃元龍的密奏。從這幾個文件上，可以看出康熙初幾年間鄭氏部下投歸清朝的有那些人以及若干冒稱下海、投誠謀官的乘機取巧之徒。這本「鄭氏關係文書」雖只有三個文件，却都是很可貴的原始資料，毋怪市村氏視之若瓌寶。

近三十多年來，內閣大庫檔案被刊布出來的已經不少了。中央研究院歷史語言研究所先後編印的「明淸史料」，便已有甲、乙、丙、丁、戊、己、庚七編。我們約計其中有關鄭氏史事的文件，不下五百多件。這些文件，雖然有許多是殘缺不全的，而且又非彼此互相銜接的；但都是原始的文件，爲研究鄭氏史事最好的資料。因此我們決定把這些文件彙集起來，先照年代的先後、再按事情的內容，加以排列整理，編爲「鄭氏史料」。又因分量很多，所以分做幾編刊出。

這本「鄭氏史料初編」是用從「明清史料」乙編、丁編和戊編裏抄出來的文件編成的。這些文件都是關於鄭芝龍的史料，所以稱做「初編」。凡分三卷：卷一、卷二共收二十一個文件，都是明朝崇禎年間的；卷三收了六件，是清朝順治九年、十年和十八年的文件。我們從卷一的十個文件裏可以看出：在鄭芝龍受撫前後，東南沿海所受寇禍的情況；鄭芝龍受撫後，他怎樣協勦閩寇李芝奇，又怎樣會勦粵寇鍾凌秀，又怎樣和當時騷擾閩、粵沿海的紅毛夷有所接觸。我們從卷二的十一個文件裏可以知道鄭芝龍勦滅海寇劉香老的經過以及崇禎末期閩、浙海上的情形。崇禎十六年，明廷還有急調鄭芝龍率領水師北上，以圖牽制滿洲的計議；但他遲遲未能成行，而滿洲已經入關了。

這裏沒有講到鄭芝龍如何擁立唐王於福州，如何在唐王的朝廷裏專橫跋扈、擅作威福以及如何投降淸朝，被挾北去。我們從卷三的六個文件裏，一則看出鄭芝龍已成籠中之鳥、釜中之魚；一則看出淸朝皇帝要拿他作釣餌來招降鄭成功，便先封他爲同安侯，等到撫事不成，便說他『包藏異志，圖謀不軌』，他終於得到一個悲慘的下場！

本叢刊第三三種「靖海紀略」，係明人曹履泰所撰。他於天啓、崇禎間任同安知縣五年，此書所載，都是他在任內辦理海寇事宜的公私函札；時間雖短，也不失爲眞實的史料，足備參考。

鄭氏史料初編弁言(二)

周憲文

本書原是作爲「鄭成功光復臺灣三百週年紀念特輯」之一的，因述其經過，以留紀念。

民國四十九年（一九六〇年）十二月間，我連續接到陳正祥先生幾個電話，他說：明年四月是鄭成功光復臺灣三百週年，我們得及早籌備一個像樣的紀念特輯。因此，我於五十年一月二十五日，特約陳正祥、夏德儀、戴炎輝、賴永祥、曹永和諸先生集會商討；當日，正巧中村孝志教授來看我，所以也就請他出席參加。

會談開始以後，我以召集人的地位，首先表示意見。我坦誠報告，這件事的主動者是陳正祥先生；就我們（指臺灣銀行經濟研究室）來說，是所謂「有可無不可的」。我們可以做，也可以不做。爲什麼「可以不做」？因爲我們畢竟是臺灣銀行的研究機構，我們研究的主要對象是臺灣經濟；卽如我們印行「臺灣文獻叢刊」，目的也在幫助臺灣經濟的研究，而非純爲臺灣歷史的研究；所以，我們不做「紀念」工作，不算失職。又爲什麼「可以做」呢？這因鄭成功對臺灣的關係太大了，尤其在舉國推崇鄭成功的今天，我們卽使「做了」，想也不會有人批評我們「多事」的。惟其如此，我的主張：我們不做則已，做則一定要有意義、要有價值，千萬不能走上「趕熱鬧」或「交賬」的「魔道」。其次，講到紀念的日期，按照規定，是鄭成功登陸臺灣本島的那一天（永曆十五年、一六六一年四月二十九日；一說三十日）。但時間太逼，恐籌備不及；「紀念論文」的發表日期，可否延到荷蘭人投降的那一天（永曆十六年、一六六二年二月一日）。

大家同意，於是進而討論如何紀念。首先提出的，是在第十三卷第一期（民國五十一年三月出版）的「臺灣銀行季刊」上，出一「紀念特輯」。特輯的內容，除了鄭成功年譜的編撰與鄭氏文獻的分類編目外，我們希望能有十篇研究鄭成功（包括鄭氏祖孫三代）的專門著作，有系統地分爲政治、經濟、軍事、貿易等等。我還自告奮勇，願以尙未發表的拙著「鄭氏時代之臺灣經濟」（爲拙著「臺灣經濟史」之一章）改寫充數。但是，這一計劃，終於因爲我們的交遊太窄，力不從心，無法進行；於是，「不得已而求其次」，我主張改著作爲翻譯，卽就外國學者有關鄭氏的著作，翻譯十篇拿來紀念。陳正祥先生認爲這「太洩氣」，我却認爲這「很別緻」。後來夏德儀先生提議，除了「季刊」出「翻譯特輯」（包括「年譜」與「文獻目錄」）外，還可就中央研究院印行的「明清史料」選輯有關鄭氏部份，加以整理，定名爲「鄭氏史料」，編入「臺灣文獻叢刊」，作爲紀念之一（按：我們曾就「明清史料戊編」，選出有關鄭芝龍的四個文件，作爲「文叢」第三三種「靖海紀略」的附錄）。他說；這是我們一定可以做到的工作；同時，有意義，有價值。果然不出夏先生所料，我們能夠做到的，也祇有這一「鄭氏史料」的編印，而且直到今天才能刋出「史料」的「初編」（全屬鄭芝龍部份。上述「靖海紀略」附錄四篇，亦已重新編入）；因爲時間實在落後太久，所以除在這裏一提當時的經過以外，今後「續編」出版，將不再說「紀念」的話了。

至於另一計劃「翻譯特輯」，稿至今天還未齊全。我們不得已祇好改變方針，準備將來編入「臺灣研究叢刋」，不再作在「季刋」發表的打算了。其中有一件事，要乘便一提。這就是鄭成功年譜，當時決定由我們主稿，字數以不超過三萬爲度。雖不滿意，幸有結果。有位從未見面的南棲先生，他在「季刋」發表過「臺灣日月潭浮田種稻說之研究」，文字條理，均有可觀；他有的是多餘的時間，曾自動替「文獻叢刋」做義務的校勘工作。我們爲了「集思廣益」起見，同時也覺得對他的義務校勘有點過意不去，所以在七月二十八日，寫信請他利用我們已出版的「文獻叢刋」寫篇「鄭成功年譜」，以供我們合編參考之用，決定在年底交稿。因爲我們給他的時間不多，同時我們的目的原在合編參考，所以未有字數的限制；以意度之，三、五萬字而已，最多也不會超過十萬字（按照我們的規定，十萬字以上的約稿，對內得先經過一定的手續；所以我們也沒有做這手續）。想不到的，他竟「下筆千言」，一口氣寫了八十多萬字。最後還是我們因爲種種關係，寫信要他停止下來；如果全稿完成，一百萬字是可能的。而且，他還用的是簡潔的文言；要是改用語體，至少又得增加二十萬字。再則，他還沒有機會利用下述這些重要參考資料，日文如「華夷變態」及其他有關鄭氏的專門著作，中文如「小腆紀年」、「小腆紀傳」、「燼餘錄」、「南疆繹史」、「張蒼水詩文集」，特別是「鄭氏史料」各編；否則，至少又得增加二十萬字。因爲這部稿子的字數太多了，所以我們給的也是極甚微薄的報酬；這在作者未免是委曲，但在我們却也很爲難，幾乎要用停止「季刊」一期來塡補這一「窟窿」。推其原因，全在我們當初少了一句限制字數的話。這是一個意外，不勝遺憾之至。

我不認得南棲先生；我的印象，他不但工作認眞，同時，理想甚高。照常情來說，一個人寫的東西，總希望能够出版的；他用近百萬字來寫「鄭成功年譜」，如果也存了出版的希望，就眼前的事實來說，這理想未免太高了。這猶如前些日子，我們接到一位讀者的來信。他希望我們拿「二十五史」也像「文獻叢刋」一樣標點印行。現在，這部稿子放在我的書廚裏，我也沒有工夫詳細去看，祇在第一冊原稿上隨手寫了幾點意見；但却不時使我想起「處理」的問題。近年以來，我雖一意經營臺灣文獻的整理與出版，這畢竟不是我的「本行」；不過，爲使南棲先生的這番心血不至於完全抹殺，我頗想等待「鄭氏史料」出齊以後，花一年半載的時間，改用語體，加以整理，豫計字數至多不得超過二十萬。由於興趣與健康的關係，我沒有把握能做到。我希望年輕的曹永和先生能夠參加這一工作，使底於成。但是同一本書，我們已有稿費支出，不能再有稿費負擔，曹先生雖然熱心從公，豈可枵腹將事！眞不知將如何「以善其後」？思之！思之！「經驗是最可寶貴的」；我用這話來做結束。

苗栗縣志弁言

周憲文

這本沈茂蔭纂輯的「苗栗縣志」，前曾編入「臺灣研究叢刊」（第六七種），在「重刊贅言」裏會有如下說明：『本書是經苗栗縣文獻委員會主任委員劉定國先生的同意，以該會校印發行的「鉛印本」爲依據。原書首有前苗栗縣文獻委員會主任委員賴順生先生的「校印苗栗縣志序」及方豪先生的「記新抄苗栗縣志兼論臺灣方志的型態（代序）」，說明由上海徐家滙天主堂借抄原抄本的經過；因格於體例，均未及刊出』。現在改版編入「臺灣文獻叢刊」，藉此一述本書纂輯與傳抄以及排印的經過。

本書纂輯的時間，按「賦役志」戶口編查迄淸光緒十八年曁「職官表」訓導蘇學海與大甲守備馮瑞鳳均署於十九年，誠如方豪先生所說：『編纂時期應爲光緒十九年，甚至二十年』（引方著「代序」）。蓋『時各府縣廳奉令輯采訪册，廣徵資料，以奠省「通志」之基。而沈茂蔭先生於邵友廉巡撫時知苗栗縣事，在省修志局監督下，特擴采訪册規模，修成「苗栗縣志」十六卷』。『惜書成而中日戰爭爆發，遂不及付梨棗』（均引賴著「校印序」）。方著「代序」亦說：『「苗栗志」校對尙未列名，可知此係稿本，尙未付梓』）。

此後，這一「稿本」不知流落何方？在臺灣，祇有省立臺北圖書館藏有「苗栗縣志」「物產考」抄本一冊（見該館編「臺灣文獻資料目錄」），未見足本。但據方豪先生說：上海存有此志抄本三部；一存徐家滙天主堂藏書樓、一存南洋中學圖書館（並見朱士嘉「中國地方志綜錄」），另一則存於抗戰時期上海日本僞大使館特別調查班。至民國三十九年，方先生託由王瑞明先生向上海徐家滙天主堂借出抄本，雇人抄錄。同年十一月，苗栗重行設縣；四十二年，苗栗縣文獻委員會卽據方先生的「傳抄本」首次付印。

本室前次編入「臺灣研究叢刊」時，經加標點並訂正若干譌誤。這次改版，將縣署圖、捕廳署圖、大甲巡檢署圖、大甲守備署圖以及苗栗八景圖略去，目錄與標題少有變動。因爲「文叢」重刊「地方志」有一原則：凡已失參考價值的圖片，均予刪除。目錄與標題因有出入，故加調整；並附頁碼，以利檢索。

東山國語弁言

夏德儀

「東山國語」是一部以人物爲中心的南明史。「東山」是作者查繼佐的別號。「國語」原是一個舊名稱；大約因爲這部書也是分區敍述的，所以就借用舊名而稱做「東山國語」。

這部「國語」，現在計存浙、舟山、臨門、虔南、江右、中州、楚、閩、粤徼、粤、西粤、臺灣等十二語。其中「舟山前後語」全是作者的弟子檇里沈墨庵（名起，字仲方）補述的。餘如浙、臨門、虔南、江右、閩、粤諸語中也有墨庵補述的部分。沈氏又作「國語補」附在書末。足見這部書原非全本，是經沈氏加以整理補寫過的。他在「舟山前語」的結論裏說：『與十五國之語絕殊』；又說：『凡十五國皆中土版圖』。足見此書原分十五語。今本除沈氏補撰的「舟山語」外，却只存十一語了。而這十一語中可惜又缺了「浙語一」和「閩語一」。

查東山生當明、淸鼎革之際，民族意識非常強烈。淸兵南下，鄭遵謙在浙江方面奉魯王起事於江上，查氏便曾參與其事。抗淸運動雖然失敗了，故國之念却永遠不能去懷。所以他在晚年終於完成「罪惟錄」。這是站在明朝人的立場來編撰的一部「明史」，當然把南明君臣力謀匡復和各地義士反抗清朝的事蹟都敍述無遺了。我們曾將其中有關南明的部分選輯出來，列爲「臺灣文獻叢刊」第一三六種。查氏參與浙東起事，因主「存魯」，另有「魯春秋」的著述；我們也已將其列爲「臺灣文獻叢刊」第一一八種。

「東山國語」所記人物，都是在北都、南都相繼淪陷之後，江、浙、閩、贛、楚、粵等地起義抗清和誓死不做清朝臣民的愛國志士，其中有不少可泣可歌的故事。「東山國語」所記人物，雖然有些已經見於「罪惟錄」，但文字的詳略互異，而且還有些是未見於「罪惟錄」的。因此我們又把這部書加以標點印行，也列爲「臺灣文獻叢刊」之一。

沈起又曾爲東山老人作「年譜」一卷。此稿散失幾二百年而爲同里張濤（字鐵庵）所得，遂與東山族孫查穀（字稻蓀）同加纂注。吳興劉承幹又把這部「年譜」刻入「嘉業堂叢書」。我們就據「嘉業堂本」迻錄標點，作爲「東山國語」的附錄，以供參考。

清聖祖實錄選輯弁言

吳幅員

在清聖祖康熙二十二年（一六八三）以前，臺灣係在鄭氏手中；自二十二年以後，始併入清朝版圖。本書內容，因分前後兩個時期說明。

前一時期，自順治十八年至康熙二十二年（一六六一～八三）。初，鄭成功入臺不久，永曆敗亡於滇南，成功旋亦謝世；嗣鄭經（本書作錦）撤離金、廈兩島，鄖陽十三家兵亦趨於覆沒。清廷以天下無事，在東南沿海實施遷界罷兵，海上得暫相安者數年。迨至康熙十三年（一六七四），因「撤藩」問題導致吳、耿、尚三藩之變，鄭經乘機重入閩南、粵東，干戈擾擾又達八年之久。旋經敗回臺，東寧之業遂衰。其間盡選有關鄭氏記載以外，對於永曆敗亡、鄖陽覆沒以及與鄭經入閩、粵相終始的三藩變亂前後亦略及之，以見其相互關係。

後一時期，自康熙二十三年訖六十一年（一六八四～一七二二）十月。二十二年六月至八月，清將施琅進佔澎、臺；於是郡縣其地，設鎮駐防。其後所有關於臺灣的記載，除一、二鄭氏餘事及六十年（一七二一）發生的朱一貴之亂外，餘殆僅屬臺灣所隸督、撫、提、鎮以上官員的異動與地方糧賦因災害的減免。

雅言弁言

周憲文

連雅堂先生，是近代臺灣文化界之一「彗星」。先生對於臺灣文化的貢獻是極大的；先生的精神影響，將長留人間，千古不滅。世上曾有多少所謂「風雲人物」，轉眼之間，「雲散烟消」，與草木同腐；以視先生，能無警惕！

幾年以前，先生哲嗣震東先生看到「臺灣文獻叢刊」的問世，特地拿他先人的全部著作（包括已經印行的與尚未印行的）交給我們，囑爲整理；我們也很樂意接受這份委託。幾年以來，已經出版的，有「臺灣詩乘」（「文叢」第六四種）、「劍花室詩集」（「文叢」第九四種）、「臺灣通史」（「文叢」第一二八種）；已經排校的，有「臺灣語典」（「文叢」第一六一種）、「雅言」（「文叢」第一六六種）。此外，還有一種是先生的「文集」；爲求完整，尚在多方徵集資料。

這本「雅言」，在民國四十七年八月間，曾經許丙丁、黃典權、張振樑、賴建銘諸先生在臺南排印過；他們在書首寫有一篇序文，對本書略作介紹：謂『是集（按指「雅言」）作於癸酉（民國二十二年）前後，時方日化漸厲，華文就微，古都（按指臺南）君子，戚然以懼；思漢情濃，因辦「三六九小報」以寄焉。會先生悵遊歸，見而喜之，撰文爲助。既而闢專欄，著「雅言」，連載百號，都二四七則』。

按原刊第二四七則首題「自跋」，文曰：『拙著「雅言」至今已達百號，暫爲停止（按全文二四七則，連載於「三六九小報」一一二～二四一號，共達百號）。他日當與未刊者合印單本以就正方家也』；今已略去，而將未刊餘稿續上，以符先生的原意。

清世宗實錄選輯弁言

吳幅員

清世宗雍正朝（一七二三～三五），歷時僅十三年。臺灣在此時期，適當朱一貴變亂之後，始漸引起清廷的警覺與注意。就顯著的措施而言，雍正元年，析諸羅縣北半線地方另設彰化一縣，並增淡水捕盜同知一員；雍正九年，又將彰化縣大甲溪以北錢糧、命盜等項歸淡水同知就近管理，並移淡水同知駐竹塹。同時，兵備汛防亦先後隨之增設。其行政區劃，顯見日向北部拓展。他如漢人的移殖、番社的撫綏、城防的籌議、糧運的規劃以及官吏陞遷、兵丁賞邺的釐訂，在在隱示一種「擴張」的契機。

本書由於年代的短暫，資料不多，勉強成書。因此，選輯的範圍，就前述諸事以外，略爲放寬。

鄭氏史料續編弁言

夏德儀

清順治三年，鄭成功的父親芝龍變節降清之後，成功便入海收兵，在第二年遙奉永曆正朔，展開了反清復明的運動。他從此北與江、浙義兵相呼應，南與桂王通聲氣，縱橫東南沿海一帶，給清軍不少的打擊。順治十六年，又率大軍深入長江，破瓜鎭、攻金陵，使清朝幾乎窮於應付。

這部「鄭氏史料續編」，是從中央研究院歷史語言研究所刊布的「明清史料」各編中，把清朝在順治年間對付鄭成功的一切官方檔案抄錄出來，加以標點、分段，再按年月編次而成的。全書共收三百九十八個文件。論其內容，有三分之二是關於軍事方面的，三分之一是關於招撫、投誠、禁止下海和查辦通敵謀叛之人的。在有關軍事方面的二百七十多個文件裏，以報告戰況的爲最多，約有百件；其次是屬於文武官員之任免與獎懲的，約有八十多件；再其次是屬於軍事之籌備的，如軍隊的補充與調遣、軍器戰船的修造以及餉項經費的籌備之類，約有七十多件；另外，還有二十多個陳述攻剿機宜的奏章。

全書共分十卷。每卷之前列一目次。書首冠以總目。每一文件有一號碼，並在目次內註明頁數，以便檢閱。又因每一文件的原標題不能表明該件的內容，所以在目次內每一文件的標題之下加註最簡要的事由，藉謀檢閱應用的更加方便。

每個文件的末尾本來載有發文的年月日，按照這些年月日的先後來編次，原是不成問題的。可惜這三百九十八個文件裏，却有一百九十六個是「殘件」。缺在前面，還不要緊；缺在後面，就看不出發文的確實年月了。因此，發生編排上的困難。幸而有些殘件還留着收文機關註明收到的年月。按照常例，一件公文由南方各省遞到北京約需一個多月。因此把那些缺了發文年月而有收文年月的文件，排在收文時期的前一個月之末。至於發文、收文的年月都未載明的文件，只得憑着文內述及的年月來約略排列，自然不能完全無誤。應用這些史料的學人，最好在應用的時候，再仔細的加以考證。

南明史料弁言

夏德儀

明崇禎十七年（一六四四）三月北京淪陷、思宗殉國之後，吳三桂便引清兵入關，掃除「流寇」，佔有黃河流域。同時，明朝的宗室和遺臣也在南京成立政府，力謀匡復。不幸福王昏庸，馬、阮專權，到第二年（一六四五）五月裏，南都就又覆亡了。於是魯王監國於紹興，唐王稱帝於福建。他們雖然相繼失敗，但還有鄭成功在東南沿海、桂王在兩廣黔滇繼續抵抗清朝。後來桂王失敗了，鄭成功的子孫却仍以臺灣爲反清復明的基地，仍用桂王的年號，直到永曆三十七年（一六八三）纔爲清朝所征服。而以清朝從順治元年（一六四四）入關起、到康熙二十二年（一六八三）平定臺灣止，要經過四十年的用兵，纔得統一中國。因此，這四十年是清朝統一中國的時期，也是南明努力奮鬪的時期。

當清兵南下破揚州、陷金陵、轉攻浙閩的時候，東南一帶，民族情緒激昂到極點，各地起義抗拒清兵的不可勝數。如給事中陳子龍、吏部主事夏允彝等起兵松江，兵部主事吳易、舉人孫兆奎等起兵吳江，行人盧象觀奉宗室瑞昌王起兵宜興，中書葛麟、主事王朝昇等奉宗室通城王起兵太湖，主事荆本徹、員外郎沈廷揚等起兵崇明，副總兵王佐才起兵崑山，典史閻應元、陳明遇等起兵江陰，僉都御史金聲與邱祖德、尹民興、吳應箕等起兵徽州寧國。江西方面，則有益王據建昌起事、永寧王據撫州起事、兵部侍郎楊廷麟據贛州起事。他們或近受魯監國的節制，或遙與唐王通聲氣（見稻葉君山「清朝全史」第二十六章「明人恢復事業之悉敗（上）」）。監國元年（一六四六），魯王被迫航海，走厦門。四年（一六四九），張名振迎魯王入浙，佔據舟山。於是浙江方面的反清運動又盛極一時，溫、台、寧、紹諸遺民乘間爭結山寨的不下數百處，而以四明大蘭山王翊之軍、上虞東山李長祥之軍、上虞平岡張煌言之軍爲較堅整（見魏源「聖武記」卷八「國初東南靖海記」）。他們的反淸運動雖都失敗了，他們的熱血丹心却被記載下來，如查繼佐的「罪惟錄」、「東山國語」和溫睿臨的「南疆佚史」等書便敍述了許多這些志士們的事蹟。

這部「南明史料」是從中央研究院歷史語言研究所刊布的「明淸史料」各編中選輯出來的。凡分四卷：卷一有六十二個文件，自順治二年迄四年；卷二有四十八個文件，自順治五年迄七年；卷三有三十個文件，自順治八年迄九年；卷四有五十一個文件，自順治十年迄康熙元年。全書共計收了一百九十一個文件，多數是清朝平定江、浙、皖、贛等省的軍事報告和奏請制裁或招撫各地反抗分子的文件。雖然這些文件裏充滿了「叛賊」、「逆寇」之類的字樣，但很可以看出當時東南各省民族情緒的高昂和反淸運動的激烈，而爲研究南明史事的好資料。因此，我們稱這部書爲「南明史料」。

鄭成功及其後人的抗淸復明事業，原亦屬於南明範圍，但因史料分量過多，另編「鄭氏史料」。所以這部「南明史料」的內容是以江、浙、皖、贛爲中心的。但其中有些事情，也未嘗不與鄭氏有關，應請讀者參閱「鄭氏史料」。

櫟社沿革志略弁言

吳幅員

臺灣前在日據時期，各地詩社簇出，櫟社爲其中負有盛名者。民國二十年，當該社成立三十週年時，社員傅錫祺編有「櫟社沿革志略」一種，並於同年菊秋梓行。先是，該社於民國十三年刋出「櫟社第一集」；及至民國三十年，又有「櫟社第二集」之編印。後一集，由於日本政府之查禁，未見流傳。茲將「志略」一書編列爲「臺灣文獻叢刋」之一，並以「櫟社第一集」作爲「附錄」。

原書因受當時環境所迫，係用「日曆」紀年，並稱祖國大陸爲中國(或中華民國)、日本本土爲「內地」。前者經已易以「中曆」(如「明治三十五年」改爲「淸光緒二十八年」、「昭和二年」改爲「中華民國十六年」)，後者卽改作「大陸」與「日本」。此固不獨爲國人便於省覽起見，要亦爲當日櫟社諸君子略舒抑塞未宣之氣！

淡水廳築城案卷弁言

劉枝萬

我國自古卽有城垣之設施，清代亦承古制，京師以至省、府、廳、州、縣治，概建城廓；惟其規制，隨地而異。在臺灣，自康熙四十三年諸羅縣治環以木柵爲城後，鳳山城（康熙六十一年）、臺南城（雍正元年）、彰化城（雍正元年）、竹塹城（雍正十一年）、宜蘭城（嘉慶十五年）、恒春城（光緒元年）、大埔城（光緒元年）、臺北城（光緒五年）、雲林城（光緒十二年）、媽宮城（光緒十三年）、臺灣城（光緒十五年）等城垣，先後興建。惜各城建置沿革，方志、碑記及各種文獻多語焉不詳；蓋以當時案卷，概已散佚無存故也。今唯一可資查考者，祇有淡水廳竹塹改築石城案卷而已。

淡水廳築城案卷，現藏於臺灣省立博物館，起自道光六年十一月地方紳士、舖戶具呈籲請建城，以迄道光二十三年十二月繕修水關及其他未竣工程，記載顚未綦詳。前於民國五十一年，嘗稍予整理，刊於「臺北文獻」第一期，俾補地方文獻之闕。茲重加整理、標點，列入「臺灣文獻叢刊」，以期廣爲流傳。

淡水廳志弁言

周憲文

在這本陳培桂修的「淡水廳」未纂輯以前，淡水廳已有清道光年間鄭用錫輯的「初志稿」（即「志略」）及同治六年同知嚴金淸招聘林豪輯的「續志稿」二書；惜均未印行，亦未見稿本流傳。以上兩志稿，有鄭氏撰「初志稿序例」、林氏撰「續志稿序例」與梁元桂撰「淡水廳志續稿序」三文載於本書卷十五（上）「文徵」（上）之末，可供參考。本書「據二稿增訂修輯」，固已在「凡例」中說明（書中有稱「嚴志稿」及「鄭稿」者，即指此兩書）；但未敍及上述三文。特首先於此指出，以冀讀者注意。

本書間有紕繆，「續志稿」編者林豪另撰有「淡水廳志訂謬」一卷，言之綦詳。平情而論，本書錯誤固屬不免，仁智互見之處亦所在俱有；林氏幾斥其一無是處，未免過甚。茲特附「訂謬」一卷於書末，俾資參閱與折衷。

至原書目錄與書中標題互有出入，此次重刊，均經酌加改訂一致；併此附及。

臺案彙錄乙集弁言

夏德儀

我們曾經把省立臺北圖書館所藏的抄本「臺案紀事本末」改編增輯，稱做「臺案彙錄」，列爲「臺灣文獻叢刊」第三一種。在從「明淸史料」裏尋找和「臺案紀事本末」相關的資料時，我們覺得「明淸史料」各編裏許多與臺灣有關的檔案，應該分類整理，陸續刊印，以供硏究臺灣史者的應用；因此在那一部「臺案彙錄」的名稱下面加了「甲集」二字，打算接着編印乙、丙、丁、戊諸集。這部「臺案彙錄乙集」便是從「明淸史料」戊、己兩編裏輯錄出來的。

全書共收三百三十三個文件，是康熙、雍正、乾隆、嘉慶和道光五朝臺灣文武官員之任免、陞調與奬懲的重要資料。我們仔細閱讀之後，按其內容，分作五卷。卷一的二十一個文件敍述臺灣文武官員免任、陞調、差遣、交代的若干條例；卷二的三十二個文件和卷三的六十八個文件都是記載臺灣文職官員之任免、陞調與奬懲的；卷四的一百零二個文件和卷五的一百一十個文件都是記載臺灣武職官員之任免、陞調與奬懲的。凡同一文件而兼涉文官和武官的，我們把它列在文官檔內。

在臺灣的各地方志裏，雖也記載了臺灣文武官員到任卸任的年月，但很簡略，不及這些檔案內容的詳盡。這部書裏雖然輯錄了三百三十多個文件，但也不是清朝統治臺灣時期臺灣文武官員任免、陞調與奬懲的完全資料；因爲在這些文件裏，康熙年間的只有一件，雍正年間的只有九件，乾隆年間的最多（二百五十一件），嘉慶年間的次多（五十七件），道光年間的只有十五件，咸豐以降却沒有一件。

這三百三十多個文件都很完整，沒有殘缺，因此每卷都能按照年月的先後來排列。每卷之前，立一目次。每一文件有一號碼，並在目次裏注明頁數，以便檢閱。又因每一文件的原標題不能表明其內容，所以在目次內每一文件的標題下面加注簡要的事由，使應用的人更加方便。

在這些文件裏，雖然只有二十一件是關於臺灣文武官員任免陞調之類的條例，但其他許多奏摺也常常述及任免陞調的規定。臺灣官員的任免陞調大都是依照規定來辦理的，但有時也憑着皇帝個人的意思來作最後的決定。在此書裏便有兩個值得注意的事例。第一個事例見於第三卷的六七號文件。先是，閩浙總督鍾音等請以同安縣知縣鄔維肅陞補臺灣府海防同知。吏部議奏：『查定例，題請陞補人員，任內有降級、降職、革職留任及承追督催、停陞徵收之案，不准題保等語。今同安縣知縣鄔維肅任內有承辦閩省貢監換照遲延降一級留任一案、又承追范外贓銀未完案內降俸二級戴罪督催一案、又承追黃才收贖銀兩未完案內降俸二級戴罪督催一案、又承追臺灣縣船戶蔡振成收贖銀兩未完案內再降俸二級戴罪督催一案，均與陞補之例不符，應將該督等所請陞補臺灣府海防同知之處毋庸議』。可是皇帝的聖旨却說：『鄔維肅着照該督等所請行』。這是乾隆四十年六、七月間的事。第二個事例見於第三卷的一〇三號文件。先是，閩浙總督玉德等請以長樂縣知縣李鍔調署彰化縣知縣。吏部議奏：『查李鍔浙江舉人，現署長樂縣知縣，嘉慶三年九月十二日到任。該員例應俟實授扣滿三年方准調補，今並無實授；且任內有二年分額徵地丁銀米穀石未完不及一分停陞罰俸一年戴罪徵收一案、又三年分地丁錢糧未完四分以上降職四級戴罪徵收一案、又三年分糧米等項未完一分以上罰俸六個月戴罪督催一案、又四年分米耗項下未完三分以上降二級留任一案、又四年分地丁項下未完二分以上降職二級戴罪徵收一案、又四年分並節年餘銀未完一分以上降俸一級停陞戴罪督催一案、又四年分糧米未完一分以上罰俸六個月戴罪徵收一案、又五年分糧米項下未完二分以上住俸戴罪徵收一案、又六年分經徵地丁項下未完二分以上降職二級戴罪徵收一案、又六年分糧米項下未完一分以上罰俸六個月戴罪催徵一案、又六年分長樂縣本任未完二分以上降職二級戴罪徵收一案、又七年分地丁未完一分以上降職一級戴罪徵收一案、又七年分糧米未完一分以上罰俸六個月戴罪催徵一案、又七年分耗羨未完二分以上降職二級戴罪徵收一案、又罰俸八十三案，均與調署之例不符，應毋庸議』。並請『將違例奏請調補之閩浙總督玉德、福建巡撫李殿圖均照例罰俸九個月』。可是嘉慶九年四月二十二日奉旨：『李鍔准其調署彰化縣知縣；所有玉德等應得處分，俱着加恩寬免』。玉德在奉到吏部的咨文之後，還上了一個「恭謝天恩」的奏摺。足見專制時代，君主的舉動是不受任何條例約束的。

清代官書記明臺灣鄭氏亡事弁言

夏德儀

此書原名「平定海寇方略」，共四卷；係自內閣檔案中尋出，存於中央研究院歷史語言研究所。民國十九年二月排印行世，改稱「清代官書記明臺灣鄭氏亡事」；其刊行凡例云：『同人以此爲明人對滿洲最後之奮鬭，名以海寇，實未允當，爰爲改易今名』。

書首有海鹽朱希祖逷先先生所作長序。其述此書內容云：『所記起於康熙十八年二月命康親王傑淑會議征剿海寇機宜，至康熙二十三年十二月授克塽公銜、劉國軒馮錫范伯銜止；而以海寇鄭錦發端，並追記其祖芝龍、父成功大略。自十八年二月至十九年八月克金門、廈門，福建平，爲第一、二卷；自二十年六月命總督姚啓聖等規定彭湖、臺灣，至二十三年臺灣設郡縣、封鄭克塽公爵，爲第三、四卷。舉諸將帥之勞績而歸功於元首一人之策畫，故曰「方略」』。

此書既已撰成，何以棄置未刊？逷先先生釋其故云：『考清代每次用兵，苟獲勝利，必著有「方略」，以誇耀武功。如「開國方略」、「平定三逆方略」，以及平定朔漠、金川、準噶爾、三省邪匪、回疆逆裔、粵匪、捻匪、陝甘新疆回匪、雲南回匪、貴州苗匪，皆有所謂「方略」者。他若平定蘭州石峯堡、臺灣、安南、廓爾喀、巴布勒、苗匪、教匪等，亦有所謂「紀略」者。獨於南明三朝及臺灣鄭氏，無有所謂「方略」及「紀略」者，蓋其事本有慙德。清之先爲明代臣僕，世食其祿，至奴爾哈赤，身爲明都督，加龍虎將軍，而跳踉遼東，勢將噬主；至其子孫，遂屋明社，入關稱帝。雖曰得天下於李自成手，譬猶盜入主室，奴僕逐盜，而竟自據其室，殺其子弟族姓，而猶沾沾自誇，著之「方略」，不亦自暴其罪乎！此南明三朝之亡，所以不敢作「方略」也。鄭成功，賜姓朱氏、封延平王，受命專征，至其子孫猶奉明正朔，忠正如此，而叛逆若彼，一朝爲其破滅而反稱爲海寇，著之「方略」，不亦傎乎！此「平定海寇方略」所以雖成書，而不敢宣示於人也』。

逷先先生又謂『此書記載，不特對於鄭氏有詆毀失實之辭，即對於姚、施諸將亦有抑揚偏袒之語』。並舉五例，詳論此書之失。茲將其文繫正文之內，藉供讀者參考。

又史語所印本，爲保存原書形式起見，將塗抹刪削及另行增添之字句一概刊入，或以括弧爲別，或以小字排於正文之旁。此本只就清稿謄錄，加以標點、分段也。書內凡用干支紀日者，皆查明日數，附於正文之內。

臺案彙錄丙集弁言

夏德儀

我們把「明清史料」戊、己兩編裏有關臺灣行政的檔案輯錄出來，編成這部「臺案彙錄丙集」；唯有一例外，內有一個文件錄自「史料旬刊」（見卷七第七六號文件）。按其性質，分做八卷。

卷一有二十二個文件，是臺灣地丁銀穀、耗羨、莊租、雜稅、鹽課等項之報銷與減免的資料。卷二有十個文件，是臺灣倉儲與捐監銀穀的資料。卷三有十三個文件，是臺灣各地遭到颱風、地震和水旱之災而辦理賑恤和緩免賦稅的資料。卷四只有七個文件，是臺灣各地修建城垣、衙署、監獄、壇廟的資料。卷五有十七個文件，敍述臺穀運銷的情形。卷六只有六個文件，敍述科舉考試的事項。卷七有二十四個文件，大都是關於臺民搬眷和禁止偷渡的事情。卷八有十三個文件，大都是關於臺灣興革事宜的意見。

各卷之中，有少數文件是敍述福建全省之事的。但那時臺灣是福建省的一府，當然有關係，所以這些文件也被收入了。又卷三的第四九號文件是福建按察使請在廈門同知衙門建設監獄的案子。因爲臺屬解省罪犯，多配船移交該廳查收，發縣轉遞。而廈門距同安縣城七十里，中隔水洋，不及當日寄監；且臺屬解省，每多斬絞重犯，旣慮疏脫、又怕賄縱，所以厦門同知衙門非有監獄不可。從這個文件的事由看來，似與臺灣無關，其實厦門監獄是爲臺屬解省罪犯而設的。因此這個文件也被收入了。

本書雖輯錄了一百一十四個文件，但分成八類之後，每類都覺得不完全。可是其中也有可貴的資料。如卷二第二九號文件福建巡撫奏報乾隆四十七年分福建通省戶口數和積穀數的奏摺裏說：『臺灣府屬實在土著流寓民戶男婦大小共九十一萬二千九百二十名口』。這是距今一百八十年前官方所報臺灣人口的總數。又如卷八第一〇二號文件，乾隆二年四月內閣學士吳金的奏摺說：『臺郡孤懸域外，雖彈丸一府，而控制（外）洋；近則如江、浙、粤、閩之保障，遠則如燕、齊、遼、（瀋）之應援，南北萬里，資其扼要。且山深地曠，尤易藏奸』。他覺得閩省督、撫對於臺灣，「實有鞭長莫及之虞」。所以他建議『將臺（灣府）另分一省，專設巡撫一員，帶兵部侍郎銜（駐劄）臺灣地方，統轄文武。凡錢穀、刑名、考成、調遣、（應）舉、應劾，俱聽其題奏辦理，庶責任既專，而就近稽查，則屬員自不能掩飾廢弛，於海防重地大有裨益』。可是覆議的結果，認爲以臺灣『彈丸之地，所屬不過一府、四縣，而竟改爲省制，於體不可、於事無益。吳金此奏，應毋庸議』。於是皇帝批了一個「是」字，這個建議便作罷了。直到一百五十年後，臺灣纔正式建省。

本書編排整理的方法，皆與「臺案彙錄乙集」相同，這裏不再瑣瑣敍述了。

爝火錄弁言

吳幅員

這本「爝火錄」，爲清江陰李天根（一名本，字大木，別號雲墟散人）所輯（內卷三、卷四及卷八的卷題下另有「常熟後學金宗皚編次」字樣，今已省略）。用「編年」的形式，排日編纂。正文分三十二卷，記南明五王事蹟；末輯「附記」一卷，續記三藩與臺灣鄭氏的史事。

本書外型雖屬「編年」，但實際並非「綱目」體例，純屬一種「長編」性質的史料。綜其內容，有兩特點：（一）搜輯於乾隆末燬禁野史以前，有許多資料爲他書所未見；（二）述而不作，本文『無一字出之於己』（偶有一些「按語」，另以小字加入）。這就搜輯史料的觀點而言，極爲寶貴。同時，亦有其缺點：各項記事的來源，在書首固有「引用書目」；但在書中僅有少數特殊地方注明出處，餘祇就「明史」、「明紀綱目三編」與所謂「羣書」（按指「明史」等二書以外各書）兩者間用「行款」加以區別而已（參閱「凡例」）。蓋明季各種史料記載，每因傳聞異辭或出諸愛憎之口，是非互異、主客不分；如果每條記事分別加注來源，俾使學者在利用時知所去取，更屬有用。可惜纂輯者不曾及此！

原刊見「明季史料叢書」（民國二十三年聖澤園影印），款式悉依「凡例」所定。現在重行排印，自不能一概仍舊；除增加標點外，由於本書體例特殊，並作如下改變：

（一）關於編年與紀日：編年統併於一行，頂格；干支下添注公元，明曆另加括號。紀日干支加括號，並一律單行頂格，藉資醒目。

（二）關於行款與段落：原「頂格書」者（卽引自「明史」及「明紀綱目三編」者），低二字起行（餘行頂格）；原「低一格書」者（卽引自「羣書」者），低四字起行（餘行低二字）。至每條記事，不論長短概不分段，以免「條」與「段」相混；惟各日記事，或就同屬一事、或就同屬一地、或就性質相類者，彼此間留一空行，用示區分，以便省覽。

按原刊本爲「寫本」縮版影印，字小如蟻；因有許多不能辨認的字，只得「付之缺如」而以方框（□）代之。又，這本彙輯一百多種文獻「述而不作」的巨編，所集資料既廣泛、又龐雜，其間疑誤隨處可見；不但許多譌字尚有待考訂，並所下標點亦難盡允當。敬希讀者賜予指正！

臺案彙錄丁集弁言

夏德儀

「臺案彙錄丁集」是從「明清史料」戊、己兩編裏選錄了一百十八個文件編輯而成的。全書分作五卷。

卷一收了二十四個乾隆時期的文件，卷二收了三十一個嘉慶和道光時期的文件。在這些文件裏，以關於臺灣馬政——如奏留馬匹在臺試養、報銷官馬朋扣皮臟銀兩以及請裁馬匹之類的爲較多，其次則爲關於臺澎各營修建衙署兵房、戍臺班兵的調撥與配渡、賞卹遇匪禦盜被難的弁兵、題報官莊租息、籌撥防堵經費、調駐營員、移撥汛兵以及恭報奉到恩詔、律例、王命旗牌和欽頒督捕則例之類的例行公事。總而言之，都是有關臺灣軍事行政的各項檔案。

卷三收了乾隆、嘉慶和道光時期的二十個文件，全係巡閱全臺營伍的報告。按照定例，臺灣總兵年須巡查所屬營汛地方，校閱官兵武藝、點驗軍裝器械；但將軍、督、撫和水提、陸提也要分年輪流渡臺巡閱。所以這一卷的文件，四分之三是臺灣總兵的報告，四分之一是將軍、巡撫和水陸提督的報告。

卷四收了雍正、乾隆時期的十三個文件，卷五收了嘉慶、道光時期的三十個文件。

這些文件大都是報告督解臺澎餉銀、運載戍兵眷米、報銷官兵俸餉馬乾紅白賞銀和眷口米折銀兩的檔案。

巡閱營伍和辦理軍餉，原也是軍事行政的事項；因爲這兩項的文件比較多，就特爲分作兩類，編爲三卷（卷三～卷五）。

各卷之中，有些文件是奏報福建全省之事的。因爲臺灣是福建的一府，這些文件當然與臺灣有關，所以也被收入了。

本書最値得注意的是嘉慶九年正月二十四日的一道上諭（見卷二第三三號文件）。這個上諭先述淸朝的經制兵在乾隆晚期以前是如何的能打仗：

『國家設兵，所以衛民，內而八旗勁旅、外而駐防綠營，原以備一時徵調之用。我朝從前用兵域外，平定準噶爾、回部、大小金川以及剿捕內地亂民，均係調用額兵，隨征奏凱，從未有雇募鄉勇之事』。

繼述乾隆五十二年用兵臺灣以及嘉慶初期幾年間平定川、楚白蓮敎之亂，却都雇募鄉勇：

『自臺灣匪徒林爽文滋事時，該處地隔海洋，本有義民等急公慕義，請効馳驅；因而隨宜量用，協同官兵，分司搜剿。

『迨至剿辦邪匪，帶兵大員及地方官等召募鄉勇多名，輾轉隨征，以致愈集愈多，數盈累萬』。

國家既有經制兵，爲什麼又雇募鄉勇呢？上諭說：

『揆厥所由，皆因武職大員不能實心辦公。平居無事，往往令本標兵丁充僕隸厮養之役，或兼習手藝，在署傭工；而於訓練操演，轉視爲具文。屬下將弁相率效尤，而督、撫大吏又不能隨時整飭，遂致隸名營伍，步伐茫然；一旦有事徵調，其能知紀律、陷陣衝鋒者寥寥無幾，勢不得不募民充勇，以供調撥』。

這個上諭說明了嘉慶時期清朝的經制兵——八旗與綠營都已腐敗不堪。白蓮教亂之平定，不是這兩種額兵打平的，全靠團練鄉勇之力。

考團練鄉勇的政策，是由合州知州龔景瀚建議的。他因八旗官兵不可靠，所過地方受害甚於盜賊；所以主張募集鄉勇，給以武器，舉辦團練，既可替國家節省軍費，又可減免地方的擾害。其時，四川一省便有鄉勇三十萬人。事平之後，又把鄉勇的兵器收回。嘉慶皇帝還下了這一道上諭，認爲：

『國家兵制之設，有將軍、都統、督、撫、提、鎮以資統轄，設立營伍，蒐簡軍實，豈尚不能爲國宣力？乃必藉閭閻未經練習之人供疆場折衝之用，則又安用官兵爲耶？

『兵之強弱，總視乎練兵之勤惰。如勤加訓練，則弱者可漸使之強；倘玩愒從事，則強者亦流而爲弱』。

他諭令各省將軍、都統、督、撫、提、鎮等：

『嗣後均應飭營員，痛改〔前非，督率〕官兵，認眞操演。俾標兵皆成勁旅，以肅軍政而勵戎行』！

可是，這種頽風終究未能挽囘。清代的經制兵既不足以平內亂，當然沒有捍禦外侮的能力；所以後來一與西方武力接觸，便無往而不敗。而洪、楊之役，也全靠鄉勇之力才得平定。足見八旗、綠營的腐化，是清代中衰的主要象徵之一。

臺案彙錄戊集弁言

夏德儀

「臺案彙錄戊集」是從「明淸史料」戊、己、庚三編裏選錄了一百五十八個文件編輯而成的。按照內容，把這些文件分做三大類。第一類是海洋遭風的事情，依時代的先後，編爲三卷。第二類是修造戰船的事情，依時代的先後，編爲二卷。第三類是修製軍裝器械的事情，編爲一卷：全書共計六卷。

現在先就前三卷中關於海洋遭風的文件作簡略的分析：

(一) 這些遭風失事的船隻，多數是臺、澎或內地各營的哨船，少數是來臺貿易的商船。

(二) 這些船隻，有因出洋巡哨而失事的，有因配載班兵赴臺或由臺內渡而失事的，有因運載餉銀或兵穀而失事的，有因載送軍裝赴省修理或運軍械赴臺而失事的，也有哨船駕廠拆造或在廠修竣回營而失事的。

(三) 失事的情況：船則或被浪打翻、或衝礁擊碎、或飄流無蹤；船上人員，或則全部扶板得生、或則少數淹死、或則多數溺斃、或則全部漂失，下落不明。

（四）事後的查報：在主管將備接到失事的報告之後，一面派人打撈屍身和漂浮沈失之物，一面轉報上級官廳。在督、撫接到初步報告之後，照例行司飭查：要問失事的船隻因何遭風擊碎？是否管駕不愼？有無捏飾情弊？淹死多少人？得生多少人？沈失的東西有無撈獲？於是又由下級主管官員層層具報到司。他們根據實地的勘察，說明失事的原委，委係遭風擊碎船隻、淹斃弁兵，既非管駕不愼，亦無捏飾情弊；並且訊取得兵弁切實供結，加具該管將備失船地方官印結以及澳甲居民甘結，移請轉詳題銷、造補、賞恤。再由司查照定例，加上「看語」，轉請督、撫會銜專案題奏。每一個皇帝看到這一類的奏摺，都深爲憫惻，照例諭賜卹賞。

（五）卹賞條例：康熙五十三年，福建臺灣和廣東碣石曾有海洋遭風傷損官兵之事，聖祖皇帝特頒諭旨，令地方大吏加以恩卹。雍正六年二月初五日，世宗皇帝又有上諭：『朕思海洋危險之地，凡官弁、兵丁等若因公事差委、遭風受困者，當照軍功加恩。倘有不幸至於身故者，當照陣亡之例優卹。着九卿分別詳細定議具奏』（見本書卷一第一號文件）。後來究竟如何議定，不得而知。但在乾隆四年六月間閩浙總督郝玉麟的題本裏便說：『查定例：內洋內河船隻因公差委，被風飄沒，身故兵丁照陣亡例減半給與卹賞銀兩，落水得生兵丁照二等傷例減半賞給。又定例：兵丁陣亡給銀五十兩；如無妻子親屬，照例給奠銀二兩，遣官致祭；二等傷給銀二十五兩』（見本書卷一第三號文件）。不久又小有修改；乾隆九年六月間閩浙總督那蘇圖的揭帖說：『查定例：沿海弁兵因公差委、遭風溺水、幸獲生全者，官照軍功加一級，兵照軍功頭等傷例賞給。又定例：軍功頭等傷給銀三十兩』（見本書卷一第四號文件）。以後就一直遵行未改。

在卷三第六六～七一的六個文件裏，三件敍述琉球國番船被風飄到臺灣，一件敍述朝鮮國番船被風飄到臺灣，一件是辦理晉江船戶陳吳勝由臺配運兵米、遭風飄到呂宋盜賣的案子，一件是署澎湖通判烏竹芳的眷屬被風飄到暹羅國、經該國王給資附載來粵、遵旨優賞該國大庫呸雅打侃緞疋等項。這六個文件，四件是乾隆年間的、兩件是道光年間的。因爲都和海洋遭風有關，所以附編在卷三的後半卷裏。

本書四、五兩卷，大都是關於估報、奏銷和核銷修造戰船工料銀兩的文件。戰船之所以不斷的修造，一則因爲在洋遭風擊碎，必須補造；一則由於保持駕駛之安全，必須按期小修、大修或拆造。

按照定例，戰船出洋被風打破，由該管官查勘之後，出結詳報督、撫查明題報，免其賠補，准動庫款補造（見本書卷一第三號文件）。

定例又載：『海汛戰船，自新造之年爲始，屆三年准其小修；小修之後再屆三年，准其大修。此大修之後再屆三年，如船隻尚堪修理應用，仍准其大修；如果朽壞不堪修理，該督、撫查明保題，准其拆造』（見本書卷四第七二號文件）。按此定例爲康熙二十九年題准（見「欽定福建省外海戰船則例」卷首）。

又凡補造或修造任何船隻，照例先由督、撫查明該船長濶丈尺，一面估報應需工料銀數、一面支給船廠購料，限期興工。報竣之後，再由督、撫專案題報，經工部核銷。

福建全省共有福州、泉州、漳州和臺灣四個船廠，臺、澎各營戰船大都交臺廠修造。只有嘉慶十年六月臺營添造大號同安梭船三十隻，閩浙總督玉德以『臺灣僻處外海，向不產木及釘鐵油麻等項，歷來臺廠造辦戰、哨各船，俱由臺灣道專差赴省購買，運回應用；重洋遠隔，不惟風浪堪虞，且恐躭延時日』爲辭，奏請『委員在省城代爲成造，以期妥速』。皇帝批了一個「覽」字，大約是默許了（見本書卷五第一〇六號文件）。這筆工程後來如何報銷，現尚無案可稽。但在同年閏六月內，玉德卻因請銷臺廠船隻，『不照成規比例核辦，惟藉口於物料昂貴，虛糜浮冒，有意朦混』，而被『傳旨申飭』（見本書卷五第一〇七號文件）。因此，我們懷疑玉德把應歸臺廠興造的三十隻大號同安梭船奏請委員在省代爲成造是別有所圖。

以上只略述補造和修造戰船的定例，至於各船名目、長濶丈尺、所隸營分、所編字號以及修造限期和工料銀兩，在本叢刊第一二五種「欽定福建省外海戰船則例」一書裏都有詳細的記載和規定，讀者可以參閱。

關於臺、澎各營製造軍裝器械的檔案爲數較少，彙錄於本書卷六的只有十七件。因爲在洋遭風沈失的軍械多由各營設法捐造，既不在司庫撥款，自然不必報銷。這十幾次的製造軍裝器械，大約是因各營軍械年久朽壞，屆限應行修造；或因臺灣發生了所謂「匪亂」而須臨時添製，或因戰爭期中軍械損失過多而須補充。製造軍裝器械，照例也要先行估報工料銀兩；完工之後，再行專案奏銷，由工部查核。

又據道光十五年閩浙總督程祖洛請將閩省內地各營修製軍裝器械仍歸各營自行承辦的奏摺說：『閩省各營軍裝器械，從前本在省城設立官局專司修製，嗣又歸各該營各自立局承辦，旋復於省城等處分設六局辦理。嘉慶十三年間，前任福州將軍臣賽冲阿等奏明歸營自製，將官局撤銷。因臺灣不產鐵斤，將臺、澎各營軍械仍由省城委員成造。嘉慶二十四年，有延平左、右營請製剿捕蔡逆案沈失軍械，奉部行令彙入通省損失軍械案內辦理，不得分案請製，免致牽混。前督臣董敎增遵照部行，彙案估製，委員在省承辦。從此復開由省委員彙製之端，以後無論是否事關通省，類多彙齊數營，援案奏請由省製辦，其由營自製者甚少』。他又說：『臣前年渡臺，上年暨今年又周歷全閩，查閱軍實，見各營軍械之由省委員製造者，總不若由營自製之堅利合用』。因此，他奏請『嗣後凡遇屆限應行修製及巡洋遭風損失等項軍裝、器械，悉歸各該營自行領辦，製竣後由該管鎮將親自驗收結報；不准再有由省委員代辦名目。即事關通省，如道光十二年分剿辦臺匪損失軍械等案，雖未便分案題奏估銷，致滋朦混；亦請彙案奏辦，分營領製，由司彙總報銷。其臺灣、澎湖各營軍械，仍照臣奏定善後章程，責成水師提臣委員監造』（見本書卷六第一五八號文件）。

本書之末，附錄了一個「正藍旗漢軍出演礮位數目清單」，因爲其中有「臺灣銅礮」、「大臺灣銅礮」和「小臺灣銅礮」的名稱。單內有「咸豐元年三月」的字樣，足見此單是在咸豐元年以後開列的。

清職貢圖選弁言

吳幅員

清代官書有「皇清職貢圖」一種（乾隆間編纂），內容係將所有藩屬與海外交往諸國官民以及國內各地先住民男女的狀貌、服飾一一加以圖繪，並說明其生活與「貢賦」情況；其目的，在所謂「以昭王會之盛」（引用乾隆帝「諭旨」中語）。全書計分九卷，卷一為藩屬與海外交往諸國，卷二以下均屬國內各地的先住民。本書所選，一為統治過臺灣數十年的荷蘭國人及其所役使的「烏鬼」，二為分布於臺灣境內的先住人。選輯的用意是在搜集研究資料，顯與原編有所不同；但為求明瞭當時時代背景與編纂經過，仍將原編卷端所載乾隆帝「諭旨」一道以及跋文一篇刊諸書首。

臺灣府輿圖纂要弁言

吳幅員

臺灣省立臺北圖書館藏有「臺灣府輿圖纂要」（封面題箋「輿」書作「總」）及臺灣、鳳山、嘉義、彰化、淡水、澎湖、噶瑪蘭等七縣廳的「輿圖纂要」寫本各一冊，合計八冊。各冊除了蓋以省立臺北圖書館「藏書章」以外，尚連續蓋有「臨時臺灣舊慣調查會圖書印」、「臺灣總督府圖書」、「臺灣總督府圖書館藏」等印章以及「大正十年六月十八日臺灣總督府ヨリ保管轉換」之戳記（年月日數字係填寫）。凡此，可資說明這八冊「輿圖纂要」初為日據時期的臨時臺灣舊慣調查會所得或所抄以及隨後入藏的經過。其在日據時期所編的書號，八冊同為「漢四三九號」，並各註明「八冊」字樣；這又可證各冊名稱雖不同，實際卽為一套完整的文獻。按臺灣的行政區劃，當清康熙二十三年正式收入版圖以後，初設臺灣府（隸福建省），下分臺灣、鳳山、諸羅三縣（澎湖隸臺灣縣）；至雍正年間，先後析增彰化一縣及淡水、澎湖二廳。後至嘉慶十五年，又增置噶瑪蘭廳，成為臺灣一府與所屬臺灣、鳳山、嘉義（乾隆五十二年林爽文亂後，諸羅改稱）、彰化四縣及淡水、噶瑪蘭、澎湖三廳。此一行政區劃，迄於同治十三年日兵侵臺以後再一次改革止，中間延續六十餘年。這套一府七縣廳的「輿圖纂要」，洵可謂這一階段的臺灣「地理志」。

顧名思義，「輿圖纂要」自以地圖爲首；各縣廳的輿圖分別見於卷端，惜「臺灣府」的「總圖」付諸闕如（按「例言」，似應有圖；疑已失）。所纂文字部分，約各分爲「表」、「冊」、「說」三種（但「臺灣府」無「表」，「彰化縣」與「淡水廳」無「說」）；先列以「表」而以「說」爲殿。「說」係概括的說明「地方的形勢與險要」（因亦有題稱「險要說」者），「表」與「冊」大體各分疆界、坊里、山川、橋渡、城池、衙署、防汛、道里諸目分別列敍（澎湖因地理特殊，分目略有變更）。此外，在「表」以前，間亦加有「凡例」性質的例言。「嘉義縣」的「凡例」末尾，並附有『餘例與龍溪同』一語；足見這套「輿圖纂要」或爲福建通省的一部分，非僅臺灣一府所獨具。至其編纂的動機與旨趣，未見說明；但每見有「履勘所及」以及「造報」、「以呈」、「以聞」等辭句，似爲一次有計劃、有規模的「測勘」所作的「報告文獻」，殆屬無疑。又，在各「冊」或「說」中頗多敍及嘉慶、道光、咸豐年間以及同治元年「戴案」與各國洋艘收入鷄籠海口、遠赴滬尾完稅諸事，推究其纂輯時間，當在同治初年不久。臺灣自乾隆二十九年余文儀續修「臺灣府志」後至光緒建元，其間罕見有通府「地理志」的編纂；自此以降，雖有夏獻綸著「臺灣輿圖」一書（「文叢」第四五種），然時在光緒五年行政區劃再度變革之後，情形已各不同。因此，這套「輿圖纂要」，亦可謂前繼「余志」、後逮「夏圖」上下相承的輿地文獻。

茲將這套文獻略爲整理編次，彙印一書，卽名之曰「臺灣府輿圖纂要」。

朱舜水文選弁言

吳幅員

這本「朱舜水文選」，選自民初馬浮編「舜水遺書」，計收文三十五篇、詩三首並附錄「舜水先生行實」等六篇。

舜水先生名之瑜，明末餘姚人；監國魯王許以「矯矯不折」之士，而黃黎洲則目之為「異人」（黎洲記兩異人，諱「朱」作「諸」）。甲申國變以後，頻年飄泊海外；卒乃淹留日本以老，長抱亡國之痛。綜其生平，除昌明中國學術給與日本以深遠的影響以外，並有兩事極為治史者所注意；即一為舜水與鄭成功的關係，一為舜水乞師日本之說。

關於第一事，日人川口長孺著「臺灣鄭氏紀事」在己亥「鄭成功南京之役」條後補敍云：『先是，朱之瑜數來往海外，備嘗艱苦，竊圖恢復。至是，成功將大舉，故去歲招之而至厦門。而明末風俗頹敗，蔑如禮法；之瑜至，先見成功部下將吏、寄居薦紳率襲明末敝風，佻達自喜，屏斥禮儀以為古氣、為骨董。之瑜知大事難成，在其營中與成功舳艫相接，避不相見』。其下且錄有所謂「與成功書」，書內並評述南京之役的情況與得失。翁洲老民著「海東逸史」「朱之瑜傳」並有云：『己亥，朝（魯）王金門。時朱成功、張煌言會師入長江，之瑜主建威伯馬信營。信，台州副將降於張名振者也；名振死，以兵屬成功與忠靖伯陳輝，之瑜常往來兩軍間。克瓜洲，下鎭江，皆親歷行陣』。這些記載，要皆本諸舜水己亥「與安東守約」書以及「中原陽九述略」等有關遺文（惟「名振死，以兵屬成功與忠靖伯陳輝」一事，未悉何據。蓋名振遺言令所部歸監軍張煌言，悉以後事畀之；論者謂陶謙之讓豫州不是過也。舜水遺文，並未涉及此事）。按「與安東守約」書，卽川口長孺認係「與成功書」；川口並謂『成功亦有「貽舜水書」』（同見「臺灣鄭氏紀事」）。細究原書，知川口說實誤。至川口所云成功「貽舜水書」，未見原文。玆考舜水有一「報國藩書」作於壬辰，時在南京之役前七年（見「送林道榮之東武序」）。舜水遺文稱成功爲「國姓」、「國姓藩臺」或「國藩」，「與安東守約」書稱爲「藩臺」，並無一「鄭成功」字樣。又有稱「國主」者，係指魯王）；但原文亦未見。由此，可知舜水與鄭成功間嘗有往還；不過，也許由於唐、魯舊嫌，舜水對於鄭氏不無微言。

關於第二事，「海東逸史」同傳有云：『御史馮京第之自湖州軍破也，間關入四明王職方翊軍中。時內地單弱，欲藉海外之師爲響應，京第勸（黃）斌卿乞師日本。斌卿因命弟孝卿副京第往，之瑜從之。撒斯瑪王許發罪人三千及洪武錢數十萬，京第先歸，之瑜留；而師不果出』。舜水從京第乞師之說，近人梁啓超斥之爲非(見「飲冰室文集」「黃黎洲、朱舜水乞師日本辯」)。但舜水門人今井弘濟、安積覺合撰「舜水先生行實」却云：『蓋先生所以屢至日本者，欲以王翊爲主，將鄉導而借援兵也。然在日本，未嘗露情洩機』。據此，似亦事出有因。此外，舜水在「上監國魯王謝恩疏」中有云：『臣數年澥外經營，謂可得當以報朝廷』。所謂「澥外經營」又屬何指？凡此所云，均堪玩味。

爲了求證這些史事，因有這本「文選」的編輯。

按「舜水遺書」，凡「文集」二十五卷(內分詩、賦、疏、揭、策問、書、啓、雜帖、答問、議、序、記、跋、論、辯、雜說、贊、箴、銘、碑銘、祭文、雜著等諸體)、「改定釋奠儀注」一卷、「陽九述略」一卷、「安南供役紀事」一卷、「附錄」一卷。所有遺文甚少附有著作年月，卽書札亦未按序編列(例如「與(答)安東守約」各書，先後失次)。茲所選各篇，大多經加考定年次，加註於每題之下(間有一時未能推斷者，從闕)；並不分文體，酌依時間先後編次，以便研讀。惟內有「答源光國先世緣由履歷」一文，撰作時日尚待商榷。據文中「年六十三歲」語，應推定爲淸康熙元年(壬寅)作。另據「舜水行實」，甲辰(康熙三年)源光國始遣小宅生順訪舜水於長崎，詢以東遊意向；在此以前，舜水均住長崎，尙未一見源光國，更無從「伏承面諭」而「謹將」先世緣由及本人履歷具答。此文當作於翌年（乙巳）七、八月應聘至武江或迎至水戶以後，似無疑義。然遺文所記如彼，抑「六十三」之數有誤歟？姑留待續考。由於稽考年月，並發見「舜水先生行實」所繫監國魯王年曆亦有紕繆。卽如監國魯王五年係屬永曆四年（庚寅），誤作永曆六年（壬辰）；餘類推。再舉實例而言，監國九年甲午特敕徵召舜水一事，「行實」入於丙申（永曆十年、監國十一年）；舜水薦舉孝廉時在永曆四年、監國魯王五年，「行實」又入於永曆六年、監國七年。凡屬「行實」所據魯王紀年之資料，均有此失。這在讀「行實」時，尙須加意及之。

至原書之由來，馬浮在「總目」後識之甚詳；特爲節錄如下：『按日本槧朱舜水先生文集二十八卷，門人水戶侯權中納言從三位西山源光國編，日本正德五年（康熙五十四年）其子綱條刻於西京；彼邦謂之「水戶本」。先是，加賀侯文學五十川源剛伯嘗從舜水受學，亦編錄遺文爲「朱徵君集」十卷；以貞享元年（康熙二十三年，後舜水歿六年；舜水以康熙十七年卒，當日本延寶七年也）上之加賀侯；侯好之，欲因以校補，未竟而侯卒，傳本罕見。至近年稻葉岩吉始得「加賀本」取以參校「水戶本」互有出入，乃以二本合刋；其已見「水戶本」者刪之，但存其目。二本皆無詩，又取張廷枚「姚江詩存」所錄「泊舟稿」附之，題曰「朱舜水全集」；是爲「新本」。尋水戶、加賀二本顚次陵躐，頗乏體要；「新本」晚出，裒錄較完。而因仍舊貫，三本錯列，讀者憾焉。今頗有刪定，釐爲「文集」二十五卷，正其譌舛，使就紀理。其「釋奠儀注」一卷、「陽九述略」一卷、「安南供役紀事」一卷名在乙部，舊入「文集」不當，今悉別出；總爲「舜水遺書」。……』（按舜水歿於康熙二十一年，上引所謂「十七年卒」者非）。又，原書精髓所在，在於傳道解惑，昌明中國學術；「文選」所收，僅屬有關當時史事（並及朱氏家世）而已。蓋如前所云，這是由於編印這本「文選」的旨趣別有所在所致。

聖安本紀弁言

夏德儀

「聖安本紀」有兩個本子，都是記南明弘光一朝史事的：一個是二卷本，見於「亭林遺書彙輯」和「明季稗史」；一個是六卷本，見於「荊駝逸史」。六卷本有「發明」和「附錄」，記事較詳。二卷本舊題「顧炎武譔」；六卷本舊題「崑山遺民寧人顧炎武著」，前面還有亭林自撰的序文。但據謝國楨的「晚明史籍考」說：六卷本『乃文秉之「甲乙事案」，後人誤爲一書；書前自序，卽竹塢遺民之自序也』。現在姑且依照舊題，把這兩種「聖安本紀」印在一起，先二卷本、次六卷本。

按本叢刊已經刊出的「明季三朝野史」，亦題「崑山顧炎武亭林氏編輯」。其第一、二卷「聖安紀略」的文字與「聖安本紀」二卷不同，不知這部「三朝野史」是否眞爲亭林所輯？

另有「隆武遺事」一卷，見於「痛史」，無撰人名氏。因爲字數少，不能印成專冊，就附錄在「聖安本紀」的後面。

臺灣土地制度考查報告書弁言

吳幅員

這是一本許世英先生前任福建巡按使會辦福建軍務時，於民國三年間派員至臺調查臺灣土地制度所得的報告書。奉派調查者係前司法部編纂程家潁，這本報告書卽爲程氏所撰。

原書爲鉛印本；本書所據省立臺北圖書館藏本「卷首」部分前缺第一至第四面，可能載有序言。所存第五至十一面，則載兩件公文書，尚可據以覘知這本報告書的來歷。惟兩公文書未冠文題，今分別加以「會辦福建軍務福建巡按使呈大總統文」與「調查員詳福建巡按使文」字樣。其「呈大總統文」中明白指出：民國四年一月組織成立（福建）土地調查籌辦處，並委程氏爲籌辦員。可見當時派至臺灣調查，其目的爲籌辦福建淸丈求取借鏡之資料。因此，原報告書於第二章之後，並列有第三章「條陳閩省淸地辦法大綱」。按這「辦法大綱」計分七目：一、宜定調查之目的；一、宜定預算之計劃；一、宜定土地之種類；一、宜定地積之標準；一、宜定改賦之方法；一、宜設查定之機關；一、宜定應否發給丈單。現在刋行這本報告書，意在提供臺灣土地制度的史料，與原報告書有所不同；因將第三章略去，特存其目如上。又，原書附有圖表三十九號（第

一、二章部分），大多殆屬冊式與圖樣；除留若干具有參考價值的「統計表」分別移揷正文中（其表次已加以改動）以外，餘亦從略。至附錄「日本登記制度考查報告書」的一併刪除，自不待言。

臺灣地輿全圖弁言

吳幅員

這本「臺灣地輿全圖」，係據省立臺北圖書館所藏原題「臺灣地輿總圖」寫本（似爲原稿本）改名印行。原寫本未署編製者姓名，且無序跋或「凡例」一類說明。全編共有地圖十九幅，計爲「全臺前後山總圖」、「臺北府全圖」、「淡水縣圖」、「新竹縣圖」、「宜蘭縣圖」、「基隆廳圖」、「臺灣府全圖」、「臺灣縣圖」、「彰化縣圖」、「雲林縣圖」、「苗栗縣圖」、「埔裏廳圖」、「臺南府全圖」、「嘉義縣圖」、「安平縣圖」、「恒春縣圖」、「鳳山縣圖」、「臺東直隸州後山全圖」及「澎湖廳圖」。每圖並附有「說略」，體例與夏獻綸編「臺灣輿圖」（「文叢」第四五種）約略相類。

在前編「臺灣府輿圖纂要」（「文叢」第一八一種）中，曾略述光緒以前臺灣行政區劃之變遷，並說明「纂要」一書乃爲嘉慶十五年以迄同治末年間的一本臺灣「地理志」。光緒建元，臺灣行政區劃又有兩次改革：一當同治十三年日兵侵臺之後，分設臺灣、臺北兩府，臺灣府轄臺灣、鳳山、嘉義、彰化、恒春五縣及澎湖、卑南、埔裏社三廳，臺北府轄淡水、新竹、宜蘭（原噶瑪蘭廳改設）三縣及鷄籠一廳；此時臺灣統治區域，始及全境。一在光緒十年法兵侵臺之後，又分設臺灣、臺北、臺南三府與一臺東直隸州

（原卑南廳改設），臺灣府（新設）轄臺灣（新設）、彰化、雲林、苗栗四縣及埔裏一廳，臺北府轄淡水、新竹、宜蘭三縣及基隆（原鷄籠廳改稱）一廳，臺南府（原臺灣府改稱）轄安平（原臺灣縣改稱）、鳳山、嘉義、恒春四縣及澎湖一廳；自是臺灣另建行省，與閩分治。前一次改革，約略見諸「夏圖」；後一次改革，這本輿圖卽爲其代表。如與前編「纂要」及「夏圖」並讀，對於有清中葉以下臺灣行政區劃之變遷，不難見其前後軌跡（光緒二十年，雖曾奏准就淡水縣海山堡一帶添設一廳，名之曰南雅廳；旋因中日戰起，未及實施）。

遠在康熙五十三年，淸廷曾派遣法國傳敎士馮秉正(Joseph-Anne-Marie de Mailla)等來臺測繪地圖，創臺灣輿圖使用實測之始；惜所製「皇輿全覽圖」陳列皇宮，外間罕見流傳。此後臺灣所修方志附列之地圖，什九均作山水畫式；直至同治十年印行之「淡水廳志」，方按經緯度作圖，並附以比例尺（以里爲單位）。至臺灣全圖應用較新方法繪製，當自「夏圖」始（按馮秉正等所測繪者，祇限於臺灣西部）。但「夏圖」與「淡水廳志」所作之經度，係依京師起算；這本輿圖（總圖）已改依格林威治作標準，較「夏圖」又有進步。玆在刊印這幾本臺灣輿圖之後，特予附帶指出。

清高宗實錄選輯弁言

吳幅員

清高宗乾隆朝（一七三五～九五）歷時六十年又四個月，這是清代統治臺灣較長的一個朝代。

臺灣前經康熙（一六八三～一七二二）、雍正（一七二三～三五）兩朝，已有一種「擴張」趨勢。但這所謂「擴張」，是指內地人民渡臺移殖，逐漸在北部拓展、向內山推進；清政府祇是隨人民的自然發展，設官置汛而已。嚴格言之，當時政府不特並無「擴張」意圖，反作種種「局限」措施。直至乾隆這一朝，對於內地人民的渡臺，猶時而限制、時而放寬。不過無論限制或放寬，所謂「偷渡」者始終絡繹不絕（卽放寬時期，由於官吏之給照遲延、驗放留難，人民仍多採「偷渡」一途）；這由「偷渡」事件與取締律例之屢見不鮮，可以想見。同時，因內地渡臺人數的增加，與各地先住民（所謂「番民」）的衝突自所不免；於是「番害」時有發生，「番界」屢經變更。這種繼續「擴張」的趨勢，在本書上自不難窺其梗概。

其次，在這六十年中，臺灣發生了一個大動亂，那就是五十一年（一七八六）末的林爽文事變；經過年餘，始告結束。在此之前，三十三、四年（一七六八～六九）間先有黃教事變；在此之後，六十年（一七九五）初復有陳周全事變。其他較小的動亂，更是層出不窮。林爽文事變，與天地會有關。餘如十八年（一七五三）先後發生的大浪泵劉和林、大肚社趙悻、鳳山崎胡通及阿猴溪張鳳喈等樹旗陷害四案，內劉和林旗內有「統領八社番民以翦貪官」等字，張鳳喈旗內有「李開化協同攻打廈門」字樣；四十七年（一七八二）秋彰化漳、泉分類械鬬，於黃再書信中發見有「彰化王爺、小刀會」之語。凡此，均顯屬有組織的政治性運動，與「反淸」的革命不無關聯。此外，乾隆晚期東南海上「洋盜」的抬頭，並已孕育下後來嘉慶朝（一七九六～一八二〇）臺灣蔡牽事變的胚胎。這些動亂記載，佔着本書的極大篇幅，尤以林爽文事件爲最。

再，諸如賦課的變革、倉貯糧運的改進以及禁止武職置產與設置屯丁等事項，均爲這一朝的重要施設，値得注意。此外，附帶選有有關南明史事以及三十八年（一七七三）以後禁燬遺書等一些記載，蓋以「文叢」已另有南明史料的收羅，朵備參證。

清仁宗實錄選輯弁言

周憲文

清仁宗（嘉慶）在位二十五年（一七九六～一八二〇）；他的「實錄」，共計三百七十四卷，分訂一百冊，分量不少。但就臺灣來說，祇有一件事情，比較最爲重要，那卽所謂「蔡牽事變」了。

嘉慶元年正月初十日（丁巳），「實錄」上已有關於閩、浙、粵洋盜的記載，十一月二十日（辛酉），且說「盜蹤」到過臺灣；其時蔡牽已在活動。到了三年九月初二日（壬戌），「實錄」上始見蔡牽之名，說他『已由臺灣逃回內洋』。五年二月二十七日（庚戌）載：『瞭見蔡牽盜船三十餘隻在南日洋面游奕』。七月十六日（丙申）載：『蔡牽幫船，竄入浙境』。八月十七日（丁卯）載：『又回閩洋』。七年六月十三日（壬子）載：『蔡牽在福建大擔門登陸，搶去汛礮』。八年二月，且聞『閩省洋匪與會匪互相勾結，狼狽爲奸』；這說明陸上的天地會與海上的蔡牽聯在一起。九年六月初七日（甲子）載：『蔡牽又至臺灣鹿耳門，突入北汕木寨，並戕害官兵』。二十七日（甲申）載：『蔡牽在浮鷹洋面，將溫州鎭胡振聲坐船擲火焚燒，致該鎭及同船官兵均被戕害』。到了這一地步，仁宗皇帝發急了。七月初一日（丁亥）載：『命以提督李長庚爲總統，溫州、海壇二鎮總兵為左右翼，帶兵緝捕，並勒限嚴拏蔡牽』。八月初六日（壬戌）載：『查明蔡牽祖墳刨挖，將屍骨揚灰』；殘忍而可笑。十年二月十二日（丙寅）載：『金門鎮總兵吳奇貴、閩安協副將張世熊因勦捕蔡牽不力，革職拏問』。閏六月初八日（己丑）載：『蔡逆匪船四十餘隻，自澎湖竄至鹿耳門；因聞李長庚統領大幫舟師已抵澎湖，即由東大洋竄回水澳一帶洋面』。七月初三日（癸丑）載：『李長庚追勦蔡逆至定海之青龍港洋面』。九月初八日（丁巳）載：『蔡牽可能竄至江蘇洋面』。十一年正月初四日（壬子）又說：『蔡牽於上年十一月二十三日搶入鳳山縣城，經官兵攻散後，賊船復驅入鹿耳門，在府城外登岸，自稱鎮海王；嘉義縣洪四老等相與勾結，乘機滋事』。事情鬧大了。因於同日，命賽沖阿為欽差大臣，帶兵放洋，悉力督勦。二月二十六日（甲辰），而且一面勉勵李長庚：『蔡逆一犯，全責成該提督擒捕，倘能擒獲該犯，即公侯伯崇封，朕所不靳』；一面責備閩浙總督玉德調度無方，『着降為二品頂帶，拔去花翎，先示薄懲以觀後效』。二十七日（乙巳），『再派德楞泰為欽差大臣，同護軍統領札克塔爾溫春、提督薛大烈並帶領巴圖魯侍衛、章京五十員名，馳驛前往勦辦』。是月，特調江西巡撫溫承惠以代玉德，明言是為『逆賊蔡牽勾結臺匪作亂，海面則沈船鹿耳門，阻隔內地兵船；陸路則豎旗聚衆，圍攻府城』，並責成溫承惠查辦玉德。三月初四日（壬子），又令百齡隨同德楞泰馳驛前赴閩省，幫同藩司景安妥爲辦理因剿辦「蔡逆匪黨」之一切軍需糧餉。十三日（辛酉）載：『探聞蔡牽匪船於十九夜北竄至王耶莊海邊停泊』。十七日（乙丑）載：『愛新泰奏報克復鳳山縣城』。二十二日（庚午）載：蔡牽『因鹿仔港不能進口，乘風逃回內洋，竄至惠安縣屬之尖峯洋面』。事變告一段落。但蔡牽於離開臺灣以後，仍在東南沿海橫行，肆無忌憚。李長庚跟踪追剿，毫不放鬆；十二年十二月二十五日，他竟在黑水洋面被蔡牽擊傷斃命。直至十四年九月十二日（己巳），始得奏報蔡牽爲浙江提督王得祿在魚山外洋追捕，落海喪生。

次於蔡牽的，則爲朱濆。他不僅在海上與蔡牽互通聲氣，而且在臺灣與蔡牽連手合作；因此，在臺灣社會史上，往往是蔡、朱齊名的。但他却死在蔡牽之前；十四年二月二十七日（丁巳）載：朱濆是被總兵許松年追擊斃命的。

因爲蔡牽、朱濆成了本書的重心，所以本書的內容勢必擴及東南海上的動態。本書除了有關蔡牽、朱濆的資料以外，比較重要的，祇有嘉慶十四年的「臺灣械鬬」了。『四月十六日，即風聞淡水地方有漳、泉民人分類械鬬之事』，後來擴大到彰化、嘉義；直至『九月初一日漳、泉兩處莊民會面和議』。經時四個半月，幾乎要勞動閩浙總督方維甸親去彈壓。

此外，盡是一些「例行公文」了。

清宣宗實錄選輯弁言

周憲文

清宣宗（道光）在位二十九年又六月（自嘉慶二十五年八月到道光三十年正月）；他的「實錄」分訂一五〇册。就時間來說，二十九年又六月並不算長，但它在中國近代史上，却是一個劃時代的時期。這就因爲在這時期，發生了中、英兩國的所謂「鴉片戰爭」；並因這一戰爭而訂下了「江寧條約」。在此以前，中國閉關自守，自稱「天朝」；從此以後，形勢一變，幾遭瓜分。道光的禁烟政策，不能不說是正確的；但是，他對國內外情勢的無知，却是駭人聽聞的。他對英國打仗，却不知道英國在什麼地方。他以爲英、俄是壤土相接的；他一直相信英國人是「直腿」的，祇要「誘其登陸」，就可予以殲滅。他動員了全國的兵力，却從來沒有打過一次勝仗；英國人到處亂竄，如入無人之境。尤其荒唐的，「江寧條約」明明是喪權辱國的「城下之盟」，而皇皇上諭却說是「唊人就撫」。

在鴉片戰爭期間，臺灣與英國人有過二次接觸（一在道光二十一年八月間，一在道光二十二年一月間）。據當時的臺灣鎮總兵達洪阿、臺灣道姚瑩奏報，都打了大勝仗，共『獲洋人一百六十餘』。但在「江寧條約」簽訂以後，英國人索還戰俘（大部分已經

「正法」），說那些原是「遭風難民」，達洪阿、姚瑩「冒功揑奏」；道光『令閩浙總督怡良渡臺查辦』。怡良『渡臺後沿途訪察，兩次洋船之破，一因遭風擊碎、一因遭風沈擱，並無與之（英國人）接仗及計誘等事』；而李廷鈺、蘇廷玉兩人說得更徹底，謂『洋船遭風浮至臺灣，被居民關閉村中，該鎮、道再三向索，始行交出；迨聞洋人「正法」，居民等有「洋船若來，惟有戕官以圖解免」之語』。這是如何可怕的現象。

因為鴉片戰爭對中國近代的關係太深了，而同時甲午戰爭也可說是鴉片戰爭的延續，臺灣淪為日本殖民地也可說是鴉片戰爭的間接結果；所以關於鴉片戰爭的始末，除了一些「純防守性質」的文件以外，本書都已錄取，而且佔了絕大部份。

除了鴉片戰爭以外，「實錄」有關臺灣的比較重要事件，大體如下：

（一）是道光六年（一八二六）四月，『嘉義、彰化地方，有匪徒糾衆焚搶，據奏係賊匪李通與粵民黃文潤挾嫌糾鬬起釁』。這事鬧得相當大，蔓延到淡水地方；閩浙總督孫爾準馳赴廈門督辦，甚至準備「親往臺灣」。終由內地調了不少的士兵，命山東巡撫武隆阿以「欽差大臣」名義馳驛渡海。後來因為「囘疆事機緊要」，『着武隆阿暫緩前往』，仍由孫爾準『帶兵渡臺督辦』。直至八月，漸告平定。

（二）是道光十年（一八三〇）二月，閩浙總督孫爾準奏定「臺灣道出巡章程」。

過去原是道員與總兵每年親歷各地巡查一次，現在改爲『若遇將軍、督、撫及水陸提督過臺巡閱例期，臺灣道可以停止出巡，以免煩擾』。

（三）是道光十二年（一八三二）十月，『嘉義縣迤北閩、粤莊民，因強牽牛隻起釁；旋有閩莊匪徒造謠煽惑，陳辦（陳連、張丙、詹通、黃奉）等乘機糾夥，欲攻雙溪口粤莊』。後來事情鬧大，弄得戕害府、縣（知府呂志恒、知縣邵用之被戕），又要閩浙總督程祖洛如其前任孫爾準馳往厦門，前赴臺灣。同時，也由內地調兵遣將（調到西安馬隊及河南、四川、貴州的士兵；後因事平，中途撤回），並派瑚松額爲欽差大臣，馳驛前進。這事鬧到道光十三年（一八三三）春間，漸告平定。

（四）是道光十四年（一八三四）一月，從閩浙總督程祖洛奏，定下臺灣善後事宜二十條。一、禁偷渡以杜盜源。二、行淸莊以除盜藪。三、嚴連坐以杜包庇。四、禁搬徙以免窺伺。五、實力化導以挽頹風。六、修建城墻、竹圍、礮臺，增設月城、兵房，以資捍衛。七、劃勻臺灣、嘉義二縣疆界，以資維制。八、酌議裁改汛防，以資巡查彈壓。九、修築土堡、衙署、兵房，以資戍守。十、練習技藝，以臻熟諳。十一、按期會哨，以資巡緝。十二、駐防汛弁，不准任意更調。十三、酌更營弁調補內地章程。十四、酌減臺募兵數，以資約束。十五、考校班兵，以杜頂冒。十六、選製軍器，以收實用。十七、清釐屯務，以示體恤而資調遣。十八、整復隘口，以杜勾番滋事。十九、嚴硝磺之禁，以杜私煎。二十、嚴申鐵禁，以防偷漏。

（五）是同年四月，嘉義縣許戇成等「妄稱僞號」，「拏獲正法」。

（六）是道光十六年（一八三六）十月，『嘉義下加冬匪徒沈知等數百人豎旗聚衆，焚搶糧餉；把總柯青山帶兵奮擊，致被戕害』；旋被總兵達洪阿平定。

（七）是道光十九年（一八三九）三月，據奏又有「匪徒」胡布、洪保、蕭紅等攻汛戕兵，「謀反」未遂。

（八）是道光二十四年（一八四四）三月，據奏：『嘉義縣巨匪洪協等糾衆豎旗謀逆，並有已革武生郭崇高合夥起事』；『接戰六次，殺斃賊匪一千餘名，將首逆洪協及股首林孕等先後拏獲』，「分別正法」。

（九）是道光二十六年（一八四六）四月，諭內閣：臺灣又有『漳、泉民人分類械鬪，匪徒乘機焚搶』。

臺灣何以「分類械鬪」特別多？臺灣人民何以時常「豎旗」、特別「憝不畏死」？關於這些問題，我還未看到卓越的答案，這是研究歷史及社會科學者應有的責任。

清文宗實錄選輯弁言

周憲文

清文宗（咸豐）在位十一年又五月（自道光三十年正月至咸豐十一年五月）；「實錄」共計一一〇冊。

道光是清政權的轉捩點，咸豐開始走下坡路。在這短短的十一年又五月中間，對外則有咸豐十年（一八六〇）的英、法聯軍進佔北京，帝、后避熱河；對內則有咸豐三年（一八五三）的太平天國攻陷金陵，烽火半中國。臺灣原爲「多事之地」，在這淸廷內憂外患交相煎迫的時期，應當是有變化的，但却出於意外的平靜；其間雖有咸豐二年洪紀之亂，咸豐三年林恭、張佑、黃再基、林義、王烏番之亂，都被迅速解決。特別是在太平天國席卷東南的時候，臺灣竟少反應。這一現象，是值得注意、而且值得研究的。

咸豐的時期既短，在臺灣又無重大事故，所以本書的材料也就不多；雖經放寬選輯的尺度，也衹能勉強成書。

清穆宗實錄選輯弁言

吳幅員

號稱「同治中興」的清穆宗朝（一八六一～七四），計歷時十三年六個月。在這一朝「實錄」中所見有關臺灣的大事，一爲初年的戴潮春事變，一爲末年的日兵侵犯琅璚事件。此外，另有幾件涉外案子以及福州船廠等事。茲就各事的先後，分別略加說明。

（一）戴潮春事變　戴潮春字萬生，彰化人（原籍福建漳州龍溪）。咸豐十一年（一八六一），招集黨羽，稱天地會，假名團練。同治元年（一八六二）三月間，官府嚴治會黨，潮春等輒舉事發難，占領彰化縣城，戕殺鎮、道等官員，稱帥稱王。各地附從份子，亦紛紛興起。後經巡道丁曰健、提督林文察、總兵曾玉明等統兵攻剿，直至四年（一八六五）才次第平定。就清代臺灣歷次重大的事變而言，這是第三次（第一次爲康熙六十年朱一貴事變，第二次爲乾隆五十二年林爽文事變；如以道光十二年張丙事變合計，應爲第四次），而其延續的時間較以往各次爲久。當戴潮春起事之前，正太平天國勢力擴展至浙江的時候，由於閩浙總督兼轄關係，曾募臺勇援浙。迨戴潮春變亂形成以後，清廷又有「各營臺勇聞變，不無內顧，誠恐別生事端」的困惑。直至三年（一八六四）六月間清兵攻陷金陵以後，太平天國的殘餘力量轉由江、閩邊境延伸至海濱漳州地區。當四年（一八六五）之初，戴潮春雖被誅戮已及一年，其餘份子尙圖掙扎；淸廷又有「漳州一帶賊氛（按指太平天國侍王李世賢而言）尙熾，難保不勾結臺灣匪類乘機煽惑」的顧慮。在軍事指揮調度上，每把兩事聯在一起，不能截然劃分；因此，關於這一事件所選的範圍，亦較爲廣泛。至「戴案」是否與太平天國有關聯，乃是一個値得研究的問題，姑持保留態度。

（二）福州設廠造船　同治五年（一八六六）六月，准閩浙總督左宗棠奏請，於福州設立船廠、購買機器，募雇洋匠試造火輪船隻；嗣派沈葆楨總理船政，積極經理。八年（一八六九）冬，造成第一號輪船「萬年青」駛赴天津驗收；十年（一八七一）四月，署閩浙總督文煜等代奏第六號（賜名「鎭海」）輪船開工，第七號改造兵船。同年十二月，雖有暫行停止之議；終於採納李鴻章、左宗棠、沈葆楨諸人之意見，總理各國事務衙門奏覆「未可惑於浮言，淺嘗輒止」，准予續辦。迨至十三年（一八七四）日兵侵犯琅嶠，沈葆楨奉命巡臺，由於軍事需要，復奏准閩廠續行與造得力兵船。這在當時圖維「自強之計」的目標下，爲興辦洋務之一端。雖非純爲臺灣而設，究與其後籌辦臺防有關，因亦採輯及之。

（三）教案與安平事件（又稱樟腦事件）　按自中英、中法天津及北京條約簽訂以後，允許外國人開埠通商與傳教的結果，不時引起糾紛；臺灣自不例外。同治七年（一八六八）四月，鳳山教堂被毀、教民被害，臺灣府繼之而起；七月，復有教堂搗毀之事前後數起。同年，教案之外，又有樟腦事件。官吏在梧棲港沒收英商怡記（Elles）洋行樟腦，並在鹿港襲擊洋行代理人必麒麟（Pickering）；駐安平英國領事吉必勳（John Gibson）便向其本國乞援，武官茄嘈（Gurdon）竟率兵登陸攻擊守軍。後經當局允予賠償兵費，並締訂所謂「樟腦條約」。此外，另有九年（一八七〇）因天津教案所引起的籌防措施，亦曾及於臺灣。

（四）英、德（布）人合謀侵墾大南澳事件　臺灣東部開發較遲，未加積極經營，時引起外國野心家的覬覦。德國商人美利士（James Milisch）與英人名康（Horn）者勾結，計劃前往蘇澳大南澳開山伐木，墾荒經營。康於同治七年（一八六八）帶同洋人五、六名並雇用工匠一百餘人，在大南澳一帶建築土堡、蓋造棚屋，伐取木材；經制止無效。翌年（一八六九），美利士且親往視察，積極開墾。先後經總理各國事務衙門向英、德兩國交涉，始行離去。這事，在「實錄」上僅有八年七月初一日上諭一道，別無所見。

（五）日兵侵犯琅璚事件　同治十年（一八七一），中日訂立通商條約；十二年

（一八七三）四月，兩國批准互換。在訂約之初不久（十月十五日），有琉球人六十六名因風漂至臺灣南端，其中五十四名不幸被瑯璚牡丹社先住民殺害，餘人由官府予以優恤，遣回琉球。日使（正使副島種臣）至天津換約後，副使柳原前光曾向總理各國事務衙門口頭提出此案，探詢意見，儼起以琉球宗主國自居；翌年（一八七四）三月，日人便藉口此案啓釁，由西鄉從道統兵侵犯瑯璚。清廷即派遣船政大臣沈葆楨至臺相機籌辦，交涉與防禦並行。日兵後以在臺灣傷病甚重以及其他種種顧慮，終亦要求賠款了事。由於這一事件，引發此後臺灣積極籌防的新契機；同時，亦已啓二十年後臺灣淪於日本殖民地之漸。

臺案彙錄己集弁言

夏德儀

「臺案彙錄己集」是從「明清史料」和「史料旬刊」裏輯錄了一百三十三個文件編輯而成的。這些文件都是關於臺灣「匪亂」、械鬬和命盜諸案的檔案；分做八卷。

前三卷共收四十五個文件，是涉及幾樁較大亂事的資料。其中有八件是關於康熙六十年（一七二一）朱一貴之亂的。按本叢刊已經刊出的藍鼎元撰「東征集」和「平臺紀略」固然是此案的重要文獻，但這裏所輯的八個文件中却有四件是朱一貴及其同夥並家屬們的供詞，可說是更爲原始的資料。又在兩件關於雍正十年（一七三二）吳福生之亂的文件裏有一篇「吳福生等供詞」，也是可貴的原始資料。關於乾隆三十三、四年（一七六八～六九）黃教之亂的文件，這裏輯錄了二十七件之多；我們從這些文件裏可以看出這個案件的原委。此外，還有七件和乾隆六十年（一七九五）的陳周全之亂有關、一件和道光十二年(一八三二)的張丙之亂有關。最後的一件，原應收入「臺案彙錄甲集」的卷二，當時被遺漏了，所以附列在這裏。

除開上述幾個亂事之外，還有乾隆五十一年迄五十三年（一七八六～八八）的林爽文之亂和嘉慶五年迄十三年（一八〇〇～〇八）的蔡牽之亂。因爲此二事的檔案分量較多，不能收在這部書裏，決定編作「臺案彙錄庚集」和「辛集」。

本書後五卷的八十八個文件是依時間的先後編排的。其中以乾隆時期爲最多，有八十一件。而乾隆四十八年就有十九件之多，乾隆五十四、五兩年也有十九件。乾隆以前的雍正時期僅有三件，乾隆以後的嘉慶和道光時期僅有四件。足見這些檔案只是或多、或少的被保留到現在，並不是完整無缺的。

若按這些文件的內容來分析，以強刼財物、殺傷事主的盜案爲最多，其次是鬬毆傷命、糾衆械鬬或結會豎旗之類的案件，再其次便是私鑄錢文、私造礮位、私刻僞印、僞造牌劄、販運私鹽、男女通姦以及兵丁謀刺總兵、兵丁逞兇殺人之類的案件。總之，這些殘存的檔案主要代表那時社會上陰暗的一面。

法軍侵臺檔弁言

吳幅員

清光緒十年（一八八四）因越南問題所引起的中、法戰爭，閩海當時成為海上的主要戰場。法國在閩海作戰的目的，係在「據地為質」，冀遂其索賠兵費之要求；臺灣北端的基隆，遂為其奪取的首要標的。始而法海軍提督孤拔（Coubet）攻陷基隆，繼而封鎖臺灣西海岸；翌年（一八八五），並佔領澎湖。卽當年的馬江戰役與嗣在浙海三門灣截擊南洋援臺的兵船，其作用均為孤立臺灣以便佔有與保持這一「質押品」。關於這一段史事，中央研究院近代史研究所編印的「中法越南交涉檔」提供了許多原始資料。因將該檔有關這段史事的各項文件，彙輯一書印行，並名之曰「法軍侵臺檔」。卷首加編「大事年表」，藉以概述中、法戰爭的由來與法軍侵臺的始末。

按原檔所載，計自光緒元年（一八七五）迄宣統三年（一九一一）間中越關係、中法戰爭及中法越南交涉之各項文件（光緒三年及十四年部分缺），共達三千零七十件。本書取材，斷自光緒九年（一八八三）十月間諭令南、北洋及沿海各省籌防，終於十一年（一八八五）澎湖收復以及稍後有關臺、澎的善後事宜，共錄二百六十七件。其間除直接關涉臺灣的文件以外，與閩海籌防有關的亦均收入。餘如和局發展與國際趨勢，只能擇要及之：越南陸上戰場的軍事及其交涉事項，則一概未錄。但須特加說明者，南洋濟閩援臺之件，所錄較多；馬江戰役資料，選其重要各件。粵省規越援臺借款一事，只採其主要者，餘從略；即閩省借款文件採錄雖較詳，但後來的償還等件均割棄。同文館譯報，只存其與閩、臺有關者（餘均註以「略」字）；閩省大吏按時彙報的電旨、電奏以及與總理各國事務衙門往來的電信，則完全照錄。

原檔係據清代總理各國事務衙門及外務部的有關越南部分「清檔」影印而成，每件開端只記明收發月日及來往機關，並無案題；本書經參考近代史研究所所加「分類目錄」並斟酌各項文件內容，分別冠以標題。卷首目錄，即據此編成。至其收發月日，原係陰曆；並經查對陽曆，另加括號註明。例如光緒九年（一八八三）八月二十二日加註（九、二二），表示陰曆八月二十二日亦即陽曆九月二十二日。

原檔書末，近代史研究所編有「大事年表」；始自乾隆五十一年（一七八六），訖於宣統三年（一九一一）。本書乃節取其光緒元年至十一年（一八七五～八五）部分，並於九年（一八八三）以前儘予簡省，只求略見中、法戰爭的由來；以後並酌加補充，俾詳具法軍侵臺的始末（其與臺灣無關者，仍略）。

原檔字句間有訛誤、脫漏及衍文之處，大多均經近代史研究所校覈訂正，製定「校勘表」附於全書之末；本書已據以改正。但仍有無法訂正者，姑存其舊。此外，另有少數文件於原檔頁尾中斷，卽無下文；近代史研究所所加「分類目錄」中均經注明「本件未完」等字樣。凡此註語，本書則移於原殘件末尾。

原檔「例言」有云：『本檔文件多爲他書所未見』。在全書『編號者達三千零七十件（而每一文號之下常包含一件以上至數十件之附件）』中，『經編者與現有之中法越南資料諸書作大略之核對，重複之處僅一百餘件』。由此，一方面固足見該檔文件多「爲他書所未見」，另一方面又可知該檔未能包羅他書的許多資料。就有關法軍侵臺部分而言，「文叢」已印行者，計有第二一種「巡臺退思錄」（劉璈）、第二七種「劉壯肅公奏議」（劉銘傳）、第六二種「楊勇愨公奏議」（楊岳斌）、第八八種「左文襄公奏牘」（左宗棠）、第九七種「張文襄公選集」（張之洞）及第一三一種「李文忠公選集」（李鴻章）等六種，均因作者係當時負有實際責任的人物，其中頗多「爲本書所未見」的文件；特附此一提，以備參考。

清德宗實錄選輯弁言

周憲文

清德宗，名義上在位三十四年（一八七五～一九〇八），而親政的時間甚暫，可以說政權始終是在慈禧太后的手裏。現在，我們由其「實錄」選輯有關臺灣的部份，編爲「文叢」之一。這一時期臺灣的重大事故，大體如下。

清德宗的卽位，正在同治甲戌(十三年、一八七四)日兵侵略臺灣事件結束之後（關於這一事件的詳細情形，見「文叢」第三八種「同治甲戌日兵侵臺始末」及第三九種「甲戌公牘鈔存」），欽差大臣沈葆楨極力從事善後工作。臺灣東部（所謂後山）的開發，可以說是從這一時候開始的。擴大些說，清代臺灣的開發，是從這一時候才眞正開始的。例如：『從前不准內地人民渡臺各例禁』，從此『開除』；並弛『販買鐵、竹』之禁，『以廣招來』。但也因此，而與當地的先住民引起了許多糾紛；致有「開山撫番」之議。北如臺北府、淡水縣、宜蘭縣，南如恒春縣，各種建制，都出於沈葆楨的主張。同時，並着福建巡撫『冬春駐臺、夏秋駐省，以期兩地兼顧』。諸凡鐵路、航運、礦務，都在籌劃進行。

就臺灣開發來說，似乎正露曙光；但外來的打擊，却接踵而至，終使臺灣淪爲日本的殖民地凡半世紀。

首先是中法之戰。光緒九年（一八八三）『法人侵佔越南，外患日亟』。翌年，『遴籌臺灣防務』；閏五月初四日諭：『前直隸提督劉銘傳，着賞給巡撫銜，督辦臺灣事務』。六月初二日諭：『法艦至基隆購煤，劉銘傳飭封煤窯』。十八日，『臺北基隆礮臺被其攻占』。不久，退出。七月二十九日諭：『劉銘傳電報：聞法調兵四千攻臺滬尾，法船已到，口門閉塞，臺北萬緊』。基隆、滬尾（淡水），終於相繼失守；戰事深入臺灣北部（暖暖村、月眉山），東南沿海，亦備受侵擾。楊岳斌率軍赴援。但在當時，法國因其本身關係，急欲結束此一戰爭。光緒十一年（一八八五）二月二十一日諭：『中法現議修好，允准津約，各路軍營，着卽定期停戰』。臺灣遂於『三月初一日停戰』。四月二十四日諭：『法定一月內退澎湖』。『五月二十五日，欽差大臣督辦福建軍務左宗棠奏：『法將孤拔，已於四月十九日在澎湖病斃』。不久，法軍退出澎湖。

中法戰爭之後，另一有關臺灣的涉外大事，那就是甲午(光緒二十年、一八九四年)的中日之戰了。這一戰且使臺灣淪爲日本的殖民地凡半世紀，直至抗戰勝利而始光復。所以本書所收這一方面的資料，亦較詳細。其中不但有日軍侵擾臺灣的文件，而且擴及中日兩軍的重要戰役以及引起中日之戰的朝鮮政情。茲摘要引述如下。先是，光緒八年

（一八八二）八月十二日諭：『朝鮮國亂軍生變，突於六月間圍逼王宮，王妃與難，大臣被戕，日本使館亦受其害；……而激之使變者，皆出自李昰應主謀』。光緒十年（一八八四）十月二十四日諭：『朝鮮又有內亂，似有日人播弄主持』。光緒二十年（一八九四）五月二十九日諭』：日人乘機搆釁，遂以重兵脅韓』。六月十二日又諭：『日人以重兵脅制朝鮮，雖與商議撤兵，久未就緒，和議恐不足恃；亟應速籌戰備，以杜陰謀』。二十七日諭：『日本擊我兵輪，業已絕交開釁』。此後，陸海兩路，屢戰屢北。光緒二十一年（一八九五）正月十九日諭令李鴻章『爲全權大臣，與日本商定和約』。二十九日諭：『昨聞澎湖見有日船，臺灣水線已斷』。二月二十七日諭：『恒春有日輪十餘艘遊弋港口，……澎湖西嶺復見日輪五艘』。二十八日諭：『日人進攻澎湖』。二十九日諭：『本日據李鴻章電奏：日人所欲甚奢，……伊藤面稱現要攻取臺灣』。三月初四日諭：『日軍進攻澎湖，我軍力戰三日，竟至不守』。二十三日，「總理各國事務衙門代奏：『李鴻章電稱：與日本全權大臣伊藤博文等在馬關議定和約十一款』。其中『二、中國將遼南地方及臺灣全島、澎湖列島讓與日本』。四月初五日諭：『本日又據唐景崧電稱：紳民呈遞血書，……誓不從日』。二十四日，派李經方前往臺灣，『會同日本派出大臣商辦事件』。二十六日，『命署臺灣巡撫布政使唐景崧解職來京，並令臺灣大小文武各員內渡』。五月十三日諭：『現在臺灣已經李經方交接清楚，日兵攻臺，基隆不守，省城瓦解，無從過問』。於是，雖經臺灣人民英勇奮戰，而臺灣終於淪爲日本的殖民地。「德宗實錄」有關臺灣的紀事也不復見。

周憲文於惜餘書室。

清先正事略選弁言

吳幅員

這本「清先正事略選」，係據清同治年間平江李元度纂「國朝先正事略」選編而成。原著凡六十卷，分列名臣（卷一～二六）、名儒（卷二七～三一）、經學（卷三二～三六）、文苑（卷三七～四四）、遺逸（卷四五～四八）、循良（卷四九～五四）、孝義（卷五五～六〇）七門，都五百篇。本書採取其中一百九篇，分編五卷。

卷一，計二十篇。所選對象，約分（一）清初規取臺灣的功臣；（二）對於臺灣有所施設的督、撫、提或欽差大員；（三）臺灣各級官吏；（四）雖非閩臺官吏，但對於臺灣有所建白或間接與臺事有關係的人物。不過，如黃叔璥附見於黃叔琳、高其倬附見於高天爵、方維甸附見於方觀承、姚瑩附見於姚鼐等事略中，因不宜分割，照錄「全傳」。惟謝金鑾（曾任嘉義縣學敎諭）雖原附見於「孟超然事略」下，但可單獨擷取，已去孟氏「本傳」。所有二十篇中，除藍鼎元、趙翼、姚鼐錄自「文苑」及謝金鑾採諸「經學」外，餘均取於「名臣」一門。

卷二所收二十三篇，皆由「名臣」門中選出。大體而言，殆均屬南明諸王以及鄭成功父子與滿清爭衡時的對手人物。就研究南明史事的立場，選錄這些傳略，意在「知彼」（文中所謂「敵」、「逆」以及「海寇」等辭語，自然祇就「彼」之立場而言）。因此，各篇所附見者非屬同此時期之人，已酌予刪略。內有藍理事略一篇，因未編入於卷一，特附列本卷之末。

卷三、卷四所選，上一卷爲黃宗羲等二十六篇，分別選自「名儒」、「經學」、「文苑」，皆爲明季所遺儒林中人；下一卷爲沈光文等三十三篇，係將「遺逸」門全錄。總之，統屬明代逸民，惓惓故國之情，躍然紙上；其間略有一分際，即前者並致力於學問的鑽研，後者較偏重於志節的砥礪。至卷三部分所附見者雖有純屬淸代人士，但足以略示明季學派之流變，因均保留。按溫睿臨、李瑤的「南疆繹史」（「文叢」第一三二種）及徐鼒的「小腆紀傳」（「文叢」第一三八種）兩書對於上述人物，大多皆爲立傳；選輯這些傳略，期可與以上兩書互相比較與印證。

卷五部分，是以有關南明及臺灣文獻的編者或著者爲選輯對象。因各種文獻往往不詳編著者生平，其撰述的時代背景以及其個人的立場與旨趣，有待考證；採取這些傳略，可供研究有關上述歷史文獻之助。可惜所得無幾，採自「經學」、「文苑」各三篇、「名臣」一篇，合只七篇；且有其人僅附見於他人事略中者。不過，已並見於以上各卷者頗不乏人：如姚啓聖、施琅、陳璸、張伯行、藍鼎元、黃叔璥、福康安、趙翼、謝金鑾、姚瑩（以上見卷一）、李光地、楊捷（以上見卷二）、黃宗羲、顧炎武、邵廷采（以上見卷三）、沈光文（見卷四）等爲其較著者。

至各篇事略標題，原書或加易名、或加頭銜、或加「先生」；本書概逕稱其名，以資簡明。書末，並將原書序文、凡例等篇作爲「附錄」刊出，備供參考。

福建通志列傳選弁言

夏德儀

陳衍纂輯的「福建通志」原爲六百卷，但只刋出了三百一十多卷。其中以傳記的分量爲最大，計有「福建列傳」三十九卷，福建循吏、名宦、儒林、文苑、高士、高僧、列女等傳四十多卷。列傳和各類傳都是從古到今，按照朝代排列的。我們只把明、淸兩代與南明、鄭氏以及臺灣有關的傳記選錄出來，稱做「福建通志列傳選」，以供研究臺灣史者的參考。

本書所錄，雖僅及原書的十分之一，但也有三百零一篇之多。如並各篇附記的人物計算，則此三百零一篇總共記述了四百一十多個人的事蹟。

本書分作六卷：第一卷是明末人，第二卷至第五卷是淸朝人。這五卷都是從「福建列傳」抄出來的，全以時代的先後爲次序。但有一點應該說明：就是本書第一卷之末有鄭成功的傳，還附記了他的兒子經、孫子克塽和叔父芝虎的事蹟，而成功父芝龍的傳反被列在下面的第二卷裏。這在時間上看起來，豈不有先後倒置之嫌？其實不然。因爲鄭成功和他的後人始終奉明正朔，抵抗淸朝，當然是明朝人；而鄭芝龍變節降淸，便和洪承疇一樣的做了淸朝人。因此原書把鄭氏父子這樣安排，我們應當尊重原編者的意見。

本書第六卷是從福建循吏、儒林、文苑、高士、高僧、列女傳抄出來的。原書每一類傳也是按着朝代編排的。我們既把各類傳選出來的傳記彙集在一卷之中，看起來就不免時而是明朝人、時而是淸朝人，似有雜亂之病；其實還是按照原書每一類傳的次序排列的。所好本書已經分別注明那些篇是錄自原書某一類傳的第幾卷。

原書每傳之末，皆注明取材於何書或何文，本書仍舊把這些可貴的資料附注在每傳之末，以便應用的人依此線索尋求較原始的參考書。

流求與鷄籠山弁言

吳幅員

本書內容，係集刊各種載籍中有關流求（又琉求、瑠求、琉球）與鷄籠山之記載。所集各篇，略加說明如下：

一、「隋書」「流求國」。按「隋書」八十五卷，唐魏徵等撰。內「紀傳」五十五卷，爲顏師古、孔穎達、許敬宗三人修述，而徵則總其成而已。「列傳」中有彙傳十五卷，「列女」以下有「東夷」、「南蠻」、「西域」、「北狄」四例目，「流求國」爲東夷傳之一。蓋「隋書」成於唐太宗貞觀十年（六三六），流求之有記載，迄今已逾一千三百二十餘年矣。隋煬帝時，武賁郎將陳稜嘗征伐流求，因並將「陳稜傳」收附。

二、「北史」「流求國」。按「北史」一百卷，唐李延壽撰。起魏道武登國元年（三八六）、盡隋恭帝義寧二年（六一八），載四代二百四十四年史事。其中關於隋代「紀傳」，全用「隋書」，少有變更。「流求國」一傳，列於「僭僞附庸」目下。又考正史次序，原以「南、北史」列「隋書」之下；移於「隋書」之前者，據趙翼議也。今以撰作時代先後，仍次「隋書」之後。

三、「通典」「琉球」。按「通典」二百卷，唐杜佑撰。是書上自黃帝，下至有唐玄宗天寶之末（七五六）；分食貨、選舉、職官、禮、樂、兵刑、州郡、邊防八門，每事以類相從，舉其終始。「琉球」，載在「邊防」。佑，萬年人，字君卿；以父蔭，補參軍。德、憲兩朝（七八〇～八二〇），拜司空，進司徒，封岐國公。

四、「通志」「流求」。按「通志」二百卷，宋鄭樵撰。樵，字漁仲，莆田人；官至樞密院編修。好爲考證倫類之學；仿通史之例，著述此書。分紀傳、年譜及二十略；內紀傳訖隋爲止，餘均引而至唐。「流求」，亦爲彙傳「東夷」之一。

五、「太平寰宇記」「流求國」。按「太平寰宇記」，宋樂史撰。原本二百卷，後缺一百十三卷至一百十九卷，存一百九十三卷。宋太宗時，始平閩越、幷北漠，史因合輿圖所稱，考尋始末，自河南周於海外，並記人物、藝文。是書成於太平興國（九七六～九八四）中，故名。「流求國」，列於「四夷」之「東夷」中。

六、「太平御覽」「流求」。按「太平御覽」一千卷，宋太宗太平興國二年（九七七）李昉等奉敕撰，至八年（九八三）書成。初稱「太平編類」，後賜是名。書分五十五門，採自類書。「流求」，列「四夷部」「東夷」。

七、「諸蕃志」「流求國」。按「諸蕃志」二卷，宋趙汝适撰。宋南渡後，諸蕃市舶僅通。此書多得自市舶之口傳，所言皆海國事；卷上志國、卷下志物，成於理宗寶慶元年（一二二五）。「流求國」所志，漸見新資料。又有「毗舍耶」、「三嶼」二篇，並予附入（並見本叢刊第一一九種）。

八、「文獻通考」「琉球」。按「文獻通考」三百四十八卷，元馬端臨撰。端臨，字貴與，樂平人；博極羣書，以蔭補承事郎。宋亡，隱居，教授鄉里。所著「文獻通考」，分二十四類，類各爲考。記述事蹟，上承「通典」，下訖宋寧宗嘉定之末（一二二四）。元英宗至治二年（一三二二），旨飭端臨齎書赴饒州路謄寫校勘刊印。其「四裔考」有「琉球」一目，與毗舍耶合爲一篇。

九、「宋史」「流求國」。按「宋史」四百九十六卷，元托克托等修，成於順帝至正五年（一三四五）。「流求國」，爲其「外國傳」之一。此傳本於「諸蕃志」，並與毗舍耶併爲一傳。

一〇、「島夷誌略」「琉球」。按「島夷誌略」一卷，元汪大淵撰。大淵，字煥章，南昌人。順帝至正（一三四一～六八）中，嘗附賈舶浮海，越數十國；紀所聞見，成此書。書首有河東張翥、三山吳鑒等序，分別作於至正九、十年（一三四九～五〇），書當殺青於前此不久。觀「琉球」所記，可知大淵嘗親履其地。此書亦記毗舍耶並另有「三島」一篇，因並附焉（並見本叢刊第一一九種）。

一一、「元史」「瑠求」。按「元史」二百十卷，明宋濂、王褘等奉敕撰，太祖洪武三年（一三七〇）書成。「瑠求」，在列傳「外國」目下；並有「三嶼」一傳，因亦采附。

一二、「新元史」「琉求」。按「新元史」二百五十七卷，近人山東膠州柯劭忞輯撰。柯氏因鑒於「元史」蕪雜，乃集研究「元史」各家之大成，博采約取，以成一家之作。「外國傳」「琉求」，自亦兼收諸說而成。傳末以「史臣」之筆而斷爲『琉求，今之臺灣』云云，在史書上尙屬創見。又，「外國傳」末彙綴「島夷諸國」，中有澎湖、三嶼等島，一併擷附。「新元史」雖撰於晚近，因係「元史」之一種，特次於「元史」之後。

一三、「星槎勝覽」「琉球國」。按「星槎勝覽」原分二卷，明費信（字公曉）撰；後經改訂，分成四卷。其「自序」，均作於英宗正統元年（一四三六）；原著本序略云：『愚生費信，吳郡崑山民也。……年至二十二，永樂至宣德間選往西洋，四次隨正使太監鄭和等至諸海外，歷覽諸番人物、風土所產，集成二帙，曰「星槎勝覽」。前集者，親監目識之所至也；後集者，採輯傳譯之所實也』。考鄭和七下西洋，起自成祖永樂三年（一四〇五）、訖於宣宗宣德八年（一四三三）；而費氏隨往四次，據「前集」目錄前文，一在永樂七年至九年（一四〇九～一一）、一在十年至十二年（一四一二～一四）、一在十三年至十四年（一四一五～一六）、一在宣德六年至八年（一四三一～三三）。惟「琉球國」載在「後集」，當採自「傳譯」，非所「目識」。「琉球國」下亦接有「三島」一篇，且明白指出「其處與琉球大崎山之東鼎峙」；因並照錄。

一四、「大明一統志」「琉球國」。按「大明一統志」九十卷，明李賢等奉勅撰修，於英宗天順五年（一四六一）四月進呈。凡京畿府州及十三布政司爲府一百六十、爲州二百三十四、爲縣一千一百一十六，並邊陲之地都司衛所及宣慰、招討、宣撫、安撫等司與夫四夷受官封、執臣禮者，皆以次具載。最後兩卷總稱「外夷」，「琉球國」爲其中之一。

一五、「西洋朝貢典錄」「琉球國」。按「西洋朝貢典錄」三卷，明黃省曾撰。省曾字勉之，籍吳縣；舉人。是書紀當時西洋諸國朝貢之事，自占城以迄天方，爲國二十有三，亦止就內侍鄭和所歷之國編次而成。國各一篇，篇各有論。觀其「自序」撰於武宗正德庚辰（十五年、一五二〇），已較「星槎勝覽」晚出七十餘年。而黃氏在「自序」中有云：『余乃摭拾譯人之言』，並『約之典要、文之法言、徵之父老、稽之實訓……』。凡此云云，均值得加意；蓋其間移接痕跡，隱約可見。「琉球國」見卷上，次於「第九」。

一六、「武備志」「琉球」。按「武備志」二百四十卷，明防風茅元儀輯，其「自序」作於熹宗天啓元年（一六二一）。全書分兵訣評、戰略考、陣練制、軍資乘、占度載五門，記武備諸事。「琉球」，列於「占度載」「度」之「四夷」目下。篇中引明嘉靖間左給事中陳侃、行人高澄所上「使琉球錄」之言，殊可注意。

一七、「潛確居類書」「琉球」。按「潛確居類書」一百二十卷，明陳仁錫（明卿）撰；刻成於毅宗崇禎三年（一六三〇）六月，續訂於四年（一六三一）九月，又明年（一六三二）六月始僝功。「琉球」，載「區宇」部「四夷」「東南夷」中。

一八、「明史稿」「琉球」。按「明史稿」三百十卷，清王鴻緒撰。初，聖祖康熙十八年（一六七九）詔修「明史」；至世宗雍正元年（一七二三），鴻緒以先後所輯紀傳表志上之，「明史」始有全稿。初未暢行；迨鴻緒卒，其子收入「橫雲山人集」，題曰「明史稿」。所作「琉球」一傳，顯指今日之琉球，不似過去所記之糢糊不清矣。另有「鷄籠山」一傳，見下文。

一九、「明史」「琉球」。按「明史」三百三十二卷，清張廷玉等奉敕撰。世宗雍正（一七二三～三五）中，廷玉受命就王鴻緒「明史稿」遴選詞臣再加訂正，直至高宗乾隆四年（一七三九）進呈。「琉球」一傳，殆全襲「明史稿」，偶有增損一、二字而已。「鷄籠山」傳同，見下文。

二〇、「續文獻通考」「琉球」（三嶼附）。按「續文獻通考」二百五十卷，清乾隆十二年（一七四七）敕撰。仍從馬端臨之舊目，續輯宋、遼、金、元、明五朝事蹟。「琉球」」仍列「四夷考」，並附以三嶼。

二一、「續通志」「流求國」（毗舍邪）。按「續通志」六百四十卷，清高宗乾隆三十二年（一七六七）敕撰。其門目體例，一仍鄭樵之舊。是書續記宋、遼、金、元、明五朝之事，而兼補唐代「紀傳」；惟以「明史」新成，有明「紀傳」未嘗輯入。「流求」仍爲「四夷傳」之一，而將「毗舍邪」附入。

二二、「續通典」「琉球」。按「續通典」一百五十卷，清高宗乾隆三十二年（一七六七）勅撰。其門目體例，大體仍依杜佑之舊。所記續自唐肅宗至德之初（七五六），訖於明毅宗崇禎末年（一六四四）。唐天寶以後（七五六起），取材於「通志」、「通考」而有所增益；宋嘉定以後（一二二四起），取材於「續通考」而有所剪裁。「琉球」，仍載「邊防」。另續有「三嶼」一則，併收篇末。

二三、「東西洋考」「鷄籠、淡水」。按「東西洋考」十二卷，明龍溪張燮（紹和）撰。此書內容除本諸史籍外，間采邸報所抄傳與故老所誦述，下及估客、舟人亦多借資。「凡例」有云：『集唐所載，皆賈舶所之。若琉球、朝鮮雖我天朝屬國，然賈人所未嘗往，亦不掇入』，只記「鷄籠、淡水」，不載「琉球」，其故在此。鷄籠山、淡水洋又名東番，故其所隸「東洋列國考」下又加註「東番考附」。考其所記，多據陳第「東番記」。蓋陳第於神宗萬曆三十年（一六〇二）冬，嘗從沈有容平東番，作有此記；「東西洋考」撰述在後，可知其所本。因將沈有容輯「閩海贈言」所收陳第之記錄附，用資比校（並見本叢刊第一一九種及第五六種）。

二四、「明史稿」「鷄籠山」。說明見前。

二五、「明史」「鷄籠山」。說明見前。

二六、「續文獻通考」「鷄籠山」。說明見前。「鷄籠山」，係附於「日本」之後。

二七、「續通典」「鷄籠山」。說明見前。「鷄籠山」與「琉球」同載「邊防」。

關於明代以前各種載籍所稱流求、琉求、瑠求以及琉球等，是否係指今日之臺灣，抑指今日之琉球？近數十年來爭論未已。自明代以降，琉球之稱已專屬今日之琉球，而臺灣亦漸以鷄籠山、北港、東番及臺灣而定名焉。集刊有關各篇，備供有意研究前一問題者之參考。

再，清光緒間（一八七五～一九〇八），仁和丁謙（益甫）著「蓬萊軒地理學叢書」，主談邊裔；自「漢書」「西域傳」地理考證至清朝圖理琛「異域錄」地理考證，爲一一疏通而證明之。是書於民國四年（一九一五），由浙江圖書館列於「浙江圖書館叢書第一集」刊行。因取其自隋以下歷代史書有關流求與鷄籠山考證諸篇，作爲「附錄」。丁氏對於流求，係主「琉球說」，與柯劭忞主「臺灣說」者異。附刊此等考證之文，亦屬旨在提供參考，固無先入之見存在其間也。

本書之輯編，部分資料承曹永和先生蒐集補充；附此誌謝。

淡新鳳三縣簡明總括圖册弁言

吳幅員

清光緒十一年（一八八五）臺灣著手建省，需用浩繁。巡撫劉銘傳鑒於臺灣民間「隱田」特多，因奏准「量丈田畝、淸查賦稅」以增加收入，並藉以建立土地制度的基礎。此項工作，計自光緒十二年（一八八六）四月開始籌劃、至十八年（一八九二）五月結束，中經編制保甲、淸丈、改賦以及發給丈單，先後歷時六年兩個月之久。臺灣田園，其先不過七萬餘甲、地賦不過四十餘萬元；及至淸丈以後，田園增至三十六萬一千四百四十八甲、地賦增至九十七萬四百餘元。當日淸丈完成，各縣廳編製有土地淸丈「簡明總括圖册」，現在省立臺北圖書館尚藏有淡水、新竹、鳳山三縣圖册抄本可供查閱。爲求便於利用起見，因將這三縣圖册合編一書，名之曰「淡新鳳三縣簡明總括圖册」，予以印行。

同時，省立臺北圖書館另有一册題爲「設改章程總册」的資料，也是抄本；閱其內容，則爲光緒年間淸丈後淡水縣造送上級政府「察核」的全縣所轄各番社應收通事、土目口糧租穀並應支、應減、應裁各項用款數目四柱淸册。按臺灣淸代的租賦，中有「番大租」一項名目。「番大租」又分爲二：公有者謂之「公口糧租」，土、目收入，以充公費；私有者謂之「私口糧租」，番自取之。前項四柱清冊所載，乃為「番大租」中的「公口糧租」。因同屬清賦資料，特收入本書之末，作為「附錄」。

清季外交史料選輯弁言

吳幅員

近代中國外交史料的彙編，始自清廷官纂的道、咸、同三朝「籌辦夷務始末」（又名「籌辦夷務始末記」）。晚近，黃巖王彥威（弢夫）暨其哲嗣希隱先生所輯的「清季外交史料」一書，實係光、宣兩朝的「籌辦洋務始末」，亦可謂之三朝「籌辦夷務始末」的續編。王氏於清光緒中供職軍機處時，嘗手錄元年至三十年間有關外交的朝廷詔令、樞臣疆吏章奏以及密電秘稿等，初名曰「光緒朝洋務始末記」；以後其哲嗣復蒐集光緒季年至宣統三年之涉外文件賡續成書，易署今名。此書出版於三十年前，極爲學者所推崇。胡適先生認爲此書的出版，爲近數十年學術界搜求材料運動中，繼周口店「北京猿人」、古石器時代文化、新石器時代文化、安陽殷墟器物文字、西域漢晉木簡、燉皇石室所藏六朝唐五代寫本的發見及日本舊藏古籍與北平宮廷各處檔案的公開等八件大事之外，算是第九件大事。蔣廷黻先生且云：『有了「籌辦夷務始末」及「清季外交史料」二書，以前的著作（按指研究外交史者以外國發表之文件爲根據的著作）均須大加修改；並且這二書已引起全世界的學者注意，此後他們將逐漸知道中國材料的重要』。又據蔣氏估計，王氏『所收材料，至少還有百分之五、六十是不曾發表過的』（分見原書胡序及蔣序）。凡此，均足以表示這本史料的重要及其價値。我們前從同治朝「籌辦夷務始末」中已選編有「同治甲戌日兵侵臺始末」一書（「文叢」第三八種）；玆又從這「清季外交史料」選編一本有關臺灣的文獻，卽名之曰「清季外交史料選輯」。

清季外交史上的大事，王氏自序有云：『光緖十年法越之戰、二十年中日之戰與夫戊戌變政、庚子西巡以及議和、通商、劃界諸端，皆爲國勢盛衰之一大關鍵』。而其中法越之戰、中日之戰均曾及於臺灣與澎湖；後一役之結果，並使臺灣淪爲日本的殖民地達半世紀之久，創鉅痛深。這本「選輯」的主要內容，自然是上述兩役與臺灣關涉的史事。此外，另有同治十三年日兵侵臺事件的善後事項、光緖初年（元、二年間）的西班牙船在臺灣洋面失事事件、十二年的日本兵船事件以及十四年的洋商抽釐與後山剿「番」等事件，但祇是一些零星資料而已。

原書附有希隱先生所編的「清季外交年鑑」四卷，就「史料」所及彙爲按年分月的「大事記」，俾便檢查。這本「選輯」，並就其光緖元年至二十一年間節錄一部分，附於書末。節錄部分，原以「選輯」的史料所及爲限；惟二十年中日之役，「選輯」正文未及各事亦均錄入，藉此以見這一場戰爭的終始。再，原書「例言」，經刪其與「選輯」並無關係者，計存十一則；刋諸卷首，以明本書的體例。

至於本書中偶有加〔　〕予以補充者，係本於「劉壯肅公奏議」（「文叢」第二七種）、「李文忠公選集」（「文叢」第一三一種）、「法軍侵臺檔」（「文叢」第一九二種）以及「清光緒朝中日交涉史料」（故宮博物院輯印，「文叢」將另編「選輯」刊行）等書所存的文件。蓋本書原刊本，原據「手錄」之件排印；由於經過「手錄」及「排校」兩過程，脫漏在所不免。我們在校閱時遇有上下文不相連貫之處，輒取上述諸資料查補。但因限於時間，未能作通盤的比校。

福建省例弁言

夏德儀

這部「福建省例」原只稱做「省例」，「福建」二字是我們加上去的。本書內容，多係辦理福建全省各項政務的章程條例，所以稱做「省例」。每一樁事，在立下章則或規定辦法之後，就成爲例案；隨時由藩臺衙門刊刷若干份，發交各級機關，以便當時或日後遵照辦理。歲月久了，例案太多，又不得不按其性質加以分類，刊刻成書，以便檢閱。所以本書計分公式、倉庫、錢糧、奏銷、交代、稅課、解支、俸祿、養廉、捐款、平糶、社倉、戶口、田宅、勸墾、當稅、卹賞、兵餉、科場、鹽政、錢法、鐵政、船政、海防、修造、郵政、刑政、捐輸、差務、銓政、徵收、緝匪、雜例等三十三類。每類所列例案，多的有一百二十一件、少的只有兩件，都是依照年代先後排列的。全書總共載了四百八十四件，年代早的是乾隆十七年（一七五二）、晚的是同治十一年（一八七二）。書前雖無序文、凡例和刊刻年月，但可推知這部「省例」大約是在同治十二、三年間編刻成書的。在此以前，可能已經彙刻過幾次，這部書也許是最後的一個彙刻本。

在全書四百八十四個例案裏，有些是純粹關於臺灣的：如倉庫例中的「配送臺穀條款章程」、兵餉例中的「領運臺餉限期」、「成臺新舊兵丁住支餉項」、「臺灣各營請領一切銀兩概由臺府核明蓋印赴司請領」、「整頓臺灣餉項則例」、船政例中的「澎湖添復尖艚船」、刑政例中的「臺屬案件摘提緊要證佐隨招呈解」、差務例中的「剿辦臺匪備應章程」以及徵收例中的「臺灣二麥並早稻收成分數飭令預期馳報」之類。我們原想把這類案件選錄出來，編成一本「臺灣例案」，以供研究臺灣史者的參考。繼而覺得這部書中大多數的案件都是關於「通省」或「各屬」的，當時臺灣既爲福建省的一府，當然也得遵照這些一般性的則例來辦理一切事宜。因此，我們決定保存原書本來的面目，不再加以割裂；雖然其中也有少數案件全與臺灣無涉。

本書所載的案件，不僅是章則條款，也有些告示和禁令，並且把關於每一例案如何構成的原始文件都原原本本的全部錄出。所以這部書與中央研究院歷史語言研究所刋印的「明清史料」性質相似，都有原始資料的價值；並且這種全屬地方性的檔案能保存到現在的還不很多，就更覺其可貴。因爲這些檔案不僅提供了從乾隆十七年到同治十一年一百二十年間關於福建省的政治、經濟史料，還提供了不少的社會史料。

本書刑政例中有許多嚴禁的事項，如淫詞小說、信奉邪教、賭博、鬧喪、械鬭、健訟、擲石卜兆、私開媒館、移屍詐財、服毒圖賴、乘危搶奪、謀穴盜葬、尼僧受徒賣姦、士民錮婢奸媒開館、貧民賣妻棍徒橫分財禮以及戶口例中禁收幼尼、田宅例中嚴禁爭墳、邺賞例中嚴禁溺女、雜例中禁止迎神賽會之類，都能反映其時閩中的種種社會風習。尤其令人驚異的，莫過於雜例中的禁止殉烈。據乾隆二十四年四月福建巡撫部院諭令禁止殉烈的文告裏說：

『閩省有等殘忍之徒，或慕殉節虛名、或利寡婦所有(當婦女不幸夫亡之日)，不但不安撫以全其生，反慫恿以速其死；甚或假大義以相責，又或藉無倚以迫脅。婦女知識短淺，昏迷之際，惶惑無措；而喪心病狂之徒，輒爲之搭臺設祭，並備鼓吹輿從，令本婦盛服登臺，親戚族黨皆羅拜活祭，扶掖投繯。此時本婦迫於衆論，雖欲不死，不可得矣。似此忍心害理，外假殉節之說、陰圖財產之私，迫脅寡婦立致戕生，情固同於威逼，事實等於謀財』。

按照各地傳統的習俗，節婦、烈女原爲社會所尊崇；然竟釀成如此可怕的流弊，無怪地方政府要出示嚴加禁止了。像這樣的事例，當然也是社會史料之一。

原書是國立臺灣大學戴炎輝教授所珍藏，承他慨允借給我們抄錄付印，使治歷史的學人獲得不少珍貴的資料，這是值得感謝的。原書分類未盡妥當，我們只把原來排在郵政例和刑政例之間的雜例移置全書之末，其餘概仍其舊，未加更動。原書刻工甚陋，錯字頗多；凡是看得出來的，都在標點時順便校正了。

臺案彙錄庚集弁言

夏德儀

「臺案彙錄庚集」全是關於林爽文之亂的原始資料。這些資料的來歷有二：一部分是從「明淸史料戊編」裏輯錄出來的，列爲本書的前三卷；一部分是乾隆五十二、三年間（一七八七～八八）朝廷寄給福康安的上諭，列爲本書的後二卷。

從「明淸史料戊編」裏輯錄出來的資料計有一百七十五個文件。其中多數是奏摺，少數是上諭。我們按照年月的次序，把每一個文件編一個號碼，分作三卷；並在每卷之前列一目錄，注明頁數，以便查閱。按林爽文事變，起於乾隆五十一年（一七八六）十一月彰化的失守，終於五十三年（一七八八）二月莊大田的被擒。而這一百七十五個文件裏只有五十幾件是屬於這一時期的，其餘一百二十多件都是在事變期後的文字，有幾件甚至遲到嘉慶年間。論其內容，前五十幾件雖當事變時期，但敍述軍事情形的却很少，大都是關於人員的更調、嘉獎和懲罰以及調遣軍隊、籌措糧餉、拏獲匪犯之類的文件。後一百二十多件則全屬善後事宜的性質；其中幾乎有半數是關於軍需奏銷的案件，其餘則爲撤退征兵、審辦匪犯、查抄叛產、撫䘏難民、獎賞有功員弁、核准承襲世職以及修建城池、添設戍兵等保持地方安寧的事項。

本書第四、五卷所錄自乾隆五十二年（一七八七）八月初五日迄五十三年（一七八八）六月二十一日諸上諭，都是軍機大臣大學士阿桂和和珅直接寄給福康安和其他幾個參與臺灣軍事的重要官員的。這些上諭當然是福康安當時錄存的副本，而由他的後人寶藏的；後來流落出來，被收藏者帶來臺灣，歸之於臺灣省文獻委員會。該會就在民國四十三年（一九五四）印行，題曰「廷寄」，列爲「臺灣叢書」的第四種。原書共載一百九十一道上諭。因爲其中有十一道由內閣明發的上諭已見於「明淸史料戊編」，我們便把這十一道上諭删去了；現在總共錄了一百八十道上諭，分作兩卷，按日另編號碼，並於每卷之前列一目錄，注明頁數，以便檢索。因爲常常在一天裏連下幾道上諭，所以這一百八十道上諭共計編了一百二十七號。又這一百八十道上諭裏，除四十八道明發上諭外，却有一百三十二道廷寄上諭。廷寄上諭是不公開的，如果不是福康安的後人保存了當時所錄的副本，我們也許竟無運用這些史料的機會。所以就史料的價值來說，這些廷寄上諭也許比錄自「明淸史料」的檔案價值更高。

附：臺案彙錄庚集後記

夏德儀

邵陽魏源在其所撰「聖武記」卷八「乾隆三定臺灣記」一文中述總兵柴大紀罹禍之故曰：

『初，福康安之解諸羅圍也，柴大紀出迎，自以參贊伯爵，不執櫜鞬之儀，福康安卽劾其前後奏報不實』。

我從前讀到這段文字，總不明白魏氏何所據而云然。現在纔知道他是根據乾隆五十二年（一七八七）十二月十六日廷寄上諭中乾隆皇帝爲柴大紀辯護的話（見本書卷五、六五號上諭）。原文冗長，魏氏撮述其辭曰：

『上以大紀固守孤城逾半載，非得兵民死力，豈能不陷？若謂詭譎取巧，則當時何不遵旨出城？其言糧食垂盡，原以速外援；若不危急其詞，豈不益緩援兵？大紀屢蒙褒獎，或稍涉自滿，於福康安前禮節不謹，致爲所憎，遂直揭其短；殊非大臣休容之度』。

足見魏氏全憑上諭中所說禮節不謹的話來說明柴大紀的致禍之由。我覺得這還不是眞正的原因；我認爲福康安在諸羅解圍之後，立卽奏劾柴大紀的緣故，全在滿、漢畛域之見的太深。

柴大紀困守危城，不肯撤退，使皇帝覽奏墮淚，屢加褒獎，竟由總兵陞任提督，加參贊、封義勇伯；甚至親製詩章，手書頒賜。這些榮寵，固使滿洲將領爲之側目；而恒瑞、普吉保之流又因援應無功，屢遭申斥，幾難自保。恒瑞是福康安的親戚，福康安要爲恒瑞幫忙，就不得不先對柴大紀施以打擊。可是在福康安初劾柴大紀時，皇帝却說：

『向來綠營將弁冒功謊報積習，原所不免。但以天下之大，地方事務在在需人任使。遇有軍務，勢不能祇仗滿洲官兵，竟置綠營於不用』（見乾隆五十二年十二月十六日廷寄）。

這些話不是顯然的曉諭福康安不可站在滿人的立場來歧視漢人麼？乾隆皇帝當然不便明白揭穿福康安是抱着滿、漢畛域的偏見來奏劾柴大紀的，只好在多方解釋之後，故作揣測之辭，說柴大紀在福康安前禮節或有不謹，爲之掩飾。

那知福康安抵諸羅後，放着能打仗的柴大紀、蔡攀龍不加委任，偏把那個屢被斥爲「無能」的恒瑞逐隊隨行；這不是有心壓抑漢人、袒護親戚麼？無怪皇帝責備他「於柴大紀等過事吹求，而於恒瑞曲爲瞻徇」。無怪皇帝要問他，像這樣的作風，「何以服衆心而示公正」？並且訓誡他，要他「化其成見，勿爲人言所惑」，採取「休休有容」的氣度（俱見本書卷五、六八號乾隆五十二年十二月二十四日廷寄）。所謂「成見」，還不是暗指滿、漢畛域的成見麼？所謂「人言」，還不是暗指滿洲將領對柴大紀等的嫉妒之辭麼？何況福康安之奏劾柴大紀，起初並說不出柴大紀有任何具體的劣蹟！

這年十二月二十五日，侍郎德成自浙江差竣囘京，皇上召見他，他把風聞柴大紀往日貪縱廢弛以及亂事初起時並未及時堵禦的事情奏陳了；皇帝纔改變態度，再三責備李侍堯、徐嗣曾等瞻徇欺隱，從無一字奏及。逼得他們不得不找出柴大紀的劣蹟，逐一奏參；終於把柴大紀解京正法。

魏源在記文中頗述柴大紀守諸羅的功勞；又謂：『時議大紀之死也，不知引咎，昧帥臣之體，與張廣泗不服訥親之劾而負氣大廷者何異』？似於大紀之遭禍，略致惋惜之意。其實他何嘗不知道柴大紀是在滿、漢畛域的偏見之下被犧牲的，只因他生當滿淸之世，難於說出這個道理罷了。頃因校閱這些上諭，偶有所見，便作此「後記」，附於卷末。

半崧集簡編弁言

吳幅員

連雅堂（橫）著「臺灣通史」（「文叢」第一二八種）卷二十四「藝文志」著錄：『「半嵩集」四卷，臺灣章甫撰』。連氏另著「臺灣詩乘」（「文叢」第六四種）卷四云：『章申友明經甫，臺邑人；居府治，設教里中。著「半崧集」八卷，後附駢散文十數篇，（清）嘉慶二十一年（一八一六）門人刻之，今已絕版』。這是章甫（字申友，號半崧）「半崧集」見於臺灣文獻上之記載。現在省立臺北圖書館尚藏有「半崧集」抄本，凡六卷，分訂四冊（民國六年、即一九一七年、日本大正六年抄存）。閱其序跋，知是嘉慶二十一年版本之謄錄。連氏先後所記卷數（「通史」撰成於民國七年、即一九一八年，「詩乘」殺青於民國十年、即一九二一年），均未得其實。

原集卷一「五、七言古詩」，卷二「五言律」，卷三、卷四「七言律」（上、下），卷五「五言絕」與「七言絕」，卷六「駢文」與「雜文」，以詩爲主、以文爲附。章氏「自序」作於嘉慶二十一年三月，內有云：『余少耽詩歌、長多題詠、老不廢吟，六十年來不知何以一往情深也』。由此推知，章氏當生於乾隆二十年（一七五五）；證之集中有「甲子五十感懷」詩，益信而有徵（甲子，嘉慶九年也）。在這數十年中，臺灣發生林爽文、蔡牽兩大事件，章氏均適逢其會。林爽文事變初起，並曾「募義堵禦」；蔡牽圍臺城平後，亦有詩章「誌慶」。同時，時與各方人士往還酬唱，所作不乏傳記資料；至詠物紀勝，猶屬餘事。因略其它，輯爲「簡編」；存於「文叢」，以備一格。「簡編」未嘗保留原集卷次，仍就詩文體裁依序編輯；原集每卷卷首均有「臺陽冉友章甫著，門人聞圃郭紹芳、霄上施鈺、朝修陳青藜、男釆同校」字樣，隨同略去。惟原有序跋，仍置首尾；並將各卷目錄附刊書末，以存原集眉目。至輯存部分，約爲全書二分之一稍強。

潛園琴餘草簡編弁言

吳幅員

清同治間，淡水林占梅撰有詩集「潛園琴餘草」一種，未刋。省立臺北圖書館所藏題稱「林鶴山遺稿」「潛園琴餘草」八册（另附「補遺」三頁）抄本，當爲其稿本之傳錄。茲選取其一部份，輯爲「潛園琴餘草簡編」。

林氏，淡之竹塹人；字雪邨，鶴山其號。生於道光元年、卒於同治七年，年四十八；連雅堂（橫）著「臺灣通史」有傳（見「文叢」第一二八種。關於林氏卒年等問題，別具附記）。氏席前人遺蔭，饒於財；性豪邁慷慨，好施與。少從丈人遊京師，學乃日殖。後於里居建築潛園，延款賓客，文酒極一時之盛。綜其閱歷，道光二十一年，英人犯雞籠，倡捐助防，獲奬以貢生加道銜。二十三年，又捐款防堵八里坌口，論功以知府即選。二十四年，募勇扼守大甲溪，絕嘉、彰各邑漳泉械鬬蔓延，賞戴花翎。咸豐三年林恭事變，會同臺灣道辦理全臺團練，並捐助津米三千石，准簡用浙江道。四年，又以克復艋匪黃位所踞雞籠功，加鹽運使銜。同治初年戴潮春之變，出資召募，復大甲、克彰化，均與其役；事定，加布政使銜。福建督、撫奏請簡用，辭不出。「琴餘草」所詠，咸豐以降諸事蹟頗多涉及，而以戴潮春事件爲最。

林氏善琴，每藉以自遣，詩稿稱「琴餘草」者以此。其詩各體俱備，以五七古爲勝。稿本未定卷次，分年排比；辛亥歲（咸豐元年）以前，連少作合而爲一。此種按年編次之法，於徵文考獻極有裨益（所可異者：壬子、癸丑兩歲，卷首分別註有「咸豐壬子，我嘉永五年也」及咸豐三(癸丑)年，實我嘉永六年也」等語。按嘉永爲日本孝明天皇年號之一，此本抄於日據時期昭和二年，傳抄者竄入稿本以外之贅詞，甚屬無謂）。本書所取，仍依原序輯爲一編。至所取各詩，除前述涉及咸豐以降諸事蹟者以外，以酬唱、紀勝、感懷之作爲多；偶亦及於香奩、竹枝，俾存別一風格。又，遺稿抄本頗多旁附紅字小楷，顯係作者修改之筆；本書所取，概以修改字句爲準。抄本並偶有脫字，或爲加入□示缺，或逕補入脫字而以〔〕表之。

至本書之輯編，原有預定之範圍；但就詩言詩，對於全稿未免割裂過甚。有辜作者，實深遺憾。

關於林氏之卒年，連著「臺灣通史」卷三十三「林占梅列傳」謂『同治四年卒，年四十九』；實誤。按「琴餘草」存有同治五、六兩年（丙寅、丁卯歲）詩，其非四年卒明甚。林氏己未（咸豐九年）「秋夜述懷」詩有云：『「竊聞三十九，勞生已強半」；此是坡公語，驚心發長嘆。嘆我値其年，無成徒愒玩！……』。庚申（咸豐十年），又有「四十初度廖珏夫大司空

（鴻荃）以壽文古琴寄贈賦此誌謝」詩；癸亥（同治二年），又有「予四十有三初度日家薇臣以詩見贈卽步原韻答之」詩：並足說明同治四年爲其四十五歲，四十九歲則屬同治八年，兩不符合（按甲子（同治三年）另有「四十初度感賦」詩，似於「四十」下脫一「四」字；詩中『四十華年彈指過』句，係一泛指之詞耳。蓋有前舉三證，當可釋疑）。「琴餘草」止於丁卯（同治六年），考陳培桂修「淡水廳志」「志餘」「紀人」載：占梅『同治七年身死』；當得其實。蓋林氏耽於吟詠，卽如遲至四十九歲之同治八年卒，似不至前一歲四十八之年全無一詩存錄也。

又關於「潛園琴餘草」之卷數，連著「臺灣通史」卷二十四「藝文志」著錄：『「潛園琴餘草」，二卷。……淡水林占梅撰』。卷三十三「林占梅列傳」：『著「琴餘草」八卷，（徐）宗幹序之』。同書先後所稱不同。連氏另著「臺灣詩乘」（「文叢」第六四種）卷四林占梅條下：『著「潛園琴餘草」七卷，徐樹人（宗幹）中丞作序，沒後未刊。余從李濟臣借得，大都閒居遊覽之作』。「臺灣詩薈」所載連著「潛園琴餘草跋」。亦謂『「右潛園琴餘草」七卷……詩稿未刊。余從李君適園借得，有南通徐樹人中丞序，是鶴山所手訂者』（見「文叢」第二〇八種「雅堂文集」卷一）。按「詩乘」作於「通史」之後，「臺灣詩薈」又創刊於「詩乘」撰成之後，並均說明借得集本查閱，當屬可信。現存遺稿抄本分訂八冊，未定卷次，已如前述；卽按年爲卷，亦應爲十七卷。所謂八卷，是據八冊而言耶？所謂七卷，是按年爲卷（自辛亥至丁卯），以「十七」誤爲「七」耶？但二卷之說又何所據？或有別本而編次又不相同耶？一併附記如上，以供參考。

籌辦夷務始末選輯弁言

吳幅員

前曾在「清季外交史料選輯」的「弁言」中，指出『近代中國外交史料的彙編，始自清廷官纂的道、咸、同三朝「籌辦夷務始末」』。同時，並引述原書蔣廷黻先生的序言：『有了「籌辦夷務始末」及「清季外交史料」二書，以前的著作（按指研究外交史者以外國發表文件爲根據的著作）均須大加修改；並且這二書已引起全世界的學者注意，此後他們將逐漸知道中國材料的重要』。現在編印這本「籌辦夷務始末選輯」，特先重述一遍，藉以說明本書的史料價值與重要。

按清廷自道光十六年（一八三六）議禁鴉片起，至同治十三年（一八七四）日兵侵臺事件結束止，分朝纂有命名相同的「籌辦夷務始末」三書；通常所稱，即係並指三書而言。三書的卷帙，道、咸兩朝各八十卷，同治朝一百卷，合爲二百六十卷；故宮博物院影印本，分裝一百三十冊（這三書進呈寫本，原藏清廷內府，並未印行；故宮博物院於民國十四年（一九二五）辦理清室善後委員會點查故宮物品時發見，原訂二百六十冊。至十九年（一九三〇），始行影印。現在臺灣另由國風出版社再行縮印，合訂七冊）。凡先後歷時近四十年間與洋務有關的朝廷諭旨以及樞臣疆吏摺奏暨與外國往來的照會書札，倣「淸實錄」例編年、紀月、按日詳載。本書對於同治十三年日兵侵臺事件部分，因前已據以編有「同治甲戌日兵侵臺始末」（「文叢」第三八種），不再重複；但就選取其餘關涉臺灣的資料，分道、咸、同三朝，輯爲三卷。書末，並採輯前淸廷軍機處存檔中一些有關文件，作爲「附錄一」與「附錄二」。

茲將本書內容，作一提要。

卷一，道光朝（原書自十六年議禁鴉片起）。臺灣在這時期所發生的涉外事件，即爲鴉片戰爭期間英船的侵犯鷄籠（今基隆）與大安港及其餘波。按鴉片戰爭，開始於道光十九年（一八三九）九月。二十年（一八四〇）六月，英軍陷定海，旋在天津提出和議。至十二月，戰事重起，英軍復攻陷虎門外沙角、大角兩礮臺，和議遂破裂。此後連陷厦門、舟山列島、寧波、乍浦、鎭江各地，直至二十二年（一八四二）七月，始訂約了結。閩海自戰事初起不久，即有英船遊弈；二十年六月間，並屢至臺灣及澎湖外洋。閩浙總督鄧廷楨先後奏報籌辦水陸巡防，淸廷並派在籍前任提督王得祿協同臺灣鎭、道防護臺灣；後王得祿專駐澎湖，臺灣防務全由臺灣總兵達洪阿、道員姚瑩負責。二十一年（一八四一）七月，厦門一度失守（旋英軍退踞鼓浪嶼）；大陸對臺灣雖尙有福州五虎門對渡淡水八里坌、泉州蚶江對渡彰化鹿港可通，但由於內、臺主要航線廈門對渡臺灣府鹿耳門一路中斷，使臺灣「形勢愈覺孤危」。至八月初，南、北路外洋均有英船發見。同月十六日，竟有一艘進犯鷄籠，守軍還擊，英船折桅觸礁；經分頭追逐，頗多斬獲。據達洪阿、姚瑩奏報：此役『前後共計斬馘白夷五人、紅夷五人、黑夷二十二人，生擒黑夷一百三十三人，同撈獲夷礮十門、搜獲夷書圖冊多件』（後九月中，另有一船至鷄籠口滋擾）。二十二年正月二十四日，又有英船在淡水、彰化交界之大安港口發見，達洪阿、姚瑩遵照「不與海上爭鋒」之旨，於三十日計誘一船進入土地公港擱淺，予以擊破。據奏報，此役『計破其舟，溺斃斬馘無數，生擒白、紅、黑夷四十九人，奪獲礮械、圖書，並將通夷漢奸（五人）一同拏獲』。四月初，清廷接據奏報，諭令『取供之後，除夷目暫行禁錮候旨辦理外，其餘各逆夷與上年所獲一百三十餘名均着即行正法，以抒積忿而快人心』。嗣經迭加審訊，據供出敵情甚詳。五月間，達洪阿、姚瑩遵旨除將「夷目」顛林等十一名禁錮及病斃者以外，餘一百三十九名均予處決。同年七月二十四日，「江寧條約」（亦即所謂「萬年和約」）簽訂；不久，英人追尋前事，援約索還臺灣俘囚。待獲悉大部分已遭處決，英使噗嗎喳（Pottinger）乃控訴前在臺灣各船俱係遭風被達洪阿等「妄稱接戰俘獲，冒功揑奏，混行殺戮」，欲將達洪阿「抵償籍沒」。

經由閩浙總督怡良渡臺查辦，以「一意鋪張，致爲藉口指責，咎有應得」爲詞，奏准將達洪阿、姚瑩革職交部審訊定擬。延至二十三年（一八四三）八月，上諭終以「姑念其在臺有年，尙有微勞足錄」，「業已革職」，着毋庸議」，了此公案。

卷二，咸豐朝。在這一朝十一年中，臺灣所涉的外事乃爲開港問題。開港的承諾，則爲咸豐八年（一八五八）分別與英、法、美、俄所簽的「天津條約」。先是，道光二十六年（一八四六）以後，淡水廳屬之鷄籠山一帶洋面，時有英船遊奕。三十年（一八五〇）三月，英使兼香港總督咬喀（Bonbam 亦譯咬噏）照會閩浙總督劉韻珂，要求採購鷄籠山煤炭（同年正月，先曾照會粵督提及此事）。隨後，又有一英船赴津過鷄籠，以船中缺煤，求爲代買。不久，又在報章喧騰：咬喀在港表示『福建港口（按指福州）不好，虧折甚多，因思另換臺灣地方作爲港口』。直至咸豐八年英、法聯軍北犯，法有『請將浙江溫州海口及距厦門不遠之山島有買賣處通商』之要求，並稱『晤地早已交易，惟求明定章程』。同時美國亦提條款，謂『現有數處早經私開貿易，咸可立爲通商正港』；並列舉『如粵之瓊州、電白、潮州之沙頭、閩之泉州、臺灣、淡水、浙之溫州等處』。至五月間，與四國先後簽訂之「天津條約」准開的通商口岸，除五口（上海、寧波、福州、厦門、廣州）外，俄約有臺灣府、瓊州府二口，美約有潮州、臺灣二口，英約有牛莊、登州、臺灣、潮州、瓊州等五口及長江三口（後開鎭江、九江、漢口三處），法約有瓊州、潮州、臺灣、淡水、登州、江寧等六口。法約在臺灣(按指臺南)以外，增加淡水一口；由於各約有最惠國之條款，事實上法約所增之淡水同爲各國通商口岸。在此前後，英船並以調查遭風難民爲由，曾至臺灣沿海巡歷一周。九年（一八五九）五月，以白河之釁，英法聯軍二次開仗，換約擱置；嗣美約與俄約先行互換，美國卽首先要求依照新約在潮州、臺灣二口先行互市。同年十二月，閩浙總督慶端等奏以臺灣開市通商，惟以淡水滬尾（卽八里坌）爲宜，並委派候補道區天民赴臺會同鎭、道籌辦設關事宜。後以美國領事遲未到臺，延未實施。十年(一八六〇)八月，英法聯軍入京續訂「北京條約」後，恭親王奕訢於十二月奏准「辦理通商善後章程，設立總理各國事務衙門，並指定五口及內江三口、潮州、瓊州、臺灣、淡水各口通商事務歸欽差大臣江蘇巡撫薛煥辦理。十一年（一八六一）五月，總理各國事務大臣奕訢等與總稅務司英人赫德（Robert Hart）議商稅務，由於臺灣尚未正式開港，據赫德估計，臺灣連同瓊州、寧波每年應收進出稅銀並船鈔、子口稅暨洋藥稅（鴉片稅）銀通共一千零六十八萬兩；而徵稅費用，則又與牛莊、瓊州合爲七萬二千兩云云：此外，是年德國（布路斯）繼英、法、美、俄之後要求訂立通商條約，並「欲在臺灣之鷄籠、浙江之溫州通商」；是又爲基隆開港之先聲。

卷三，同治朝（十三年日兵侵臺事件除外）。在這一時期，臺灣對外關係愈趨複雜；先則各口正式開市，繼之糾紛迭起。臺灣先行互市的要求，原由美國提出；而先到臺灣開始正式通商者，卻爲英國。英領事郇和（Robert Swinhoe）於咸豐十一年六月抵臺，遂定議以滬尾爲口岸，並於同治元年（一八六二）六月二十二日開關徵稅。後以福州關稅務司法人美理登（De Meritens）請將鷄籠作淡水子口、打狗港（今高雄）作臺灣府子口，經通商大臣李鴻章議改子口爲外口，鷄籠於二年（一八六三）八月十九日設關啓徵，安平（卽臺灣府口）與打狗亦於次年繼之（此兩口開關文件缺）。於是原定臺灣、淡水二口，至此成於四口。六年（一八六七），發生有美船「羅妹」號（Rover 亦譯作「羅發」）事件。是年二月初七日，「羅妹」號在紅頭嶼（現稱蘭嶼）遭風衝礁擊碎，船長以下十四人駕划逃生，至琅𤩝龜子角鼻山登岸，被「生番」殺害十三人。隨後美國駐廈門領事李讓禮（Le Gendre 亦譯李善得或李仙得）乘兵船至臺，照請臺灣鎭、道撥兵會剿；臺灣總兵劉明燈等雖允設法查辦，而美艦採取直接行動，輕進受挫。待劉明燈統兵進至琅𤩝，而李讓禮卻已親入「番」地，與頭目卓杞篤逕行交涉，議定和約；且要求劉明燈撤兵免究，就此了事（李讓禮於次年二月曾再往「番地」，詳見「文叢」第四六種

「臺灣番事物產與商務」。十三年日兵侵犯琅𤩝，又作了日兵的嚮導。關於「羅妹」號事件，所有文件已收入「臺灣文獻叢刊」第四六種「臺灣番事物產與商務」書中作為「附錄」之一，請參閱前書）。七年（一八六八），又有樟腦糾紛與壯勇殺死教民事件。臺灣樟腦向歸官售，英商必麒麟（W.A. Pickering 亦譯北麒麟）等則勾通奸人潛入內山及梧棲等不通商口岸設棧自行收買，被官阻截；加以壯勇殺害教民等案陸續發生，形勢極為嚴重。於是閩浙總督英桂委派興泉永道曾憲德渡臺查辦，與英領事吉必勳（John Gibson）議商樟腦章程。詎吉必勳性情粗暴，必麒麟等又復慫恿其間，遂於十月初八日率領武官茄噹（Gurdon）管駕兵船兩號至安平示威。十二日，茄噹竟向安平開礮，並率兵登岸占踞營署，殺傷兵勇；副將江國珍倉猝遇變，自戕殞命。同日，澎湖領餉師船，亦被茄噹擄去。後經雙方協議，樟腦章程仍照原議辦結；所有兩國失職官員，亦經後來分別議處（關於這些事件的內情，書末所輯「附錄二」，可供參考）。同年，又有英、德人合謀占墾大南澳事件。有英人名康（Horn）者，承領稱為咸伯（Hamburg 亦譯漢堡）國領事的德國商人美利士（James Milisch）所給執照，前往噶瑪蘭（今宜蘭）大南澳伐木墾荒，經地方官制止無效；後由總理衙門照會英、德兩使查禁，並未戢止。次年，美利士且親至大南澳視察，康更積極開墾。美利士後並自滬尾、鷄籠運載食物、火藥赴蘇澳販賣，且向山民勒抽勇費勇糧，私典煤山、偷運樟腦。幾經總理衙門交涉，始由英、德兩使飭令離去占墾之地。此外，同治六年預籌與各國修約，總理衙門所擬條說與福州將軍英桂覆奏，均曾議及臺灣乞煤一事；七年四月英使所送修約節略，並提出臺灣樟腦應禁包攬；八年（一八六九）九月與英新修條約善後章程，亦有關於鷄籠煤礦開採之約定。再，九年（一八七〇）因天津教案所引起的籌防措施，亦曾及於臺灣。

附錄一，嘉慶及道光前期有關臺灣外交史料。按故宮博物院曾搜輯嘉慶（一七九六～一八二〇）及道光元年至十五年（一八二一～三五）有關各國交通之文書，以補「籌辦夷務始末」之不足，並以「清代外交史料」之名印行。本書所取，大多為琉球與日本遭風難船漂泊事件；而道光四年（一八二四）間閩浙總督趙愼畛奏參「防犯夷船不嚴」之摺諭，與後來之鴉片戰爭有關（惜「清代外交史料」一書不全，嘉慶二十一年至二十五年及道光十一年六月至十五年均付闕如，可能尚有資料遺漏）。

附錄二，同治年間臺灣壯勇拆搶教堂殺死教民案。故宮博物院另輯有「文獻叢編」，其所集「教案史料」中存有「臺灣壯勇拆搶教堂殺死教民案」（見「文獻叢編」第三十輯），即為同治七年與樟腦糾紛相關聯的事件。該院綴有前言云：『同治七年三月十九日，臺灣壯勇居民毆傷教民高長，並將教堂拆搶；四月十一日，復殺死教民莊清風。

同時，更有扣留英商潮腦，札傷洋行夥計等案發生。初由英領事向地方官交涉，地方官始不收理；收理後，復淡然視之。英領事遂帶領兵船，占踞安平，殺傷兵勇、焚燬軍裝火藥等局庫；時爲同治七年十月十二日；延至八年二月結案。「籌辦夷務始末」同治朝卷六十五所載奏摺，與此頗有出入』。按全案均爲英使阿禮國 (R. Alock) 給總理衙門的照會，足補「籌辦夷務始末」之缺。

至於這本「選輯」對於原書資料之取捨，頗費考量。凡直接關係臺灣之文件，當一概照錄，自無問題；所感爲難者，厥惟一般事項而涉及臺灣之資料。此項資料，取則爲量頗多，不爲篇幅所許可；捨則對於某一事項的發展，又不易明其所以然。最後決定：鴉片戰爭中閩海籌防涉及臺灣者錄之，「江寧條約」簽訂後伊里布、耆英等摺奏有關英人索還戰俘者亦錄之。英法聯軍之役，法、美等國所提條款涉及臺灣開港問題，錄之；其餘在談判中偶亦影涉臺灣者，從略。英、法、美、俄四國天津條約爲臺灣開口通商之創始條約，全錄；同治年間與其他各國所訂通商條約，或謂「通商各口照有約各國一體貿易」、或列舉口岸均包括臺灣、淡水在內，因事同一律，從略。咸豐十年(一八六〇)九月「北京續約」訂立後有「代運南漕」之議，云美商情願領價採買臺米、洋米運津；

後經總理衙門參酌曾國藩、薛煥等議奏，未予實施。此事雖涉臺灣而不果行，且牽連借助外兵攻剿太平軍問題，文案繁複；略之。「津約」實行後，總稅務司赫德所提稅務節略固僅略及臺灣，却與全盤對外通商事務有關（臺灣自亦包括在內），錄之。同治六年以後有關修約問題亦牽連臺灣在內，選錄其一、二。即上述所錄各種資料，凡可刪割部分，仍從略（均已註明「略」或用……表示之）。

原書對於外人的人名、地名，在道、咸兩朝間有於字旁加「口」，如嘆、㖿，如噗鼑喳、吱咹，不一而足。但至同治朝，則已去之。固不論其當初用意何在，能隨時代之轉移，不可不說是進步的現象。本書一仍其舊，以存其眞。至書中有關批評外人之字句，隨處可見；這是歷史資料，這是時代遭變的軌跡。選輯這些史料，旨在提供學者利用；誠如新近中央研究院近代史研究所印行的「海防檔」「例言」所云：『有關批評外人字句，均係當時當事者之主觀見解。此項史料之刊行，旨在便利學者研究，務求其眞，並非編者同意此種見解』。

法軍侵臺檔補編弁言

吳幅員

本書係據故宮博物院先後就清代軍機處檔案所輯的各種史料，集刊光緒十年（一八八四）中、法戰爭期間有關臺灣的文件，用補前編「法軍侵臺檔」（「文叢」第一九二種）之不足，因以「補編」稱之。

按「法軍侵臺檔」一書，原由中央研究院近代史研究所依據清代總理各國事務衙門及外務部檔案編印的「中法越南交涉檔」選輯；其中固亦有軍機處交出或抄交之件，但並不包括該處所有的檔案。該處檔案，後由故宮博物院收藏。民國二十一年（一九三二）前後，該院就所藏前項檔案輯有「清光緒朝中日交涉史料」以外，並接續輯印「清光緒朝中法交涉史料」。其「編輯略例」有云：『起自清光緒元年至三十四年（一八七五～一九〇八），凡中、法交涉之關係文件，悉采於册』；可是至二十二年（一九三三），僅編至光緒十年六月，以下並無續刊（已刊二十二卷，分裝十一册）。不過，該院文獻館前後編印的「文獻叢編」（民國十九年至二十五年刊出第一輯至第三十六輯計八十八種、二十六年繼續刊出第一輯至第七輯計六十八種）中，關於光緒十年中、法交涉的檔案，尚有片段的收錄。本書卽以這些不完整的資料，依前編「法軍侵臺檔」所定取材範圖選集而成。

本書體例，與「前編」略異。「前編」文件係按收發先後排比，本書則就所集各種資料分別編次。

本書第一部分，卽選自「清光緒朝中法交涉史料」。考軍機處原檔，計分上諭檔、洋務檔、摺單檔、議覆檔、電寄檔、電報檔……等名目。「中法交涉史料」所載文件與「中法越南交涉檔」比較，除軍機處所有未經交出或抄交的諭旨、摺奏及其雜檔以外，更多「電寄」、「電報」兩檔文件（「中法越南交涉檔」並非全無前項檔案，只是未錄原電文，分別註明「見電報檔」等字樣；前編「法軍侵臺檔」，因其無電文內容，並其收發日期及往來機關亦略之）。這些電遞往來文件，往往足以顯示當時的事實眞相。本書采補的摺奏甚少，大部份均爲「電寄」、「電報」等件；因摺奏等項已見「前編」者，不再重複。

本書第二部分，采自「光緒十年中法交涉電報檔」。這一資料原件，載於「文獻叢編」後編（按指民國二十六年編印部分。前此編印者，應稱爲「前編」）第五輯。故宮博物院文獻館綴有「前言」云：『民國二十年（一九三一），本館曾以軍機處檔案輯印「光緒朝中法交涉史料」，僅編至十年六月。現整理軍機處檔案，檢得「電報檔」一冊，每件標題之下，均註「八月某日」而不紀年。查其內容，皆關係中、法越南戰役之疆臣來電：當係光緒十年之事。……』。綜計此冊共載電文三十九件，本書選錄二十九件。

本書第三部分，采自「清光緒朝中日交涉史料」。蓋「中日交涉史料」輯印於「中法交涉史料」之前，由於中、法戰爭期間日本有接濟法國情事及朝鮮發生「甲申之亂」，中日、中法相互關係的檔案，已先於此書刊出。因將其中與法軍侵臺有關的電報五件，予以錄刊。

本書第四部分，則爲「醇親王奕譞致軍機處尺牘」。這一資料，原載「文獻叢編」前編第七輯。故宮博物院文獻館的「前言」云：『軍機處檔案發見有醇親王奕譞尺牘多紙，大約爲關係光緒十年中、法交涉之事。按當日辦理中、法交涉者，初爲軍機大臣恭親王奕訢、寶鋆、李鴻藻等；後慈禧后以奕訢委蛇保榮、辦事不力，乃於十年三月十三日黜之。十四日，諭軍機處云：「軍機處遇有緊急事件，着會同醇親王奕譞商辦；俟皇帝親政，再降懿旨」。至是，奕譞始代奕訢。函中多致許大人、閻中堂；當日軍機大臣有許庚身、閻敬銘二人，所稱許、閻，或指此也』。全部尺牘共一百零七件，本書錄其八、九（無關者註「略」）。至各件所書日時雖未冠月，但一經與前編「法軍侵臺檔」及本書前三部分參閱，不難明瞭。這些當時樞府運籌決策的記述，其史料價值顯較一般對外發表的文件爲高。

本書第五部分，則爲「軍機處雜檔中之尺牘」。這一資料，原題「軍機處雜檔中之尺牘五通」，載於「文獻叢編」前編第十八輯。其「前言」有云：『左錄函件五通，均見於軍機處雜檔中。第一至第四爲醇親王奕譞致軍機處尺牘，皆關於光緒十年中、法交涉事件；本刊第七輯曾刊布多通。茲又檢得此數函，特續刊焉。……』。因第五通係他事不錄，餘四件則全采入。

其次，本書與「前編」還有幾項不同：「前編」所有文件的收與發，一以總理各國事務衙門爲主體，案題據以擬訂。本書前三部分，其主體屬於軍機處，案題均照原資料所定；後二部分爲書牘體裁，以醇親王奕譞作主體，而專以軍機處各大臣爲其接受對象。「前編」文件排列，係以總理各國事務衙門收與發之日期爲準；而本書後二部無須說明，前三部分是以軍機處存檔登記月日爲序（按淸代故事：京內外摺奏，每日硃批後發交軍機處，由章京當日別錄一份存檔，原摺發還原奏人。因而所註月日，均爲存檔日期）。至別註「發」、「到」字樣者，並表示原件寄發以及存檔登記各別的時日。「前編」嘗於陰曆下經編者查註陽曆，本書因部分資料既未書明月分，茲一概不再添註。

至本書所輯，由於所據資料的不完整，仍覺缺陷多多。諸如光緒十年六月以後只有八月分的「電報檔」，以下各月見於「中日交涉史料」者又極少數；其餘更無論矣。因此深感於「中法交涉史料」的未能輯印完全，至可惋惜！歲月不居，自二十二年迄今已逾三十餘載，由於變局頻仍，原始資料之保存想亦不無問題，賡續竣事勢所難能。由今視昔、以此例彼，對於若干重要史料的整理與刊行，有心人當三致意焉。

臺案彙錄辛集弁言

夏德儀

「臺案彙錄辛集」是從「明清史料」戊編裏選錄了八十七個文件編輯而成的。凡分六卷。

前五卷計收七十六個文件，全是嘉慶時期征剿「艇盜」的檔案。「艇盜」渠魁蔡牽和朱濆俱曾騷擾臺灣，這些文件裏提供了許多關於這方面的原始資料。末一卷只有十二個文件，全是道光年間中、英鴉片戰爭期中有關臺、澎防禦「英夷」的事情。

李長庚、王得祿、邱良功等人是征剿「艇盜」的主要人物，王得祿晚年且曾奉命會辦「防夷」事宜；因此從「清史」裏錄出他們的合傳作爲本書的「附錄一」。省立臺北圖書館藏有抄本「王得祿行述」一卷，敍事較詳，也錄出來作爲本書的「附錄二」。

戴案紀略弁言

吳幅員

臺灣在淸同治初年所發生的戴潮春事變，先有金門林豪（卓人）的「東瀛紀事」（「文叢」第八種），用紀事本末體裁分述其事；繼有彰化吳德功（立軒）的「戴案紀略」（見「文叢」第四七種「戴施兩案紀略」），倣綱目之例，因年係月、因月係日記載之。這本晚出的「戴案紀略」，彰化鹿港蔡青筠撰；係徵訪耆舊，增補林著「東瀛紀事」、吳著「戴案紀略」而成者。六年之前，承孫家驥先生以所藏抄本見寄，現在卽據此本排印。

按原抄本係據鹿港蔡氏家藏稿本影寫，封面有「綠香居隨筆」「戴案紀略」，「耕雲主人拭墨」字樣。稿本成於民國十二年（癸亥），作者在卷末有一段文字記敍撰述的旨趣；先錄於此，以助閱讀。『戴逆之亂，距今適六十週年，故老尚多存者；偶有道及，猶娓娓不倦。余本就所聞，筆記大略。今春「臺南日報」刋有吳德功「戴案紀略」，與所聞小有異同；間有脫節者，藉爲補續之。惟官階、姓名，則吳記較詳；次則各地戰績，吳之闕亦較多。用以扯合，頗可彌縫。惜吳記每節必附自己議論，自稱「海外散人」；重疊複雜，矛盾甚多。姑就其所原文參考所聞見類串之，似較一氣；若云「攘美競能」，醉翁之意不在酒也。蓋本土人記本土事，爲日無多，尙虛誕若此；可見宇宙間之記述，未必儘可能信者也！以其尙須串合，故不憚煩而爲草集之，以待兒曹輩稽古之一助云爾』。

所可異者，卷首「前言」，殆全取吳著「自序」之文。而其中『……殉難義民及積勞病故之官弁凡入昭忠祠者皆附下卷』云云，蓋吳著分上、中、下三卷，下卷純屬附錄性質，備載死難者姓氏；而此書既不分卷，亦無「凡入昭忠祠者」附載之件，誠不知其何所指而云然。復考書中所引「海外散人」議論，與吳著「戴案紀略」自署「吳德功」、「吳立軒」所下論斷，文字頗多出入；卽據「林豪曰」云云，亦與「東瀛紀事」原文有所異同。

此外，稿本眉端尙有兩種「添註」。一爲要點式的五言詞句，如「戴亂之緣起」、「庸材之誤事」、「李佯之知義」（按「李佯」二字非人名，此語實誤）、「漳泉始啓衅」、「張雲英復仇」、「文武見能懦」、「鹿港有神助」、「林占梅起兵」、「大甲城克復」、「賊初犯嘉義」、「賊行耤田禮」、「斗六初被兵」、「鬼燃炬照賊」、「林向榮出師」、「林向榮死節」等；但只見於「前半」部，而「後半」部却付闕如。這些記載，已概予略去。一爲「批語」或「注釋」，可供參考之用；因一律移附書中，用夾註號表示之。這些批註，係作者所加抑他人添附，固不得而知。至書中所記人名，至多疑難。內官方人物，已參考官方資料（按指「文叢」第一七種「治臺必告錄」所刊公文書）查正。至參與事變之人，同名異寫者甚夥。諸如林日成、林日晟、林晟、戇虎晟，陳弄、陳啞狗弄、陳啞九弄，嚴辦、嚴辨，陳鯡、陳佛，陳狗武、陳狗毋、陳九毋、陳九武，黃知羔、黃猪羔，林狗毋、林狗武，趙戇、趙憨……，均先後未盡一致；孰是孰否，殊難遽定。茲一概仍存其舊，留待後考。

要之，此書誠多問題，但就「傳聞異辭」的觀點而言，仍有其可取處，其他自可不必深論。所得抄本擱置六年之久而終於印行，其故在此。

再，本書在編校時，又借得陳漢光先生所藏同書另一抄本；經查對一遍，兩本同屬一手傳抄，款式亦如出一轍。惟陳本卷末尙附有著者六男撰「先嚴耕雲公傳略」一文，因改題「著者傳略」，移刊書首，以供參考。

陳清端公年譜後記

吳幅員

這本海康丁宗洛編次的「陳清端公年譜」，據原書封面裏頁記載：「道光丙戌鐫」，「板藏沛上東署不負齋」（按丙戌爲道光六年）。現在改排印行，除另加標點符號外，行款亦略有變更；例如「弁言」所云「雙行夾寫」之文，已改用括弧標明或用小一號字排版。

陳清端公是臺灣清代早期的名宦之一；在其先後任臺灣縣、臺廈道暨福建巡撫將近十年間，凡有關係陳、文告及其他記載，均爲研究清代早期臺灣的有用資料。我們前已刊有「陳清端公文選」（「文叢」第一一六種），本書獲得較晚，未能與前書合輯，因另行編印。按「文選」係據「陳清端公文集」所輯，而「文集」乃早在乾隆年間由其後人編校者。本書引用陳氏家藏諸書，據「弁言」，經區別爲已刻者曰「文集」、未刻者曰「文稿」，且有『聞公藏稿尚有「從政錄」、「問心集」二書，俟他日再行補編』之語。可見存於未刻諸稿之作，固無由采入「文選」；即「年譜」雖將「文集」、「文稿」中「有關要義者節錄原文」，誠恐關係臺灣的文獻尚多遺略云。

雅堂文集弁言

夏德儀

連雅堂先生的著作，如「臺灣通史」、「臺灣詩乘」、「劍花室詩集」、「臺灣語典」和「雅言」，都已印行了，只有「文集」迄未刊出。他的哲嗣震東先生曾將「雅堂文集」的抄稿以及其他若干手稿交給我們，我們又從各方面加以搜集整理，纔編成這部「雅堂文集」，凡分四卷。

卷一、收論說文十八篇，序跋文三十一篇。今本「劍花室詩集」所載「寧南詩草」自序是丙寅（民國十五年）仲秋在西湖上寫的，「文集」抄稿裏却有一篇舊日所作的自序；因此我們把這兩篇文字標爲「寧南詩草自序一」和「寧南詩草自序二」。序跋文中的「斯庵詩集跋」、「番社采風圖考跋」和「潛園琴餘草跋」都是從「臺灣詩薈」裏錄出來的。還有一篇「惜別吟詩集序」是方杰人教授從他所藏的「鷺江報」殘本中找到的，他有跋語附於文後。

卷二、收傳狀文十二篇，墓誌文六篇，雜記文十七篇，哀祭文七篇，書啓文七篇。雜記文裏的「臺灣詩社記」、「茗談」和「詩意」也是從「臺灣詩薈」裏錄出來的。

三、四兩卷都是筆記體的文字。卷三計收「臺灣漫錄」、「臺灣史跡志」、「臺南古蹟志」及「番俗摭聞」四種，各有目次；卷四計收「詩薈餘墨」及「啜茗錄」二種，無目次。這六種筆記中，「臺南古蹟志」、「番俗摭聞」、「詩薈餘墨」以及「啜茗錄」皆曾刋於「臺灣詩薈」。「臺灣漫錄」凡一百一十二則，其前半七十六則已載於「詩薈」，後半三十六則則輯自先生手稿。「臺灣史跡志」凡九十五則，其前半四十二則係已整理之稿，打算刋登「詩薈」的；後半五十三則是尚未整理的手稿。

「臺灣詩薈」是提倡中國詩文、鼓舞民族精神的一種雜誌，月出一期；創刋於民國十三年（日本大正十三年）二月，迄翌年十一月而停刋，計出二十二期。每期之中，凡有空白，先生皆以「餘墨」補之；玆既錄入「文集」，故稱「詩薈餘墨」。

野史無文後記

夏德儀

「野史無文」二十卷，原題「滙水奈邨農夫輯」。書首有康熙五十一年壬辰西蜀錦江費錫璜序，謂『滙水奈邨鄭先生作「野史無文」二十卷』。書中卷三「烈皇帝遺事(上)」崇禎二年三月十九日吏部、都察院接出「欽定逆案」聖諭條云：「國變後，「逆案」多不存，故此諭野史皆不載；達見此諭於前朝內監王養純寓中』。又卷七「西南死事諸臣傳」何騰蛟傳末云：『康熙丁丑歲（三十六年）冬杪，達至京師，於友人山右賈鼎玉家會公少子名李、字左車者，詢其事蹟，說多同此』。因知奈邨農夫者，合肥鄭達也。「嘉慶合肥縣志」載其傳曰：『鄭達字士行，自號奈村農夫，明季諸生，好著書。嘗策杖游天下，盡識其山川險要。晚交西蜀太白山人李某，相與討究，得識勝國時事，著野史若干卷。其書渾朴質直，可徵信焉』。

「嘉慶合肥縣志」「藝文志」著錄此書，然無卷數。李慈銘「受禮廬日記」上集曾記此書之殘本，謂僅第十三卷至第十六卷共四卷，而首尾又不全。第十三卷爲鄭成功、朱術桂、陳永華、陳夫人暨閩中四隱君子諸傳，第十四卷爲張煌言「北征錄」、「答總督郎廷佐書」及「放歌」、「絕命詞」等共六首，第十五、十六卷爲余瑞紫「流賊陷廬州紀」。

民國十八年，合肥人徐曦取此書之「流賊張獻忠陷廬州記」印之。其後序略謂：『鄭書避當時禁忌，藏稿未刊。民國壬戌（十一年），曦以事往滬上，於友人處得夼村手抄稿本，計四册，都二十卷。其「前朝宮殿服御諸遺制」一卷、「西羌北狄諸部落」一卷、「當今巡幸東南」一卷、「本朝災祥」一卷均殘逸。存者曰「讓皇帝本紀」二卷、曰「烈皇帝遺事」二卷、曰「明末死難諸臣」二卷、曰「永曆皇帝本紀」二卷、曰「西南死事諸臣」二卷、曰「魯監國張、黃二臣傳」二卷、曰「鄭成功海東事」二卷、曰「流寇張獻忠陷廬州府事」二卷』。

本書爲另一傳鈔本。缺卷一、二「讓皇帝本紀」二卷、卷十六「前朝宮殿服御諸遺制」、卷十七「西羌北狄諸部落」、卷十八「當今巡幸東南」各一卷及卷十九、二十「本朝災祥」二卷，共七卷。存卷三、四「烈皇帝遺事」二卷、卷五「永曆皇帝本紀」一卷、卷六「永曆皇帝兵敗入緬甸土司紀事」一卷、卷七、八、九「西南死事諸臣傳」三卷、卷十、十一「魯監國諸臣傳」二卷、卷十二「鄭成功海東事」一卷、卷十三「前朝魯王以海監國於閩浙命延平王鄭成功兵部尚書張煌言自閩海率師攻江寧府城紀略」一卷、卷十四、十五「流賊陷廬州府紀」二卷，共十三卷。無徐曦所見原稿本之明末死難諸臣傳也。

本書卷三、四「烈皇帝遺事」實爲王世德所撰「崇禎遺錄」之改稱。世德字克承，大興人，明季襲錦衣衛指揮僉事，常居禁中宿衞，於當日人才政事、亡國之由及朝廷禮儀大典，委備詳覈。見野史所載烈皇事誣罔者多，往往欷歔扼腕。於是爲「崇禎遺錄」一卷白其罔而涕泣爲之序（見王源「居業堂文集」卷十八「先府君行實」）。本書卷三「烈皇帝遺事說」亦云：『前朝「烈皇帝遺事」，乃明末王中齋先生所紀。先生爲錦衣衞侍臣，日近烈皇帝左右，事皆目擊；凡正史之未載者紀之，故曰「遺事」。予又廣詢博訪以續之』。以下之文卽爲王撰「崇禎遺錄」之原序。

本書卷四之末附載梅衡華傳，爲西秦太白山人李柏所作。柏字雪木，陝西郿縣人。「合肥縣志」鄭傳謂奈村「晚交西蜀太白山人李某」，「西蜀」乃「西秦」之誤也。

本書卷五「永曆皇帝本紀」及卷七、八、九「西南死事諸臣傳」，除卷九之王應熊、李乾德、鄭文雄三傳外，皆爲「劫灰錄」之原稿。「劫灰錄」六卷，原題「珠江寓舫偶記」。傅以禮跋云：『自尤侗以爲出馮甦手，溫睿臨「南疆逸史」、劉繼莊「廣陽雜記」遂沿襲其語。近時葉廷琯特訂其誤，所言極允。惟「疑是錄」出方密之、錢飲光一輩人手，則殊不然。蓋方所著有「兩粵新書」、錢所著有「所知錄」，「永曆紀年」卽列其中，未必別成是錄，仍當以闕疑爲是』。錢書已列本叢刊第八六種。

本書卷六「永曆皇帝兵敗入緬甸土司紀事」之末有奈村跋語，謂『歲在（康熙）庚午(二十九年)冬杪，予遊南嶽，於碧雲崖精舍遇一老僧，號自非，江左人，姓鄧名凱，乃前朝行人司；昔扈從入緬，以俘人歸滇爲僧，以方外遊南嶽。予與之聚談數日，皆緬事；不憚廣詢互質，錄其事之實而言之確者，以俟後世有志於史學之君子有所考訂云爾』。其實，此「紀事」卽鄧凱所撰之「也是錄」也。

本書卷十、十一「魯監國諸臣傳」，除卷十一末附載「閣部史公守揚州紀事」爲長汀黎士弘纂輯外，皆不知其來歷。卷十二「鄭成功海東事」及「閩中四隱君子傳」，今闕黃道周、陸清源二傳。卷末原有「前後通計大傳四十八、小傳紀名六十四」之語，足見其傳本甚多，今所存者遠不及此數也。此卷所載鄭氏事多有他書所不詳者。朱術桂傳末，奈邨曰：『予覽林芝嵋所次、聽龍光二韋先生所說，因紀寧靖王朱術桂死義之事，謹載其年月』。陳永華傳論中亦引望江進士龍光二韋先生之語。按林芝嵋名謙光，號涑亭，福建長樂人；著「臺灣紀略」一卷，已刊於本叢刊第一〇四種。奈邨所覽，當爲是書。至於望江進士龍光二韋先生，則不知其詳也。

本書卷十三係取張煌言之「北征紀略」改稱爲「前朝魯王以海監國於閩浙命延平王鄭成功兵部尚書張煌言自閩海率師攻江寧府城紀略」，並附錄張煌言詩文數首。茲以「紀略」及所附「答三省總督郎廷佐書」並「放歌」、「被執過故里」二詩已見於本叢刊第一四二種「張蒼水詩文集」中，故皆刪去，僅錄奈村跋文及不見於詩文集之詩與聯共四首。

本書卷十四、十五「流賊陷廬州府紀」爲余瑞紫撰。李慈銘謂：『瑞紫卽州人爲賊虜者，其事皆所目擊，故較「明史」及「明季北略」諸書爲詳。「明史」言廬州守道蔡如蘅城陷時，縋城走。而此書言其城陷時與妾王月同避井中，賊以繩引上，遂被執見張獻忠，詰問不屈被殺，王月大罵，亦被刺死，屍立不仆，移時方倒；皆其親見，可補史闕。其記賊陷舒城事亦與諸書言參將孔庭訓迎賊而里居編修胡守恒固守者情事稍異。「明史」載守恒死事甚略，而全謝山特爲守恒作傳，極稱其烈。此書則謂其奔出城三里被殺者也。又言賊破襄陽時襄陽王翊銘年已七十餘，鬚髮盡白，向賊跪呼千歲，叩首乞命；皆他書所未見』。

總之，本書除亡逸諸卷外，今存者多爲奈邨所輯錄，或改題、或增注、或附傳論、或加引言與跋語。其輯錄之原書，如「劫灰錄」、「也是錄」、「北征紀略」及「流賊陷廬州府紀」雖有刻本，而其最有史料價值之部分，如「魯監國諸臣傳」、「鄭成功海東事」及「閩中四隱君子傳」，則尚無刊本行世；因取以爲「臺灣文獻叢刊」之一，藉供治臺灣史者之參考。

清光緒朝中日交涉史料選輯弁言

吳幅員

故宮博物院前於民國二十一年（一九三二）就所藏清代軍機處檔案輯有「清光緒朝中日交涉史料」八十八卷，刊印行世。這本「選輯」，即據以集成一種光緒初年以訖甲午（一八九四年）之戰與臺灣有關的中日關係史料。

這本「選輯」有兩個特點，說明如下。第一，凡與球案有關的文件，均予選入。由於臺灣與琉球相距不遠，在對日關係上往往有所牽連。同治末年（一八七四）日兵的侵臺，日人既藉口琉球難民被臺灣先住民殺害而起，而當時『臺灣問題的解決方法，使日人以爲中國默認琉球是屬於日本』（引蔣廷黻語）。後來球案的發生，這無異是一種鼓勵作用。迨至球案發生之後，臺灣的防務，又重新爲人所注意。因將球案全錄，以明眞象。第二，甲午之戰國內反對和議條款的文件，約佔全書三分之一，爲他書所無。「馬關條約」簽訂前後，臺灣以及其他各省在京會試舉人紛紛上書表示意見，各部院屬官、各省大吏亦先後有所陳奏。這些當時大多屬於留中不報的文件，凡有論及臺灣者概行采入，藉見當年一般輿論對於割地問題的反應。

如將這本「選輯」與前編「清季外交史料選輯」比較，顯見前編一書原輯者對於軍機處存檔已有所取捨；即如上述國內反對和議條款之件，前編原書則十不及一。由於這本「選輯」原書所集檔案較多，所選自亦較爲詳備。不過，這本「選輯」仍有不足之處；試舉一例：光緒二十一年（一八九五）三月二十七日「欽差大臣李鴻章呈遞與日議約往來照會及問答節略咨文」一文，其附件說帖、節略均付闕如（按其中「問答節略」已具見「文叢」第四三種「馬關議和中之伊李問答」，可供查考）。

臺灣旅行記弁言

吳幅員

省立臺北圖書館藏有民國五年（一九一六）五月間福建省立甲種農業學校校長何纘（系甫）寄贈的「臺灣修學旅行報告書」一種，內載何氏作「緒言」一篇及該校學生的「臺灣旅行記」三篇；卷首，並有「旅行日程」、「參觀要項」、「學生規則」、「結末事項」、「學生姓名」等記載。何氏在「緒言」開端有言：『民國四年十二月四日，纘率各級學生旅行臺灣。茲事非徒騁遊觀已也，蓋欲使青年學生增聞見、擴知能，於相形見絀之中，爲發憤自強之計。將來有所建樹，或可得心應手，不至茫如捕風』。當時臺灣淪爲日本殖民地已二十年，在日人殖民政策之下，各項建設發展甚速，頗爲國人所注意。新會梁任公亦嘗於前此不久來臺考察，作有「臺灣書牘」及「海桑吟」等篇存於「飲冰室合集」中。即「文叢」第一八四種「臺灣土地制度考查報告書」，同屬此一時期的產物。這本「旅行報告書」，亦爲民初國人來臺考察的報告之一。

該校這次旅行，計時十有二日。按預定參觀要項，分爲農林行政（官署、農會、氣象臺、試驗場、陳列所、苗圃、屠場、統計）、農林教育（學校、講習所、通俗教育）、農林製造（樟腦、製茶、製糖、草帽、蓆、製紙、菰類之製造、罐頭製造、製酒、烟草、製藍、製絲、藤之利用、植棉、果樹園藝、木材工場、肥料會社、農具會社、蔬菜乾燥）、農林經營實地狀況（阿里山、耕地整理、作物改良、牧畜、灌漑及排水、土地臺帳）及漁業等；然其結果，頗多未遂所願。這在各篇旅行記中，可見其概。此外，當年日本脅迫北京政府簽訂二十一條款以及袁世凱帝制自爲，旅行記中均隱有涉及；至其首篇前文所稱『許使亦極贊此舉……』云云，似指前福建巡按使許氏而言。特爲附帶指出，俾供閱讀之助。

由於何氏「緒言」純屬泛論，已連同卷首各項記載予以省略；玆將所存「臺灣旅行記」三篇逕以篇名爲書題，列入「文叢」刊行。因冠「弁言」，用資說明。

魂南記弁言

吳幅員

「魂南記」係龍陽（今漢壽）易順鼎先生遺著，記淸光緒二十一年割臺之役先生兩次渡臺赴援事。當是年五月初旬日軍在三貂角澳底登陸後之八日，唐景崧卽行內渡，臺北瓦解；此後臺南方面推由劉永福支撑，迄至八月杪終告棄守。其間留臺將吏與沿海各督、撫迭有往還，終因兵窮援絕，無法抵抗而後已。關於先生渡臺赴援事，其他文獻見有如下記載：

『劉帥（按指劉永福）……苦乏餉，邀集紳商行官票、勸軍需。遣人北洋乞助於北洋大臣劉坤一，南告兩江總督張之洞，西南告廣東總督，皆不卽復。惟張之洞於五月間遣司道易順鼎訪劉帥，彼此誓復臺北而無他耗，張督卽令召回。久之，兩江略有餉械至，已不濟』（見「文叢」第五九種洪棄生著「瀛海偕亡記」）。

『閏五月二十日，臺灣府黎景嵩遣苗栗舉人謝維岳向張帥之洞乞師。

臺中糧餉缺乏，臺南亦無接濟。苗栗舉人謝維岳年少有膽氣，黎遣往南洋大臣張香帥告急，乞師、請餉械。香帥命道員易順鼎到臺南查軍情』（見「文叢」第五七種「割臺三記」所收吳德功著「讓臺記」）。

『先是，景嵩因糧餉不敷、兵力不足，派員紳四去乞餉。南洋大臣張之洞派河南候補道易順鼎、候選主事陳㬎帶餉銀十五萬兩以爲接濟；並函致景嵩，略謂「民主（按指唐景崧）既遁，臺民猶奮拒敵人，其忠義勇敢甚堪嘉尙！君不忍捨去，亦能支持數月，實深欽佩！茲遣易道、陳主政帶餉十五萬前來，聊助兵食。一切事宜，已與易、陳兩君面言。以後能再收一城、一邑，自當源源接濟。此款係各省義富所集」。又函屬福建陸路提督黃少春派候補知州龍贊綱帶「達」字營暗渡來臺。詎以七月初九日行抵涵江，聞臺灣（府）之變折回廈門；距失守僅二日，亦天意也』（見「文叢」第四〇種思痛子著「臺海思慟錄」）。

按諸「魂南記」所述，上引前兩種記載，係指五月下旬先生第一次渡臺事；但奉劉坤一之命而行，並非張之洞所派。後一種記載，係指七月初旬先生第二次渡臺前事；所稱主事陳㬎，似即記中之粒翁（陳粒堂）。上述各種文獻所載，彼此不無少異；今得先生親歷之記，當可覘知眞象之一斑。至記中所稱湘帥與劉永福往來之電信，「張文襄公選集」（「文叢」第九七種）存有一二，可供參閱。劉永福在臺時嘗有『內地諸公誤我，我誤臺民（人）』之歎（見「臺海思慟錄」及「文叢」第一二八種連著「臺灣通史」）；讀此記與「張文襄公選集」，個中情況更可瞭然。

先生著有「四魂集」五卷，「魂南記」爲其最末一卷；前四卷爲「魂北集」、「魂東集」、「魂南集」及「歸魂集」，均屬詩篇。其中「魂南集」即「魂南記」所經各地吟咏之什，因一併收錄，合爲一書。此外，再自故宮博物院輯編「淸光緒朝中日交涉史料」錄出先生上都察院書兩通，題爲「易氏呈都察院條陳時務文」，作爲「附錄」之一；並另收劉永福援臺禦日之自述資料一段，題爲「劉永福援臺始末」，作爲「附錄」之二。

又，「魂南記」原祇以干支紀日；爲求便於閱讀，經查檢朔閏表，夾註陰曆日次(內有一二舛誤，並於夾註中說明之)。至記中所稱諸帥，峴帥爲欽差大臣兩江總督劉坤一(峴莊)、夔帥爲署直隸總督王文韶(夔石)、湘帥爲署兩江總督張之洞(香濤)、潤帥爲閩浙總督邊寶泉(潤民)、文帥爲署兩廣總督譚鍾麟(文卿)、敬帥爲湖北巡撫兼護湖廣總督譚繼洵(敬甫)云耳。

海濱大事記弁言

吳幅員

這是一本集刊，所收文獻有六：（一）清閩侯林繩武（惺甫）著「海濱大事記」，（二）清邵陽魏源（默深）著「國初東南靖海記」，（三）清柳州楊廷理（雙梧）著「東瀛紀事」，（四）清陽和趙翼（耘松）著「平定臺灣述略」，（五）魏源著「嘉慶東南靖海記」，（六）「續修廬州府志」載「援臺紀略」。因係集刊，本書即以首文「海濱大事記」名之。

林著「海濱大事記」，包括五篇始末記：一爲「福州倭患始末記」，二爲「閩海海寇始末記」，三爲「監國魯王入閩始末記」，四爲「鄭成功攻福州始末記」，五爲「法人侵閩始末記」，各篇並附有參考史料。

魏著「國初東南靖海記」，記清廷與閩海鄭氏紛爭事；「嘉慶東南靖海記」，記清廷平定蔡牽事變。按魏氏著有「聖武記」，內載有關閩海鄭氏與臺灣史事者計有「國初東南靖海記」、「康熙戡定臺灣記」、「康熙重定臺灣記」、「乾隆三定臺灣記」及「嘉慶東南靖海記」五文。餘三文已見「文叢」第一七種「治臺必告錄」，故不再重複。

楊著「東瀛紀事」，記清乾隆間林爽文事變始末。按楊氏由拔貢生，初知侯官縣；

乾隆五十一年八月，歷陞至臺灣海防同知。是年冬十一月林爽文起事，知府孫景燧遇害，乃攝府篆；翌年八月，陞任知府。林案事，爲楊氏親身所歷。

趙著「平定臺灣述略」，亦記林案事。趙氏著有「皇朝武功紀盛」，其自序有云：『臺灣之役，臣又爲督臣李侍堯延入幕府，首尾一年餘，始終其事』。此文乃趙氏在閩督幕府中所紀，爲「紀盛」諸篇之一。

至「續修廬州府志」的「援臺紀略」一文，係記淸同治末年日兵侵臺沈葆楨奉命援臺及其後「撫番」事。

關於林爽文事變的史料，「文叢」已刊有第一六種「平臺紀事本末」、第一〇二種「欽定平定臺灣紀略」及第二〇〇種「臺案彙錄庚集」等三種；此外除如上所述另有魏著的「乾隆三定臺灣記」見於第一七種「治臺必告錄」外，尙有不著撰人的「紀莊大田之亂」（原題「勦平莊逆紀略」）見於第三一種「臺案彙錄甲集」附錄。附此說明，備供檢索。

清稗類鈔選錄弁言

夏德儀

「清稗類鈔」，徐珂輯。茲據民國十七年商務印書館排印本，錄其有關南明或臺灣者百零七則，題曰「清稗類鈔選錄」。按原書自序有云：『清順、康間，金沙潘長吉有「宋稗類鈔」之輯，蓋爹訪宋劉義慶「世說新語」、明何良俊「語林」而作，足以補正史、資談助。不佞讀而善之。因思有清入主中原，亦越二百六十有八載矣；朝野佚聞，更僕難數。嘗於披閱書報之暇，從賢豪長者游，習聞掌故，益以友好錄眎之稿，偶一瀏覽，時或與書報相合；過而存之，亦衛正叔之遺意也。正叔名湜，宋人；嘗集「禮記」諸家傳注爲書，曰「集說」。其言有曰：『他人作書，惟恐不出諸己；某作書，惟恐不出諸人』。且以當世名碩之好稗官家言也，欲就而與之商搉；輒筆之於册，以備遺忘。積久盈篋，乃參仿「宋稗類鈔」之例，輯爲是編，而名之曰「清稗類鈔」』。特轉錄於此，以見此書之旨趣與編例也。

後蘇龕合集弁言

黃典權

施士洁先生，爲臺灣名進士，所作詩篇膾炙士林。但因遺集存家未梓，所以除了他的後人外，得窺全豹者就沒有幾人。我因工作的關係，對施氏遺著宿加重視。在多年訪求下，於民國五十三年（一九六四）秋間始在施氏後人處發見它。經多次商洽，終於全部購得。其中比較重要者，有「日記」一冊、「鄉談律聲啓蒙」一冊、「喆園吟草」四冊、「後蘇龕草」（詩）兩冊、「後蘇龕稿」（文與詞）四冊、「後蘇龕文稿」兩冊、「後蘇龕詩鈔」十一冊、「後蘇龕詞草」一冊。最後三種，端楷繕錄，無一行草之筆，無疑盡是作者仔細手訂的「定稿」。現在就拿這三種「定稿」作基礎，編爲「後蘇龕合集」；另就其他詩文稿中，選其有關臺灣史料者，作爲「補編」。總計全集一十七卷（中佚其一），凡十餘萬言。特爲選入「文叢」，俾公諸世。

關於作者的生平，「臨濮堂施氏族譜」有傳；玆略加補訂，編述如次：

『施士洁，名應嘉，字澐舫，號芸况，又號喆園、楞香行者、鯤溟棄甿，晚號耐公，或署定慧老人。父瓊芳，清道光二十五年（一八四五）進士；家居臺南赤嵌樓畔。士洁生於咸豐五年（一八五五）十二月十九日，這和宋蘇軾（東坡）的出生，月日相同、年辰相應（東坡生十二月十九日卯時）。有這巧合，士浩頗有蘇氏再世自況之概，因以「後蘇龕」冠其各類著作。他幼即岐嶷，六歲能屬對。弱冠舉茂才，廿一登光緒丙子（一八七六）鄉薦；丁丑（一八七七）聯捷禮闈，成二甲進士，點內閣中書。性放誕，不喜仕進；歸里後，每與諸名士唱和。先後掌教白沙（彰化）、崇文、海東（俱在臺南）三書院，菁莪棫樸，多所栽植；如許南英、汪春源等人，俱有聲於世。臺灣道唐景崧聞其名，曾多次親訪，訂爲文字交；與臺南府知府羅大佑、臺中丘逢甲（俱進士出身）日夕酬唱，有「四進士同詠集」。景崧擢臺灣巡撫，士浩應聘入幕。

『乙未（一八九五）之役，士浩痛哭（有詩以「痛哭」作題）臺灣之失，恥爲異族之民，挈眷西渡，歸泉州晉江縣之西岑故里。稍後，參加商會，主辦貢燕業務，時往來於福州、廈門間。宣統三年（一九一一），出任同安縣馬巷廳長。民國六年（一九一七），應聘往福州，入閩省修志局。既而，寄居廈門之鼓浪嶼，頹唐困厄，滿腹牢騷，哭以當歌，因有「耐公哭」之作（據其後人稱，全稿二冊已濕毀）。民國十一年（一九二二）五月二十三日，病卒浪嶼寄寓，年六十八』。

作者生平淡於仕宦而勤於吟詠，所歷、所見、所爲、所聞，概入詩文；因而他替與有相關的時地保存了豐富的史料。其次，他篤愛鄉邦，在臺時可無論；即西渡大陸後，夢寐馳思，未嘗或忘。故「鹿耳」、「鯤身」，流露筆鋒，幾觸目可見。所以不管他早期在臺的作品或後期在大陸的吟詠，都涵蘊着多方面的臺灣文獻，值得重視。

臺灣輿地彙鈔弁言

吳幅員

本書所收的文獻，共有十六種：(一)季麒光的「臺灣雜記」、(二)徐懷祖的「臺灣隨筆」、(三)魯之裕的「臺灣始末偶紀」、(四)吳振臣的「閩遊偶記」、(五)陳雲程的「閩中摭聞」、(六)鄺其照的「臺灣番社考」、(七)洪亮吉的「臺灣府圖志」、(八)許鴻磐的「臺灣府方輿考證」、(九)施鴻保的「閩雜記」(錄十八則)、(十)周懋琦的「全臺圖說」、(十一)卞寶第的「閩嶠輶軒錄」、(十二)龔柴的「臺灣小志」、(十三)不著撰人的「臺遊筆記」、(十四)馬冠羣的「臺灣地略」、(十五)劉錦藻的「臺灣省輿地考」及(十六)黃濤淵的「茅港尾紀略」。此外，書末並另載不著撰人的「亞哥書馬島記」一文，作爲「附錄」。

這些文獻，有早在清康熙年間的作品，亦有晚至光緒時代的記載；分別說明如下：

無錫(梁谿)季麒光著的「臺灣雜記」一卷，爲清代臺灣較早的作品。作者爲首任諸羅(後改嘉義)知縣，時在康熙二十三年；除撰著「臺灣雜記」外，並有「臺灣郡志稿」六卷、「山川考略」一卷、「海外集」一卷、「蓉洲文稿」一卷，惜均已佚。

華亭徐懷祖著的「臺灣隨筆」，同爲早期的記錄之一。作者於康熙三十四年(乙亥)

初至福建漳州，嗣有臺灣之行；在臺一載，始回內地。

魯之裕著的「臺灣始末偶紀」，未知作於何時，亦不詳作者里居。所記祇訖於臺灣設府時初置三縣，並尚在江南未分省（江南省，淸初置；康熙時，分析爲江蘇、安徽兩省）之前；其撰述的時間，或不出於康熙年代。

「閩遊偶記」作者吳江吳振臣，係隨臺灣知府馮協一（康熙五十二年至五十四年）渡臺；所稱「癸巳春」，卽康熙五十二年初是也。「偶記」每於敍述一段旅程之後，倂記當地的地理甚詳。全文較長，已略其非臺灣部分。所記在時間上僅次於「臺灣府志」「高志」與「周志」（「文叢」第六五種及第六六種）纂修後不久，亦不失爲淸代早期的一種地志。

晉江陳雲程所輯的「閩中摭聞」，祇節錄臺灣府部分。其撰作時間，可能是在雍正、乾隆之間。

新寧鄺其照所錄的「臺灣番社考」，撰作時間無考。

「臺灣府圖志」係節自洪亮吉撰的「乾隆府廳州縣圖志」；所志自以乾隆時代爲準。按原無篇名，因冠以今題。

濟寧許鴻磐著有「方輿考證」一百二十卷，成於道光十六年。茲僅錄其臺灣府部分，故題曰「臺灣府方輿考證」。

錢塘施鴻保所著的「閩雜記」，專記閩省各屬的掌故與風物；所錄十八則，以與臺灣有關係者為限。原記中有「咸豐辛亥（元年）二月，余與來森伯、張晉夫遊鼓山湧泉寺」及記同安西安橋有「今此橋咸豐癸丑（三年）為會匪所毀」語，當知其所作時期與此相距不遠。

周懋琦曾於同治十一年任臺灣知府及臺灣道，所撰「全臺圖說」係在光緒初年臺灣行政區劃改革以前。其所附論說，多為後來析疆分治時所採納。

「閩嶠輶軒錄」一書，為儀徵卞寶第在同治八年任福建巡撫時所撰，間有至光緒紀元後附誌者。今摘取其「臺灣府」，餘從略。

寧波龔柴著的「臺灣小志」，對於臺灣史事述至「近法人攻佔基隆，約定退去」止；按法兵退出臺、澎係光緒十一年事，此文當作於中、法戰爭結束後不久之時。

「臺遊筆記」作者未詳其姓氏，但知其遊臺的時間則在光緒十七年劉銘傳離任之後（文中有「前爵帥撫臺時」種種記載）。此記對於光緒十年代後期臺北與基隆的社會狀況，頗有描繪。

光緒間，武進馬冠群輯有「中外輿地彙鈔」一書，「臺灣地略」即其中的一篇。此文首敍臺北府，並及「光緒二十年奏改省會」事，可謂是清季臺灣淪日前較晚的一種記載。

清季劉錦藻撰有「清朝續文獻通考」一書，在辛亥（宣統三年）以前所成者原斷於光緒三十年，餘至民初續成。此書在「輿地考」「福建省」之下，有「附臺灣省」的記載。這篇記載爲臺灣建省後不多見的文獻，足與「臺灣通志」（「文叢」第一三〇種）及連著「臺灣通史」（「文叢」第一二八種）所載互相發明。原書在「職官考」中，並有「臺灣」一節，記乾隆五十三年以後設官之沿革。今以前文爲主，題曰「臺灣省輿地考」；後文爲附，稱爲「臺灣職官考」，一併刊列。當時臺灣已爲日本所據，這一記載，誠如「職官考」按語云云，『庶幾見而警心焉』。至在今日視之，因有此記載，幸得保存下一點有用的史料。

「茅港尾紀略」作者黃清淵，係臺灣當地人士。這種鄉土文獻，值得珍惜。至其撰作時間雖已在日據時代，然所志仍以故國事蹟爲主。

書末所附「亞哥書馬島記」，亦不知作者姓氏。所謂「亞哥書馬島」究屬何指？未詳；據所記與臺灣關係至密，因錄附備考。

本書所收文獻，有錄自清王錫祺輯的「小方壺齋輿地叢鈔」，有錄自馬冠羣輯的

「中外輿地彙鈔」，有錄自賀長齡、盛康先後所輯的「皇朝經世文編」及「續編」；亦有如上所述，節自其他專書；惟有「茅港尾紀略」一種，則據省立臺北圖書館所藏抄本。因統屬臺灣的輿地文獻，即名之日「臺灣輿地彙鈔」。再，「小方壺齋輿地叢鈔」所輯的臺灣輿地文獻自不止此，但均已見於「文叢」其他各書。至清代「經世文編」及「續編」中其餘關於臺灣的文件，除大部分亦已見於「文叢」各書外，尚有一部分將編入另一種「文叢」中。

鮚埼亭集選輯弁言

夏德儀

鄞縣全謝山先生生於淸康熙四十四年（乙酉）；當其成年之時，上距明北都之亡幾及百年。而先生於南明之遺文遺獻多方搜求，於南明殉難諸君子表章尤力。故其所著「鮚埼亭集」中有關南明之文字頗多，皆研究南明史者最足參考之資料也。爰就「四部叢刊」影印原刊本，選錄此類文字凡一百三十餘篇，次爲六卷，題曰「鮚埼亭集選輯」，列爲「臺灣文獻叢刊」之一。

至全氏集中原有陳光祿士京、沈太僕光文、徐都御史孚遠三傳暨「沈斯菴詩集序」、「盧若騰祠堂碑文」各一篇，前已鈔附本叢刊第九種「蠡測彙鈔」之末；又，「明故權兵部尙書兼翰林院侍講學士鄞張公（煌言）神道碑銘」、「張督師畫像記」二篇已見本叢刊第一四二種「張蒼水詩文集「附錄一」、「張尙書集序」一篇亦見同書「附錄二」、茲不復錄。又，「梨洲先生神道碑文」並已見本叢刊第四〇種「海外慟哭記」「附錄三」，但文末附記一則未錄；因取其附記，列爲一篇。

淸代諸家文集中，尙不乏有關南明史事之文章。近日所錄，凡得七篇，略加整理，以爲本書之附錄。

臺灣南部碑文集成弁言

黃典權

「臺灣南部碑文集成」，係據筆者歷年採訪之資料，兼參各縣市有關文獻機構之拓片、刊物，纂輯而成。採錄範圍有二：一、碑石尚存者（其中六十餘件已見採於「文叢」各書，惟與原碑均有所出入）；二、碑石雖失，拓片或錄文得考者（「文叢」各種均未著錄）。區域包括臺灣南部之雲林、嘉義、臺南、高雄、屏東、澎湖各縣及臺南、高雄兩市（東部臺東、花蓮二縣，因遺碑寥寥，而以「附錄」之目出之）。斷代始於季明，而終於清光緒乙未（一八九五）。總計訪求而得者六百餘件，其剝落漫漶者汰之、無關文獻者遺之、同文重複者捨之，計存五百十一件，茲分三類、二錄編次之：

甲、記：凡記叙文屬之，計二百零九件。

乙、示諭：凡官憲示禁及諭告、執照之類屬之，計九十五件。

丙、其他：各種捐題及不屬以上二類者屬之，計一百四十一件。

附錄一：臺灣東部碑誌：東部地區碑文屬之，計四件。

附錄二：重要簡碑紀錄表：碑文簡短而有文獻參考者屬之，計六十一件。

各類均按年代之先後排列。碑文原有題額者，依原題；有缺者，則據文意撰題冠之。全文加新式標點，並附簡明按註。至於碑中之簡字、俗字或錯字，已儘量查正，以便閱覽；惟屬人名、地名，則仍其舊。

廣陽雜記選弁言

吳幅員

清康熙間，大興劉獻廷（繼莊）著有「廣陽雜記」五卷；所記關於南明與鄭氏的一些遺事，每多得自口碑。蓋時當明鄭亡後不久，頗有人猶能就記憶所及為之道出也。今稍廣其範圍，就中選錄九十餘則，輯為「廣陽雜記選」一種，列於「文叢」刊印。書末，另選新城王士禛（貽上）所著「池北偶談」十則及「香祖筆記」六則，分作「附錄一」、「二」；吳江鈕琇（玉樵）所著「觚賸」十六則，作為「附錄三」；並錄署名花村看行侍者著「談往」一則，作為「附錄四」。內除「池北偶談」、「觚賸」以及「談往」各題係屬原有者以外，本書正文及「香祖筆記」各則的題目，均為選輯時所擬加。

碑傳選集弁言

吳幅員

這本「碑傳選集」係自淸道光間嘉興錢儀吉(衎石)彙纂的「碑傳集」選錄而成的。錢氏嘗就淸初（始於天命紀元）訖嘉慶朝止二百年間「采集諸先正碑版狀記之文，旁及地志雜傳，依杜氏大珪、焦氏竑之例」（引錢氏「自序」語），輯爲一集（初稱「百家徵獻錄」、繼改「五百家銀管集」，並一度擬稱「昭德文編」）；至光緒中，始由貴筑黃彭年、錢塘諸可寶校刊，定名爲「碑傳集」。全集錄存碑傳狀記共達二千餘人，采文五百六十餘家，分列二十五類，編爲一百六十有四卷；其類目曰宗室、功臣、宰輔、部院大臣、內閣九卿、翰詹、科道、曹司、督撫、河臣、監司、守令、校官、佐貳雜職、武臣、忠節、逸民、理學、經學、文學、孝友、義行、方術、藩臣、列女，書末另編列「附存文」、「集外文」各一卷。這本「選集」，只取其中一百十八人，文凡一百四十四篇；不依類分，改按時代順序排比。所選除吳偉業、王士禎、杜臻、劉獻廷、邵廷采以及陳壽祺諸人係屬「文叢」作者外，餘均爲南明並鄭氏以及其後與臺灣史事直接、間接有關的人物。

原集諸可寶的「校刊記」有云：「至於傳寫譌敓，理所難免；雖涉疑似，一仍其舊，無遑臆妄改之失』；「選集」自亦如此。惟中有潘耒撰的「殷公化行武略記」一文，原刊淩亂失次，經與同治年間李元度所作「殷化行事略」（見「文叢」第一九四種「淸先正事略選」）相互比校，當知李文原本潘記撰成；因就李文追尋原跡，鈎引復眞。此外，並仍無一字增損。

再，原集中另有全祖望撰的「顧先生炎武神道表」、「太子少保兵部尙書兼都察院右副都御史總督福建世襲輕車都尉會稽姚公（啓聖）神道第二碑銘」已見「文叢」第二一七種「鮚埼亭集選輯」（前一文題作「亭林先生神道表」），黃宗羲撰的「王先生正中墓表」已見「鮚埼亭集選輯」「附錄二」（題作「王仲撝墓表」），施德馨撰的「施襄壯公（施琅）傳」已見「文叢」第一三種「靖海紀事」卷首（題作「襄壯公傳」）；爲免重複，「選集」未予錄刊。

清史講義選錄弁言

周憲文

本書係選錄「清史講義」中第三章「遼東之戰爭」、第四章「遼西之戰爭」、第六章「本朝之定鼎及明室之偏安」、第七章「桂王之割據」、第八章「三藩之亂」、第九章「臺灣之收服」、第十章「中西國際之由來」、第二十三章「鴉片戰爭」等八章之全部及第二十一章「嘉慶朝各省之叛亂」中「海賊之起源」、「李長庚與蔡牽之海上角逐」、「李長庚之戰死」、「海賊之消滅」四節而成。「清史講義」原名「本朝史講義」，係汪榮寶先生於清末執教譯學舘時所撰之教本，近由著者哲嗣公紀先生印行；乃經選錄合於「臺灣文獻叢刊」部份，用饗讀者。

臺灣兵備手抄弁言

夏德儀

臺灣兵備掌於臺灣鎮挂印總兵官，「手抄」猶言「手冊」；所以這部「臺灣兵備手抄」，就是臺灣總兵隨時應用的一本手冊。原書高六寸、濶四寸，是袖珍本的形式。在若干頁的書口上端還貼著小塊長方形的顏色紙，以爲每一事項開始的標幟，藉便翻檢。這些情形也足說明此書之屬於手冊性質。這本手冊於日本大正三年（民國三年）十二月二十二日入藏於臺灣總督府圖書館，今爲臺灣省立臺北圖書館的藏書。

原書係抄本。書中各類事項皆無標題。全書亦無目次。排印本上的二十一個標題和書首的目次，是編者加上去的。書內各類事項的排列次序也由編者略加調整。這部「手抄」原不是正式的書，抄得十分草率，不免有些錯字；凡是看得出來的都已改正，人名和數目字如有錯誤，就無法校改了。

書內載有「同治八年裁兵加餉臺澎定額官兵汛塘」和「同治十年十二月分鎮標中營官兵馬匹俸薪心蔬餉乾養廉」，因此知道這本「手抄」的抄成，最早應在同治十一年。又本書內「札發簡明告示」後所附簡明告示上有「臺灣掛印總鎮林示」字樣。按「清穆宗實錄」，同治十一年八月初十日諭軍機大臣等有「着（福州將軍）文煜、（閩浙總督）

李鶴年飭令署臺灣鎮總兵林宜華於各該塘汛務須按照定章派令實缺人員前往駐防，隨時認眞巡緝，以靖地方」等語；「實錄」又謂同治十二年三月初四日，「福建臺灣鎮總兵官林宜華撤任，調浙江定海鎮總兵官張其光爲福建臺灣鎮總兵官」。因此知道這本「手抄」是同治十一、二年間林宜華在臺灣鎮總兵官任內所用的手册。册內除載有當時的若干資料之外，也有不少仍然適用的舊例；所以這個手册可能是就以往各任總兵用過的老本子加以增損而成的。在林宜華之後來做臺灣總兵的人也許各有其新編的「手抄」。可惜那些較舊的或者更新的本子現在都見不到了。

以上敍述這本「手抄」的來歷和抄成的時期，下面略論其內容。

同治十一、二年間，臺灣各營在職員弁，上自副、參、都、遊，下至外委、額外，不下一百六七十人，且又分駐各地，總兵官自難一一熟記，所以把他們的名單列爲手册的第一個項目，以便隨時查閱。但人事不斷的變更，一年之中，任免升降和調補出缺的必然不少，因此這個名單裏有些人名下面加貼一個用紅紙小條書寫的人名，並且注上「新拔」、「督委」之類的字樣，表示換了新人。排印本中把紅紙小條上的人名照樣錄入，加方括弧以爲區別。又因年代久了，紅紙小條有的霉爛，有的脫落。排印本中把霉爛看不出的字用黑框來代替，把紅條雖已脫落但還留着貼過紅條痕跡的人名下加上一副方括弧，表示這裏曾經換用新人。至於到現在還夾在原書內的幾個紅紙條，不知是從那個名字下面脫落的，無法復原，只得放棄了。按「臺灣通志」職官門所載武職人員，只列總兵、副將、參將、都司、游擊和守備，不列千總、把總、外委和額外；而且只有少數官職的名單能完整的記到同治或光緒年間。所以「手抄」裏的這個名單倒是非常難得的。

「各項規費銀數」是「手抄」裏最珍貴的資料。規費銀數單上載明臺灣府、廳、縣、各兵營、各口岸和六屬鹽販戶都要對總兵繳納規費。規費的名目有新任禮銀、每年三節二壽辰禮銀、口費、租銀、莊息、賞號、精兵費、巡規、操費等等。規費數目，最多一萬元、最少二百元，其餘幾千、幾百不等。新任禮銀大約在總兵到任時一次繳納，三項共計三千七百元；其餘二十五項都是常年規費，有按月或按季繳納的、有在三節和二壽辰孝敬的、有在出巡或閱操時呈獻的，總計全年約有三萬一千餘元。然則一個臺灣總兵從到任後只要任滿一年，就能平平穩穩的取得新任禮銀和常年規費三萬五千元。按「手抄」所載「臺灣鎮標中營官兵馬匹俸薪心蔬餉乾養廉」，總兵月支俸薪十七兩六錢多、心蔬二十五兩、馬乾十六兩、養廉一百四十一兩六錢多，共計二百兩有零，約合銀圓三百元，全年共約三千六百元；而規費所入，卻比薪餉養廉的總數大了十倍！

從表面來看，臺灣總兵每月所入有二百兩，也不算少了。但他不僅拿這筆錢來維持他和眷屬們的生活，還要用這筆錢來做辦公費；因爲他所請來的「師爺」、「科房」以及跟他來的「親隨」、「家丁」等人的俸薪伙食也都在他的這分收入裏開支。何況佔總數三分之二的養廉實際上又是不能完全抵用的款項呢！請看咸豐九年九月福建布政司呈詳督、撫的一段文字：

『竊照各官養廉原爲辦公而設。邇年州縣廉內捐款逐漸增多。計自道光十六年間經賀前升司議詳分別酌量核減停捐之後，旋又陸續增派臬署經費、發審修金、忙奏飯食、擡礮硝斤運費、藩臬署火兵工食、鰲峯經費等款，均應照額全捐，已屬不少。迨至咸豐八年起，又復先後添派修理省會萬壽宮、學院官廳、東街文昌宮、臬司及福州府監獄、南北較場、洪山橋、倉前橋、省會城垣等多款。再加以例捐各款及減成、減平等項，爲數甚鉅。凡廉額較少之處，勻扣各款之外，十不剩一。其署懸缺各員，廉僅半支，而例捐各款中有仍應全捐者，則竟廉不劃扣，尙有應行追找之銀。現計被匪燬壞衙署、倉獄、驛舍、祠宇等工，復請籌款修造，就廉攤捐，紛至沓來，不一而足，殊覺不成事體』（見本叢刊第一九九種「福建省例」第三冊三七五頁）！

上引這段文字，雖似指閩省的州縣官而言，武職官員恐怕也免不了這種「就廉攤捐」的困苦。總之，正項俸廉既不足用，便不得不藉規費來彌補了。

臺灣總兵既能向全臺各兵營索取規費，而那些中下級軍官的收入很微薄，例如主管一營的遊擊，每月的俸餉養廉只有五十八兩六錢多銀子，又怎麼擔得起每年幾百元的規費？結果只得尅扣軍餉、窩賭庇娼，想出種種方法來弄錢。臺灣鎮既能向臺灣府、廳、縣索取規費，臺灣道又何尚不能向這些直屬機關索取呢？各級地方官原也靠着一分養廉來做辦公費，困難已多，又那裏籌得出成萬成千的規費來？結果是「羊毛出在羊身上」，老百姓遭殃！孤懸海外的臺灣島上，既蒙着一張由文武官員交織而成的貪汚網，又焉得不常常發生變亂呢？

以上所論俸廉、規費和地方治安的因果關係，前人也曾見到，現在且引他們的兩段議論來作本文的結束。鄭光策在「臺灣設官莊議」一文中說：

『臺地之亂何爲乎？以民之疾視其長上也。民之所以疾視其長上者，以朘削日深而不勝其切心之痛也。然則今日改弦更張，爲之上者必奉公潔己，皆悉反前此之所爲，固不待再計決矣。雖然，人情不甚相遠，廉吏衆所願爲。苟非甚不足於己，亦何樂強取於人？苟非有所甚迫於人，亦何忍自汚乎己？今朝廷所設官司廉俸，非扣罰卽公捐、非部規卽私例，有名無實，百不存一；然而官之室家賴之，親戚故舊賴之，僕從賴之；而且以延幕友、以賜胥役、以供奉上司、以送迎賓客僚友，而又有歲時不可知之費，計其所需，豈止一端？而況海外情形與內地不同，士大夫捐親戚、棄墳墓，渡涉風濤，冒不測險，以從事於彼；自僚友以至丁役，其經費度必倍蓰。此卽廉俸本爲有餘，而又上司體恤，無意外之苛求，尙恐不支。況一切無所藉手乎』（見賀長齡輯「皇朝經世文編」卷十八「吏政」）？

金東於同治八年「上某兵備論治臺書」說：

『國朝頒祿多沿明制，頗覺太薄。雖經添有養廉，仍苦艱於撦拄。……閩省上自督撫、下逮佐雜，一切官吏，計其俸廉所入，雖極節嗇，亦難敷衍。然數百年來終可支持、不因祿薄人遂裹足者，官則專藉陋規，勉強彌縫。不肖之徒，或竟婪贓，攫彼塡此。……吏治安得不淆？臺民安得不亂？今之侈然自謂整頓吏治者，並不於此本源之求，而惟於彼末流是鶩，謬矣！即所給各官津貼，復不能多，以致日言裁陋規，而此舍彼取，陋規終不能裁；日言禁貪婪，而前淸後濁，貪婪究難盡禁。是不揣其本而欲齊其末，其弊往往如此』（見盛康輯「皇朝經世文續編」卷九十一「兵政」）。

在淸代的政治上，上下索取陋規，殆爲公開的秘密；但要找到某一個衙門或者某一個官員授受規費的數目淸單，卻不容易。這本「手抄」裏居然保存着這樣一個完整的規費銀數單，不啻是硏究淸代政治之癌的一個切片，所以被視爲最珍貴的資料。

續碑傳選集弁言

吳幅員

清代自道光年間嘉興錢儀吉（衎石）彙纂「碑傳集」以後，宣統時江陰繆荃孫（藝風）、民初江都閔爾昌相繼纂有「續碑傳集」八十卷（江楚編譯書局刊校）與「碑傳集補」六十卷（燕京大學國學研究所印行）。按錢集纂至嘉慶朝止，繆集續自道光朝以訖光緒末年；閔集既續晚出之文，並補道、咸以上所遺。我們曾就錢集選取有關南明與鄭氏以及其後臺灣史事直接、間接關係的碑傳，輯有「碑傳選集」一種（列爲「文叢」第二二〇種）；現再據繆、閔兩集選輯「續碑傳選集」一種，以爲前輯之續。

這本「選集」所取碑傳共有六十人，計采文六十一篇。其中除有清中葉以下關係臺灣人物以及「文叢」作者（魏源、徐鼒、李元度等）外，亦有南明遺逸之士，蓋屬閔集所收道、咸以上人也。「選集」的體例，一如前輯：不依類分（繆、閔兩集亦如錢集分類編纂，惟類目各有增損），改按時代先後混一編次。惟朱之瑜等少數南明人士，別以「補錄」出之，載於書末。

據繆集「自序」，繆氏嘗補有乾、嘉諸名人十四卷，待刊。閔集「自序」對此並有說明：『藝風本有「補編」十四卷，余嘗假得其總目觀之，文約百篇，頗有「耆獻類徵」

曾經載入者。李書（按指「耆獻類徵」）既已通行，凡所收文字，茲編卽不更錄。姓名有重見者，大抵紀述較詳云』。按湘陰李桓嘗於同治中纂有「國朝耆獻類徵初編」，都四百八十卷；其起訖期間爲清初至道光朝，內容是以「國史」本傳爲多。至其所載未爲「文叢」采集的有關臺灣文字，容另選輯刊印。

臺灣詩薈雜文鈔弁言

吳幅員

連雅堂先生（一八七八～一九三六）前在臺灣日據時期所編的「臺灣詩薈」雜誌，刊有臺灣古今資料甚富。這本雜誌雖歷時不及兩年（創刊於民國十三年二月，迄翌年十一月停刊）、僅刊出二十二號（月刊），而其對於臺灣保存祖國文化與鼓舞民族精神的貢獻，却不可沒。本來，擬將其中已在「文叢」刊出以外的詩文，彙印一本「臺灣詩薈選編」；後來因另有蒐編「臺灣詩鈔」的計劃，所選「詩薈」之詩將併入「詩鈔」之中，乃將所得雜文輯成這本「臺灣詩薈雜文鈔」，先行刊印。

「臺灣詩薈發刊序」已見「雅堂文集」（「文叢」第二〇八種），不再引述。該刊先後分闢「詩鈔」、「詩存」、「詞鈔」、「詞存」、「文鈔」、「文存」、「學術」、「論衡」、「傳記」、「雜錄」、「遺著」、「詩話」、「詞話」、「曲話」、「詩鐘」、「小說」、「尺牘」、「紀事」諸門；既名「詩薈」，主要自以刊載詩篇爲多。其中所謂「鈔」，以當時人所作屬之；「存」，卽錄存前人之遺作。至「遺著」一門，原包括於「雜錄」門中，後另行分出；按該刊第十三號上刊有「雅堂啓事」一則，略謂『不佞曩撰「臺灣通史」，曾搜臺灣關係之書數十種，大都抄本或已失傳，原擬刊行「臺灣叢書」，公之海內；……乃擇其尤者先登「詩薈」，名曰「遺著」。如前所列之「臺灣雜記」、「稗海紀遊」等，皆入此門』。「詩薈」所載詩文已在「文叢」刊出者甚夥，例如「詩存」門林占梅的「潛園琴餘草」、孫元衡的「赤嵌集」、王凱泰等的「臺灣雜詠」、「傳記」門黃宗羲的「賜姓始末」、林豪的「東瀛紀事」、「雜錄」門季麒光的「臺灣雜記」、郁永河的「稗海紀遊」、「遺著」門徐懷祖的「臺灣隨筆」、六十七的「番社采風圖考」以及雅堂先生自著的「臺灣漫錄」、「臺南古蹟志」（均見「雜錄」門）、「臺灣詩乘」（見「詩話」門）等，或列爲專書、或收入彙刊；其他零章短篇，不一一列舉。本書所錄雜文，只約及其什一而已。

蓋「詩薈」係屬雅堂先生所編，是以所錄各篇文字前後間有「敍言」或「跋語」，皆出諸先生手筆；所署「雅棠」（亦未有署名者，係以「按語」方式出之），卽先生的又一別號。本書著爲先生所編，亦卽以此。

又，「詩薈」停刊以後，雅堂先生尚存有若干未刊續稿及餘稿，或與已刊者合編爲「雅堂叢刊」（「臺灣詩乘」稱「臺灣叢書」，上引「雅堂啓事」亦然；均未刊），或仍保存著作者原稿。這些詩篇，當將一併彙選入「詩鈔」中。如只就「詩薈」選編一書，而未刊續稿卽予捨棄，將使一部分完整的篇什割裂；這也是所選詩篇與本書分離的另一理由，在此附帶一提。

藏山閣集選輯弁言

吳幅員

清初桐城錢秉鐙(字幼光；後更名澄之，字飲光，晚號田間老人)所著的「所知錄」，紀南明閩、粵兩行朝所聞所見事 (兩粵行朝止於永曆四年十一月駐蹕南寧)；前據「荊駝逸史」所刊「三卷本」，已刊列於「文叢」第八六種。茲續得其「藏山閣集」(「龍潭室叢書」之一)，一以同屬南明的直接史料，一以並可補「荊駝逸史」本「所知錄」之不足，特爲選輯印行。

原集分爲「藏山閣文存」六卷、「藏山閣詩存」十四卷，另加「田間尺牘」四卷；本書所刊，計分兩部分：一爲「文存」全卷，二爲節編「詩存」爲「詩選」。蓋文取其全，因統屬南明史料；詩在著者有杜陵「詩史」之自擬(見「文存」「生還集序」一)，乃選其「紀事之大者」(引用「新知錄」「凡例」語)。至其另加的「田間尺牘」(詳瑟樓居士跋)，純爲晚年之作，無與史事，故未選錄。

本書原集湮埋於世者達二百餘年，著者當年曾一再致意於刊行。其在垂暮之年「與姜在湄」書中云：『僕今年七十九矣，……所刻「田間易學」、「詩學」、「莊屈合詁」並詩、文二集，合得五種，所費不貲；先代許多關係文字俱不及刻，以俟後來闡幽耳』

。所謂「先代許多關係文字」，當指「藏山閣集」（亦稱「藏山閣稿」）而言。又「與姜奉世」書有云：『道積命卒「藏山閣」之刻，今已始事矣。……書固未能行世也』！「與休寧令廖明府」書又云：『尚有一集，亦已授梓；皆在貴鄉（按廖係閩人）與嶺南所作，未免略涉避諱，不便印行』。又「與王節安」書：『拙作付坊間，何法得推行』（均見「田間尺牘」）！按著者卒年八十有二，這些書札俱作於謝世前不久；可知原集當時雖嘗付梓，但以「略涉避諱」，未能行世。據原集序跋，迄至光緒末年，始由龍潭室主、瑟樓居士依桐城蕭氏所藏鈔本，連同「田間尺牘」一併刋行。著者所冀「闡幽」之願，終於獲償；今日研究南明史者，亦得窺見部分原始資料，可云幸矣。刋本有序跋四篇，蕭跋爲其所藏鈔本而作，餘爲刋行時所增；今特並置本書卷首，藉以覘知著者及原集的概略。

至於前刋「荆駝逸史」本「所知錄」，原非足本。其「凡例」（前刋題作「自序」，誤）之一所指「三疑案」以及「覆國之姦」（按後者指阮大鋮），錄中並無所紀；又其一所云「或無紀而但有詩、或紀不能詳而詩轉詳者」之詩，在卷上「隆武紀事」中略存一二，餘均未見。揆諸謝國楨「晚明史籍考」，「所知錄」除「荆駝逸史」所刋「三卷本」外，另有「六卷本」一種（新學會社據傳鈔本排印）。中央研究院歷史語言研究所藏有清鄭芝青手鈔本，目分卷一「隆武紀年」、卷二至卷四「永曆紀年」（上、中、下）、卷五「南渡三疑案」、卷六「阮大鋮本末小紀」，與謝考「六卷本」所叙相合。鈔本卷首並有徐時棟手題記：『「所知錄」六卷一本，鄭芝青手鈔本也。同治七年，城西草堂徐氏收藏；明年八月重訂。錄中多載已作而不甚佳。……』。另有「城西草堂」、「柳泉書畫」等印記。所謂「已作」，係指著者自己所附之詩；如上所述，這在「三卷本」中幾全芟刪。蓋如傅以禮跋文所云：『分系詩篇，人亦疑有乖史體，故傳本每多刪削者』；「三卷本」卽屬此種刪削本之一。但傅氏深知著者苦心所在，接續云：『不知錢氏本擅詞章，所附各什，尤有關係。祇以身丁改步，恐涉嫌諱，未敢據事直書；不得已，託諸詠歌，藉補紀所未備』（見「華延年室題跋」）。這些詩作，今均於本書中見之。此外，兩本相較，「隆武紀年（事）」一卷所紀正文相同，「永曆紀年」「六卷本」分（上、中、下）三卷、「三卷本」併爲兩卷（這可能因刪詩而減縮卷帙）；至「六卷本」所列「南渡三疑案」與「阮大鋮本末小紀」兩卷，「三卷本」均刪割無存。這被刪割的兩卷文字，亦並見於本書中；惟「阮紀」題稱「皖髯事實」，稍爲有異耳。因此，本書之選輯，並可彌補前刊「荆駝逸史」本「所知錄」之缺失。

中央研究院歷史語言研究所另藏有「所知錄」五卷本，清是亦居鈔本；前四卷與「六卷本」

同，卷五同列「南渡三疑案」、「阮大鋮本末小紀」。但在「卷五」二字下註：『原本無卷數，以下附錄』。換言之，原本「所知錄」正文應為四卷，餘為「附錄」而已。附誌於此，以備書誌學者之參考。幅員又誌。

清會典臺灣事例弁言

吳幅員

「大清會典」凡五次纂修，初纂於康熙年間，其後雍正、乾隆、嘉慶三朝相繼續修，至光緒中則作第五次之修輯。這本「清會典臺灣事例」，即就光緒朝所修的「事例」之部集輯所成。

康、雍兩朝纂修的「會典」，均以典與例混編。自乾隆朝起，始區「會典」、「則例」各爲之部；嘉慶因之，於「會典」之外別編「事例」並附「圖說」，各自爲卷。光緒續修，全書都凡「會典」百卷、圖二百七十卷、「事例」一千二百二十卷，合爲一千五百九十卷；始事於光緒十二年，至二十五年告成。所編典例，原定訖於十三年止；嗣因成書之日距截止之年已逾十稔，於是又將二十二年以前事之有關典禮者一律纂入。「會典」正文，關於臺灣之紀載極少；「事例」之部，臺事則紀至光緒十五年止。至感可異者，「會典」中吏、兵兩部所統文武人事部門，既未列有臺灣巡撫（但已列福建巡撫由閩浙總督兼任）及其所屬道、府、廳、縣與鎭、協、營、汛，亦未見道、府、鎭、協以下附於福建之後。或因光緒十三年臺灣甫建行省，「會典」已成定稿，未及纂入；同時因已與閩分治，却又在福建省之下剔出，致成「眞空地帶」。至是否如此，固未可必；惟有付之存疑（但在「事例」中，均已有紀載）。至其「圖」之編成，或與「事例」同較「會典」正文為晚，已將建省後之「臺灣省全圖」及各府州分圖編列，並附圖說。因將所有有關各圖併收於書末，作為「附錄」。

上述「會典」及其「事例」（典為經、例為緯）之體裁，係以官統事，以事隸官；本書所輯，祇就吏、戶、禮、兵、刑、工六部以及都察院、通政使司、翰林院等所統事例專涉臺灣者為限。此外，關於一般地方通例（自與臺灣有關）除少數與各省間具有比較意義以及隸於福建時關涉密切者以外，亦摒而未取。因集輯本書之目的，在於提供臺灣史料，原不在於介紹通常的典制；而況如兼取一般地方通例，在事實上亦不為篇幅所容許。惟另有一例外，即最後還有總理各國事務衙門所統事例。蓋咸豐八年清廷對英、法、美、俄四國分別簽訂「天津條約」後，臺灣對外關係因受此項條約之影響，進入另一時代。總理各國事務衙門之設立，原孕育於此約。此一衙門此後所辦之洋務，往往與臺灣息息相關。如欲研究中國近代史與臺灣之關係，有關此一衙門之事例，固不可不知。

至本書所編目錄，係由原書門目集成；臺灣事例祇是各目所屬之一部分而已，內容自非盡如原目所示。這在本書，是一特殊現象。又，所集事例，間分兩類：一為橫的事例，係屬纂修時之現狀；一為縱的事例，則為歷年的演變。遇有此種情形，兩者之間留一空行，以示區別。又在刑部所統事例中，每目原先列「律條」，次附「律條例」，後殿「歷年事例」；本書所輯，「律條」一概不錄，「律條例」與「歷年事例」亦準如上述區別縱橫事例的方法處理。

「會典」正文關於臺灣之紀載既少，又不易節取成章，編入書中；因撮錄所見片斷資料，以見一斑。

卷二十三戶部貴州清吏司職掌（掌稽貴州布政司糧儲道之錢糧。凡門關之稅，皆頒其政令。……）「凡貨物，稽其犯禁者；商船之出海者，則給以照而驗其出入之期」條下，註有云：『福建由五虎門渡臺商民不能赴原籍領照者，報明福防同知給照放行；由淡水內渡商民，免其給照，取具行舖認保，開明姓名、籍貫呈交管口員弁驗戳放行。如有無照船隻私渡者，船戶治罪，船隻入官』。又，同條後段「若食米、紬緞、鐵器皆限以制」中，「食米」下註有云：「臺灣商船，准帶食米六十石。如有違例多帶者，分別究治』。

卷三十六禮部祠祭清吏司職掌（掌考禋祀之典，以達誠敬。……）「凡各省之列於祀典者，……忠孝節義則以祀」條下，註有云：『福建臺灣縣丞諡「義烈」方振聲等三員名，祠於斗六門』；又有云：『福建彰化縣知縣高鴻飛，祠於臺灣縣城』。

卷五十七刑部山西清吏司職掌（掌覈山西省及察哈爾右翼與迤北各城刑名之事，分所理衙門之文移；凡各省年例咨報之件，則察而彙題）下，註有云：『各省彙咨之件，如……福建民人私渡臺灣等款，各省俱於每年十月截數咨報本部及軍機處，限十二月初咨齊』。

卷五十九工部虞衡清吏司職掌（掌製器用，凡軍裝、軍火皆覈焉。……）「凡軍裝、軍火，各按其營額與其省之例價而覈銷焉，……礮則製其車」條下，註有云：『凡製礮車，……大臺灣礮車，長一丈二尺七寸、廣三尺；小臺灣礮車，長一丈五寸、廣二尺。其輪崇之數，小臺灣礮，四尺一寸。……大臺灣礮四輪，前二輪高四尺六寸、後二輪高四尺四寸。小臺灣礮四輪，其高前後相等』。

關於臺灣礮之製造，另有一圖刊於「附錄一」，可供參證。

臺案彙錄壬集弁言

吳幅員

「臺案彙錄壬集」一共輯錄了四十個文件。這些文件，大體均與「撫番」事務有關。現依各種文件所屬的時代與資料的來源，酌分四卷。卷一收錄七個文件，內四件爲乾隆五十三至五十五年間設立番屯的奏議及其關係清冊，一件爲閩浙總督伍拉納等報告帶領生番進京的奏摺，另二件是道光與同治年間地方官的示諭。卷二收錄九個文件，係爲光緒元、二年間因同治末年日本侵臺所引起的「開山撫番」及其善後有關的奏議等件。卷三收錄二十一個文件，統屬同上時期記名提督吳光亮辦理中路「開山撫番」的案稿。卷四收錄三個文件，一件是光緒十年擬添埔裏社撫民通判的奏疏，一件是十一年所給的番地墾照，一件是十二年諭編新港社各番丁姓氏郡名堂名事。

「臺案彙錄」自「甲集」以至「辛集」的資料來源，除了「甲集」一書以省立臺北圖書館所藏的抄本「臺案紀事本末」爲主外，其餘幾均根據中央研究院歷史語言研究所近年刊印的「明淸史料」各集（偶而亦有由「史料旬刊」及「延寄」等書加以補充，但爲量不多）選輯。這本「壬集」，却又採集了省立臺北圖書館所藏的幾個抄本編成。

第一個抄本稱爲「通臺奏邊案件冊」，卽載乾隆五十三年至五十五年設立番屯的奏議及其關係淸冊的本子。臺灣設置番屯，乃是林爽文事變平定後，督辦軍務將軍公福康安以番丁隨同官兵出力打仗，建議就番社挑選屯丁，分撥未墾荒埔以資養贍的措施。這個抄本裏，計有軍機大臣會同兵部等部議覆五十三年六月福康安原奏及五十五年十一月閩浙總督伍拉納報告勘丈分撥埔地及補行事宜的兩個奏本。福康安的原奏已略見於「欽定平定臺灣紀略」（「文叢」第一〇二種）卷六十二（九八七～九九一頁），軍機大臣等卽據以逐條酌議准行。至伍拉納的原奏已另刋於「臺案彙錄甲集」（「文叢」第三一種）卷一（一～五頁），軍機大臣等據以酌議的覆奏亦已見於同書（一七～二六頁），祇是所附淸冊未曾存錄；爲免重複，現將這一覆奏正文略去，而將淸冊分列三件，另各冠以標題（內一件似已殘而不全，因稱「殘件」）。這幾個文件，如上所述，係編入卷一中。關於番屯後來的演進，「甲集」卷一尙有若干文件，可以參閱。

第二個抄本稱爲「臺灣奏稿」，分訂兩冊，是光緖元、二年間沈葆楨、王凱泰、丁日昌等的奏稿及其關係文件。內除一、二件沈葆楨的奏稿已見「福建臺灣奏摺」（「文叢」第二九種）不錄外，全見卷二所收。所有標題，亦係擬加。

第三個抄本稱爲「臺灣中路開山撫番案稿」，同爲光緖元、二年間的資料。按其中祇有一個「擬上丁中丞片稟」內有「竊亮本隸仁帡」之語（丁中丞指丁日昌，亮卽吳光亮），其餘各件稱名處均以「○○」代替，這完全是擬稿的形式。同時，並有幾個一文分行的底稿；這些分行的稿件，現採第一受文者爲主，其餘受文者適用的文字均加括號表示之。另有於主稿後附加分行之件，儘予照錄；間有因過於瑣屑，卽將無關宏旨者省略了。這些文件，主體同屬前署南澳鎮篆務、後任記名提督的吳光亮，所有標題均依原稿案由刊出，與一般案題稍有不同。卷三部分，卽收這個抄本的稿件。

第四個抄本稱爲「臺灣理蕃古文書」，分裝上下兩厚冊。這個抄本雖名爲「理蕃」文書，實際上均爲臺灣的一般資料；而且絕大部分已分見於「文叢」各書，例如「福建省例」（第一九九種）、「靖海紀事」（第一三種）、「東征集」（第一二種）、「續修臺灣縣志」（第一四○種）、「彰化縣志」（第一五六種）等，各有刊載。所剩下與「撫番」有關的祇有五個文件。內兩件編入卷一中，餘三件卽構成卷四部分。

此外，卷一中尙有一個乾隆五十五年伍拉納等報告帶領生番進京的奏摺，錄自「明清史料戊編」；這是本集中出自「非抄本」的唯一例外。本來，從「戊編」錄出的還有一個「戶部爲內閣抄出閩浙總督劉韻珂等奏移會」，爲道光二十六年劉韻珂等請開水沙連六社番地的奏疏；但這個文件已見於「治臺必告錄」（「文叢」第一七種）卷三（二○七～二一二頁，題爲「奏開番地疏」），因而臨時將其抽去。至劉氏另有一個「奏勘番地疏」，亦見「治臺必告錄」所載前疏之後，並可參閱。

臺案彙錄癸集弁言

吳幅員

「臺案彙錄癸集」是由「明清史料戊編」錄出乾隆、嘉慶、道光三朝各部造送內閣的各種清冊中節錄臺灣事件部分輯成的。這許多按月造送的清冊，其內容是開具當月承辦各項案件的事由及其處理經過；遇奉有諭旨，則錄其全文。每件末尾，絕大部分均註明「已、未完」字樣及經辦人（經承）姓名。這些記載，對於考證史事是頗爲有用的。

原編乾隆朝錄有清冊一〇九件、嘉慶朝三二件、道光朝六八件，各自編次；現在我們將其順序混編，計共二〇九件、編爲二〇九號。至最後的二一〇號，名叫「失名清單」，是另外附列的一個文件，因稱之曰「附錄」。本書不分卷，惟以甲、乙、丙、丁區爲段落。至所有清冊所載的起訖日期，是以上月二十六日起、至本月二十五日止；根據這一準則，我們特於每件目錄下加註「年月分」，以便檢閱。

「臺案彙錄」的編印，到此告一段落。

清經世文編選錄弁言

吳幅員

有清一代，自道光中葉賀長齡集輯「皇朝經世文編」以後，至光緒年間陸續有饒玉成「續編集」之輯、盛康與葛士濬兩「續編」之輯、陳忠倚「三編」之輯以及麥仲華「新編」之輯。先後六輯，宏編鉅製，蔚爲大觀。各編有關臺灣之文獻，間或已散見於「文叢」諸書（包括「方志」），亦有如施琅、藍鼎元、姚瑩、沈葆楨、劉銘傳等所作且刊列專書。茲將其餘未收各文，彙編成這本「清經世文編選錄」，列作「文叢」之一種。

此外，並另取張伯行「正誼堂集」、劉鴻翱「錄野齋集鈔」、陳慶鏞「籀經堂類稿」、吳大廷「小酉腴山館文集」中關於臺灣的若干文件，分別作爲「附錄」。

本書正文所收諸篇，內有「論日人經營臺灣」、「論臺灣亟宜變法」及「臺灣鹽務考」三文爲臺灣淪日後日人之作，措詞係屬彼方之立場，自非吾人所能同意；但可作爲研究資料，存之以供參考而已。

清耆獻類徵選編弁言

吳幅員

清湘陰李桓嘗於同治年間纂有「國朝耆獻類徵初編」一書，都四百八十四卷、卷首二百零四卷。卷首專載乾隆「欽定宗室王公功績表傳」（十二卷）及「欽定外藩蒙古回部王公表傳」（正續共一百九十二卷），正編乃爲分類彙輯清太祖天命元年至宣宗道光三十年間內外臣僚及士庶身後「國史館本傳」以及私家記述之篇。茲依「文叢」編印「選輯」例，就其卷首「欽定宗室王公功績表傳」及正編中取錄關涉南明鄭氏與其後臺灣史事之文，輯成這本「清耆獻類徵選編」。

本書之編次，係以所取每一人物經歷中涉及上述史事之時間爲準，按序區爲十二卷，末加列「附錄」一卷。前六卷以清初與南明及鄭氏在浙海、閩海爭衡爲中心，後六卷純爲臺灣入清以後之史事。

卷一（分上、下），約自順治元年至四年前後，以清兵初定江南、浙江、福建——亦即南明福王、唐王相繼敗及魯王入海流亡爲準。

卷二（分上、下），約自順治五年前後以訖十五年前後，以清兵與南明魯王諸臣及鄭成功在東南沿海周旋爲主。

卷三，以順治十六年鄭成功進攻南京一役爲中心，並及其稍後之事。

卷四，約以康熙初年鄭經撤離金、廈兩島至十三年三藩變起之前爲起訖。

卷五（分上、中、下），自康熙十三年鄭經重入閩南、粵東至十九年再棄兩島爲止。

卷六，以康熙二十至二十二年清兵規取臺灣爲中心。

卷七（分上、中、下），自康熙二十三年臺灣入清版圖至末年朱一貴之變止。

卷八，以雍正朝起訖爲準。

卷九（分上、中、下），以乾隆初年至五十年前後爲準。

卷十（分上、中、下），以乾隆五十一年林爽文事變及其善後爲中心，以訖乾隆之末。

卷十一（分上、下），以嘉慶朝起訖爲準。

卷十二，爲道光朝事。

至各卷所收人物之排比，前六卷由於每一時期史事先後之牽涉，無法區分次序，即以原編類別序列；後六卷大體改依各人所涉臺灣史事先後爲序，惟卷十因情形特殊（主爲林爽文事變事，亦無法區分次序）而仍按類編次。

本書所取，原以「國史館本傳」爲多；私家記述已見「文叢」各書（包括第二二〇種「碑傳選集」及第二二三種「續碑傳選集」）者，均未重複錄刊。至其選取標準，在前六卷，凡涉及當時史事之人物，均在入選之列；後六卷中，除取涉及當時史事者外，凡屬臺灣職官不論有無事蹟著錄，一律收入。所稱涉及當時史事之人物中，例如李蔚，因有一語關係臺灣棄留而錄全傳；又如楊遇春，則因早年曾預林爽文事變之征討取其片斷記載而割其餘。其間去取，往往視各人所涉史事關係如何而定。所取各文，每有長篇累牘旁及他事、亦有僅節錄一二，蓋職是之故。此外，祖孫同傳，有錄其中一代者，弟附兄傳，有因連類而並存者；子傳及父，有收子傳之一節而存其父者。凡此，不及備舉。至於「附錄」之輯，大體以「文叢」作者爲限。內有黃宗羲、錢澄之、查省（繼佐）諸人原亦爲南明史事關係人物，但因記述之文多避不涉及，故未編入正文。

本書篇幅較多，頗涉微細，固不無煩複之處；但其可貴，亦卽在此。

吳光祿使閩奏稿選錄弁言

吳幅員

日本國立京都大學圖書館藏有吳贊誠所遺的「吳光祿使閩奏稿彙存」一種，承曹永和先生在日商得該館之同意，將其中「臺灣奏事」及「陳病狀辭任」各摺片攝取照片，供作「文叢」之一。經加整理標點，題爲「吳光祿使閩奏稿選錄」，排版印行。

吳贊誠字存甫，廬江人。淸咸豐元年，以拔貢朝考知縣，分發廣東；初署永安令，補德慶州，歷順德縣、虎門同知、署惠潮嘉道。同治中，調天津製造局，補天津道，擢順天府尹。光緒二年，以三品京堂繼丁日昌督辦福建船政。四年四月，兼署福建巡撫；十月，轉光祿寺卿，仍留署任。旋辭署撫篆，留辦船政。在使閩期間，嘗兩渡臺灣辦理「開山撫番」事宜。蓋臺灣當同治十三年（甲戌）日兵侵略牡丹社事件結束之後，深感非開拓東部（所謂後山）不足以阻遏外國對臺灣的覬覦；於是「開山撫番」之議，乘時以起。當時欽差大臣沈葆楨兩度巡視臺灣，繼由福建巡撫丁日昌渡臺督理。其後，改由吳贊誠接辦。上述「臺灣奏事」，卽爲這一時期的「奏事」。

「吳光祿使閩奏稿彙存」，扉頁中署「吳光祿奏稿」，右上方與左下方分記「光緒丙戌刋」、「潛川吳氏家藏」等字樣。按光祿歿於光緒十年，丙戌則爲十二年。據舊京都帝國大學圖書館(卽現京都大學圖書館之前身)所鈐書號腰形章所載，入藏時間爲「昭和十六年十一月十四日」（卽在中華民國三十年間），距刊刻時已近六十年。全書原分三卷，各卷目錄分別標題「船政奏事各摺」、「臺灣奏事各摺」、「陳病狀辭任各摺」。曹先生所攝，卷一船政部分已予略去。這本「選錄」原擬題爲「吳光祿臺灣奏事」，因並收「辭任」各摺，改用今名。至「辭任」各摺，亦多涉在臺情形。且其前三摺如依時間編次，應分別移列「臺灣奏事」中；但爲保存原狀，一仍其舊。

此外，曹先生並在京都大學圖書館攝有同時入藏的「卞制軍奏議」中有關臺灣的摺片十餘篇。按儀徵卞寶第(字頌臣，號娛園)先於同治七年任福建巡撫，旋請奉母終養，家居十餘年。至光緒七年，復拜湘撫之命（並曾一度移權湖督）；十二年三月，擢陞閩浙總督（並曾兼署福州將軍，又攝陸路提督）。兩次蒞閩，前後相隔二十年。卒後，其子爲輯疏稿十二卷，名曰「卞制軍奏議」。今所攝取之件，可分爲三部分：一爲出於卷三者一篇，係屬在閩撫時奏給同治六年分臺、澎各營俸餉等事宜；二爲出於卷八者一篇，係屬在湘撫後期奏覆查抄臺灣道劉璈財產之摺（關於劉璈事，分詳「文叢」第二一種「巡臺退思錄」及第二七種「劉壯肅公奏議」）；三爲出於卷十一及卷十二者十一篇，大多係屬在閩浙總督任內奏報臺灣核銷及人事有關等摺片。但以篇幅無多，不能單獨成編，因附於本書之末。卞著另有「閩嶠輶軒錄」一種，與「卞制軍奏議」（與京都大學藏版本同）並藏中央研究院歷史語言研究所圖書館。「輶軒錄」內有「臺灣府」部分，前已輯入「臺灣輿地彙鈔」（「文叢」第二一六種）中。

漳州府志選錄弁言

吳幅員

已往閩海漳、泉地區之與臺、澎，其地理暨歷史關係之深切，較東南沿海其他地區爲最（迄今臺、澎人民多漳、泉籍，卽由此故）。因此，在往昔「漳州府志」與「泉州府志」中，不乏關係臺、澎之史料。玆先就清光緒四年增刊之「漳州府志」選錄若干關係史料，輯編印行；至「泉州府志」，容另行選刊。

「漳志」原編計有建置、星野、疆域、山川、規制、學校、祀典、秩官、賦役、選舉、兵紀、宦績、人物、列女、民風、物產、古蹟、藝文、災祥、紀遺等二十門，都五十卷；沈定均等纂修。今就所選史料，分以志地、志事、志人、志文四目編次；並將各篇所據卷次、門目分駐文末，俾便查檢。其中「志地」一篇，取自「兵紀」中明代衞所、營寨及諸遊等記載；由此一可概見澎湖在明代海防上之地位，二可略知當年倭寇與「海寇」犯漳之行徑（後者與鄭芝龍有關）。「志事」一篇，節選「災祥」所附「寇亂」目下所載；上自明嘉靖二十六年佛郎機「番船」進泊浯嶼，下訖清康熙二十二年施琅破澎湖、入臺灣。「志人」一目，係就「宦績」、「人物」、「列女」及「紀遺」諸門選集；所取人物，改以所涉有關史事先後混編。「志文」三篇，計有文二篇、詩一首，選自「藝文」門。綜後三目所涉，有關於明季「海寇」（主爲鄭芝龍舊日之伙伴）事，有關於清初閩中唐王立國及其後鄭氏繼續抗爭事，亦有關於臺灣入淸以後事；但均爲零星片斷而已。至在「志人」中，間亦有「文叢」作者如陳第、張燮、鄭亦鄒等傳雖非直接涉及史事，惟在徵考臺灣文獻上，並爲有用之資料。

此外，原編「秩官」、「選舉」兩門尚有部分關涉資料，未予選錄。

泉州府志選錄弁言

吳幅員

這本「泉州府志選錄」繼前刊「漳州府志選錄」後編印，選編方法幾全相同。所據「泉州府志」，乃爲清乾隆二十八年黃任與郭賡武重修、同治九年知府章倬標等補刊本。原書列有四十六門類，凡七十六卷、卷首一卷；選錄部分，改以志地、志事、志人分目編次，而殿以「志餘」六則。原書中除職官、選舉兩門外，凡有與臺灣歷史直接、間接關係之資料，均已儘予采入。

首爲「志地」。此目錄有原書軍制門「明軍制」「水寨軍兵」二節，記明代泉州府屬諸島嶼——包括澎湖設寨置汛概況。

次爲「志事」。此目分兩篇，一爲節自原書祥異門所附「紀兵」，一爲選錄海防門有關記載。「紀兵」上擷宋乾道七年毘舍邪入寇事，下取明崇禎二年以訖清康熙二十二年止明季海寇擾泉活動及清初鄭氏海上之進止。「海防」斷自明萬曆二十五年添設澎湖遊兵以及於臺灣入清以後以臺、廈爲樞紐之海上交通管制諸措施；末附明曹學佺「海防志」一文。

又次爲「志人」。此目所選，本乎原書「名宦」「封爵」及人物諸傳。所謂人物諸傳，就標稱「列傳」一門以外，並有循績、仕蹟、文苑、向學、勳績、武蹟、捍衛、忠義、孝友、篤行、樂善、隱逸、寓賢等類傳；凡入選各傳，今並略其類目，混一改按人物所歷時代排比。其最早者爲宋乾道時汪大猷傳，有涉及毘舍邪之記載；最晚者，則止於清雍、乾間人。

至末附「志餘」六則，取自原書「拾遺」一門。此種零星記述，係屬轉載諸家筆記或文集有關臺、澎及鄭氏之軼聞。

按舊日泉州與臺灣之關係，要以同安所屬金門、廈門兩島爲最深。另有金、廈二島志纂修於道光年間，較「泉志」晚六十餘年，資料極豐；此二志已分刋「文叢」第八〇種及第九五種，可供參閱。

行在陽秋弁言

周憲文

這本「行在陽秋」，原書既無序跋，亦未著撰人，後人有謂爲明劉湘客所著者。據「小腆記傳」：『劉湘客，西安人。……崇禎末，上海何剛以薦舉爲職方主事；……未及行而北都陷。永曆帝建號粵西，湘客爲御史。……桂林破，與族人刑部侍郎劉遠生隱猺峒中。……』。因「小腆記傳」有劉湘客『著有「行在陽秋」，言粵事甚悉』語，故後人據以云云。但細讀原文，似未盡然。例如本書第四四頁：

『初六日，孔有德破桂林』。

『劉湘客作初五日，用曆異也』。

這顯見本書非湘客所撰。

又如本書第三四頁記「五虎」事，有謂：

『副都劉湘客，陝西布衣，來自瞿相，又爲成棟同鄉，號爲「虎皮」』。下註『見南粵新書』。

這也顯見本書非湘客所撰；而且此類事例甚多。如果「小腆記傳」謂劉湘客『著有「行在陽秋」』屬實，亦當另有一書。因爲「文叢」目的，祇在供給史料，原無意於考證；故在整理之餘，特提出此一問題，以供有心人之參考，期免以誤傳誤而已。說到整理，本書眞可說是「僞」、「漏」百出；凡屬顯然者，我已僞者正之、漏者補之，未及逐一註明①；至於很多疑似或無法了解之處，我實無暇考正，祇能做到附（？）號以存疑。

①姑舉一例。本書第七六頁原文爲「定國薨後以世子嗣典記靳統武統武奉嗣典爲晉王」，實在不知所云；一再推敲，始知「典」爲「興」之誤、「記」爲「託」之誤。這是「定國薨後，以世子嗣興託靳統武；統武奉嗣興爲晉王」。

幸存錄弁言

周憲文

這本「幸存錄」，收「幸存錄」上下兩卷、「續幸存錄」一卷。前者爲夏允彝所撰，後者爲夏完淳所作。

據「小腆紀傳」，夏允彝，字彝仲，華亭人。崇禎丁丑(一六三七)成進士，授長樂知縣；居五年，邑大治。與太倉張溥等結復社，而異於東林。北都亡，走謁史可法，謀復興；弘光帝立，乃還。南都破，總兵吳志葵起兵吳淞，允彝入其軍，爲之飛書走檄，四方響應。然皆文士不知兵，迄無成。松江破，乃作絕命詞，自沈松塘死。著「幸存錄」，爲絕筆。子完淳，字存古；七歲，能詩文。魯監國，授中書舍人。監國航海，完淳拜表慰問，爲邏者所得。下獄，賦絕命詩，遺母與婦；臨刑，神色不變，年甫十八。故夏氏父子，均盡忠於王事，實難能而可貴。

本書名「幸存錄」，顧名思義，乃具特別意義。或因著者隸復社，所見不無異殊。例如：史可法，舉世稱頌，本書則有微詞；馬士英、阮大鋮，舉世痛詈，本書則有恕語。本書題名「幸存錄」，其意或在於此；但亦因此，後人乃譏本書爲「不幸存錄」。

原書脫字、錯字甚多，除顯然可見者已予補正外，餘則附？號以存疑，讀者其諒諸。

籌辦夷務始末選輯補編弁言

吳幅員

清代道、咸、同三朝「籌辦夷務始末」有關臺灣的史料，「文叢」已分別編有「籌辦夷務始末選輯」（第二〇三種）及「同治甲戌日兵侵臺始末」（第三八種）兩書印行。新近中央研究院近代史研究所出版「道光咸豐兩朝籌辦夷務始末補遺」及「四國新檔」兩書，均另有補充前編「選輯」的資料。「補編」之輯，卽基於此。

「道光咸豐兩朝籌辦夷務始末補遺」是新編的史料，原由已故的蔣廷黻先生於民國十九年選自北平大高殿所藏淸代軍機處檔案，中央研究院近代史研究所今據現任美國哈佛大學教授費正淸(John King Fairbank)所存選抄本編印成書（其經過見原書費正淸、郭廷以兩序）。按蔣氏所選原抄本前藏國立淸華大學圖書舘，惜於民國二十六年蘆溝橋事變後，已不知其下落。費氏所存選抄部分（始於道光二十二年、止於咸豐十一年），計八百二十六件；經近代史研究所删去與道、咸兩朝「籌辦夷務始末」及「四國新檔」完全重複者一百十八件，實得七百零八件。現存之件，有可作上述「籌辦夷務始末」補正者，亦有爲「完全新發現」者（郭序語）。本書所選，有兩件係與前編「選輯」「有出入」（卽非完全重複），餘均爲「完全新發見」文件。內容所涉，主要爲關於道光年間中英鴉片戰爭一役所謂「臺灣殺俘」事件，次爲咸豐年間與英、法、美、俄簽訂「天津」及「北京條約」後臺灣開港問題交涉事。就文件性質而言，以與有關國家使臣往來照會等件爲多。此外，另有兩件臺灣船廠修造戰船動支銀兩的資料，一併選入。

「四國新檔」係咸豐九年軍機大臣奉旨纂輯的，起自道光三十年、訖於咸豐九年，至同治二年完成。原編計有「英國檔」二十卷、「法國檔」二卷、「美國檔」四卷、「俄國檔」二十卷，合共四十六卷。這一「新檔」纂於道光朝「籌辦夷務始末」（自道光十六年至二十九年）之後，根據軍機處原檔編錄，僅備考查之用，與後來成書的咸豐朝「籌辦夷務始末」微有不同。近經近代史研究所將所藏清季總理各國事務衙門錄存的清檔（即謄清本）與另一題爲「辦理撫局」的清檔合編印行。據與「籌辦夷務始末」核對結果，重複者佔三八・四一%，稍有出入者佔八・二〇%，有出入者佔一二・七八%，新刊布者佔四〇・六一%；換言之，全書約有十分之四爲「籌辦夷務始末」所未收。本書所選，計有「英國檔」與「美國檔」各若干件，大體均爲「有出入」者或「新刊布」者；偶有「稍有出入」與「重複」者，亦止於有所需而選（「法國檔」與「俄國檔」因無「新刊布」與「有出入」者，故未列選）。「英國檔」所選爲道光三十年及咸豐八、九年間英人欲在臺灣購煤及巡赴貿易等事，「美國檔」所選則全屬咸豐九年換約後美人請在潮州與臺灣兩地先行互市交涉文件；尤以後一檔所錄往來照會，殆均爲「新刊布」者。

本書按所據分爲「道咸兩朝籌辦夷務始末補遺」、「英國檔」、「美國檔」三部分，依次編列。又爲便與前編「選輯」互閱，每件文首均如「籌辦夷務始末」冠以軍機處存檔登記月日；按日檢對，卽可見其先後。凡原爲一個文件(如奏摺與附單)分作數件者，今仍合併編列；例如「補遺」所選道光二十二年十一月二十四日浙撫劉韻珂奏，已將另列之所謂「噗嘂喳曉諭」併附。其正件已見前編「選輯」者，則加註說明；例如「美國檔」所選咸豐九年九月初九日欽差大臣何桂淸奏所附與美使往來照會，卽於月日下註以『文見「籌辦夷務始末選輯」卷二同日「欽差大臣兩江總督何桂淸奏」，以下爲其附單——與美使往來照會』。至卷首所編目錄，於「存檔登記月日」以外，並摘記各件事由，以見其概。

崇相集選錄弁言

吳幅員

明末閩人董應舉（字崇相）著有「崇相集」，集中頗有關於當年閩海史事之記述，洵爲探究明代與臺灣關係史極爲難得之文獻。應舉籍閩縣，萬曆戊戌(二十六年)進士，歷官至工部侍郎兼戸部。在其任官期間，並曾兩度回里：一在萬曆四十年代前期，以告歸；一在天啓末年至崇禎之初，落職閑住。前一時期，適在日人村山等安侵略臺灣前後；後一時期，乃值鄭芝龍受撫及其任剿「海寇」之時。應舉先後在籍，禦倭、剿寇均與其事。先於萬曆四十年上有「嚴海禁疏」，其後並有籌倭、防寇等各議以及與沈有容、黃承玄、韓仲雍、南居益、熊文燦等諸當事論時事書。特爲選錄編次，並附以其他載籍有關資料，輯成此書。

首列「嚴海禁疏」，係爲備倭而作。明代倭患之始末，茅瑞徵著「皇明象胥錄」「日本」一篇所述甚詳；因並與「琉球」、「和蘭」諸篇收入「附錄一」，用資查考（另有張燮著「東西洋考」「日本」等篇，已見「文叢」第一一九種「諸蕃志」附錄，並可供參閱）。

其次，所錄萬曆四十四年「籌倭管見」篇，首有『倭垂涎雞籠久矣』之語，爲針對倭伺臺灣之策。按茅著「琉球」篇：『雞籠淡水，一名東番云』。「明史」：『其地名臺灣，密邇福建』（均見下文所引）。蓋前此萬曆三十年，倭嘗據其島，「島夷」及商、漁交病，浯嶼偏將沈有容率師過澎湖破之（詳見「文叢」第五六種沈有容輯「閩海贈言」「平東番記」諸篇）。其後，茅著「日本」篇有云：『（萬曆）三十七年，……薩摩州幷琉球，聲取雞籠淡水，噬閩、廣』。由於由來有漸，於是乃有是年村山等安侵臺之擧。

關於等安之侵臺，在文獻上固無完整之記載；但由於本書所錄崇禎三年「黃中丞勘功揭」及「中丞黃公倭功始末」二篇追述等安侵臺失敗後餘船犯閩之經緯，略見端倪。至其個中情況，須於他籍分別求之。等安侵臺之訊，明廷先得之於琉球。茅著「琉球」篇云：『萬曆四十四年五月，中山王尙寧遣通事蔡廛報倭造戰船五百餘，脅取雞籠山島夷——雞籠淡水，一名東番云』。王鴻緒「明史稿」「琉球」篇亦有云：『萬曆四十四年，日本有取雞籠山之謀——其地名臺灣，密邇福建。尙寧遣使以聞，詔海上警備』（張廷玉等「明史」同，並見「文叢」第一九六種「流求與雞籠山」所收）。至於等安之擧措，茅著「日本」篇僅云：『始，（德川）家康擱焉窺南鄙，而長崎之酋曰等安——卽桃員者得罪家康，懼爲所滅，請取東番自贖；遂令次子秋安連犯閩之東湧、大金』。其侵臺經過，誠乏較詳之紀錄；而犯閩行動，卻於「中丞黃公倭功始末」中見之。是年五月，等安部下明石道友船泊東湧，擄福建巡撫黃承玄所遣偵使董伯起去；稍後，遂有料羅、大金之失事。明年四月，道友等送伯起歸，由水標參將沈有容撫之。未幾，有倭酋桃烟門者自浙犯閩東沙，又因道友以降（董伯起之偵倭，朱國楨著「湧幢小品」撰有「東湧偵倭」篇，並收作「附錄二」）。其間，另有海道副使韓仲雍至小埕召倭譯審情實一節，見於「明神宗顯皇帝實錄」及張著「東西洋考」「逸事考」篇轉載「款倭詳文」（分見「附錄三」及「附錄四」）。當時道臣曾詰以何故侵擾雞籠淡水？何故謀據北港（臺灣地）？何故擅掠內地與挾去伯起、後送還伯起及侵奪琉球等事，道友俱以甘言對。首答何故侵擾雞籠淡水稱：自平酋（按指平秀吉）物故，國甚厭兵。惟常年發遣十數船，挾帶資本通販諸國。經過雞籠，頻有遭風破船之患；不相救援，反掠我財。乘便欲報舊怨，非有隔遠吞占之志也。次答何故謀據北港稱：通販船經由駐泊，收買鹿皮則有之，並無登山久住意。或漁捕唐人，見影妄猜；或仇忌別島，生端唆害。又次答何故擅掠內地稱：國王嚴禁，不許犯天朝一草一粒。緣各商趁風飄入浙、閩，不得已沿途汲取山泉；官兵既「劫賊」相待，因而格鬪，未免殺傷。且各商去國遠，不必謹守國法；有信附舟唐人恐嚇起釁者，有被劫海唐人敎誘取利者，國王實不知聞，聞則必根查之而種誅之。董伯起親見舊年同道友來擄去漁人張士春、歐達老船衆五十輩，今盡監繫；待回報，行戮是也。又次答何故挾去伯起稱：上年彼國發商船十一隻阻風失蹤，其二船係島酋親子（按指等安次子秋安），至今未還；其七船，與浙兵纏住厮殺。惟道友二船先到東湧，遇小漁船，浼代樵汲並作眼目；詢知軍門黃都爺多撥兵船、火器，係韓海道新行訓練，十分精利。於漁船叢中，覺察伯起有異；質問，係是海道中軍官人。禮請過船，同到日本：一則欲待官兵追及，央其分剖；一則藉此歸報國王，明非逗留——實不敢輕慢。又次答何故送還伯起稱：總攝嗣位未久，每念四夷皆通天朝而彼獨隔絕，先世亦常列名職貢而後乃棄捐，心中時常以爲恥憤。今因送到伯起，辭氣耿介，愈仰中華人物。始悟每年輕舟越販，峨冠進謁，或爲衙門差官以求供饋、或領互市價值竟至脫騙，皆骩法小民；使小國慕化之心有負，而天朝「字小」之恩未沾。今幸撥雲見日，自願輸忱。春信風柔，始差道友等送回。至恭進表文，經沈參將諭以「不合體式」，願帶繳回矣。又次答何故侵奪琉球稱：係薩摩酋陸奥守恃強擅兵，稍屬役之；今歲輸我王，不過銀米三千。收利幾何而不忍割出，但須轉責該島耳。至詢其來意何求？據稱送還華官，得一公文回報——圖好體面、傳好名聲，別無他求。但願自後鑒我倭人船衆，止是通販，不是行劫；官兵相遇，莫輒鬬殺！最後，海道諭以『上年琉球來報汝欲窺占東番北港，傳豈盡妄！天朝因汝先年有交通胡惟庸之事、有擅遣宋素卿在驛鬨殺之事、有誤信汪五峰頻年入寇之事，近年有平秀吉侵擾高麗之事，疑汝嫌汝，懸示通倭禁例益嚴。其實遠嶼窮棍挾微貲、涉大洋，走死鶩利於汝地者，弘綱闊目，尙未盡絕。汝若戀住東番，則我寸板不許下海、寸絲難望過番，兵交之利鈍未分，市販之得喪可覩矣。歸示汝主，自擇處之』！道友所答，無論其可靠性如何，其中確已提供不少研究資料。至韓道諭倭之言，更足道出當年海上紛擾之關鍵所在（所謂「先年」、「近年」諸事，參閱上引「日本」篇）。基上引述，可知所錄應舉前一次囘籍時所著其他各篇，甚具史料價值。至於東沙降桃烟門事，「閩海贈言」另有記述與歌頌；卽應舉亦有「總理水軍參將題名碑」一文與「沈將軍歌」、「送沈將軍提兵登萊」及「贈沈寧海將軍破倭東番二首」諸詩輯入，略記其事。

再次，關於鄭芝龍受撫及其後平勦「海寇」事。按芝龍受撫，谷應泰著「明史紀事本末」有「鄭芝龍受撫」篇，已收在「文叢」第三五種彭孫貽著「靖海志」「附錄」中；至當年對於「海寇」「用戰、用守、用間諜、用招安、用解散、用誘購」，其間「曲折微妙」，另有「文叢」第三三種曹履泰著「靖海紀略」盡道其然。本書所選與熊文燦以及其餘諸人書，亦能藉悉當事者之用心。芝龍在天啓五年初起時不過數十船，翌年（六年）而一百二十隻、七年遂至七百，迄崇禎元年受撫前合諸「海寇」計，船且及千（約見所錄「米禁」篇）。用能撫之以勦他寇，確爲當年閩海一大事。應舉後一次囘籍時所著各篇，以當時人述當時事，其史料價值亦不亞於「靖海紀略」。「附錄五」收有吳偉業著「綏寇紀略補遺」「漳泉海寇」篇，備供參閱。

此外，本書對於當年閩海上另一大事天啓間荷蘭人侵據澎湖事涉及較少，因是時應舉服官在外，僅有與南居益二書而已。荷蘭侵澎事，「文叢」已輯有第一五四種「明季荷蘭人侵據彭湖殘檔」一書；玆又收有顧祖禹著「讀史方輿紀要」「彭湖嶼」篇（另加「琉球」篇）及陳仁錫輯「皇明世法錄」「彭湖圖說」及「攻夷記」、「備紅夷議」諸篇（另加「閩海」篇），分作「附錄六」及「附錄七」（茅著有「和蘭」篇，已如上述見「附錄一」中）。

「崇相集」板本原不止一種，本書係據民國十七年閩人林煥章重刊本選錄。原書分疏、啓、議、書、傳、序、壽文、志、記、碑、銘、頌、雜文、祭文、墓誌銘、詩諸門類，而殿以「大學略」。全書分裝六冊，惜所得之本缺後三冊，傳以下皆未見。所錄係就疏、議、書三門中選出，傳以下姑付缺如。惟如上述，「閩海贈言」所收之碑文與詩章，當爲其碑、詩兩門中之作。至本書正文篇次之編排，「嚴海禁」一疏撰作較早，列爲首篇；書札大致一如原編，係按年代爲序者；而議論則酌其先後，分別與書札配合。故就整體而言，即將疏、議、書混編，而依年代爲次第。

東明聞見錄弁言

周憲文

「東明聞見錄」一卷，原書不著撰人，有謂出於明瞿共美之手。記自「丁亥永曆元年春正月帝幸桂林」起，至「庚寅永曆四年十月清師入桂林督師閣部臨桂伯瞿式耜、總督楚師司馬張同敞不屈死之」止，全文僅兩萬餘字；乃以下列四文，作爲附錄。卽：

附錄一：客溪樵隱編「求野錄」一卷。起自「永曆十二年戊戌正月詔以原督師兵部尚書程源爲禮部尚書、都御史錢邦芑掌院事」，迄「永曆十六年壬寅四月二十五日吳三桂以帛進帝所，帝遂崩，皇太子及皇姪殉之，明亡」。歷時凡四年又四月。

附錄二：自非逸史編「也是錄」一卷。有序。起自「永曆十二年戊戌十二月十五日帝自溪畿起行」，迄「永曆十六年壬寅四月十八日上被難」。其與「求野錄」所記，不無出入，可互參證。

附錄三：華復蠡著「兩廣紀略」一卷。著者自「甲申三月二十七日梁溪發棹」，至「辛卯正月有上韶州之便，遂寄曲江」；是甲申至辛卯間著者的兩廣見聞錄，彌足珍貴。附對丁魁楚、洪天擢及李綺有所列論，不同凡響。

附錄四：江之春著「安龍紀事」。主要係記馬吉翔、龐天壽勾結孫可望謀逼永曆禪位，首輔吳甦貞等奉密旨陰召李定國護駕；事洩，諸賢死難，慘絕一時。

閩事紀略弁言

吳幅員

明季華廷獻撰有「閩游月記」二卷及「閩事紀略」一卷，今並刋爲一書。由於兩種文獻俱記閩中隆武時事，書名卽以「閩事紀略」概之。

按廷獻字伯修，無錫人。天啓丁卯，舉於鄉；崇禎庚辰會試下第，特賜進士，嘗官修武知縣。嗣丁艱服闋，値甲申南都立國，又出宰閩汀歸化。「閩游月記」二卷，卽爲此時之作。篇首有云：『金陵鼎新，延及閩、粵，於是乙酉、丙戌以來之事，可得而記也』。曷爲乎「月記」？作者自跋云：『「月」者，微詞也；彰之不得，則微云耳。「月記」者，簡詞也；詳之不得，則簡云耳』。所述見聞，有足資爲他書佐證，亦有他書所未見者。惜敍次凌雜，分卷割裂，爲其病耳。至「閩事紀略」一卷，爲「月記」變體之作。或疑一人何以作此兩書？其中必有一僞或一書而割裂爲二者。此一問題，尚有待深究；因將兩書並刋，備供學者參合利用。

此外，另收兩種附錄：一爲署前行人司行人瞿共美撰「粵遊見聞」一卷，記閩中建元至唐王聿𨮁廣州之敗；一爲署明中書舍人安福范康生撰「倣指南錄」一卷，述福京覆後贛州陷落前後之事。此兩種文獻，亦爲當時人所撰，均屬閩事較爲直接之史料。又，瞿共美另著「東明聞見錄」一卷，已另刊於「文叢」第二三八種。

至本書係分由兩人整理，所用標點容有少異，尤以正文兩篇爲然。蓋由於各人看法不同，固未可強求一律也。特附一言，幸垂鑒焉！

青燐屑弁言

周憲文

「青燐屑」兩卷，爲明慈谿應喜臣（更名廷吉，字棐臣；崇禎戊辰進士）所撰；記南都事；因字數不多，乃以「燕都日記」爲附。後者爲清馮夢龍所撰，自『昌平兵變、京都戒嚴』起，至『攝政王登武英殿受朝賀，出示京都，令官民除服剃頭，衣冠悉遵大清之制』止。雖然由於朝代的不同，兩文的立場自異；但於其間，可以發見許多因果關係，令人省悟。

吳耿尚孔四王全傳弁言

周憲文

這本「吳、耿、尚、孔四王全傳」，是清代的著作，但不知出於誰手。吳指平西王吳三桂並及其孫世璠，耿指靖南王耿仲明及其子耿繼茂、孫耿精忠，尚指平南王尚可喜並及其子之信、之孝輩，孔指定南王孔有德並及其女四貞、女壻孫延齡。這四人（吳三桂、耿仲明、尚可喜、孔有德），本來都是漢人明臣，終都降滿叛明，因戰功而得王封。但其最後，無不由於「走狗死，狡兎烹」，不得善果；或則及身受戮，或則禍延子孫。其中情形比較特別的，是定南王孔有德。他爲清人經營天下，所至有功。但順治九年桂林一役，大敗，有德自焚死，一家一百二十人皆被害；祇留一女，名四貞；後送入宮，爲太后養女；算是酬庸，實爲安撫有德舊部，故旋「封四貞爲和碩格格，掌定南王事，遙制廣西軍」。四貞嫁孫延齡，「夫以妻貴」，後奉旨鎭守廣西；及吳三桂反清，延齡響應，卒至慘死。

所以，這本「吳、耿、尚、孔四王全傳」，是富有所謂「教育意義」的。

所附「金壇獄案」（計六奇）、「戴重事錄」（章學誠）及「黃心葵事記」，亦均爲清人之作；內容都與「全傳」無涉，因「全傳」篇幅不够，故以湊數耳。

江南聞見錄弁言

周憲文

本書是以「江南聞見錄」（未著撰人）爲主，而附以四篇有關的文獻：一是江都王秀楚記「揚州十日記」，二是「嘉定屠城紀略」（未著撰人），三是嘉定朱子素（九初）述「東塘日箚」，四是江陰沈濤（次山）撰「江上遺聞」。這五篇文字，皆記明弘光時事；且大都出於「當事者」的手筆，身經目睹，史料價值極高。詳細點說，「江南聞見錄」，可以說是總論；附錄四篇，可以說是專論——專論一地之事。

少時讀書，習聞「揚州十日、嘉定三屠」，但祇知其慘而不知其詳；本書則記有當時的詳細慘狀，希望讀者特別留心。「東塘日箚」亦記嘉定屠城，且與「紀略」十九雷同，未知何故？有待考證（兩文經加比校，似以「日箚」爲原作，「紀略」係就「日箚」改仿「綱目」體裁撰成者。蓋「紀略」所紀綱與目恆不甚相符，筆法牽強，竄改之跡可見。至彼此人名、地名互有出入，當爲傳本抄襲之誤；今兩存之，一併待考）。「江上遺聞」則記當年江陰城守事，其慘烈情形，實不亞於揚州與嘉定。

我於整理本書之餘，重有所感。茲記兩點，以留紀念：（一）清滿入主中土二百餘年，經中山先生倡導革命，歷盡艱辛，犧牲無數志士，終於辛亥一役，推翻清室，創造民國；而今猶有「遜清」之稱，實令人百思莫解。豈中華民國果非為民族革命之結果，而出於清室之「遜位」乎？「遜位」之說，誠有之；但此純屬袁世凱玩的手段。故在清室，可以自稱「遜位」；又在袁世凱之流，亦不妨稱「遜清」。但在以推翻滿清、創造共和自命的人士，豈可出此？卽一般人民，也不應有此觀念。(二) 滿清亡明而統一華夏，南征西伐，實得力於「漢奸」。而這些「漢奸」，如洪承疇、吳三桂、李成棟輩，謂其存心「賣國」、毫無民族觀念，恐亦未必盡然；但有一點，凡讀南明史者，當有同感。姑以李成棟為例，他原屬明將，戰敗投清；但投清以後，則幾乎所向披靡，一直打到廣東，後又反正；贛南一戰，落荒而逃，就此結束其一生。這原因，是值得我們研究的。

清史稿臺灣資料集輯弁言

吳幅員

「清史稿」凡五百三十六卷，近人趙爾巽、柯劭忞等撰。自民國三年政府設立清史館至十六、七年間稿本付梓，歷時十有四年；當時倉卒趕印，隨修隨刻，致「目錄與書不合」（註一），其草率可見。至定名爲「清史稿」，蓋仿王鴻緒「明史稿」例，尚有待後人之修訂耳。『其取材，則以「實錄」爲主，兼采「國史」舊志及本傳，而參以各種記載與夫徵訪所得』（註二）；『若以史料觀之，則固不遺鉅細也』（註三）。雖其瑕疵儘可滋議，誠如孟森（心史）氏於其刊印後不久所言：『「清史稿」爲大宗之史料，故爲治清代掌故者所甚重；卽將來有糾正重作之「清史」，於此不滿人意之舊稿，仍爲史學家所必保存，供百世之尙論』（註四）。因本斯意，依「文叢」搜供臺灣史料之準則，就中選集關係明鄭與臺灣之資料，輯成本書。

原書有本紀十二（太祖、太宗、世祖、聖祖、世宗、高宗、仁宗、宣宗、文宗、穆宗、德宗、宣統等紀），二十五卷；志十六（天文、災異、時憲、地理、禮、樂、輿服、選舉、職官、食貨、河渠、兵、刑法、藝文、交通、邦交等志），一百四十二卷；表十（皇子世表、公主表、外戚表、諸臣封爵世表、大學士年表、軍機大臣年表、部院大臣年表、疆臣年表、藩部世表及交聘年表），五十三卷；列傳三百十六卷，內彙傳五十八卷（彙傳分后妃、諸王、循吏、儒林、文苑、忠義、孝義、遺逸、藝術、疇人、列女、土司、藩部、屬國等十四目；后妃、諸王諸傳冠首，循吏以下列後）。刋本原有「關內本」與「關外本」兩種，前者爲留存於史館之板本，後者爲任校刻者金梁等攜出關外（指山海關外而言）所重刻或補刻。兩本卷數相同，主要差異則爲「關外本」多張勳（張彪附）、康有爲兩傳（註五），並加有「校刻記」。本書據「關內本」集輯，仍依紀、志、表、傳分目。

（一）本紀：分世祖、聖祖、世宗、高宗、仁宗、宣宗、文宗、穆宗、德宗九紀（餘三紀均無所取），上自順治元年清兵入關，下訖光緒二十一年臺灣淪日；凡與南明以降至於鄭氏三世以及臺灣在清代之始末所有資料，均予選取。

（二）志：擷取地理、食貨、兵、交通、邦交五志中部分記載，計有地理志之臺灣、食貨志之戶口、田制、鹽法、鑛政、徵榷、兵志之綠營、水師、海防、交通志之電報、邦交志之英吉利、法蘭西、美利堅、德意志、日本、和蘭（荷蘭）及日斯巴尼亞（西班牙）諸目；除地理志之臺灣無待贅言外，餘殆均爲臺灣入淸版圖後有關之記載。

（三）表：僅取諸臣封爵世表及疆臣年表兩種選編二表。其諸臣封爵世表，取淸初至末葉涉及明鄭與臺灣史事之人物，依王公、侯、伯、子、男各等分別；疆臣年表，選統轄閩臺之總督與巡撫兩職合輯而成。原書督、撫分編二表，今合爲一。按統轄閩疆之總督，順治初稱曰「浙閩」（兼轄兩省），十六年改稱「福建」（專轄）；至康熙二十六年又稱「閩浙」（恢復兼轄）、雍正六年再改「福建」（專轄）；十三年之後仍復「閩浙」以訖光緒間。巡撫，原稱「福建」，至光緒十一年臺灣著手建省而改稱「臺灣」焉。凡此職稱異同，今各分欄區別。至年表中某一年與前一年動態不變者，今均從略。

（四）列傳：此目選取標準，大體與前輯「清耆獻類徵選編」（「文叢」第二三〇種）同：卽臺灣入清以前，凡涉及明鄭史事之人物，均在采選之列；入清以後，除取涉及當時史事者外，凡屬臺灣職官及「文叢」作者，不論有無事蹟著錄，一律收入。至各合傳或附見之人，間有分割取捨，要在抉存有用之素材而摒棄無關之資料而已。又有一人兩傳，則並存之，以供學者參取之用（如烏什哈達其人，先後兩見，爲其顯例）。各傳先後編次，統依原書之順序。按原書列傳分卷，當有其立意（是否適當，姑不論）；今所取各傳，另於各卷間（不論一傳或數傳）以數字順序區分之（惟各彙傳，分別依類合輯爲準）。原書每卷卷末，繫有「史論」。今凡全卷入選者，「史論」併錄；如僅采其部分人物，則略而不取——因「史論」乃爲全卷諸傳而作，全錄自嫌不倫，節取又不成文，寧以删割爲當。末列「屬國」琉球、越南兩傳，蓋各與臺灣史事有關。「文叢」搜輯有清一代臺灣文獻已不在少，但每種所涉僅及某一時或某一地；至有系統、有終始之記載，並不多見。綜合本書所輯資料，差可稱爲清代臺灣始末粗備之一種。惟其中舛誤缺失，尚有待考訂。

(註一)昔年故宮博物院嘗審查抉剔此書「簡陋錯誤」之處有十九項之多，「目錄與書不合」爲其中之一（詳見世界書局印行「廿五史述要」第二編第二十六「清史稿」(附)」篇。按「史稿」趕印，初排目錄爲五百三十四卷，後增志、傳各一，遞增爲五百三十六卷。本書各篇出處，即據增改之卷次註明，與原書目錄略有出入。

(註二)引自金梁「清史稿校刻記」，現據孟森「清史稿應否禁錮之商榷」（原刊國立北京大學國學季刊第三卷第四號，民國二十一年十二月北平出版。今收入正中書局印行「中國近代史論叢」第一輯第一冊，改題「清史稿兩種不同版本」）轉引。

(註三)引自蕭一山「近代史書史料及其批評」（原刊國立東北大學「志林」第三期，民國三十一年一月四川三台石印本。今亦收入「中國近代史論叢」第一輯第一冊）。

(註四)引自孟氏「清史稿應否禁錮之商榷」。

(註五)「關內本」「列傳」二百五十九有傳四：陸潤庠、世續、伊克坦、梁鼎芬（徐坊）；二百六十有傳二：勞乃宣、沈曾植。「關外本」「列傳」二百五十九有傳六：陸潤庠、世續、伊克坦、梁鼎芬（徐坊）、勞乃宣、沈曾植；二百六十有傳二：張勳（張彪）、康有爲。
餘卷，兩本均同。引據同（註四）。

明亡述略弁言

周憲文

「明亡述略」上下兩卷，爲清鎖綠山人著，從『莊烈帝即位』起，至『桂王（永曆）薨於雲南』止，夾敍夾論，全是淸人口吻。文長僅二萬言，不够篇幅，因以淸李之芳撰「平定耿逆記」爲附。按「平定耿逆記」著者爲當年浙江總督，親自率兵爲「和碩康親王」開道，『自（康熙）十三年五月至本年（二十一年）八月，歷九年，身在行間，先事佈置機宜，調度勦撫兼施，大小一百四十餘戰』，雖爲淸人口吻，不無過甚之詞；但史料價值極高，值得特別注意。

島噫詩弁言

陳漢光

民國四十八年春間，余與陳陛章先生合撰「盧若騰之詩文」，收詩三十五首。同年冬，因金門明魯王塚發現，偕廖漢臣兄前往考查，得知若騰「留菴文集」十八卷、「留菴詩集」二卷、「與畊堂學字」二卷、「制義」一卷、「島噫詩」一卷等書尚存。返臺後，復得金門縣立圖書館長吳騰雲及許如中先生協助，幸得寓目「島噫詩」，喜出望外。閱後，得知所詠頗足反映明鄭時代戎馬倥傯中之社會狀況，可作史料讀，亦可作文學作品讀。

原本封面書爲「明目許先生島噫集」，書內署「島噫詩」，並有「同安盧若騰閑之著，八世胞姪孫德資重錄」字樣；係舊抄本。全書三十七葉，每葉二十行，每行滿寫二十三字。第一葉「小引」，第二至四葉爲目錄，下爲本文，詩計一百零四首，九十八題。內「五言古」有三十四首，三十一題；「七言古」有三十三首，題如之；「五言律」有十四首，十三題（目錄中尚有「得馬」、「贈達宗上人」二首，原書漏錄；今併略）；「七言律」有二十三首，二十一題。

若騰字閑之，一字海運，號牧洲；福建同安金門島賢聚人。明崇禎丙子（九年）舉人，庚辰（十三年）進士；御試召對稱旨，授兵部主事，旋陞本部郎中兼總京衛武學。後外遷浙江布政使司左參議，分司寧紹巡海兵備道；在任遺愛於民，士民建祠以奉，有「盧菩薩」之稱。福王立，召爲僉都御史；唐王立，授以都察院右副都御史，巡撫溫、處、寧、台，後加兵部尚書。清軍南下，若騰守平陽，力戰中矢，遇水師救出。聞閩變，痛憤赴水，爲同官拯起。尋潛入滃州，輾轉入閩海，偕王忠孝、諸葛倬、沈宸荃、曾櫻、許吉燝、辜朝薦、徐孚遠、郭貞一、紀許國、沈光文等居浯洲嶼，自號「留菴」。永曆十八年（清康熙三年、西曆一六六四年），與沈佺期、許吉燝東渡，寓澎湖。病亟，值崇禎當年殉難之日，一慟而絕，享年六十有六；遺命題其墓曰「自許先生」。

若騰風情豪邁，當時士大夫俱幸願一識。晚年一意著述，上自天文地理、下逮蟲魚花草，無不宏通博雅。遺著達十數種，惟多已佚。「島噫詩」之幸存，實爲珍貴；尚望讀者勿以等閒之作視之！書後，今加「留菴文選」若干篇，皆關當年史事。

清季申報臺灣紀事輯錄弁言

吳幅員

國立中央圖書館藏有「申報」創刊初期十餘年之合訂本，內有臺灣史料極豐。約在此六、七年前，「文叢」卽有就此藏本選輯「清季申報臺灣紀事輯錄」之計劃；第以原有藏本翻閱、選錄均極不便，未曾實現。民國五十四年，此一藏本已由臺灣學生書局攝製印行。雖其印本字小如蟻，終得據以按日檢閱、選取、抄錄、標點、編輯，竭一歲之力，方底於成。

「申報」自清同治十一年三月二十三日（一八七二年四月三十日）創刊於上海，時值中、日初次議約期間。先是，中日修好條規及通商章程，簽訂於十年九月；中間經有改約之議，迄至十二年十一月始行換約。在此前後，適有臺灣先住民（卽所謂「生番」）殺害琉球及日本飄風難民事發生。按十年十一月，有琉球船遇颶風漂至臺灣，爲先住民劫殺五十四人；十二年二月，日本小田縣民亦有漂至臺灣遭害。於是日人藉端開釁，遂有十三年三月日兵侵臺事件。後來日本之吞併琉球與據有臺灣，其漸已由此啓。「申報」之創刊，幾與清季中、日交涉以及臺灣對日關係同其開始，實爲一種巧合。惟中央圖書館所藏，自同治十一年三月創刊至光緒四年尙爲齊全（內光緒元年七月缺），以下五年三月、閏三月及五月、六年二至五月及十二月、七年二至六月及八月暨九年一至三月均缺，其後僅存十三年四月藏本一個月。由是，清季臺灣以同治末年日兵侵臺爲契機之歷史演變，在當年新聞紙上之記錄，未得完全保存，不無可憾。

綜合本書所輯，論其大要，約有數端：

（一）由於琉球及日本遭風難民在臺殺害所引起之日兵侵臺始末（自同治十一年至十三年），記載極爲詳盡，無隱無飾。

（二）由於日兵侵臺之刺激，清廷對臺灣實行「開山撫番」、拓疆分治，並從事各種初步建設；歷年（同治十三年至光緒九年）經由沈葆楨、王凱泰、丁日昌、岑毓英以至劉璈等之努力，約略可見其概。

（三）由於日兵侵臺之結果，使日本以爲清廷默認琉球屬於日本，導致日夷琉球爲其屬縣之一；清廷困擾於此者達數年（自光緒五年至八年）之久，斷續有所記述。

（四）至光緒九年，由於法、越問題，中、法面臨戰爭邊緣，臺灣與瓊州、舟山三處爲法人列爲「據地爲質」之目標；次年發生法兵侵臺事件，已由此見其端倪。

（五）臺灣在此十餘年中，由於時勢之發展，諸如文武官吏之異動、地方事宜之因革以及一般庶政之設施等項，每多爲其他文獻鮮見之紀錄。

（六）另有一起歷時十年以上之「京控」案件，即彰化林文察弟文明遭受殺戮，乃母遣抱赴京控訴都察院之案。雖其先後文件不甚完全，但始末略備，足以顯示當年官場及臺灣社會之一面。

至所輯資料，由於上述各年每有存報殘缺，若干原屬「連載」之長文，首尾間有不全。例如光緒六年正月二十五日開始載有「紀論辨琉球事」一文，分日刊布；惜因是年二月至五月已缺存報，續文未見。又如光緒七年九月初二日載有「岱參將陳臺灣事宜」，乃屬分日刊布續稿之一；但因前此八月缺報，故前段無文。至同治十三年四月至六月轉載有「臺灣番社風俗考」若干篇（轉載自香港「循環日報」），篇次不齊；經查其間似少缺報，固由於原刊如是。

此外，所輯每多錄自「京報」。按「申報」初刊期中雖無明確分欄，大體略有評論（包括社論及「來論」）、新聞（包括投書）、文藝（包括詩賦詞文等「副刊」文字）以及「公報」之別。其中「公報」一項，即指「京報」及地方官署之「官報」而言，而以「京報」占其重要地位。所謂「京報」，係屬朝廷宮門每日所發布之公報；內除召見、派遣等紀事外，有諭旨、摺片等文件，極具史料價值。即上述文武官吏之異動、地方事宜之因革以及「京控」案件等，悉具於是。惜「申報」嗣因新聞資料擴充，自光緒八年正月十九日起將「京報」另印單張，存報未予收附，致其後上項記載付諸缺如。本書所輯，光緒八年以後未見「京報」者以此。

本書因中央圖書館存報有缺，紀事具備始末者厥惟同治末年日兵侵臺事件。關於此一事件，「文叢」已刊有第三八種「同治甲戌日兵侵臺始末」及第三九種「甲戌公牘鈔存」兩書。前者內容重在清廷辦理此一事件之經過，後者內容重在此一事件實地發展之情況。本書所輯，乃爲當時新聞之紀錄與輿論之反應；尤其對於前因與後果，更有詳悉之記述。蓋「申報」早期由英人美查（P. Majer）所創辦，立場較少偏倚；本書如與前兩書合讀，方能盡其究竟。此爲本書重心所在，亦爲一大特色。

遇變紀略弁言

周憲文

「遇變紀略」及附錄四篇，都是明人的著作。

「紀略」著者，自署聾道人。他親歷甲申之變，所記相當切實，文字亦頗生動；不但史料價值極高，而且足以發人深省。李自成入北京，崇禎帝死煤山，殉難之臣寥寥。崇禎屍『停於東華門側柵內，羣臣無一往臨者』；但『文武約三、四千人俱褻服持牒候見僞丞相牛金星，匍伏中道』，希冀照舊擢用。周鍾、王孫蕙等向李自成上表殷勤勸進，自成却偏裝腔作勢，不允所請；終於一而再，再而三。勸進文，甚至說『比堯舜而多武功，邁湯武而無慚德（指李自成）；獨夫授首（指崇禎帝），四海歸心』。『燕北既歸，已拱河山而膺錄；江南一下，尙羅子女以承恩』。繼勸進之後，且有「獻下江南策」者，說什麼臣『衰殘無力，願爲放牧之牛；摩頂無知，甘效識途之馬』。其時，吳三桂偕清兵入關，『諸將推諉不前；於是（自成）點兵十萬，親往關門迎戰』。自成本意，戰勝歸來，而後卽位；誰知一戰而潰！他自前線敗回，原已準備西走；因戀帝位，匆遽登極；『登極後，卽敕諸將士備行裝』，旋卽滿載而去。當時都門傳言，吳三桂奉明太子『入城討僞』。因此，急壞了日前那些叩頭勸進的大人先生；他們遂『各攜眷屬』、

『止帶細軟』，狼狽逃命。出城以後，又『傳土寇猖獗，前途狠於豺虎，停止不敢進』。掌道涂印海一行，果途遇一騎；『騎強牽一婢子令去，婢子投井中，騎尚盤桓審視。涂公（指涂印海）跪而進之金，始去。公至是始泣，以幼子託予（著者自稱）』。但若輩「運道不錯」，進入北京城的，不是明太子，乃是清攝政；他們一得確訊，就於次日，『挈眷入城』。接着，又是一番勸進；而『官如故』。所以，『朝野一時歡然服從，如大旱之得時雨也』。這篇紀實文字，不但是一絕好史料，而且具有深長意義。

附錄（一）「甲申紀變錄」與附錄（二）「甲申忠佞紀事」，都是錢邦芑輯錄。顧名思義，前者記甲申事變經過，自『甲申三月十七日，賊兵圍城』起，至『清兵大入，李賊屢戰屢敗』止，所記甚簡，讀來且有淩亂之感；後者記甲申忠佞事跡，分殉節、遯跡、受刑、受職四項，亦略而不詳。

附錄（三）「滄洲紀事」，作者程正揆；甲申『以璽丞奉詔南京湔除』，『三月初六日陛辭』，『二十四日至滄洲』，而京城變起；本文卽記其當時在滄洲的諸種作爲，有聲有色。其中最值得注意的，是他與忻城伯趙之龍的一番談話。之龍承崇禎『特旨召對』，『賜御監馬百匹』，命『守禦南京』，以『臨關築壩不能渡』，『株守無了日』。正揆請兵舉事，『趙吐舌曰：此等事，子饒爲之，弟無此膽』。『蓋趙本紈袴不知兵』，不數日，『卽遇賊』，『兵馬俱降，趙僅以身逃』。崇禎用人如此，明室焉得不亡！但趙逃抵南京，弘光登極，他「官如故」，淸兵破南京，他「降如故」。

附錄（四）「北使紀略」，爲陳洪範所撰。洪範受弘光命，攜『銀十萬兩、金一千兩、緞絹一萬疋爲酬□之儀』，北行議和。他於七月十八日，開舟啓程。此文述其北行經過、在京情形及南旋種切；『逐日筆記』，自稱『一字不敢虛僞』。但南都破，且執潞王降；相傳他之南旋，原已納款而爲淸庭作內應。可怕！可怕！

本書排成以後，正文衹三〇面，篇幅過少；因又以李淸的「袁督師斬毛文龍始末」一文，作爲附錄（五）。

述報法兵侵臺紀事殘輯弁言

吳幅員

「述報」是一小型報紙（戈公振「中國報學史」未提及），清光緒十年三月二十三日（一八八四年四月十八日）創刊於廣州，至翌年二月十八日（一八八五年四月三日）宣告「停派」三天；此後有無續刊，不得而知。因此報正刊行於中法戰爭期中，故其所錄存這場戰爭的史料，價值極高。「述報緣起」附列的章程有云：『中外時事，隨時訪探，擇要登報。如近日法、越有事，則於法、越確耗，格外加意探錄。倘事有未確，縱經他報紛傳，本報亦不敢隨聲附和；務必探其實據，然後登報。又多閱法國西字日報，以求知其國中一切要事』。其注重採錄中法戰爭事宜，由此可見。茲選輯其中法兵侵臺紀事，當可成為一種研究臺灣史事的有用文獻。

臺灣省立臺北圖書館藏有此報刊行將近一年的殘帙六卷，但不見其全。按該報按月分卷，卷帙完整者僅光緒十年九月、十二月與十一年正月、二月四卷，此外殘存兩卷中見有十年三月二十三、二十四日兩天、其後不明月日者若干頁以及四月十三日至十五日三天。就當年法兵侵臺史事言，早在九年十二月，法報即促法軍佔據瓊州、臺灣、舟山三島，以為將來索賠軍費抵押。至十年三月十八日，法艦「哇爾大號」(le Volta)嘗至基隆，以購煤及艦兵遊覽礮臺被阻，幾至啓釁。此後大要：閏五月初四日，賞劉銘傳巡撫銜，督辦臺灣軍務。二十四日，劉銘傳抵基隆。六月十五日，法海軍礮轟基隆。翌日，劉銘傳擊退基隆登陸法軍。二十二日，法海軍力攻滬尾，爲提督孫開華所敗。七月初三日，法海軍突擊福州師船，沈「揚武」等七艦，擊燬船廠。八月十三日，法提督孤拔攻陷基隆礮臺，劉銘傳退淡水（臺北）。二十日，法海軍在滬尾登陸，爲孫開華、章高元等所敗，退回艦上。九月初五日，法海軍封鎖臺灣西岸海口。初六日，命李鴻章、曾國荃撥兵輪馳援臺防。十一日，以劉銘傳爲福建巡撫，仍駐臺灣督辦軍務。十二月初三日，吳安康率南洋兵輪「開濟」、「澄慶」、「馭遠」、「南琛」、「南瑞」等五船出洋赴閩援臺。十一年正月初一日，「澄慶」、「馭遠」兩兵輪爲法水雷擊沈三門灣。十九日，法軍自基隆西犯，防軍敗潰。二十一日，楊岳斌率部自東海岸卑南登陸援剿。二月十三日，澎湖失守。二十一日，中法和約草案奉旨允准。二十二日，命越南滇、粵兩軍停戰撤兵，臺灣定三月初一日停戰。三月初一日，法船撤除臺灣封鎖。四月二十九日，法提督孤拔卒於澎湖。五月初九日，法兵全部撤離基隆。六月十一日，法國兵船退出澎湖。惜選自「述報」殘帙之記載，祇見其部分而已。因此，本書題爲「述報法兵侵臺紀事殘輯」。

「述報」殘帙已由臺灣學生書局攝製印行，本書卽據是書選輯。其中凡有缺字部分，原印本均留一片空白，可能爲存報破損所致。至於間有文字似通未通之處，蓋係原文如是。

書末，另收不署編者所輯「中法戰爭資料」中佚名著「澎湖考略」、羅惇曧著「中法兵事本末」、池仲祜著「甲申戰事記」、唐景崧著「請纓日記」（節錄）及李光漢諸人著「後海疆」等詩文若干篇，作爲附錄。

研堂見聞雜記弁言

周憲文

「研堂見聞雜記」，不著撰人；就其所記，知著者爲清初江蘇婁東人，因已作清人語。內容雖雜，立場雖異，但係出諸見聞，所言比較可信；故就史料而論，實有相當價值。我在此特別舉出兩事：

（一）是鄭成功大兵圍南京事。記云「海師（指鄭成功）既破京口，據瓜步、圍江寧，以擁戴先朝爲名，人咸拭目觀望，以爲中興事業反掌可致。而余獨觀其頓兵堅城，徘徊兩月無尺寸效，竊疑其志難果。從古……尅人國者，無不星行電邁，雷動風馳。速者一二月、緩者三月四月，卽君臣面縛，輿櫬出降；舉國江山，皆歸版籍。若遲留進退，情見勢屈，則釁隙潛生，潰散必不旋踵：此自古已然之明效也。彼連艦數千，直指石頭，勢似建瓴；而究不進割州郡，徒旅泊於風濤險惡之中，此豈有全理？宜乎一戰而潰，勝勢都失也』。『按海師之圍江寧也，相持一月，不能乘銳崩之，而日縱酒作樂。七月二十三日，大破之。二十四日，又潰之。……初時，四方響應，皆謂中興，聞揚州百姓有以大明皇帝龍牌迎其兵入城，而逡巡不敢入。既破京口，主者日間則守城，夜退歸海舶。丹陽至京口僅九十里，不能據其衝，而使援兵長驅入白門。如此舉動，豈能成事！徒使大兵克復京口，大肆殺掠，江南之民肝腦塗地。嗟呼！亦可痛也』。『海氛既退，凡在戎行諸臣，以失律敗者，各遣緹騎捕之，以鋃鐺鏁去，如縛羊豕；而間連染於列邑搢紳，擧室俘囚，游魂旦暮……』。『海師至京口，金壇諸搢紳有陰爲款者。事既定，同袍相訐發，遂羅織紳衿數十人。撫臣請於朝，亦同發勘臣就訊。既抵，五毒備至；後駢斬，妻子發上陽』。

(二) 是復社之演變事。記云：『明季戊辰、己巳之間，天如張公、周介生，倡爲復社；一時主盟，如維斗楊公、勒卣周公、臥子陳公、彝仲夏公。其餘皆海內人望，文章爲天下冠冕。燕齊豫章，聲氣畢達。所牢籠天下士，率取其魁傑。以故仰其盟者，如泰山、北斗，而士一如登龍門。若紈袴子富家世裔，不以文鳴者，雖費千金，莫得厠行。每一榜發，其中俊偉能文之士，一望知爲復社君子，幾於取士分柄。至鼎革後，而此事潰敗，諸公相繼淹沒。……』『當西銘先生主坛坫，四方之士走婁東者，先生但以盃酒論心；其餘好事者，間一款留，亦不過剪燭談笑、豆觴楚楚而已。後來(按指淸初)復社聿興，四方賓至，無不徵歌選舞，水陸雜陳。廣引賓朋，主客互亂，燭影之下，對面不識；明日相見，即同陌路。又數月爲聚會，數十百人酒斝縱橫，娼優淩亂，一鬨而散，竟不知爲誰何？余嘗戲謂今日社宴，幾同齋主散食。仔細思維，眞可笑也』！

本書以「莊氏史案」爲附，非徒湊篇幅，實因此文與「雜記」可相參考也。

清奏疏選彙弁言

吳幅員

這本「選彙」，係集刊清代朝臣疆吏若干奏疏而成。綜計所集，大部分采自署仁和琴川居士輯「皇淸奏議」一書，餘則分據李光地「榕村全集」、徐炘「吟香書室奏疏」、黃爵滋「黃少司寇奏疏」（今刊本作「黃爵滋奏疏」）、張佩綸「澗于集」、宗室寶廷「竹坡侍郎奏議」、王仁堪「王蘇州遺書」、丁寶楨「丁文誠公遺集」及鄧承修「語冰閣奏議」等各專集選錄。此外，另有兩篇得自抄件。

茲依所集奏疏，分編九目，說明如下：

一、時在順治年間（七年至十七年），共有文十三篇，全自「皇清奏議」選集。此時閩海鄭氏（成功）與清廷抗衡於東南沿海，所選諸篇幾均爲奏陳東南海上戰守事宜，文首均存有職名。

二、時在康熙十三至十四年——即耿（精忠）、鄭（經）聯合抗清前後，共有文兩篇。一爲福建總督范承謨在耿變前條陳閩省利害，一爲在籍(安溪)編修李光地密陳「攻剿」耿、鄭機宜。

三、時在康熙五十八年，僅有文一篇，係福建巡撫呂猶龍呈獻臺灣番樣事。

四、時在雍、乾兩朝時代，共有文六篇。每篇均關係臺灣因革事宜，文首有職名可按，蓋亦由「皇清奏議」選集。

五、時在道光二年，共有文四篇。時福建布政使徐炘護理巡撫職務，其在護撫任內有關臺、澎奏疏，悉具於是。

六、時在道光二十年，共有文兩篇。時中、英鴉片戰起，清廷特派祁寯藻、黃爵滋（時官刑部右侍郎）赴閩會同閩督查辦福建海防事宜。黃氏等並另奉有查辦淡水同知龍大惇舞弊等案，此兩篇爲其回奏摺片，足以反映當時臺灣吏治之一斑。

七、時在光緒初葉，共有文兩篇。按豐潤張佩綸爲清季「四諫」之一，以敢言稱。前一篇，爲光緒三年當臺灣正在開山「撫番」、拓土分治之際，張氏以詞臣言事，因列論臺灣與新疆、吉林三地防務合爲籌邊疏，中對治臺人事有所臧否。後至光緒十年中、法戰爭之初，張氏又奉命會辦福建海疆事宜；後一篇，乃爲當時查參臺灣總兵楊在元難期得力案。

八、時在光緒八年，僅有文一篇。是年福建舉行壬午科鄉試，宗室寶廷於奉命典試之餘，另疏奏陳閩省海防、船政、關稅三事。

九、時在光緒十年至十一年，共有文七篇。時中、法戰爭已起，法軍侵臺，王仁堪

（時官修撰）、丁寶楨（官四川總督）、鄧承修（官鴻臚寺卿在總理各國事務衙門行走）諸人均有援臺奏議（王氏三篇每題下均註有「代」字，係屬代作），因合編一目。

關於淸代朝臣疆吏有關臺灣奏議，「文叢」分別刋有專書、選集或彙錄，不遑列舉。本書係拾零性質，因名「選彙」。前此並有選自張伯行「正誼堂集」及陳慶鏞「籀經堂類稿」奏疏數篇，已附錄於「文叢」第二二九種「淸經世文編選錄」之末；此後如有所得足可彙編成書時，當再刋續輯。

東華錄選輯弁言

吳幅員

「東華錄」一書，初由蔣良騏（一作驥）纂輯，後爲王先謙增補。書爲編年體裁，述清代肇興規模；自太祖天命以迄世宗雍正，共歷六朝（太宗天聰、崇德分列爲二）。其資料來源，據蔣氏自序：『謹按館例，凡私家著述，但考爵里，不采事實；惟以「實錄」紅本及各種官修之書爲主』。按蔣氏於乾隆三十年充國史館纂修，所謂「館例」，當指國史館編例而言。國史館設於北京紫禁城東華門內，書名「東華錄」亦卽以此。至光緒年間，王氏任國史館總纂，纂有「東華續錄」；又病蔣錄簡略，因加增補。其在光緒五年刋乾隆朝「續錄」跋文有云：『嘉慶以下，稿本粗具；雍正以前，錄視蔣氏加詳：將依次刋行焉』。同跋又云：『凡登載諭旨，恭輯「聖訓」、「方略」；編排月日，稽合「本紀」、「實錄」；於制度沿革，纂「會典」；於軍事奏摺，取「方略」；兼載御製詩文，旁稽大臣列傳』。「續錄」如此，雍正以前增補所據，自亦相同。今據光緒晚年上海活字本（臺北文海出版社合印「十二朝東華錄」本同），就順治、康熙、雍正三朝選刋一書，名曰「東華錄選輯」。至於「續錄選輯」，容另印行。

本書所選內容，以康熙二十二年分限，前此爲與南明鄭氏關係之史料，後此爲臺灣入淸以後之記載。「文叢」前已分編有淸世祖（順治朝）、聖祖（康熙朝）、世宗（雍正朝）三朝「實錄選輯」，關於南明史事以及三藩之變（與鄭經西征相表裏），本書選輯範圍較爲寬廣。反之，入淸以後，稍見減縮；因「東華錄」雖經王氏增補，而仍不及「實錄」詳贍也。

至書中干支紀日，經檢「二十史朔閏表」加註日序；其歲次，又另註西曆紀年：藉利查考。

中日戰輯選錄弁言

吳幅員

「中日戰輯」六卷，清東莞王炳耀輯。是書輯於光緒二十一年，彙集中、日甲午之役中外報章所刊資料，依次排比；間亦加綴簡單說明，用作提綱。卷端有輯者「自序」及其弟炳堃序，卷末另有他人附文。正文卷題，按序為「中日戰機」、「中日戰端」、「聲罪致討」、「禍延盛京」、「遣使議和」及「傅相議和」；而「傅相議和」卷並包括臺民抗約自立、日攻臺南、劉軍門遁等諸綱，集有臺民抗日史料。「選錄」取其卷五「遣使議和」與卷六「傅相議和」（包括上述三綱）部分，略加刪節而成；卷首留有「自序」，目錄並另加入「提綱」。

關於中、日議和兩國全權大臣五次問答節略，「文叢」已刊有第四三種「馬關議和中之伊李問答」可考；「戰輯」原書所收是項歷次「問答」，「選錄」為免重複，祇存其目。如僅見前刊兩國全權大臣五次問答節略，所謂議約云云，實無從得其要領；本書刊有兩國全權大臣往來照會、函札以及和約底稿說帖等件，相互印證，方能獲覩和局全貌。前編「文叢」第二一〇種「清光緒朝中日交涉史料選輯」載有「欽差大臣李鴻章呈遞與日議約往來照會及問答節略咨文」一件，文末註明「說帖、節略原缺」；今分別見於上引文獻及本書，可補前編「選輯」之缺。此外尚須說明者，「戰輯」原書載有不著撰人「朝鮮紀亂」（一）至（十二）及「閏紀」共十三篇，係分置於各卷中。「選錄」僅有其（九）至（十二），「閏紀」略；其餘均在原書前數卷，無與臺灣事。

本書之末，今由另輯「中日戰爭資料」一書選錄若干篇，作爲附錄。按「中日戰爭資料」未知輯自何人，內分奏疏、論著、詩詞、雜文、小說等五編。所載涉及臺灣資料，除已見「文叢」各書（註）以外，選其論著「答客問劉大將軍事」、「簡大獅慘死憤言」、雜文「聞塵偶記」（文廷式筆記）三篇及詩詞十數首。至於「小說」一編，則未選取。

註：「奏疏」中易順鼎「請罷和議疏」、「籌戰事六條疏」二文見第二一二種「魂南記」附錄一（四九～六二頁），張之洞「力爭和議電奏一」與「電奏二」二文見第九七種「張文襄公選集」（一七二～一七四及一七七～一七九頁）；「雜文」中羅惇曧「中日兵事本末」一文見第四〇種「臺海思慟錄」附錄（三一～四四頁），「割臺記」及俞明震「臺灣八日記」二文見第五七種「割臺三記」（一～二九頁）。

浙東紀略弁言

周憲文

「浙東紀略」，係記明南都敗後，浙東志士奮起復明的一段歷史；爲時約一年，自以魯王爲中心，但不及舟山事。由於篇幅不足，加了四篇「附錄」。一是「寧海將軍固山貝子功績事錄」；『所記乃惠獻貝子富喇塔討……耿精忠，由(浙江)台州進兵之事』。二是「揚州變略」；爲文甚短，所記爲東平伯劉澤淸與興平伯高傑爭揚州事。三是「京口變略」；亦一短文，所記爲史可法屬將于永綬與浙撫所調都司黃之奎部爭駐京口事。四是「淮城紀事」；這是紀崇禎殉國以後、弘光繼統以前，淮城的變亂經過。

崇禎長編弁言

吳幅員

本書不著撰者姓氏。原書末有一跋，文曰：『此編所記自崇禎十六年癸未十月起、至（十七年）甲申三月十九日止，而癸未十月以前缺焉。舊鈔如此，諸家藏目又不經見，無從補其缺失也。但細檢舊本紙格中心悉記葉數，自一至終，相聯而下。據此，則書固完善耶！抑錄副之時，已止存殘本耶？事較「明史」帝紀爲備；野乘佚聞，幾經零落，今日視之，悉爲寶書。爰亟付印，而誌其疑於此』。跋文亦不知作於何人；今錄如上，以代弁言。另據朱希祖「崇禎長編殘本跋」，考定此書爲淸初鄞縣萬言（字貞一，號管村；斯年子）所撰。

崇禎記聞錄弁言

吳幅員

本書據「痛史」本「啓禎記聞錄」略去卷一前半部天啓元年至七年部分，因改稱「崇禎記聞錄」（略去天啓部分，約尚不及全書十分之一）。作者蘇州人（書中屢有「吾蘇」一語），在籍記明季見聞。書爲隨筆體裁，逐條列擧。其中記地方雜事以外，對於崇禎朝政並甲申國衈、乙酉南都敗亡以及後此蘇、松變故與海上關係，多所紀錄。以當時人記當時事，有其史料價值。

但是，另有若干撰作上的問題，應予指出：

（一）原書所記，起自天啓初元，訖於淸順治十年（癸巳）；而末了十年已非崇禎時期，何以此書名爲「啓禎記聞錄」，頗爲費解。今斷自崇禎元年，所改名稱祇是因襲原名而略加改易而已。嚴格說來，終欠妥貼。

（二）據書首序文云云，顯係所謂「自序」；末署「天寥道人葉紹袁撰」，作者當卽爲葉氏。但一加細究，「自序」作於崇禎戊寅（十一年），序中所謂『爰昉己丑（萬曆十七年）、迄茲丁丑（崇禎十年），稍爲詮綴，竊附於「知非」之義焉』，則所記當在崇禎十年前四十九年間事（己丑迄丁丑適四十九年，所謂『竊附於「知非」之義』，意亦相合)。可是書中所記,連前刪略部分(自天啓元年至淸順治十年),前固未見萬曆十七年以後三十二年中任何一年之事(惟有天啓六年記「十月初一夜本府軍器庫被火」條後,附記有萬曆四十六年往事數語,並非正文),後且自崇禎十一年起又續記十六年的見聞。顯然,序與書並非一體;所謂「自序」云者,則有「張冠李戴」之嫌。因由此序而論定書爲葉氏所作,實非適當。謝國楨「晚明史籍考」卽作肯定說,並引「蘇州府志」「文苑傳」謂葉紹袁(仲韶)『少有才思,工詩賦。天啓五年進士,選南京武學教授。乙酉後,棄家爲僧,號粟菴。輯一時死節諸臣,爲書未就,愴懷成疾而卒』。按之書中所記,不但天啓年間(指已略去之天啓元年至七年的記載),其仕履一無蹤影;卽至崇禎晚年,尙未與府考(詳見崇禎十六年記載)。不但乙酉後「棄家爲僧」一事,在後此九年中亦無絲毫痕跡可尋;而且對於新朝並有歌頌意圖(詳見丙戌(淸順治三年)偕鄉紳等同往南京見洪承疇、挽留淸巡撫土國寶事),絕無「愴懷」故國之思。由此以觀,如認葉氏撰作此書,亦非確論。

(三)本書卷數,今本定爲八卷。但據謝考(「晚明史籍考」),書爲六卷,並稱『是編始於天啓元年辛酉,訖於弘光乙酉南都迎降、淸兵入吳止』。就今本段落而論,至卷四止,崇禎朝記事已訖;且末尾附錄有「國難覩記」、「史閣部、黃虎山殉國紀略」、

「播遷日記」三文（詳見後），書亦似已告終。卽延至乙酉「淸兵入吳」爲止，應以卷六爲終卷；但卷六之末，已有另入丙戌之年（次年）紀事，似又非盡然。至此外七、八兩卷歷時八年之作，究爲原作者所續、抑爲他人所增？更屬疑問。

（四）上述附錄三文，首篇「國難覩記」係記目擊北都國變事，末署「歲在甲申仲夏之月，草莽陳莽波臣記」（疑有錯字）。另據謝考：『「國難睹記」一卷，舊鈔本。原題「草莽東海臣瀝血謹記」』。由於記甲申目擊北都事，知非在籍之本書作者所自撰。末篇「播遷日記」係記乙酉身經南都敗亡事，末註『以上所記皆固密齋主人在南都目覩而筆記之者』；後附「題詞」，又署『乙酉季夏，固密齋主人漫識』。同前論據，此亦非本書作者所自撰，亦可確定。另據楊鳳苞「南疆逸史跋」（已收於「文叢」第一三二種「南疆繹史」書末作爲「附錄」）：『按朱英「播遷日記」一卷，記南都破城事』；當卽指此篇。因此，所署「固密齋主人」，應屬朱氏。按原書此篇題下尙註有「此亦固密齋主人記」八字，顯係贅文，今已删略。至次篇「史閣部、黃虎山殉國紀略」爲記史可法、黃得功成仁事，未署撰人。但緊接此篇後的「播遷日記」篇題下原註有上述八字之贅文，是否卽爲此篇文末之註語？如原書「史閣部、黃虎山殉國紀略」篇題則竄於前一篇「國難覩記」文末「草莽陳莽波臣記」之下，今本已爲校正；此種由於傳抄展轉之錯誤，在明季野乘中每多見之。果爾，則「紀略」一篇，亦固密齋主人所撰歟？附此存疑。此三文既非本書作者所撰，何以又夾入書中？亦爲疑問之一。此外，卷七中「丁亥」年（清順治四年）起，另有「芸窗雜錄」一目，更屬不倫。

由上所述，可得粗淺結論：書非葉氏所作，序文亦非本書所有。作者蘇州人（籍吳縣或長洲），堪以認定；以當時人記當時事，已足可取，固不必問其出自誰手。原書名爲「啓禎記聞錄」，原止有四卷，卷末因另收他人之作爲附錄。卷五以下，爲原作者所續，或爲他人所增。謝國楨所云，自係失考。

東華續錄選輯弁言

吳幅員

清蔣良騏（一作驥）纂輯、王先謙增補之「東華錄」，前已就其順治、康熙、雍正三朝選刊一書，稱爲「東華錄選輯」，列於「文叢」第二六二種；玆又據王先謙纂乾隆、嘉慶、道光及同治四朝「東華續錄」並潘頤福纂咸豐朝「東華續錄」合選一書，名曰「東華續錄選輯」，編列「文叢」第二七三種。至其後光緒一朝，則另有朱壽朋纂「光緒朝東華續錄」，容後選刊。

王氏纂有「東華續錄」，前在「東華錄選輯」「弁言」中已略及之。至於何以未見其咸豐朝「續錄」而適另有潘氏之輯？惜無確切資料可考。如就現有若干辭書與文獻加以觀察，不免有相互枘鑿之處；尤以各朝卷數及其分合析併之跡，益見紛紜（註）。本書所據，與前刊「東華錄選輯」同；其編目順序，係混合王、潘所著，依次爲乾隆、嘉慶、道光、咸豐、同治五朝。

清代以乾隆朝爲極盛，自此以降，由盛而衰。由於內變與外侮日亟，臺灣史事遂與大陸各地息息相關。本書所見，先有乾隆朝林爽文事變，與東南各省天地會有關；繼有嘉慶朝蔡牽事件，乃受安南艇匪侵擾浙、閩、粵諸海之影響。道光以下，就內變言，咸、同間太平天國革命後期，臺灣有戴潮春事變，雖彼此並未見有顯明之關係，而在清廷措置上往往聯於一起；就外侮言，道光朝鴉片戰爭有英船犯臺事件，咸豐朝簽訂天津、北京兩條約後有臺灣開口之交涉及其後教案、樟腦事件等之糾紛，同治末年更有因牡丹社事件導致日兵侵臺一役，臺灣漸已成為列強侵略目標之一——尤以後一事件，引發此後清廷對於臺灣積極籌防之新契機，並啓二十年後臺灣淪為日本殖民地之漸。餘如豎旗、械鬬等事件、一般因應與變革等設施，不再列舉。「東華續錄」原以「實錄」為本，本書與前輯乾隆以迄同治各朝「實錄選輯」相較，顯見簡縮；一則由於原書不及「實錄」詳贍，一則亦因所選不若「實錄選輯」之廣泛也。

註：

「辭源」：『「東華錄」，書名；清蔣良騏編纂。清內閣在東華門內，言所錄為內閣之檔案也；述清代肇興規模，始自太祖天命以迄世宗雍正。王先謙病其簡略，為之增補；再以高宗、仁宗、宣宗、文宗、穆宗五朝續之，為「東華續錄」。朱壽朋又增德宗一朝』。

「辭海」：『「東華錄」，書名；清蔣良騏編。所述自太祖天命迄世宗雍正六朝肇興規模；曰「東華」者，以內閣在東華門內，所錄乃內閣檔案也。王先謙增續高宗至穆宗五朝，謂之「十一朝東華錄」。朱壽朋又增德宗一朝為「東華續錄」』。

「大漢和辭典」（日人諸橋轍編著）：『「東華錄」，書名，三二卷；淸蔣良騏撰。乾隆三十年十月，國史館開設於東華門內，良騏在職，編纂此書。自太祖天命以迄世宗雍正十三年，用編年體編纂。後王先謙以蔣書失之於簡，本各朝實錄增補，作天命朝「東華錄」三六卷、康熙朝「東華錄」一一〇卷、雍正朝「東華錄」二六卷，更作乾隆朝「東華續錄」一二〇卷、嘉慶朝「東華續錄」五〇卷、道光朝「東華續錄」六〇卷：以上爲「九朝東華錄」。其後，加入咸豐朝「東華續錄」一〇〇卷，稱爲「十朝東華錄」。又，光緒二十四年，同治朝「東華續錄」一〇〇卷完成，稱爲「十一朝東華錄」。此外，有潘頤福咸豐朝「東華續錄」六九卷、朱壽鵬光緒朝「東華續錄」二二〇卷。以上全著錄於「淸史稿」「藝文志」編年類』。

「淸史稿」（關內本）「藝文志」編年類：『「東華錄」三二卷，蔣良騏撰。十朝「東華錄」四二五卷，王先謙撰。咸豐朝「東華續錄」六九卷，潘頤福撰。「光緒東華錄」二二〇卷，朱壽鵬撰』。

據上列各種資料，王纂有「十朝東華錄」及「十一朝東華錄」兩說，除自太祖天命至世宗雍正六朝（內太宗天聰、崇德分列爲二）外，則「續錄」有四朝與五朝之別。至各朝卷數，按諸同上資料，亦不難發見各說不一。本書所據，並經重新釐訂，各卷下每有「原某朝幾卷至幾卷」之註。以上各點，均有待深考。

清史列傳選弁言

吳幅員

「文叢」前爲搜輯清代有關臺灣史事人物列傳，嘗計劃於已刊臺灣府廳縣志及福建一部分志乘以外諸方志選刊一書，惜一時未及集事。後乃擴其範圍，轉就專集從事采取，經據錢儀吉纂「碑傳集」、繆荃蓀纂「碑傳續集」、閔爾昌纂「碑傳集補」及李桓纂「國朝耆獻類徵初編」諸書分別選編有第二二〇種「碑傳選集」、第二二三種「續碑傳選集」及第二三〇種「清耆獻類徵選編」三書，次第印行（前此另有第一九四種「清先正事略選」之輯印，性質亦同）。本書係由中華書局印行之「清史列傳」選輯，乃爲同一計劃之延展與賡續。

清史諸傳，較早所見者有當年國史館臣抄刊之「宗室王公功績表傳」、「蒙古王公功績表傳」、「滿漢名臣傳」、「儒林文苑傳」以及「貳臣傳」、「逆臣傳」等書。「清史列傳」晚出，收有「宗室王公傳」三卷、「大臣畫一傳檔正編」二十二卷、「大臣傳次編」十卷、「大臣傳續編」九卷、「大臣畫一傳檔後編」十二卷、「新辦大臣傳」五卷、「已纂未進大臣傳」三卷、「忠義傳」一卷、「儒林傳」（上）（下）各二卷、「文苑傳」四卷、「循吏傳」四卷、「貳臣傳」（甲）（乙）各一卷、「逆臣傳」一卷，共八十卷，約計一千九百七十餘傳。書首未見序例，但徵諸李𣑐「國朝耆獻類徵初編」輯載「欽定宗室王公功績表傳」及「國史館本傳」，凡同名者文亦相同——並就卷目所稱「大臣畫一傳檔」以及「已纂未進大臣傳」等名稱，可知除「宗室王公傳」即係「欽定宗室王公表傳」之一部分外，餘傳亦即所謂「國史館本傳」，但有已進、未進（亦即定稿與未定稿）之別而已。李𣑐由於就「耆獻」徵選，「貳臣」、「逆臣」兩彙傳自無所取；中華本參以後人修史觀點，對於「國史館本傳」當亦有所取捨。兩書雖屬同源（李𣑐尚徵有私家記述之篇不論），寬縮未免互見。且李𣑐所收「國史館本傳」僅迄宣宗道光三十年間爲止，後此亦惟有於「清史列傳」中求之。因「文叢」既有「清耆獻類徵選編」之輯，本書所選，主要則取諸「貳臣」、「逆臣」諸傳以及道光以下各傳檔；此外，僅補輯有李𣑐「徵選」以外若干篇，亦即道光以上「國史館本傳」未入李𣑐而於「清史列傳」中得之者。要而言之，由「清史列傳」原可選取有關臺灣史事人物傳計有二百三十餘篇，內一百二十餘篇已見前輯「清耆獻類徵選編」，爲避免重複，本書只錄一百有十六篇。

至於本書所輯內容，依據時代並斟酌篇幅，區分爲三部：一爲臺灣入清以前關於鄭氏及其直接、間接有關聯者，除其中李世熊出於「文苑傳」、朱克簡出於「循吏傳」、金礪、達素等出於「大臣傳檔」外，餘幾均爲所謂「貳臣」、「逆臣」兩彙傳中人；首列鄭芝龍（附子成功、孫經、曾孫克塽），以示國人經營臺灣之發軔。二自康熙中葉以下而至同治之末，半爲道、咸、同三朝人物，並有臺籍王得祿、林文察諸傳；內藍鼎元、黃叔璥、趙翼、海蘭察、謝金鑾等雖並見於前輯「清耆獻類徵選編」，但前輯藍鼎元等諸篇均爲私家記述之作，與本書所收出自「國史館本傳」者不同。三自光緒建元迄二十一年，而以李鴻章爲殿。卷末，一如「清耆獻類徵選編」並有「附錄」之輯，收「文叢」作者傳九篇；內有錢澄之、鈕琇兩篇與藍鼎元等之並見緣由相同。

此外，「文叢」前輯第二四三種「清史稿臺灣資料集輯」亦以「列傳」爲主，傳稿分由民初清史館纂修諸人執筆，取材固兼采「國史館本傳」，畢竟頗多異同。且「清史列傳」刊行較後，人物加詳，「清史稿」亦無法畢收。如將本書及「清耆獻類徵選編」與「清史稿臺灣資料集輯」互讀，可得其概。

明季北略弁言

周憲文

無錫計六奇編「明季南北略」，「南略」早已印行，列爲「臺灣文獻叢刋」第一四八種。當時，就有人問：何不「南北略」同時印行？這中間，有原因。按「臺灣文獻叢刋」的編輯，事前並無詳細的計劃（如事前此有計劃，根本就無法出版），它是在每年「浪費公帑」的嚴詞責難之下，「朝不保夕」，逐步推進的。當初，我們選書，祇限於「臺灣的」；繼因臺灣與鄭氏爲不可分，乃擴及鄭氏史事；再因鄭氏與南明爲一體，乃又擴及南明史料。因此，當時，我們祇印「南略」，未印「北略」。但是，近二、三年來，由於「文獻」出版較多，社會反應良好，責難已成諒解；於是，再由南明擴及崇禎（將至此爲止）。所以，「北略」纔有印行的機會。我不研究歷史，十餘年來，「因緣時會」，濫竽「文獻」的選輯，得到一點重要的印證，那就是史觀遠比史料重要。如有正確的史觀，卽由極少的史料，也可知其正確的趨向；反之，如無正確的史觀，縱有豐富的史料，而其結果祇會加深錯誤。打個粗俗的比方，烹飪得法的青菜豆腐，要比烹飪不得法的山珍海味高明得多。我的話，現在說到這裏爲止；今後另有機會，當再詳爲解釋。

周憲文於惜餘書室。

劉銘傳撫臺前後檔案弁言（一）

馮用

曩余備員臺灣省立博物館，嘗於所藏歷史文物中，發現劉壯肅公主臺時有關之公文數帙，均經裱竣之原始檔案；於是著手整理，先將各件摘錄案由，再予分類，編成劉公出處、設防、撫番、清賦、理財、鐵路、郵電、礦務、樟腦、建省、洋務、鴉片、風災、風化、人事暨沈葆楨建祠等十六卷。內以設防、撫番、建省、人事等案數量爲最，清賦、理財、郵電、礦務、洋務等次之，樟腦、鴉片及風化等又次之。其與上列諸要政先後有關者，亦一併按年次附入，以資參考。又案件屬於昔之恒春縣者獨夥，彰化縣僅有數幅，其他府縣則付缺如。揆其原因，意或恒春僻處本島南端，割臺戰役未受兵燹，保存較多。凡一百六十四幅，雖可稍補陳澹然編「劉壯肅公奏議」之不足，然以劉公主臺七載有奇言之，仍屬爲數甚微；尚待搜求，始臻完備。所有檔案目錄，先予刊佈於「臺灣風物」第五卷第八、九兩期合刋，繼將原文分載於臺灣省文獻委員會之「臺灣文獻」第七卷第三、四期合刋及第八卷第一期。前爲表彰先賢之忠藎及提倡重視與保存史料起見，嘗在博物館公開展覽；除「風災」外，每卷附列說帖，俾覽者得明梗概，並披露於臺北市文獻委員會之「臺北文物」第九卷第一期。

比承臺灣銀行經濟研究室諸賢雅意，擬將檔案全文列爲「臺灣文獻叢刊」，並囑述整理經過，敬特略陳始末於簡端，博雅君子，幸垂教焉！

民國五十八年孟春，惠陽馮用謹敍。

劉銘傳撫臺前後檔案弁言（二）

吳幅員

臺灣省立博物館所藏清季光緒年間恒春、彰化兩縣部分檔案，一般通稱爲「劉銘傳撫臺檔案」。按劉銘傳先於光緒十年（一八八四）閏五月二十四日因備禦法兵侵略，奉命以巡撫銜督辦臺灣事務蒞臺；同年九月十一日，補授福建巡撫，仍駐紮臺灣督辦防務；翌年（一八八五）九月初五日，福建巡撫改爲臺灣巡撫（嗣經奏准如甘肅新疆之制，稱「福建臺灣巡撫」。福建巡撫事，由閩浙總督兼管），始籌備臺灣建省事宜；至十七年（一八九一）四月二十日奉准開缺，二十八日交卸離職：在臺共閱八年。但上述檔案有起自光緒二年（一八七六）並有至於二十一年（一八九五）臺灣淪日之前不久者，綜計先後歷時十有九年；雖其中以劉氏撫臺期間文件爲多，而外此者亦達四分之一左右。經重加整理刊行，因題爲「劉銘傳撫臺前後檔案」。

原藏檔案係分類整理編目，今編改按各官署發文日序排比，以見各案所涉史事之先後。每案標題亦經重擬，除概括其事由外，並略示其主客體，以明檔案之特殊性質。在全部一百六十四個文件中，光緒八年正月初十日「分巡臺澎兵備道行知鵝鑾鼻野蓉坑深坑築壩事宜」一件後，原另有同一事由爲臺灣府轉行之件；因內容與前一件相同，已予刪略。又十一年正月十四日「臺灣府轉知南番屯軍募足一旗防禦」一件後，原夾附有二月二十四日南番屯軍呈覆之文；經改編爲單獨一案，增列於發文當日之次。如此一刪一增，件數未變。此外，凡遇同案分行數稿或附有內容相同文件，僅存其主稿或主要之件，餘從略。至最後之「捒東堡總理林振芳等申報當地米穀產銷情形」一件已在日據時期，祇能作爲附文而已。

惟另有一案，尙待考訂。光緒十年十月初一日「分巡臺澎兵備道札飭彰化紳士招募土勇一營」文中所云「該紳」未見姓氏，顯係脫漏。經檢原件，文面有批：『文內「該紳」連篇累牘（原批誤「讀」），究不知何人？可笑』！按當時臺澎兵備道係岳陽劉璈（字蘭洲），爲備禦法兵，在所存檔案中有兩件札飭彰化縣紳士募集土勇文件；前一件爲同年九月十一日「札飭彰化縣紳士林朝棟、林文欽招募土勇兩營」文，後一件卽上述未見姓氏之件。在前件中，明示林朝棟、林文欽聚族於彰化縣轄之罩霧鄉(卽今霧峰)，素爲一鄉信服；並指定將募集之勇，編列爲「禮」、「義」兩營，所有應募勇弁薪糧，初照「仁」營章程給發（參原札）。在本件中，雖脫漏「該紳」姓氏，但亦明示「該紳」爲彰化縣轄之南投地方一鄉所信服，並約定募勇編爲「信」營。考劉銘傳著「劉壯肅公奏議」（「文叢」第二七種）光緒十一年五月二十六日「嚴劾劉璈摺」所舉劣蹟之一有云：『查訪（劉璈）新募「仁」、「義」、「禮」、「智」、「信」五營士勇營官中，有本地富紳林文欽、吳朝陽，皆係劉璈門生；……』。其後不久在「奏參林文欽等片」中有云：『臣查林文欽、吳朝陽俱係彰化富紳』；又云：『林文欽自上年十一月成軍，……吳朝陽自上年十二月成軍，……』。並查本書光緒三年十二月二十三日「臺灣府轉行臬道夏獻綸查勘中路埔裏各社籌辦事宜」一文所黏附夏氏稟稿有云：『查南投尚有紳士吳朝陽，家資殷實；……』（見第一六面第一〇行）。綜據以上資料，可知劉璈飭募五營士勇，「仁」營已在「禮」、「義」兩營成軍以前募成，當年九月十一日飭募之兩營依序應爲林朝棟「禮」營、林文欽「義」營。其「智」、「信」兩營中何營爲吳朝陽所募或「信」營是否爲吳朝陽所募？固未可完全確定；但「信」營爲同年十月初一日札飭彰化南投紳士募集，而吳朝陽則爲彰化南投人，成軍與飭募時間先後亦相胳合，則「該紳」其人實已「呼之欲出」。由於劉璈所遺「巡臺退思錄」（「文叢」第二一種）祇止於光緒十年八月，無從考證；惟有就以上資料，略作推斷如是。

至其他須加說明者：原檔下行文件每於文前書明「札彰化縣」、「行彰化縣」或「札恒春縣」、「行恒春縣」；今以未能保留原蹟，已將受文者移註於文末「年月日」下，用括號示之。又原檔附件均抄黏於正件前，今均移刊正件之後；至正件載有附黏抄件而今未刊出者，蓋黏件已佚（原檔黏附文件與正件騎縫處，鈐有發文官署印信；黏件已佚者，正件邊緣僅留印痕一角）。又各案中轉錄之文或恒、彰兩縣擬發案稿，往往於上憲姓名僅書其姓而虛其名；已儘予查塡，以便閱覽。遇文中雙款並列或一稿分行之件，經分別改以先後排列或以主稿爲準而以分行所用字句加用括號附之。凡有字跡不能辨認或漶滅缺漏之處，可計字數者以「□」代之，無從計數者以「……」表示。至於抄繕錯誤而無法訂正者，則加問號（?）存疑。

按劉銘傳撫臺期間所有奏疏，殆均存於上引「劉壯肅公奏議」中。今得「皇朝道咸同光奏議」所收劉氏幾件有關臺灣摺片，與其專集所存略有出入；經加比校，發見專集所存或已由編集者酌加潤飾，甚至稍有刪略事實之處。因將「道咸同光奏議」本所收連同光緒年間在「文叢」中前未經見之沈葆楨等幾件摺片一併附刊本書之末，作爲「附錄」。

檔案爲直接史料之一種，極具學術價値。淸季有關臺灣檔案，除散見於「文叢」各書以及本書以外，地方檔案尚有「淡（水）新（竹）檔案」爲國立臺灣大學法學院圖書館所收藏，國家檔案另有「臺灣交涉檔」等爲中央研究院近代史研究所等機構所保管。安得一一公開而整理之、而刊行之，爲學術而貢獻、而服務！不勝跂望！

光緒朝東華續錄選輯弁言

吳幅員

本書據清季朱壽朋纂修「東華續錄」（光緒朝）選輯，可謂是前刊「東華續錄選輯」（「文叢」第二七三種）一書之續編。但何以不與前書合編而以「光緒朝東華續錄選輯」單行本印行？就形式上言，其故有三：一爲前書原書主由王先謙所纂（其中咸豐朝「續錄」何以未見王纂而代以潘頤福之輯？尚待稽考。請參閱前書「弁言」），本書原書則係朱壽朋所輯；由於編纂人氏不同，因未合爲一編（至前書混合潘輯，實由咸豐朝有關臺灣史事無多，不能單獨成書）。二爲前書原書均以本於各朝「實錄」爲主，本書原書則出於邸鈔、京報並兼采當時新聞紙所載；由於資料來源以及編纂方式有異，以分別編印爲宜。三爲前書所選各朝史事多寡懸殊，似非混編不可（咸豐朝不能單獨成書，爲其原因之一）；本書所得足可編爲單行本，無妨獨自印行。

至就內容而言，本書始於同治十三年（一八七四）日兵侵略牡丹社事件之後，中經法、越一役法兵之侵臺，訖於光緒二十一年（一八九五）臺、澎之淪日；其間「開山撫番」、籌防建省之經營，不啻爲清季臺灣開一創局。可惜甲午（一八九四）中、日戰爭結果，臺、澎竟罹割地之變。此一時期臺灣史事發展之因果互有關聯，自行編印一書，有其必要。

又按光緒以前，歷朝「東華錄」（乾隆以下稱「續錄」）係由國史館館臣所纂；因此王纂原書均內題「臣王先謙敬編」、潘纂原書內題「臣潘頤福敬編」（潘氏是否供職國史館，尚待考）。本書原書（凡二二〇卷）刋行於宣統元年（一九〇九），內題「朱壽朋敬編」，扉頁背裏並有「宣統紀元之歲，上海集成圖書公司恭纂」字樣。據此，朱壽朋似非當年國史館中人，故據邸鈔、京報及新聞紙所見而輯。前刋「東華錄」及「續錄」兩「選輯」（前一「選輯」列「文叢」第二六二種），幾均不出於歷朝「實錄」範圍；本書因原書非本於「實錄」，自有其獨特之處。

但亦由於本書原書輯自邸鈔、京報及當時新聞紙所載，因不及官書（「實錄」及其他官纂書籍）嚴整。例如本書於光緒四年（一八七八）先見有『冬十月戊戌（二十二日），諭：「吳贊誠奏病勢增劇請開署缺一摺，光祿寺卿吳贊誠，著開福建巡撫署缺，仍督辦福建船政事宜」』。嗣又見『十二月丁酉（二十二日），允署福建巡撫吳贊誠開缺，仍督辦船政事宜』。又如光緒二十年（一八九四）先見有『九月戊子（十五日），調邵友濂署湖南巡撫，以唐景崧署福建臺灣巡撫』，『十一月戊戌（二十六日），命戶部左侍郎張蔭桓、署湖南巡撫邵友濂前往日本會議和局』。至翌年（一八九五），則又見『四月甲寅（初三日），福建臺灣巡撫邵友濂因病乞休，允之』。此種先後牴牾之記載，或爲彙采新聞紙紀事所致。至其他脫誤字句，亦較官書爲多。除脫誤字句已略加考訂外，餘概仍存其舊。

清季臺灣洋務史料弁言

吳幅員

這本「清季臺灣洋務史料」，係集輯光緒年間朝臣疆吏若干章奏而成。其中值得一道者，光緒初年（一八七六～七七）福建巡撫丁日昌所作建議，特具見地。丁日昌爲清季洋務運動中重要人物之一，對創設臺灣鐵路，提倡最早；旋以鐵甲船爲南、北洋海防整體所需，又議移經費改辦。當時創設臺灣鐵路事雖未行，終由後來劉銘傳所興造。前於編印吳贊誠著「吳光祿使閩奏稿選錄」（「文叢」第二三一種）時，嘗擬搜集丁氏奏疏併刊一書（吳贊誠嘗以福建船政大臣奉命籌辦臺灣防務，嗣又兼署福建巡撫，爲丁氏後任），卒未有得。今得其議辦臺灣電線、礦務、鐵路等摺片多件，再參以「文叢」第一一〇種「臺灣海防檔」、第一九三種「清德宗實錄選輯」、第二四七種「清季申報臺灣紀事輯錄」（「京報」選錄部分）及第二七七種「光緒朝東華續錄選輯」等書所載，則其撫閩時對於臺灣意欲有所作爲，灼然可見。其次，光緒十一年（一八八五）以後臺灣巡撫（臺灣建省後改稱）劉銘傳實際所辦洋務，自更突出。桐城陳澹然釐訂有劉氏著「劉壯肅公奏議」（已收編爲「文叢」第二七種）一書，在其「設防」、「理財」兩略中，大體已將有關洋務——如製械、購船、築路、設線、辦礦以及育才等陳奏收錄。惜間有文字與原檔有所出入，或由於纂輯者略加潤飾所致。因將彼此有所異同之件，仍輯入本書（另有非屬洋務摺片，部分另見「文叢」第二七六種「劉銘傳撫臺前後檔案」附錄中）。此外，並有樞臣（包括總理各國事務衙門、總理海軍事務衙門）會同部臣議奏之件，極爲重要。例如總署（總理各國事務衙門）復議丁日昌及海軍衙門復議劉銘傳所奏，均可見當時樞廷意向所趨。尤以總署會同戶部復議劉銘傳片奏官商合辦基隆煤礦一摺，乃決定劉氏去職之主要原因。陳澹然在「理財略序」末云：『……及（公）任臺撫、謀省防，屢抗言臺疆草創、難泥部章，乞旨飭部臣寬文法；文墨吏已陰嫉之。時醇賢親王（按指奕譞）當國政，所請輒行，乃獲稍行其志事。王薨，戶部嫉公甚，已抗疏罷海軍。公迭疏方乞退，忌者益銜之；故所議如此』。所稱「所議」，即上述總署、戶部會奏之摺。同序概引總署、戶部所議云：『謂官商合辦，宜主自官；而疑議章總管以洋人爲影冒，以濬港爲撤藩籬。且曰：「敕議擅行，其交部議處」』。陳氏上引云云，祇述其意耳。

本書輯自世界書局印行「洋務運動文獻彙編」，凡已見於「文叢」第二九種「福建臺灣奏摺」（沈葆楨著）、第三八種「同治甲戌日兵侵臺始末」（「籌辦夷務始末」選輯之一）及第一三一種「李文忠公選集」（李鴻章著）者均略而不錄；至各摺片中凡有涉及未錄各件者，另註明其所見處，以利查考。至所輯劉銘傳摺片，並均逐件加註說明。

甲乙日曆弁言

吳幅員

民國二十六年（一九三七）間，浙江紹興縣修志會刊有明末山陰祁彪佳（字虎子，一字幼文，號世培；史作字弘吉，諡「忠敏」）遺著「祁忠敏公日記」，不分卷。日記起自崇禎辛未（一六三一）、止於弘光乙酉（一六四五）閏六月初六日祁氏殉節前二日。辛巳（一六四一）以前，按年名爲「涉北程言」、「棲北冗言」、「役南瑣記」……諸篇；壬午（一六四二）以後，概以「日曆」分歲紀目，不再特定篇名。本書截取其與南明史事有關之甲申、乙酉兩歲部分，故名曰「甲乙日曆」。

關於祁氏仕履，南明諸史著有專傳可考（註一）。今書末附錄有祁氏同時同里人王思任原本並經道光間順德梁廷柟、武陵龔沅補編「祁忠敏公年譜」一卷，備供參考。甲、乙之際，祁氏先以南畿刷卷御史身與南部肇造，旋出安撫蘇、松，轉任巡撫；後雖回籍，仍與朝野人士音問相通。洎乎南都敗、杭州潞王降，由於淸帥所迫，投水殉節。此兩年所記，除家居瑣屑外，無異當日史事之部分或片斷實錄，足正諸史之闕失（卽王、梁等所編「年譜」，亦與祁氏所記事實有所異同）。祁氏嘗任興化府推官（天啓四年至崇禎元年——一六二四～二八），與閩中不無淵源（註二）；在此兩年日記中，亦約略可見。記中對於識與不識，幾均稱號（或字）不名，諸如史道隣（可法）、徐寶摩（石麒）、黃石齋（道周）、楊龍友（文驄）以至馬瑤草（士英）、阮圓海（大鋮）等，無不如是。但對鄭芝龍則首稱「鄭帥芝龍」，餘稱鄭南安（蓋弘光帝嘗封芝龍爲南安伯）；而於其弟鴻逵在甲申九月二十一日及二十六日記有「鄭帥鴻逵」外，隨後亦多稱其字曰「鄭羽公」。在此必須特別指出：前此所見之「鄭鴻逵」（名未詳），乃爲祁氏蘇松巡撫之前任，另有其人。

按「日記」原爲祁氏後裔所抄存，僅甲、乙兩歲尚留有著者親筆；紹興縣修志會錄副排印，首尾猶各影印一頁存眞，彌可珍貴。惟全書由於傳錄排印，誠如其書後正誤表末尾所註：「此日記原爲抄本，訛字頗多；姑仍其舊，想讀者自能辨之」。今截刊甲、乙日曆部分，雖略有訂正，仍多脫漏與譌誤。至有先後未能一致之處，如史道隣先作「道林」、于穎長（穎）後作「瀛長」（按「東南紀事」即作「瀛長」），已爲分別改訂；他如避諱或別寫之字有由作繇（按由、繇同義）、松作嵩、常作嘗（常州、常熟作嘗州、嘗熟）、潤作閏（潤州作閏州）等，亦均爲恢復本字。

「南疆繹史」勘本（李瑤著）有云：『忠敏世爲山陰巨室，其淡生堂藏書最富，爲江南冠。家居梅里，而園林池館在寓山，其盛甲於越東也。夫人商，有淑德，能文。公子二：理孫、班孫；後將兵江上，傾家助餉，思所以伸父志而不得。嗚呼！賢矣（詳「撫遺」補傳）』。按祁氏里第，甲、乙日曆略見一斑；至商氏暨二子，詳見同書「撫遺」卷十五「列女列傳」伯商夫人與卷十六「方外列傳」咒林兩傳。此雖與刊印本書無關，附以一提，以供研究祁氏一門之助。

（註一）「文叢」第七六種「南天痕」、第一三三種「南疆繹史」、第一三六種「罪惟錄選輯」及第一三八種「小腆紀傳」等書均有傳。

（註二）考「日記」書後所附「祁忠敏公遺書存目記」：在閩著有「莆陽稟牘」三冊（天啓四年春至崇禎元年冬）、「莆陽評語」二冊、「莆陽勘語」一冊（興化府）、「莆陽讞牘」十三冊（福州二、漳州一、泉州一、延平一、興化八）、「莆陽雜錄」二冊及「莆陽尺牘」十七冊（天啓四年至崇禎元年），惜未見其書。不然，當可獲得當年閩海一些史料。

臺灣詩鈔弁言

吳幅員

早在三年以前，「文叢」即計劃蒐編「臺灣詩鈔」一書；嘗於前刊「臺灣詩薈雜文鈔」(「文叢」第二二四種)的「弁言」上，已約略言之。

有關臺灣的詩篇，在各種文獻上所存相當豐富；「文叢」所刊，已極可觀。清代中葉以前的作品，大多散見於各種「方志」；民十連橫撰著「臺灣詩乘」(「文叢」第六四種)，對於古今諸作，收羅有加。至另見於專集者，並有明季時期的沈有容輯「閩海贈言」(第五六種)、錢秉鐙著「藏山閣集選輯」(第二二五種)、徐孚遠著「交行摘稿」(附於第一二三種「徐闇公先生年譜」後)、盧若騰著「島噫詩」(第二四五種)、張煌言著「張蒼水詩文集」(第一四二種)及鄭成功父子著「延平二王遺集」(收於第六七種「鄭成功傳」後)以及入清以後的郁永河著「裨海紀遊」(第四四種——詩文並見)、六十七輯「使署閒情」(第一二二種)、孫元衡著「赤嵌集」(第一〇種)、朱仕玠著「小琉球漫誌」(第三種——詩文並見)、弘曆(清高宗)著「御製詩」(見第一〇二種「欽定平定臺灣紀略」卷首)、章甫著「半崧集簡編」(第二〇一種)、鄭用錫著「北郭園詩鈔」(第四一種)、劉家謀著「海音詩」(收入第二八種「臺灣雜詠合刻」)、林占梅著「潛園琴餘草簡編」(第二〇二種)、陳肇興著「陶村詩稿」(第一四四種)、王凱泰等合著「臺灣雜詠合刻」(見前)、施士洁著「後蘇龕合集」(第二一五種)、易順鼎著「魂南集」(收入第二一二種「魂南記」中)、不著撰人著「哀臺灣箋釋」(第一〇〇種)、丘逢甲著「嶺雲海日樓詩鈔」(第七〇種)、王松著「滄海遺民賸稿」(第五〇種)、許南英著「窺園留草」(第一四七種)、林朝崧著「無悶草堂詩存」(第七二種)、連橫著「劍花室詩集」(第九四種)及傅錫祺等著「櫟社第一集」(附於第一七〇種「櫟社沿革志略」後)等,合共將近三十種。其餘未刊專集與零篇,自更不在少數。惟「文叢」編刊主旨,原側重於蒐存史料;對於偏具文學價值的詩作,實難盡行收入。因在已刊諸編以外,選集有關臺灣史事之詩,作爲「補遺」。

本書選集範圍,要以提供兼具史料價值的詩篇爲準。換言之,舉凡諷詠臺灣或與臺灣相關的史事、地理、人文、俗尚等古今體詩,均在收羅之列;而對於描繪民生疾苦之作,尤三致意。偶或以詩存人,卽所作與臺灣無涉,亦間采之——例如臺南詩人胡殿鵬(南溟),其才情橫溢,一時無兩;雖所詠或無與臺灣,間亦選錄。要之,所收原以「以詩存事」爲主。然人爲歷史的主體,「存人」亦卽「存事」;縱有所超軼,當非謂過。此外,凡在「文叢」已刊之作,力避重複。但此所指,祇限於詩篇而非作者其人。例如沈光文、徐孚遠、盧若騰、夏之芳、吳廷華、錢琦、弘曆以及王松等已有作品分見於各種「方志」或專集，但仍錄有其詩；蓋所錄者爲增補其前所未見之作，並非重出。至間有彼此互見之章，要亦由於字句略有異同或別有其故。如夏之芳「臺灣雜詠」二十二首內有四首已見「范志」（「文叢」第七四種）所刊「臺灣巡行詩」，卽爲一例；蓋「范志」均已略去「自註」，讀此可補其缺失。

本書輯編方式，係按作者分目。至次序的排比，約依時代之先後。因便爲分冊裝訂，並有卷次之區分。且於每一作者名下，分別綴以略歷；凡遇有已刋或互見之作，亦附加說明。至所集諸作，或出自專集，或見於期刋；或得諸手稿，或錄自鈔本：其出處未及逐一註明。而在期刋方面，要以出於連橫編「臺灣詩薈」爲多。全書間有疑誤字句，惜未得底本或善本，無從校正，深引爲憾！書末，另加附錄兩種。在蒐編這本「詩鈔」同時，並得有各種詩集的序跋多篇。各種詩集既難盡行收入刋行，因將所得諸文，彙作附錄之一。「詩鈔」僅屬有關臺灣詩作的「補遺」之編，爲便利讀者得窺「文叢」已刋詩作之全，因加編「臺灣文獻叢刋已刋臺灣詩作索引」，列爲附錄之二。

本書蒐編雖斷續將及四年，由於種種牽制，未能一如預期之完美。將來如續有所得，當另謀續補。還祈方家，多予指正。

至書中林豪、林鶴年兩人諸作，係承陳漢光先生提供；附此誌謝。

通鑑輯覽明季編年弁言

吳幅員

淸乾隆間官方撰有「歷代通鑑輯覽」一書（亦名「御批歷代通鑑輯覽」，通稱「通鑑輯覽」），都一百二十卷；其第一百十六卷記明季甲申、乙酉間北都與南都事（卷題稱「明莊烈帝」），第一百十七至二十卷爲「附明唐、桂二王本末」。所記要言不繁，脈絡頗爲分明。今截編爲一書，繫以「明季編年」之名，列爲「文叢」之一。

本書截取部分，經將原卷次略去，區爲上下兩卷：上卷分甲申、乙酉歲兩目，下卷分唐王及桂王（一）、桂王（二）、桂王（三）四目。至原有乾隆帝眉批（卽所謂「御批」）及纂輯人按語（卽所見「臣等謹案」語），現均仍照原書小一號字排版；但因書眉地位無多，已將眉批移於所批每一記事之後，冠以「眉批」二字標明。至書中括弧內之文字，原書用小字雙行刊印；今因改排單行，故加（ ）區別之。

書中記魯王居金門「將往南澳，(鄭)成功使人沈之海中」一節，係沿張廷玉等「明史」之謬誣，已辨之多矣；近年金門發見「魯王壙誌」，乃爲一有力之實證（文見「文叢」第一一八種「魯春秋」附錄二）。附誌一筆，以免傳誤。

重修臺郡各建築圖說弁言

吳幅員

這本「圖說」及所有縮影各圖，原爲一百九十餘年前的寫本與彩繪，與六十七「番俗采風圖考」（「文叢」第九〇種）同爲臺灣罕見的歷史文獻。原本原藏於國立北平圖書館，現由國立中央圖書館代管，列爲善本書之一。近中央圖書館又將北平圖書館所有的圖書寄藏國立故宮博物院，因此這一「圖說」原本今則存於故宮博物院圖書館。

「國立中央圖書館善本書目」（增訂本）「史部」「政書類」（三七八頁）著錄：『「重修臺郡各建築圖說」，七十九幅，淸乾隆間臺灣知府蔣元樞進呈紙本彩繪，三三×四一．五公分。北平』。經檢原本，有圖三十九幅、圖說四十幅（內一幅題稱「記」，餘均稱「圖說」），合爲七十九幅。每幅均加襯裱，稍有蠹蝕。至所稱「重修臺郡各建築圖說」，顯係揉合現代詞彙（指「建築」一詞）所成，當爲北平圖書館入藏編目時所定；原來究何所稱？固無可考。

考謝金鑾纂「續修臺灣縣志」（「文叢」第一四〇種——略稱「謝志」）卷二「政志」「憲紀」「臺灣府知府」目下：『蔣元樞，江蘇常熟擧人；（乾隆）四十年四月任』。其後任萬綿前，同目另條載：『……四十三年六月任』。又「分巡臺灣道」目下：『蔣元樞，江蘇常熟人，已卯舉人；乾隆四十一年十二月護任』。陳國瑛等纂「臺灣采訪冊」（「文叢」第五五種）「臺灣道憲」目且詳載：『蔣元樞，……四十一年十二月二十九日到任，四十二年四月二十九日卸事』。則這本「圖說」作者「清乾隆間臺灣知府蔣元樞」的任期爲乾隆四十年四月迄四十三年六月，在任三年又二月；其間任臺灣道（全銜應爲福建分巡臺澎兵備道兼理學政）係屬兼護性質，歷時四閱月。又考「常昭合志」蔣檙傳：『蔣檙，……溥長子，……。弟元樞，守仲升。以舉人任福建知縣，歷陞臺灣府知府。重建木城，培甓爲複；濱海處增創堞樓、礮臺，規劃經久。護理學政，添立澎湖應試者爲「澎」字號，歲科取進一名；增葺文廟學宮，禮樂器皿咸備。俸滿歸，卒』。元樞治臺事蹟，由此已見其概。又乾隆四十二年三月郡城媽祖樓街、金龍街衆鋪戶立有「護理臺澎兵備道臺灣府正堂蔣德政碑」，其碑文有云：『我大恩憲大人蔣，代受國恩，兩世相業昭垂，……。初下車，即念臺灣僻居海外，民番雜處，最易滋生事端；而其道則在嚴治竊匪、鋤抑強宗，使不得生事擾民，共安衽席。今之四境晏如，此其明驗也。而且修城垣以衛民居，設望樓以防民患，崇黌序以正民風，新神廟以成民事，辨疑獄以重民命，廣賑恤以贍民窮：其經濟事功，彰彰如是』（見「文叢」第二一八種「臺灣南部碑文集成」——略稱「南碑」）。迄於乾隆四十二年三月，元樞在臺建設，已有修郡城、設望樓、崇學宮、新神廟等多項；這在這本「圖說」，均見有圖與說。同時及其後陸續興工，另見其他文獻及這本「圖說」者尚多。這在清代臺灣歷任知府中，尚不多見。祇由於乾隆三十年代以後未曾續修「府志」，並無元樞的「宦績」專傳流存，湮沒未彰已耳。按元樞爲溥子（見上引），溥父廷錫，康熙舉人，賜進士，雍正間官至文華殿大學士；溥，雍正進士，乾隆間官至東閣大學士兼管戶部尙書（並參「清史列傳」）。所謂「兩世相業昭垂」，元樞在臺樹立業績不少，決非偶然。

這本「圖說」有圖三十九幅、圖說四十幅，圖與說幅數不符。這有兩種可能：（一）圖說內有一幅稱「記」，題爲「鼎建鹽課大館記」，或爲此記無圖。（二）圖說多圖一幅，或即欠缺一圖。如果原本每一圖說與圖配置不誤，問題較爲簡單；可惜久藏失次，尋求解答不易。

由於「文叢」版面所限，現將原圖縮影製版，圖說則另加標點排印。圖說與圖的配置，經詳加研求，十九均已相合，祇留數幅存疑。至其編列順序，參考其他文獻，略以與舉時間先後爲準；無時間可據者，依類分列。原本圖說有題，圖則無名；現將各圖分別編號，在每一圖說題下加注所屬「圖次」（至有待求證者，再加問號表示之），以利檢閱。此外，尚得可言者，約有數端：

（一）圖說固有題，但寫法頗不一致。其最著者，有「孔廟禮器圖說」，有「文廟樂器圖說」；同屬孔廟（文廟）器皿，却作兩種冠稱。又各廳縣「望樓圖說」，既有臺邑、鳳邑、諸邑之稱，但彰化縣不稱「彰邑」而稱「彰化縣」。如以前者爲準，後者應從之；不然，前者應從後者。今爲存眞，均未改易。

（二）圖說文字，原寫本每有譌誤；今已爲改正，並加括號註明原誤之字。內有一處，並須特別說明：「重建臺灣郡城圖說」有云：『……郡西面海，西門爲自口進郡要隘。舊以濱海之地無從樹柵，只設南、北礮臺二座；今於礮臺左右添設木柵兩翼，另建水西門一座，並增礮臺三座』。「水西門」，圖作「小西門」；據以改正，原無問題。但元樞另撰有「重建郡城碑記」（載「謝志」卷七「藝文」（二）——五一一面），却亦云「別創水西門」，殊滋疑義。再考「謝志」卷首「城池圖」（按臺灣縣爲臺郡附郭，所稱城池卽府城），確爲「小西門」無謬；同書卷一「地志」「城池」亦云：『……四十年，知府蔣元樞補植竹木，且於礮臺、窩鋪多所修葺；建小西門於土墼埕西，爲八門焉』。可知「碑記」亦誤（或爲誤刋所致）。

（三）原本稍有蠹蝕，在縮影圖面不難看出（由此亦可得知先前所藏，每幅實爲對摺；蓋今所見圖面蝕殘蝸紋，幾均左右對襯有致）。圖說殘破部分，今惟以留空（以方框代替）出之。偶有脫字，另加方括號填補。至未能連續或不甚通順之處，則加問號存疑。

（四）圖說中每以干支紀年，今加註清曆及公曆；已有清曆者，僅註公曆。又，圖說敘及職官，往往著姓不名；如「臺邑周令創樹木柵」，未書周令爲誰。凡此「不名」之處，亦均分別查註。所加註文，統用括號表示；亦卽凡有括號者（包括上述加註「圖次」及改正誤字所用）均爲今加，並非原文。

（五）圖與圖說的配置，原憑圖中的標記文字與圖說相印證，或由圖說描述的結構尋求其適圖，或從圖中的特殊顯像決定其歸屬。但有少數圖中未著一字（如圖三、圖六、圖二六），或圖說無結構描述（如「恭修萬壽宮圖說」、「移建中營衙署圖說」、「捐建南路兩營公署圖說」）以及圖無特殊顯像，以致辨認困難。除可由認識判定者（如確認圖三爲「萬壽宮圖」、圖二六爲「塭岸橋圖」），尚有圖二、圖六、圖一一及圖三七等四圖存有疑問。圖二與「重修臺灣府署並建迎暉閣、景賢舫圖說」所指，較爲接近；但圖中除並無迎暉閣、景賢舫等文字標記外，在署右却出現有「邑城隍廟」，頗爲費解。考邑城隍廟「在（郡城）鎭北坊」（見「謝志」卷二「政志」、「壇廟」載），而府署則

「在東安坊」（見同書「衙署」載），兩不相及；不過郡城隍廟確「在東安坊郡署之右」（見同上）——亦即「在府署之西數武」（見「重修臺灣府城隍廟圖說」），則「邑」爲「郡」之誤乎？再查郡城隍廟見圖二七，「廟貌」似又兩不相類；而鹽課大館却「貼附府署之右西偏」（見「鼎建鹽課大館記」），則此「邑城隍廟」又或爲「鹽課大館」之誤乎？這在他圖亦有類此情形，如「新建鯽魚潭圖說」有「潭中構湖心亭一座」語，而圖（圖五）中則標記作「掬月亭」。郡城隍廟乎？鹽課大館乎？未始無此可能。再則，試反以邑城隍廟爲準，商榷圖二之所屬。考上引「城池圖」鎭北坊邑城隍前僅見有中營、右營（均屬鎭標）公署，並屬同向；與此圖所見坐落既不相符，而營署亦不至如圖中所繪有頭門、二門、大堂、二堂、內堂之分（中營衙署當時建在東安上坊，見「移建中營衙署圖說」），似非某一營署所屬。在所有四十幅圖說中，此外僅有「臺灣佐屬公館圖說」、「鼎建鹽課大館記」、「移建中營衙署圖說」及「捐建南路兩營公署圖說」可供尋求歸屬；但參以上述四圖說所云，此圖又無一適切者。圖六祇以其結構與「移建臺灣佐屬公館圖說」所謂頭門、正廳、廂房以及正屋三楹等說法尚吻合，但仍有待求證。圖一一認爲「鼎建鹽課大館記」所屬者，因記中有「附建廠房六間爲馬廄」語；惟圖中馬廄位置或文字標記兩者中或仍有一誤，亦待求證。至圖三七，由於所餘「移建中營衙署圖說」及「捐建南路兩營公署圖說」既無結構描述，而圖中亦無明確標記足資辨認，因惟次於兩圖說之間備覽。如前述「鼎建鹽課大館記」無圖（說見前），則圖一一亦可能爲以上兩圖說所屬之一；「鼎建鹽課大館記」所屬圖無誤，以上兩圖說間即欠缺一圖。總之，圖二、圖六、圖一一、圖三七確何所屬以及「鼎建鹽課大館記」是否有圖？存疑待考。

再，元樞當時興建各工，除製作這本「圖說」外，並有若干「碑記」與「圖碑」留存，可資印證：

（一）「重建臺灣郡城圖說」，有「重建郡城碑記」見「謝志」五一一面。

（二）「恭修萬壽宮圖說」，有「恭修萬壽宮碑記」見「南碑」一〇〇面，並有「萬壽宮圖」圖碑現存臺南第一碑林。

（三）「重修海會寺圖說」，有「重修海會寺碑記」見「南碑」一〇五面，並有「重修海會寺圖」圖碑現存臺南開元寺（即舊時海會寺）。

（四）「移建臺灣佐屬公館圖說」，雖未見元樞撰記，另有葉時蛟「郡城佐屬公館碑記」見「南碑」一〇一面。

（五）「重修臺灣府學圖說」，有「重修臺灣府孔子廟學碑記」見「南碑」一〇八面，並有「臺灣府學全圖」圖碑現存臺南文廟。

（六）「重修風神廟並建官廳、馬頭、石坊圖說」，有碑記（「謝志」卷二「政志」「壇廟」：『風神廟，在大西門外接官亭後，乾隆四年巡道鄂善建。旁有上憲官廳，臨街；東西有文武官廳。三十年知府蔣允焄修、四十二年郡守蔣元樞修，皆有記』），已佚；但有「接官亭圖」圖碑現存臺南第一碑林，即指此一建築。「謝志」卷二「政志」「公廨」：『接官亭，在西門外海口風神廟前，乾隆四年巡道鄂善建。四十二年，郡守蔣元樞捐俸修；並於左側構官廳，於海口砌石爲埭，加坊表焉。有碑記其事』。試一閱讀圖說與圖及圖碑，當知「一而二、二而一」不謬。

（七）「鼎建臺郡軍工廠圖說」，有「鼎建臺澎軍工廠碑記」見「南碑」一〇三面，並有「軍工廠圖」圖碑現存臺南歷史館。

（八）「重建臺灣縣學圖說」，有「重建臺灣縣廟學碑記」見「南碑」一一一面。

（九）「重修臺灣府城隍廟圖說」，有「新修郡城隍碑記」見「謝志」五〇九面，並有「臺陽城隍廟圖」圖碑現存臺南歷史館。

（一〇）「重修臺郡先農壇圖說」，有「重修先農壇碑記」見「南碑」一一二面。

（一一）「重修臺郡天后宮圖說」，有「重修天后宮碑記」見「南碑」一一五面。

（一二）「建設南壇義塚並殯舍圖說」，有「建設義塚殯舍碑記」見「謝志」五一二面。

（一三）「捐建澎湖西嶼浮圖圖說」，有「澎湖西嶼浮圖記」見「南碑」一一七面，另有謝維祺「創建西嶼浮圖記」見同書一一八面。

又，這本「圖說」有「重修關帝廟圖說」，「南碑」（一〇九面）亦有「重修關帝廟碑記」（並見「謝志」五〇九面）；但「圖說」明言在鎮北坊，而「碑記」却指在西定坊者。考「謝志」卷二「政志」「壇廟」：『關帝廟，在鎮北坊；乾隆四十二年，知府蔣元樞修』。『又坊里廟祀甚多：一在西定坊港口，俗呼小關帝廟。……』。由此，則知元樞於重修鎮北坊關帝廟外，並嘗修西定坊小關帝廟。

此外，元樞尚修有水仔尾橋（上引「護理臺澎兵備道臺灣府正堂蔣德政碑」，卽因修建此橋而立；全文見「南碑」一〇二面）、鯽魚潭橋（有記，已佚）及馬公廟（「謝志」誤刊馬王廟）等；或以工事較簡，與重修小關帝廟均未製「圖說」。惟在「謝志」卷一「地志」「橋渡」及卷二「政志」「壇廟」諸目，均分別存有記載。

上述「萬壽宮圖」等六圖碑，「臺南文化」（臺南市文獻委員會編印）四卷二期「文物專刊」刊有縮影圖；今特轉載，以供查考。

這本「圖說」的編印，頗費周章。其間承昌彼德先生一再提供寶貴意見——一種在求止於至善的期待與熱忱，深感同調。但由於諸種限制，縮影圖未如原本色彩製印，終嫌不足。同時，又承黃典權先生示以關於蔣元樞的著作「蔣公子研究」（刊「臺灣文物論集」）一文，得使「弁言」多所發明，亦至可感。拜嘉之餘，一併誌謝。

李文襄公奏疏與文移弁言

吳幅員

清康熙十三年，「三藩」變起，福建耿藩與臺灣鄭氏（成功子經）聯合反清，南延粤東、北迤浙境，烽火遍地。時山東武定李之芳（號鄴園）適任浙江總督，初與滿人平南將軍賴塔、繼佐奉命大將軍康親王傑書西扼耿藩規浙之兵，後更督率所屬南拒鄭氏橫海之師。在浙九年有餘，幾完全爲滿淸鎮壓閩變效其「犬馬之勞」（所作「海賊」、「海逆」等稱謂，卽指鄭氏或其所屬而言。經，本書作錦）。歿後，淸廷予諡曰「文襄」。所遺奏疏、文移，由其子鍾麟輯成「李文襄公奏議」二卷、奏疏「十卷」、「別錄」（各種文移）六卷，並附以「年譜」（程光裋纂），裒爲一集。除首列「奏議」二卷爲前歷官御史所爲「臺諫集」之外，「奏疏」、「別錄」純爲督浙時所撰，十九均與耿、鄭兵事有關。本書輯其督浙之部，並爲便於閱讀起見，將「奏疏」與「文移」按年月合編，以「奏疏」原卷帙爲準，而將「別錄」各種文移分附於各疏之後（文移中無與兵事之文，已酌予删略）。凡文移一稿分行之件，彼此不同字句，原底分作雙行並書；今並改以甲行爲準，而以乙行字句加用括號附之。

按李之芳，順治丁亥進士，後官至兵、吏二部尚書；「文叢」第二二〇種「碑傳選集」、第二三〇種「清耆獻類徵選編」及第二四三種「清史稿臺灣資料集輯」均有傳可考。本書之末仍附以「年譜」，便與奏疏、文移參證。

至李之芳後在兵部尚書與吏部尚書任內，正值姚啓聖、施琅攻取臺灣前後，對於臺灣事宜應有所題奏；惜未見鍾麟所輯。現中央研究院歷史語言研究所編印「明清史料丁編」尚存有「兵部尚書李之芳等殘題本」與「吏部題本」（分見「文叢」第一七五種「鄭氏史料三編」二一一面及二二六面），卽其一斑。

雪交亭正氣錄弁言

吳幅員

明末鄞縣高宇泰（檗菴）嘗輯晚明死難諸烈小傳，冠以「雪交亭」之名。全祖望撰「明故兵部員外郎檗菴高公墓石表」（見「鮚埼亭文集」）稱是書爲「雪交亭集」，但另作「高武部宇泰傳」（見「續甬上耆舊詩」）又作「雪交亭正氣錄」。近人張壽鏞據何樹崙寫本校刊，從全撰高傳名曰「雪交亭正氣錄」（收於「四明叢書」第二集）。按雪交亭原爲辛卯舟山殉難閣部張肯堂之寓亭；舟山陷，其亭亦圮。高氏雅愛其名，移署於鄞之萬竹嶼所建之亭，並以名書。

原作因後人紛加按語、附註，本來面目已漸失其眞。今刪除他人所贅，儘取素材，列爲「文叢」之一。全書前十卷自甲申至癸巳，按年分紀；後二卷別立「特紀」與「附紀」，不依年次。每紀前有作者「序文」（內「癸巳紀」缺），己丑、庚寅兩紀原序佚，原刊本從「續甬上耆舊詩」錄補；今仍存之（甲申、乙酉、丙戌諸紀「序文」與「續甬上耆舊詩」所見少有出入，原刊本兩序並存；今則略其後者）。由於本書已刪除他人所贅，原刊本所有序例除作者自序殘文仍刋列卷首外，其餘後人所加序跋、校例及作者表傳等諸作均移作「附錄」，俾供參考而已。

本書所特出者，諸傳之後每附有遺作、絕筆詩文，而同時哀輓之作亦間及之。據傳以禮跋：『所采詩文，往往見諸各家本集，據以校讎，或刊誤、或拾遺』。刊誤者今從之；拾遺則一併删略，蓋非原作所有也。

餘不贅，具詳書末「附錄」。

使琉球錄三種弁言

吳幅員

本書為一集刊，共收明代「使琉球錄」三種，故名。這三種「使錄」的作者、版本是：(一) 陳侃、高澄撰「使琉球錄」不分卷，嘉靖間原刊本，國立北平圖書館影印；(二) 蕭崇業、謝杰撰「使琉球錄」二卷（附「皇華唱和詩」一卷），萬曆間原刊本；(三) 夏子陽、王士禎撰「使琉球錄」二卷，鈔本（現藏國立中央圖書館）。按明代歷遣使臣冊封琉球中山王，自洪熙元年內監柴山往封尚巴志以後，正統八年，正使給事中俞忭、副使行人劉遜往封尚忠；十三年，正使給事中陳傅、副使行人萬祥往封尚思達；景泰三年，正使給事中陳謨、副使行人董守宏往封尚金福；七年，正使給事中李秉彝、副使行人劉儉往封尚泰久；天順七年，正使給事中潘榮、副使行人蔡哲往封尚德；成化八年，正使給事中官榮、副使行人韓文往封尚圓；十五年，正使給事中董旻、副使行人司副張祥往封尚眞；嘉靖十三年，正使給事中陳侃、副使行人高澄往封尚清；四十年，正使給事中郭汝霖、副使行人李際春往封尚元；萬曆七年，正使給事中蕭崇業、副使行人謝杰往封尚永；三十四年，正使給事中夏子陽、副使行人王士禎往封尚寧；崇禎六年，正使給事中杜三策、副使行人楊掄往封尚豐。在歷遣封使中，嘉靖十三年陳侃、高澄首上「使琉球錄」，其後郭汝霖、蕭崇業、夏子陽等諸使均踵事之（杜三策雖未自撰「使錄」，其從客胡靖撰有「記錄」——見周煌「琉球國志略」）。惜「郭錄」未見傳本，今僅得本書所收三種；所幸蕭、夏二錄對於前錄均有轉載，「郭錄」仍可約略覘之。

琉球在地理上，與臺灣隔水爲鄰；明代以前各種載籍上所見琉球，究指今日之琉球抑爲今日之臺灣，爭論不已。「文叢」嘗輯印「流求與雞籠山」一種（列於第一九六種），彙集多種有關琉球與臺灣的記載，備供參研。今集上述「使錄」三種，由於封使親臨其境，聞見所及，有裨考鏡。夷考琉球入貢、請封始於明初，貢道由閩以達京師；歷遣封使航海，亦由閩啓行。不論封貢，俱以臺灣北部海面雞籠嶼、彭佳嶼（「使錄」稱平嘉山或彭佳山）、釣魚嶼等爲往返所經指標；當時對於海上情形，不能謂非熟悉。但遠隔數千里的琉球已早與交通，而近在咫尺的臺灣反至後來始得其眞象？這是一個值得研究的問題。

本書所有三種「使錄」體例相仿，大致後錄本諸前錄而增益。今集刊一書，凡重見篇什量予删割，而以存目加註表示之。至「夏錄」所附前使陳侃、郭汝霖、蕭崇業以及琉球國王等題奏既分見陳、蕭兩錄，今並案題亦略去。此外，「蕭錄」原刊本（中央圖書館藏）間有脫頁，一時又無他本可資校補；除分加夾註說明外，用提一筆，以誌「不足」之感。

明經世文編選錄弁言

吳幅員

本書選自明季陳子龍、徐孚遠、宋徵璧合輯的「皇明經世文編」，依前編「文叢」第二二九種「清經世文編選錄」之例，名之曰「明經世文編選錄」。書末，另就萬曆間福建巡撫黃承玄著「盟鷗堂集」加選有關倭情奏疏六篇，作爲「附錄」。

有明中葉以下，東南海上騷然；外由日本、荷蘭，內因「流民」、「海寇」，臺灣漸成爲各方逋逃、越販以至拓殖經營的對象。其間相互關係，極爲錯綜複雜。本書所選諸家之言，雖未備紀事系統，要足以「導發其端、條晰其緒」（原書陳子龍序有云：『古者有記事之史，有記言之史。「言」之要者，大都見於記事之文矣。導發其端，使知所由；條晰其緒，使知所究：非「言」莫詳。甚矣，事之有藉於「言」也』）。所選大體斷自嘉靖之初，訖於天啓之末（原書所輯，即止於此）。凡屬以閩海——包括臺灣爲中心的關係文獻，均在收羅之列。間有雖未直接涉及，但亦有其因果關聯。

關於明季日人侵略臺灣有關之記載，已略見「文叢」第二三七種「崇相集選錄」「黃中丞勘功揭」、「中丞黃公倭功始末」及同書「附錄」所收「東湧偵倭」、「巡按福建監察御史李凌雲奏」、「逸事考」諸篇。今由黃中丞（承玄）的「盟鷗堂集」（直接史料）選錄倭情六疏，益信而有徵（本書正文已選黃疏二篇，但前一篇「題琉球咨報倭情疏」僅取其「看語」，後一篇「條議海防事宜疏」亦多删略，均非全件，因兩存之）。至何以日人要侵略臺灣——當時稱爲雞籠山？本書選有徐光啓的「海防迂說」，所言透澈淋漓，可謂是「導發其端、條晰其緒」的代表作。至於當年有關閩海的「流民」、「海寇」，自嘉靖間吳平以下，曾一本、林道乾等相繼竊發，山海交鬨。後來鄭芝龍等崛起，自非偶然。本書所選吳、曾、林諸人有關文子，亦藉以「導發其端」云爾（本書諸文雖無直接涉及鄭芝龍事，惟在徐撰「海防迂說」中附有陳、徐諸人批語云：『近者閩中私市甚盛，而鄭帥因收其利』；此云「鄭帥」，卽芝龍是。蓋陳、徐等合輯「文編」在崇禎十一年間，而鄭芝龍係元年就撫，是時已擢授副總兵矣，故曰「鄭帥」也。以當時人論當時事，止就上引「鄭帥因收其利」一語，足以概括鄭芝龍大半生歷史）。

此外，尙須說明一事。陳、徐諸人所輯原書，每篇幾均附有一些說明或如前述的批語，刋註於正文之旁。本書遇有這類語句，在篇首者，特用小一號字繫於標題之後；在文中者，則用同一號字另加括號附入適當字句之下。至「附錄」「盟鷗堂集」有關倭情各疏所加標點，有待斟酌者頗多；尤以「擒倭報捷疏」中所列俘獲「生倭」六十七人，除三名首領外，餘六十四人未能逐一標出姓名，至感遺憾！

臺灣對外關係史料弁言

吳幅員

這本「臺灣對外關係史料」，是根據中央研究院近代史研究所編「中美關係史料」已印行的「嘉慶、道光、咸豐朝」（合刊一冊）及「同治朝」（分上、下二冊）兩種選輯的。但就近代美國與臺灣全般關係而言，這祇是清代咸、同兩朝中的部分資料而已。蓋「中美關係史料」現僅出有上述兩種，「光緒朝」以下尚未見印行。且「中美關係史料」所收文件，以清季總理各國事務衙門淸檔爲主，輔以「美使館來去底稿」等美國國家檔案；其已見於成書者僅予存目，不收正文。是以原書固非其全，有關臺灣史料自不完整。至見於其他成書的臺灣史料，「文叢」均已有選輯，諸如第三八種「甲戌日兵侵臺始末」（選自同治朝「籌辦夷務始末」）、第一一〇種「臺灣海防檔」（選自據總理各國事務衙門淸檔所輯的「海防檔」）、第二〇三種「籌辦夷務始末選輯」（選自道、咸、同三朝「籌辦夷務始末」，已見於「甲戌日兵侵臺始末」部分不與。並有附錄分別選自「淸代外交史料」及「文獻叢編」）及第二三六種「籌辦夷務始末選輯補編」（選自「道光、咸豐兩朝籌辦夷務始末補遺」及「四國新檔」——「英國檔」、「法國檔」、「美國檔」、「俄國檔」）等書俱是（至光緒朝史料，猶不在列）。本書與以上諸書統爲排日編次，如能依序並讀；對於當年臺灣對外——尤其與美國的關係，當可獲有通盤的認識。

其次，本書所選內容，可得而言者有三：

（一）關於美國駐廈門及臺灣領事的更迭與動態，均有案可稽；其中尤以李讓禮在廈門領事任內及其後的舉動，値得注意。

（二）自同治七年春夏兩季起，閩省督、撫或福州將軍迭次（每年分春夏、秋冬兩期）咨送總理各國事務衙門的「福建中外交涉事件清冊」均有臺灣口已、未結各案，可覘臺灣一般涉外事件的情形。

（三）同治十三年日兵侵臺，涉及美國人船參與問題；總理各國事務衙門並曾將與日本交涉始末告知美使，其所附往來文件，並爲一宗中、日間的重要外交史料。

再次，本書所選文件的標題，已分別酌加事由，與原書略有不同；因於題旁添註所見原書頁碼，以備查檢。至每一文件的所註出處，所稱「中外交涉檔」、「各省美國交涉檔」、「各省英國交涉檔」、「美國領事檔」、「英國領事檔」、「布國領事檔」、「瑞威敦瑙威國檔」，均係總理各國事務衙門清檔，現藏中央研究院近代史研究所；「美使館來去底稿」，原稱 Office File Copies of Chinese Despatches Received and Sent

〔by U.S. Legation in China〕1846—1874，現藏美國國家檔案局。

如前所述，「中美關係史料」「光緒朝」尚未見印行；此外，中英、中法、中日等「關係史料」，亦可能均將陸續問世。至那時，或再選輯「臺灣對外關係史料續輯」亦未可定。按總理各國事務衙門清檔，「文叢」原先有意就其中「臺灣交涉檔」以及其他有關臺灣各檔綜合輯爲一書，因故未遂所願。現在這樣枝枝節節的作法，實爲事非得已。

欽定勝朝殉節諸臣錄弁言

吳幅員

「欽定勝朝殉節諸臣錄」，凡十二卷，清乾隆四十一年勅撰。前十一卷，著錄明季殉節臣民；後一卷，特存建文死事人士。其內容說明，已具見「四庫全書提要」，不贅。所應指出者，這是清廷別具用心之作，不止可視爲「貓哭老鼠」而已。「文叢」係以史料處之，自非取其所謂「專諡」、「通諡」以及祠祀之「德意」。且由於編刊主旨所限，卷十二姑予從略。

此書據乾隆間刻本排印，其中稍有變動：

（一）原刻卷首依次有所謂御製詩（有序）一首、諭旨三首、議疏二首、提要（卽四庫全書提要）一首，今將「提要」改列卷端，餘按序後移。原諭旨、議疏無題（原刻書口分題「上諭」與「議疏」），今分別添列。

（二）原刻目錄分冠各卷之首，今合併移置全書之前，以便開卷卽可檢索。

至於卷首「提要」一文，傳本已有脫頁，「書成」以下文未見；今據「四庫全書總目提要」補足，俾成完篇（坊間影印本仍任其缺，深爲可憾）。

清代琉球紀錄集輯弁言

吳幅員

本書爲繼前編「使琉球錄三種」(「文叢」第二八七種)後的另一集刊，收錄清代冊封琉球若干「使錄」及有關文獻共十二種，題曰「清代琉球紀錄集輯」。前編「三種」純爲明代「使錄」(詳見該書「弁言」)，惜尚有已知的郭汝霖撰「使琉球錄」及杜三策從客胡靖撰「記錄」(周煌撰「琉球國志略」「採用書目」著錄作「胡靖崇禎癸酉記錄」)二種未見傳本，不獲其全(今知美國國會圖書館藏有「郭錄」、夏威夷大學琉球研究所藏有胡撰「杜天使冊封琉球眞記奇觀」，後者是否爲「志略」所稱「記錄」？待考)；本書所集清代文獻，遺漏亦不在少(詳後)：均有待繼續搜求。

本書收錄，亦以「使錄」爲主。按清代冊封琉球凡八使：康熙元年，遣張學禮、王垓封尚質；二十二年，遣汪楫、林麟焻封尚貞；五十八年，遣海寶、徐葆光封尚敬；乾隆二十二年，遣全魁、周煌封尚穆；嘉慶四年，遣趙文楷、李鼎元封尚溫；十二年，遣齊鯤、費錫章封尚灝；道光十九年，遣林鴻章、高人鑑封尚育；同治五年，遣趙新、于光甲封尚泰。每使或由正使、或由副使，例有撰述；惟體例不一，已非明代「使錄」型式。茲列舉所收十二種文獻，並略作說明：

(一)張學禮撰「使琉球記」，爲「使錄」之一種。此在周煌「志略」簡稱「張錄」。

(二)張學禮撰「中山紀略」，爲前一種「使錄」之附屬篇。以上(一)(二)二種，據「小方壺齋輿地叢鈔」本；並以「說鈴」本參校，補其原序。

(三)王士禎撰「琉球入太學始末」，作於康熙三十年代，時當汪、林使琉以後。據廣文書局「史料叢編」影印本，惜來源未詳。

(四)徐葆光撰「中山傳信錄」，亦爲「使錄」之一種。所撰條目紛繁，頗爲詳備；然類多不相統系，稍嫌凌雜。此錄據「小方壺齋輿地叢鈔」本。

(五)趙文楷撰「槎上存稿」，爲偕同副使李鼎元使琉所作的詩稿。副使另有撰述，目見後一種。至稿中自京赴閩陸行部分，已量予删節。此稿據「太湖趙氏家集叢刻」本。

(六)李鼎元撰「使琉球記」，亦爲「使錄」之一種。以日記體裁，詳記出使始末。

(七)黃景福撰「中山見聞辨異」，似出於嘉慶十二年所遣冊使齊、費等從客之筆。蓋文中嘗引有「李錄」(按卽李撰「使琉球記」)云云，時在趙、李使琉之後。旣以「見聞」辨異，在文中又一則曰「冊使費公詩註」云云，再則曰「今以冊使費公『六月炎天放紙鳶』之句證之益信」云云，與於齊、費出使之役，應無疑問。

（八）錢撰「琉球實錄」，原脫作者之名；文末有「同治甲子（三年），英與日本搆釁，將議取琉球爲駐兵計」句，撰作時間當在後此不久。

（九）姚文棟譯「琉球說略」，出處未明（似爲日文中譯）。

（一〇）中根淑撰「琉球形勢略」，作者日人。以上二文，對於琉球地理今昔的異同，多所折合。察其撰作時間，約在同治年間。

（一一）王韜撰「琉球朝貢考」。

（一二）王韜撰「琉球向歸日本辨」。以上二文，均作於同治甲戌（十三年）日兵侵臺之後。當年日兵侵臺事件，日人藉口琉球難民漂臺被牡丹社人殺害所引起，儼然以琉球宗主國自居；王氏援據史實，闢之甚悉。以上（六）至（一二）七種，據「小方壺齊輿地叢鈔」本。

至於已見前述的周煌撰「琉球國志略」，亦爲「使錄」之一種；係以「志體擬錄」（引「志略」「凡例」語），凡十六卷。此書將另刊單行本，列爲「文叢」第二九三種。考清代八使琉球，除上文所見諸錄以外，在全、周以前，著錄於「志略」「採用書目」

者，尚有汪楫撰「使琉球雜錄」、「中山沿革志」（另有「冊封疏抄」）等（詩集猶不在內）；趙、李以後，齊、費時已有「續琉球國志略」之作（作者未悉），至趙新又再續之。此外，在本書黃撰「中山見聞辨異」中並引有前教習潘相「見聞錄」；未悉潘氏究爲何許人？亦未知何時所作。要之，清代有關琉球「使錄」等文獻尚多，自非已盡於此。

末了，尚附一言：另有嘉慶中沈復（三白）「浮生六記」足本所見「中山記歷」一篇，疑係後人剿襲附會之作，並無參考價值。「沈文」云以趙文楷（字介山）從客身分，記隨使琉球見聞；而按其語句，幾均出自「李錄」。其中斷章截句，前後不相呼應，所在多有；此處限於篇幅，不擬歷數。茲僅舉證一事：封舟回國，於嘉慶五年十月二十九日在溫州南、北杞山洋面遇「賊船」襲擊後，「北風大至，浪飛過船」（引原文）；「李錄」續記云：『余倦極思臥，……遂解衣熟睡，付之不見不聞』。次日，「李錄」云：『夢中聞舟人譁曰：「到官塘矣」！驚起。介山、從客皆一夜不眠，語余曰：「險至此，服汝能睡；設葬魚腹，亦爲糊塗鬼矣」！余曰：「險奈何」？介山曰：「……每側，則篷皆臥水。一浪蓋船，則船身入水，惟聞瀑布聲垂流不息。其不覆者，幸耳」！余曰：「脫覆，君等能免之乎？余樂拾得一覺，又忘其險，幸矣」！介山乃大笑』。而

「沈文」於「浪飛過船」下卽云：『夢中聞舟人譁曰：「到官塘矣」！驚起。從客（此已非沈氏口氣）皆一夜不眠，語余曰：「險至此，汝尙能睡耶」？余問其狀；曰：「每側，則篷皆臥水。一浪蓋船，則船身入水，惟聞瀑布聲垂流不息。其不覆者，幸耶」！余笑應之曰：「設覆，君等能免乎？余入黑甜鄉，未曾目擊其險，豈非幸乎」』！彼此所記——除「沈文」略避介山以外，如出一轍。試想：凡屬記述身歷其境的動態文字，能有此巧合嗎？「沈文」顯爲剿襲之作。但沈擅於文，決不爲此。考「中山記歷」與同書「養生記道」篇同爲「六記」原缺而據稱係屬後來發現之文，自爲後人附會之作。而況近人已有指出「養生記道」篇與曾國藩文雷同，亦疑後人僞作（見五十九年十二月十一、十二兩日「中央日報副刊」江文進「浮生六記的一些問題」）；以彼例此，亦足爲一證。玆有以「該文係沈作抑爲後人依李記改寫」（？）爲言，因不憚辭費，連帶附及之。

本書所收，以徐撰「中山傳信錄」及李撰「使琉球記」篇幅較多。編校已定，又獲見兩錄原刻本；「徐錄」刊於康熙六十年、「李錄」刊於嘉慶七年，各分六卷。「小方壺齋輿地叢鈔」本係「彙鈔」刊印，比校之下，發見除各略去卷次外，文字亦有所删節。「李錄」所删較少，大都均屬自京赴閩所經若干地理典故（亦卽一些考釋文字），無損「使錄」價値；惟其後略去自琉返國前（嘉慶五年十月十六日）所引「汪錄」有關海上往返鍼路一節，仍有補囘必要。關於這一段文字，現已重新加入；餘可不必再計。惟「徐錄」原刻有圖、有表，「叢鈔」本刪節殊多；如今後情形許可，當另重刊單行本，還其本來面目。幅員又記。

琉球國志略弁言

吳幅員

本書撰輯者周煌，字景垣，號海山；清四川涪州人。乾隆二十一年，嘗以編修充冊封琉球副使，同正使侍講全魁往封琉球中山王尚穆；自六月初二日由閩航海啓行，至次年二月十六日返國。前此歷遣冊封使臣，幾均撰有「使錄」；周氏則以「志體擬錄」，輯此「琉球國志略」一書進呈。明、清兩代有關琉球「使錄」，「文叢」已刊有第二八七種「使琉球錄三種」及第二九二種「清代琉球紀錄集輯」兩種；惜所遺尚多，未能全收。本書廣徵諸錄，在乾隆中葉以前者殆全採及，差可稍補前此的缺失。

原書並無序跋，首列進書奏本。據所奏除進呈本書外，並附有地圖二幅與「御恩紀事韻語」二冊，但均未見。此外，卷首「圖繪」中原有「球陽八景圖」，因少史料價値，已予删略（其目爲「泉崎夜月」、「臨海潮聲」、「粂村竹籬」、「龍洞松濤」、「筍崖夕照」、「長虹秋霽」、「城嶽靈泉」、「中島蕉園」）。

考乾隆以後，並有兩種「續志略」之輯。同治中，冊使趙新撰「續琉球國志略」二卷、首一卷，卽爲其一（關於清代歷遣冊封琉球使臣，詳見「清代琉球紀錄集輯」「弁言」）。據「趙志」若干「按語」，知嘉慶十四年以前事，已具見前「續志略」；「趙志」則爲續志其以後至同治五年間者。至前「續志略」究爲何人所撰，並無一言及之。茲將「趙志」並刊於本書之後，用補清代中葉以後部分史料。又按其中「風俗」一目「按語」：『前「續志」所載「國俗」，有昔有、今無者，悉爲更正，入「辨誤」條中』。又「人物」一目下云：『其或以著作名者，亦祇古近體詩；例歸「藝文」，茲不複載』。所謂「辨誤」條、「藝文」目，俱缺而不見。蓋「趙志」爲其後人所刊（見書後「識語」），或稿已遺佚不全矣。

校後記

「臺灣文獻叢刋」已刋出近三百種，筆者不敏，自始卽分任其中一部分編校工作。同時，由於多所接觸，也曾寫過一些「弁言」與「後記」。這些「弁言」與「後記」（專指拙作而言），今日重讀一過，深感已往誠多「孤陋」的地方。例如「賜姓始末弁言」中所引張蒼水的幾首詩，不從第一手的本集（彼時猶未獲見本集，後來纔有第一四二種「張蒼水詩文集」的刋印）逕取，卻據連雅堂「臺灣詩乘」轉引；現在想起，實覺自己的「孤陋」可笑。至於校對，縱已盡力爲之；但每至出書，往往偶一檢閱，卻又發見錯誤。卽就各書的「弁言」與「後記」言，現在集印一書，經重加校勘，已有所改正；不過「校書如掃落葉」，一面卽掃除原來的「落葉」，一面恐又見新的「落葉」發生。貽誤他人，罪過之至！

其次，借此機會，一記有關「文叢」的二、三事。

（一）「文叢」對於淸代道、咸、同三朝「籌辦夷務始末」曾選輯兩書，一爲第三八種「同治甲戌日兵侵臺始末」，一卽第二〇三種「籌辦夷務始末選輯」。前書選輯在先，專以同治十三年（甲戌）日兵入侵牡丹社事件爲範圍；後書選輯較晚，乃以三朝有關臺灣史事爲重心。兩書在時間上並無衝突，後先銜接。不過「同治甲戌日兵侵臺始末」曾觸及同治六、七年間美、英兵船曾到臺灣事，夏卓如先生因在「弁言」上有云：『按美國兵船曾於同治六年攻打臺灣「番社」，……見於「同治朝籌辦夷務始末」第四九～五〇卷，我們已經把這些資料抄出來附在前書（按指第四六種「臺灣番事物產與商務」）之後了。又按英國兵船曾於同治七年在臺灣違約鬧事，亦見於「夷務始末」第六二～六三卷；我們也擬將這件事的資料，編入「臺案彙錄乙集」』（當時尚無再作後一「選輯」計劃，故有此打算）。可是後來編印的第一七三種「臺案彙錄乙集」專輯康、雍、乾、嘉、道五朝關於臺灣文武官員任免、陞調與獎懲的重要資料，未嘗編入同治七年英船在臺鬧事的資料；而上述資料，卻由後輯「籌辦夷務選輯」所收納。因加說明，作一交代。又，上述有關美國兵船攻打「番社」資料收作「臺灣番事商務與物產」的附錄，自有其需要；但在「籌辦夷務始末選輯」中，卻亦不可或缺。當時祇是爲了「避免重複」，未予收錄。回憶此書進行排校時（民國五十三年七、八月間），筆者適在病中；病後體力未復，雖嘗擬補入這些資料以求完整，終因一著手工作，目眩神搖，被迫作罷。至今思之，深悔此失！

（二）「文叢」第二八三種「重修臺郡各建築圖說」有圖三十九幅、圖說四十幅，由於原藏失次，編輯時曾下一番尋繹工夫，始將「圖」與「說」十九配置完成（惟有其中圖二、圖六、圖一一、圖三七確何所屬以及「鼎建鹽課大館記」是否有圖，存疑待考。詳見「弁言」）。去年臺灣光復節國立歷史博物館舉辦「中原文化與臺灣歷史文物展覽」，這套「圖說」原本亦參加展出；筆者曾往參觀，發見其中「重建臺郡橋梁圖說」與「重修塭岸橋圖說」所配兩圖，彼此倒置（即圖二五與圖二六互誤）。其餘除「存疑」的幾幅以外，完全與「文叢」所編相合。上述展出兩幅「圖」與「說」配置的錯誤，自當有據，請申其說：試將展出中配置於「塭岸橋圖說」的橋梁圖（圖二五）與配置於「重建臺灣郡城圖說」（請注意：此非「重建臺郡橋梁圖說」）的府城圖（圖一）兩相對照，不但兩圖中橋梁位置相同；且府城以內唯一註明橋名的枋橋，兩圖亦合。這圖所繪的橋梁，則為府城以內的橋梁無疑。所謂塭岸，考「塭岸橋圖說」，為在郡北去城十餘里的坑仔底；「地多魚塭，故名塭岸」。這幅所繪府城以內的橋梁圖並非塭岸橋圖，自極明顯。再說所謂臺郡橋梁，當指府城以內的橋梁而言；因為府城附郭即為首邑，城外則為臺灣縣境地，非臺郡直轄。由此，可知這幅應屬「重建臺郡橋梁圖說」的橋梁圖，配置於「重修塭岸橋圖說」下，實屬錯誤。反之，試看展出中誤配於「重建臺郡橋梁圖說」的橋梁圖（圖二六），不但圖中「大小橋凡十四座」與「重修塭岸橋圖說」所述吻合，而且圖中田埂歷歷、農夫耕作與「圖說」所云『……而農田亦得其利』之說相符，左下方兩坵魚塭中猶有游魚點點可數呢！由此，可知這幅橋梁圖纔是直正的「塭岸橋圖」。為免傳訛，特為糾正。又，刊本「圖說」「弁言」第六面第一行中「邑」字為「郡」字之誤；即原句應為「郡城隍廟乎？鹽課大館乎？未始無此可能」。此字出入很大，現在本書雖已訂正，仍須附此一提。

（三）「文叢」中有一種原由黃典權先生提供並整理的第二八二種「石匱書後集」，筆者對於作者生平及其時代背景發生興趣，曾撰有「後記」（副題為「略考明代遺民張岱及其所著石匱書」）一篇；可是由於稍事搜求，稿成而書已迫不及待而付印，未嘗刊出。今彙印「文叢」序（弁言）、跋（後記），自亦不能列刊未見「文叢」的「後記」。待另行發表，就正讀者。

（四）筆者前曾寫過一篇關於「文叢」的報導，在本書周憲文先生序文中已予提及。這是在「二十年來之臺灣銀行經濟研究室出版刊物」總題下分寫的一篇，題為「臺灣文獻叢刊」，凡九萬餘言；前有周先生「序言」，正文除首冠「述例」、末附「餘語」數千字以外，絕大部分為「提要」（自第一種至第二三一種；內第二三〇種當時尚在排印中，未列入）；如逕稱這篇文字為「臺灣文獻叢刊提要」，亦未始不可。全文初刊於

「臺灣銀行季刊」十八卷一期「本刊出版二十週年特輯」，嗣又重刊於「臺灣研究叢刊」第九六種「二十年來之臺灣銀行研究室」一書中。後來坊間編行的「書目季刊」二卷四期至三卷四期所載「臺灣文獻叢刊簡介」（一～四），即由此文節取（惟第二三一種誤作第二三〇種。以後各種，該刊續有自撰「簡介」）。在此略加補充說明，俾供查考。

吳幅員於臺北。

中華史地叢書
臺灣文獻叢刊序跋彙錄

1912

作　　者／周憲文　編
主　　編／劉郁君
美術編輯／中華書局編輯部

出 版 者／中華書局
發 行 人／張敏君
行銷經理／王新君
地　　址／11494 臺北市內湖區舊宗路二段181巷8號5樓
客服專線／02-8797-8396　　傳　　真／02-8797-8909
網　　址／www.chunghwabook.com.tw
匯款帳號／兆豐國際商業銀行　東內湖分行
067-09-036932　中華書局股份有限公司

法律顧問／安侯法律事務所
印刷公司／維中科技有限公司　海瑞印刷品有限公司
出版日期／2015年3月再版
版本備註／據1971年11月初版復刻重製
定　　價／NTD 1,019

國家圖書館出版品預行編目（CIP）資料

臺灣文獻叢刊序跋彙錄 / 周憲文著. — 再版.
— 臺北市 : 臺灣中華, 2015.03
面 ; 公分. — (中華史地叢書)
ISBN 978-957-43-2433-0(平裝)

1.專題書目 2.臺灣史

016.733　　104006833

NO.G0038
ISBN 978-957-43-2433-0（平裝）